D0481043

Nora Roberts est le plus grand auteur de littérature féminine contemporaine. Ses romans ont reçu de nombreuses récompenses et sont régulièrement classés parmi les meilleures ventes du *New York Times*. Des personnages forts, des intrigues originales, une plume vive et légère... Nora Roberts explore à merveille le champ des passions humaines et ravit le cœur de plus de quatre cents millions de lectrices à travers le monde. Du thriller psychologique à la romance, en passant par le roman fantastique, ses livres renouvellent chaque fois des histoires où, toujours, se mêlent suspense et émotions.

# Le cercle brisé

# Du même auteur aux Éditions J'ai lu

# NORA ROBERTS

## Le cercle brisé

Traduit de l'anglais (États-Unis)
par Katia Novet

*Titre original*
PUBLIC SECRETS

*Éditeur original*
Bantam Books, une division de Bantam Doubleday Dell
Publishing Group, Inc.

© Nora Roberts, 1990

*Pour la traduction française*
© Harlequin S.A., 2004

*Pour la présente édition*
© Éditions J'ai lu, 2014

*À mon père, qui fut mon premier héros.*

# Prologue

La jeune femme écrasa la pédale de frein et les pneus crissèrent dans le virage. La radio hurlait un air de rock endiablé et elle ravala un éclat de rire proche de l'hystérie. « Écoutez le grand souffle du passé », avait déclaré le disc-jockey, au moment de laisser exploser les accords du vieux tube. Il ne croyait pas si bien dire. La jeune femme songea que c'était son passé à elle qui gueulait dans les haut-parleurs de la voiture.

Elle bifurqua dans le parking du département de police, coupa le contact et se jeta dehors, frissonnante malgré la chaleur de cette fin de soirée. Un peu plus tôt, il avait plu et un voile de brume montait du pavé encore mouillé. Elle se mit à courir, jetant des regards affolés de tous côtés.

L'obscurité. Elle avait presque oublié que l'obscurité celait des choses affreuses.

Elle poussa une lourde porte et fut aveuglée par les lumières fluorescentes. Elle courait toujours, trop terrifiée pour s'arrêter. Il fallait à tout prix que quelqu'un l'écoute. N'importe qui.

Son cœur cognant dans sa poitrine, elle traversa un couloir. Des téléphones sonnaient ; des voix s'élevaient, posant des questions, protestant ou se plaignant. Un homme poussa une bordée de jurons. Et,

9

tout à coup, elle vit une porte vitrée, avec des lettres peintes en noir : Homicide. Ravalant un sanglot, elle pénétra dans le bureau.

Un homme était renversé dans un fauteuil, les pieds posés sur une main courante usée, un combiné de téléphone coincé entre l'oreille et l'épaule. Il portait un gobelet de plastique à ses lèvres.

— Je vous en prie, aidez-moi ! s'écria-t-elle en se laissant tomber sur la chaise en face de lui. Quelqu'un cherche à me tuer !

# 1

*Londres, 1967*

Emma avait presque trois ans, lorsqu'elle rencontra son père pour la première fois. Elle savait à quoi il ressemblait, car sa mère avait tapissé les murs décrépis de leur appartement avec toutes les photos qu'elle découpait méticuleusement dans les journaux et les magazines. Jane Palmer avait l'habitude de la promener d'un cliché à l'autre en lui racontant sa glorieuse histoire d'amour avec Brian McAvoy, chanteur et vedette du fameux groupe de rock, Devastation. Plus Jane buvait, et plus cet amour devenait idyllique.

Du haut de ses trois ans, Emma ne comprenait pas tout. Elle savait que l'homme des photos était important ; il s'était même produit devant la reine, avec son groupe. Elle avait appris à reconnaître sa voix, quand il passait à la radio ou que sa mère lui faisait écouter un de ses 45 tours sur le tourne-disque. Emma aimait bien ses accents un peu rauques et, surtout, cette intonation légère qui, elle l'apprendrait plus tard, lui venait de ses origines irlandaises.

Dans le voisinage, les commérages allaient bon train, au sujet de la pauvre petite du dernier étage, forcée de vivre avec une mère dont le tempérament violent était aussi connu que son penchant pour le gin. Parfois, les ménagères entendaient les jurons de Jane, suivis aussitôt des sanglots d'Emma. On

11

échangeait des regards d'une fenêtre à l'autre, les lèvres pincées, sans cesser d'étendre son linge. Ah ! Jane Palmer ne méritait pas d'avoir une enfant aussi mignonne ! Puis, chacun s'en retournait à ses occupations. À cette époque-là, personne, dans ce quartier sordide de Londres, n'aurait songé à rapporter de tels abus aux autorités.

Emma, de son côté, ne comprenait pas l'alcoolisme ou l'instabilité émotionnelle. Pourtant, en dépit de son jeune âge, elle devinait déjà les changements d'humeur de sa mère. Parfois, elles riaient ensemble et sa maman la câlinait. Puis, sans motif apparent, l'ambiance dans l'appartement virait à l'orage. Dans ces cas-là, Emma prenait son petit chien en peluche contre elle (il s'appelait Charlie), et courait se glisser dans sa cachette, sous l'évier. Là, à l'abri, dans le noir et l'humidité, elle attendait que sa mère se calme. Quand elle avait couru assez vite, car il arrivait qu'elle ne rejoigne pas son refuge à temps.

— Cesse de gigoter, Emma !

Jane enfonça la brosse dans les cheveux blond pâle de sa fille, se retenant, les dents serrées, de la frapper pour qu'elle se tienne tranquille. Aujourd'hui, elle ne devait pas perdre son sang-froid.

— Je veux que tu sois vraiment très jolie. Toi aussi, tu le veux, non ?

Emma se moquait bien d'être jolie. D'abord, cette nouvelle robe rose la grattait partout. Et puis, sa mère lui faisait mal, à la coiffer aussi durement. Elle continua à se trémousser sur le tabouret, tandis que Jane essayait d'attacher ses boucles folles avec un ruban.

— Je t'ai dit de te tenir tranquille.

Emma poussa un cri aigu. Jane venait de lui planter les ongles dans le cou.

— Qui pourrait bien aimer une petite fille sale et méchante ?

12

Jane prit une profonde inspiration avant de lâcher prise. Elle ne voulait pas laisser de marques sur la peau de l'enfant. Elle l'aimait, vraiment. Et puis, cela ferait très mauvais effet, si Brian venait à les remarquer.

Elle fit descendre sa fille du tabouret et la considéra un instant de la tête aux pieds. Oui, elle était drôlement mignonne. Une vraie princesse.

— Tiens, regarde-toi dans le miroir, dit-elle dans un élan de douceur. N'est-ce pas que tu es jolie tout plein ?

Emma étudia son reflet d'un air boudeur.

— Ça gratte, dit-elle en zézayant légèrement.

— Une femme doit souffrir si elle veut que les hommes la trouvent belle, déclara Jane.

Son propre corset noir lui mordait impitoyablement la chair.

— Pourquoi ?

— Parce que ça fait partie de notre travail.

Jane pivota devant la glace. La robe bleu roi épousait ses courbes généreuses, mettant sa gorge en valeur. Brian avait toujours aimé ses seins, se dit-elle avec un petit frisson. Ah, Brian ! Aucun homme ne l'avait jamais égalé. Sous des dehors froids et cyniques, il dissimulait une sorte de rage, une avidité sauvage qui se libéraient dans l'amour. Elle était bien placée pour le savoir ; ils étaient amants depuis plus de dix ans. Oh, avec quelques passages à vide. Des querelles sans importance...

Elle sourit en imaginant le moment où Brian lui ôterait sa robe ; il la dévorerait des yeux, tandis que ses doigts de musicien dégraferaient le corset affriolant. Ils avaient passé de bons moments ensemble. Il y en aurait d'autres...

Jane fronça les sourcils et étudia son reflet de plus près, dans le miroir. Elle avait teint ses cheveux afin d'obtenir le même blond que celui de sa fille. Ses dernières économies y étaient passées. Mais quelle importance ? À partir de ce jour, elle n'aurait plus jamais de problèmes d'argent.

Ses lèvres étaient peintes avec soin. Rose pâle. Le même rose que Jane Asher, le mannequin, sur la couverture du dernier *Vogue*. Nerveuse, Jane prit son eye-liner et rajouta un trait noir au coin de ses yeux.

Emma la contemplait, fascinée. Aujourd'hui, sa maman sentait le parfum, pas le gin. Timidement, l'enfant avança la main pour saisir le tube de rouge à lèvres, sur la coiffeuse. Sa menotte fut balayée brutalement.

— On ne touche pas !

Jane lui donna une autre tape, pour lui apprendre.

— Combien de fois je t'ai dit de ne jamais toucher à mes affaires !

Emma hocha la tête, le regard tout embué de larmes.

— Et ne commence pas à pleurer. C'est la première fois qu'il te voit. Tu veux vraiment avoir les yeux rouges et gonflés ? D'ailleurs, il devrait déjà être là.

La voix de Jane avait pris une intonation un peu métallique et l'enfant battit prudemment en retraite.

— S'il n'arrive pas très vite…

Jane laissa sa phrase en suspens, envisageant diverses possibilités sans cesser d'examiner son reflet dans la glace.

Elle avait toujours été plantureuse. Ce n'était pas de la graisse, oh, non. Soit, la robe la serrait un peu, mais de manière suggestive. Ses rondeurs étaient sensuelles et peu lui importait que la mode célébrât les squelettes ambulants. Au moment d'éteindre les lumières, les hommes préféraient les femmes aux courbes généreuses. Elle vivait de ses charmes depuis suffisamment longtemps pour pouvoir en parler.

Elle ne songea pas un instant que ce blond artificiel ne lui allait pas ; elle ne vit pas que ses cheveux ainsi raidis faisaient ressortir les contours un peu épais de son visage. Elle voulait être à la mode ; sa grande obsession, depuis toujours.

— Il n'a pas dû me croire, reprit-elle. Il n'a pas voulu. Les hommes ne veulent jamais d'enfants.

Jane haussa les épaules. Son propre père l'avait toujours ignorée, jusqu'à ce que son corps commence à se développer.

— Rappelle-toi ce que je te dis, Emma.

Elle considéra sa fille d'un air entendu.

— Les hommes ne s'intéressent pas aux bébés. Ils ne veulent les femmes que pour une seule chose et tu découvriras bien assez tôt de quoi il s'agit. Quand ils ont fini, ils s'en vont, et tu restes seule avec ton gros ventre et ton cœur brisé.

Se levant brusquement, elle alluma une cigarette et se mit à marcher de long en large, en tirant de petites bouffées. Si seulement c'était de l'herbe ; ça l'aurait détendue un peu. Mais elle avait dépensé trop d'argent pour acheter cette nouvelle robe à Emma. Une mère se devait de faire un tel sacrifice...

— Il ne voudra peut-être pas de toi, reprit-elle, mais il n'aura qu'à te regarder pour savoir que tu es sa fille.

Elle s'arrêta un instant et ressentit comme un petit pincement au cœur, un sentiment presque maternel. La petite ressemblait à un ange du ciel, ainsi décrassée et débarbouillée.

— C'est fou ce que tu lui ressembles, Emma chérie. Tu sais, les journaux disent qu'il va épouser cette garce de Beverly Wilson. Mademoiselle a plein de fric et tout autant de bonnes manières. Mais qui vivra verra. Il va revenir avec moi. J'ai toujours su qu'il me reviendrait.

Elle écrasa sa cigarette dans un cendrier ébréché. Elle avait besoin de boire un verre. Un seul, pour se calmer.

— Assieds-toi sur le lit, ordonna-t-elle. Assieds-toi et ne bouge pas. Si tu touches à une seule de mes affaires, tu auras de mes nouvelles.

Elle eut le temps d'avaler deux rasades de gin pur avant qu'on frappe à la porte. Son cœur se mit à battre. Comme la plupart des alcooliques, elle se sentait plus séduisante, plus sûre d'elle, quand elle avait bu un peu. Elle passa une main dans ses cheveux, plaqua sur son visage un sourire qu'elle pensait ravageur, et s'en fut accueillir son visiteur.

Dieu, qu'il était beau. L'espace d'un instant, elle ne vit que lui, grand et mince, dans le halo doré du soleil estival. Ses cheveux blonds bouclaient dans le cou, et ses lèvres pleines au tracé sérieux lui donnaient un air de poète ou d'apôtre. Elle sentit son cœur se gonfler de tout l'amour dont elle était capable.

— Brian, comme c'est gentil de venir me voir.

C'est alors qu'elle aperçut les deux hommes derrière lui. Son sourire disparut.

— Tiens donc, tu ne te déplaces plus sans gardes du corps ?

Brian n'était pas d'humeur. Il bouillait de rage contenue. Il s'était fait piéger par son manager et sa fiancée, qui l'avaient forcé à revoir Jane. Mais il avait bien l'intention d'expédier cette affaire aussi vite que possible. Déjà, l'odeur qui flottait dans l'air lui donnait des haut-le-cœur. C'était ce mélange horrible de gin, de sueur et de graillon ; ça lui rappelait sa propre enfance.

— Tu te souviens de Johnno, dit-il en entrant dans l'appartement.

— Bien sûr.

Jane salua brièvement le grand type dégingandé qui suivait Brian ; le joueur de basse du groupe Devastation. Il arborait un diamant au lobe de l'oreille droite et une épaisse barbe noire.

— On a gravi quelques échelons dans la société, pas vrai, Johnno ?

Celui-ci embrassa l'appartement du regard.

— C'est vrai pour certains.

— Et voici Pete Page, notre imprésario, reprit Brian.

La trentaine distinguée, Pete sourit, révélant deux rangées de dents blanches, et tendit une main manucurée.

— Mademoiselle Palmer.

— J'ai entendu parler de vous, dit Jane en offrant le bout de ses doigts, comme pour un baisemain. Vous avez transformé nos gars en stars.

— J'ai ouvert quelques portes.

— Comme vous dites ! Un concert pour la reine, des apparitions à la télé, un nouvel album qui bat tous les records et une tournée en Amérique. C'est très impressionnant.

Elle regarda de nouveau Brian, se laissa attendrir par ses cheveux longs, son visage doux et grave. Des deux côtés de l'Atlantique, des posters le représentant décoraient les murs des chambres d'adolescentes. Depuis la sortie de leur deuxième disque, *Complete Devastation*, le groupe caracolait en tête de tous les hit-parades.

— Alors, tu as obtenu ce que tu as toujours désiré.

— En effet, rétorqua-t-il sèchement.

— Certains d'entre nous récoltent plus qu'ils n'ont demandé.

Elle rejeta ses cheveux sur ses épaules et sourit. Elle n'avait que vingt-quatre ans – un an de plus que Brian –, mais se jugeait beaucoup plus maligne.

— Je vous aurais bien invités à prendre le thé, mais je n'attendais pas tout ce monde.

— Nous ne sommes pas venus prendre le thé, répliqua Brian en enfonçant les mains dans les poches de son jean. Écoute-moi bien, Jane. Je n'ai pas appelé la police. En souvenir du passé. Mais si tu continues à téléphoner et à envoyer des lettres de menaces et de chantage, je te promets que je le ferai.

Jane plissa ses paupières alourdies par le maquillage.

— Si tu veux m'envoyer les poulets, ne te gêne surtout pas, mon ami. Nous verrons comment tes petites fans et leurs bourgeois de parents réagiront en apprenant que tu m'as mise enceinte et abandonnée avec ta fille, pour aller te vautrer dans le luxe et la vie facile. Qu'en pensez-vous, monsieur Page ? Ce serait du meilleur effet, à la une des journaux. Croyez-vous que la reine voudra encore assister aux concerts de vos protégés, après ça ?

Ce dernier arbora un air poli et conciliateur. Il avait passé des heures à tourner le problème dans tous les sens et à se demander comment sortir son poulain de cette situation délicate. Il savait, à présent, qu'il avait perdu son temps. Ici, il n'y avait qu'une réponse : l'argent.

— Mademoiselle Palmer, déclara-t-il posément, je suis sûr que vous ne tenez pas à jeter les détails de votre vie privée en pâture à la presse. Je ne pense pas non plus que vous puissiez parler de désertion dans le cas qui nous occupe.

— Dis donc, Brian. C'est qui celui-là ? Ton imprésario ou ton avocat ?

— Tu n'étais pas enceinte, quand je t'ai quittée.

— Je ne savais pas que j'étais enceinte ! cria-t-elle en s'agrippant au gilet de cuir de son ancien amant. Je ne m'en suis aperçue que deux mois plus tard. Tu étais déjà parti et je ne savais pas où te trouver.

Brian essaya de se dégager, mais elle s'accrocha de plus belle.

— J'aurais pu m'en débarrasser. Je connaissais des gens qui pouvaient m'arranger ça ; mais j'ai eu peur. Tellement peur que j'ai préféré encore le garder.

— Alors elle a eu un gosse, dit Johnno en s'installant sur le bras d'un fauteuil.

Il tira une Gauloise et l'alluma à l'aide d'un briquet en or.

— Ça ne signifie pas que c'est le tien, Brian, ajouta-t-il.

— C'est sa fille, pauvre pédale !

Impassible, Johnno tira une bouffée de sa cigarette et la lui souffla au visage.

— Et tu es quoi, toi ? Une lady ?

— Allons, Johnno, n'envenime pas les choses, intervint Pete. Mademoiselle Palmer, nous sommes venus pour essayer de régler cette affaire dans le calme.

— Je m'en doute bien, que vous voulez régler ça dans le calme, persifla-t-elle, avant de se tourner de nouveau vers le père de sa fille. Tu sais très bien que je n'étais avec personne, à l'époque, Brian.

Elle se colla contre lui.

— Tu te rappelles cette soirée de Noël ? Notre dernier Noël ensemble. On avait pris de la cocaïne et on était un peu dingues. On ne s'est pas protégés. Emma aura trois ans en septembre.

Brian poussa un soupir.

— Soit, tu as eu un bébé et tu penses qu'il est de moi. Pourquoi as-tu attendu tout ce temps pour m'en parler ?

— Je ne savais pas où tu étais, au début.

Jane s'humecta les lèvres. Si seulement elle avait eu le temps de boire un autre verre. Évidemment, elle n'avait pas intérêt à admettre qu'elle s'était tout d'abord complu dans son personnage de martyre ; la pauvre mère célibataire, abandonnée et seule. Et puis, il y avait toujours quelques hommes pour aplanir les difficultés et payer les factures.

— J'avais pensé la confier à un organisme, tu sais, pour l'adoption. Mais quand elle est née, je n'ai pas pu. Elle te ressemblait tellement. Si je l'abandonnais, tu risquais de découvrir la vérité tôt ou tard, et de me le reprocher. J'avais peur que tu ne me donnes pas une autre chance.

Elle se mit à pleurer, versant de grosses larmes qui brouillèrent son maquillage. Son chagrin était d'autant plus écœurant qu'il était sincère.

— J'ai toujours su que tu reviendrais, Brian. J'ai commencé à entendre tes chansons à la radio, à voir des posters de toi dans les magasins de disques. Tu étais lancé. J'ai toujours su que tu réussirais, mais, Seigneur, je ne pensais pas que ce serait à ce point. J'ai commencé à me dire...

— Oh oui, ça a dû gamberger dur, dans ta petite tête, marmonna Johnno.

Jane pinça les lèvres.

— J'ai commencé à me dire que tu aimerais être au courant, au sujet de la gosse. Je suis retournée dans ton ancien appartement, mais tu avais déménagé et personne n'a pu me donner ta nouvelle adresse. Je pensais à toi tous les jours, je te le jure. Regarde.

Elle désigna les photos, sur chaque pan de mur.

— Je découpais tout ce que je trouvais sur toi dans les journaux et les magazines. J'ai tout gardé.

— Mon Dieu, murmura Brian.

— J'ai appelé ta maison de disques. J'y suis même allée, mais ils m'ont jetée dehors comme une malpropre. J'ai eu beau leur répéter que j'étais la mère de la fille de Brian McAvoy, ils ne m'ont pas écoutée.

Elle se garda bien d'ajouter qu'elle était ivre morte, ce jour-là, et qu'elle avait attaqué le réceptionniste.

— Et puis, j'ai commencé à lire ces articles sur toi et Beverly Wilson, et j'ai cru devenir folle. Je savais bien qu'elle ne pouvait pas compter, pour toi. Pas après ce que nous avons vécu ensemble. Mais il fallait que je te parle, d'une manière ou d'une autre.

— Alors tu t'es mise à appeler Beverly et à lui raconter des horreurs.

— C'était le seul moyen de me faire entendre. Tu ne sais pas à quoi ressemble ma vie, Brian. Chaque mois, je me demande comment je vais payer le loyer, et même si je vais avoir de quoi nourrir ma fille. Je ne peux plus m'acheter de jolies robes ni sortir, le soir.

— C'est de l'argent que tu veux ?

Elle hésita, une seconde de trop.

— C'est toi que je veux, Brian.

Johnno écrasa sa cigarette dans un cendrier.

— Moi, je trouve qu'on parle beaucoup de cette gosse, mais qu'on ne la voit pas beaucoup.

Il se leva.

— On se casse ?

Jane le fusilla du regard.

— Emma est dans la chambre. Et je vous interdis de vous y précipiter tous. Cette affaire ne regarde que Brian et moi.

Johnno eut un sourire sardonique.

— C'est dans les chambres à coucher que tu as toujours donné le meilleur de toi-même, pas vrai, poupée ?

— Ne jette pas d'huile sur le feu, Johnno, intervint Brian. La situation est déjà assez compliquée.

Il se tourna vers Jane.

— Bon, allons voir la gosse.

— Pas eux.

Elle jeta un regard chargé de haine en direction de Johnno. Celui-ci haussa simplement les épaules, avant d'allumer une autre cigarette.

— Très bien, dit Brian. Ils attendront ici.

Mais la chambre était vide.

— Jane, je suis en train de perdre patience.

— Elle se cache. C'est normal, vous lui avez fait peur. Emma ! Viens voir maman tout de suite.

Elle se mit à genoux pour regarder sous le lit, ouvrit la porte du placard...

— Brian, lança la voix de Johnno depuis la porte de la cuisine. Il y a là quelque chose qui devrait t'intéresser.

Quand ils l'eurent rejoint, il leva un verre sous le nez de Jane.

— Tu ne vois pas d'inconvénient à ce que je me serve à boire ? La bouteille était ouverte.

Puis il pointa un doigt vers l'évier.

— Regarde là-dessous, Brian.

Ce dernier entra dans la cuisine. L'odeur de pourriture y était encore plus forte que dans le reste de l'appartement, et ses chaussures accrochèrent au linoléum usé, tandis qu'il marchait vers le placard de l'évier. Là, il s'accroupit et ouvrit la porte.

Il ne la vit pas clairement, tout d'abord. Elle était recroquevillée tout au fond, des cheveux blonds dans les yeux, serrant une petite chose noire dans ses bras. Le cœur retourné, Brian força un sourire sur ses lèvres.

— Coucou.

Emma enfouit son visage dans la boule de fourrure noire qu'elle tenait contre elle.

— Espèce de sale môme, s'écria Jane. Je t'apprendrai à jouer à cache-cache avec moi.

Elle fit mine de se pencher pour attraper l'enfant, mais un seul regard de Brian l'en dissuada. Celui-ci tendit la main et sourit de nouveau.

— Je ne crois pas que je pourrai te rejoindre là-dedans. Je suis trop gros. Tu ne voudrais pas sortir un petit instant ?

Il la vit risquer un coup d'œil à travers ses bras croisés.

— Personne ne te fera de mal.

Emma eut un petit rire. Elle se dit qu'il avait une bien jolie voix. Douce et grave comme une musique. Il lui souriait. La lumière qui entrait par la fenêtre nimbait d'or ses cheveux mi-longs. Comme un ange. Emma se glissa hors de sa cachette.

Sa nouvelle robe était toute tachée et ses boucles pâles collées par l'humidité ; c'était à cause de la fuite sous l'évier. Elle sourit timidement et une fossette se creusa au coin de sa petite bouche. Brian avait la même. Le même regard bleu pervenche, aussi.

— Je l'avais bien habillée, se lamenta Jane, que la proximité de la bouteille de gin mettait sur les nerfs.

Je lui avais dit de ne pas se salir. Pas vrai, Emma ? Je vais la débarbouiller.

Elle prit le bras de sa fille, si fort que l'enfant sursauta.

— Laisse-la tranquille.

— Je voulais juste...

— Je te dis de la laisser tranquille, répéta Brian.

S'il n'avait pas continué à regarder l'enfant fixement dans les yeux, celle-ci se serait encore réfugiée dans le placard. Sa fille.

— Bonjour, Emma, dit-il avec douceur. Qu'est-ce que tu tiens dans tes bras ?

— Charlie, mon chien-chien.

Elle lui tendit la peluche pour qu'il l'examine.

— Il est beau, dis donc.

Brian éprouvait le besoin de la toucher, mais il se retint.

— Sais-tu qui je suis ?

Emma hocha la tête. Trop jeune pour refouler ses impulsions, elle tendit la main et caressa la joue de Brian.

— Beau.

Johnno éclata de rire, avant d'avaler une gorgée de gin.

— Ah, les femmes ! À tous les âges, elles savent comment s'y prendre.

Brian ignora son ami, effleura les cheveux de l'enfant.

— Toi aussi, tu es jolie.

Son cœur chavirait. Ses genoux étaient devenus comme de la guimauve. Il parlait à l'enfant, de n'importe quoi, pourvu qu'elle rît. Et la fossette traçait son pli distinctif sur la petite joue rebondie. Il aurait pu nier l'évidence, mais c'était impossible. Qu'il l'ait voulu ou non, il était responsable de cette petite vie. Il acceptait. Mais que faire ?

Il se redressa.

— Bon, il est temps d'aller répéter.

— Tu t'en vas ?

Jane se jeta devant lui pour l'empêcher de passer.

— Juste comme ça ? Il suffit de la regarder pour savoir qu'elle est de toi.

— Je sais très bien ce que je vois.

Brian sentit son cœur se serrer, en voyant Emma reculer lentement vers le placard.

— J'ai besoin de temps pour réfléchir.

— Non ! Tu vas encore t'en aller, comme d'habitude ! Tu ne penses qu'à toi ; à ta fichue carrière. Mais je ne me laisserai pas faire. Tu ne te débarrasseras pas de moi, cette fois-ci !

Brian l'avait écartée de son chemin et se dirigeait vers la porte. Tout à coup, Jane prit Emma dans ses bras et se rua vers lui.

— Si tu pars, je me tuerai.

Il marqua une pause, juste le temps d'un regard. Il connaissait ce refrain. Elle le lui avait récité assez souvent.

— Il y a longtemps que ce procédé ne marche plus, Jane.

— Et elle !

Désespérée, elle laissa la menace planer entre eux, resserrant son bras autour de l'enfant, au point que celle-ci se mit à hurler.

Brian fut pris d'une bouffée de panique, tandis que les cris de la petite fille – sa fille – semblaient rebondir sur les murs.

— Lâche-la. Tu lui fais mal.

— Qu'est-ce que ça peut te faire ? hurla Jane, entre deux sanglots hystériques. Tu t'en vas.

— Non, je ne m'en vais pas. J'ai juste besoin d'un peu de temps pour réfléchir.

— Tu veux du temps pour permettre à ton imprésario d'inventer une histoire, c'est tout !

Elle luttait, à deux bras maintenant, pour immobiliser l'enfant qui se débattait comme un diable.

— Tu vas faire ce que je te dis, Brian.

— Lâche-la.

— Je la tuerai.

Elle avait parlé presque calmement, cette fois.

— Je lui trancherai la gorge, je le jure. Elle d'abord, moi ensuite. Pourras-tu continuer à vivre avec ça, Brian ?

— Elle bluffe, marmonna Johnno, qui n'en menait pas large lui-même.

— Je n'ai rien à perdre, reprit Jane. Crois-tu que je tienne à cette galère ? À élever toute seule une bâtarde, avec les voisins qui bavardent dans mon dos ? À vivre cloîtrée, sans sortir ni m'amuser ? Penses-y, Brian. Pense aux gros titres dans les journaux. Je leur dirai tout avant de nous tuer, toutes les deux.

— Mademoiselle Palmer, intervint Pete. Je vous donne ma parole d'honneur que nous ferons notre possible pour parvenir à un arrangement qui satisfasse tout le monde.

— Laisse Johnno emmener Emma dans la cuisine, renchérit Brian en avançant d'un pas. Nous allons discuter.

— Je veux juste que tu reviennes.

— Je ne pars pas encore. Nous allons parler.

Il fit signe à Johnno de prendre l'enfant.

— Viens t'asseoir, Jane.

Un peu à contrecœur, Johnno extirpa la petite des griffes de sa mère et la porta dans la cuisine. Comme Emma pleurait toujours, il l'installa sur ses genoux.

— Allez, ma jolie, n'aie pas peur. Johnno ne permettra pas qu'on te fasse du mal.

Il la berça doucement, tout en se demandant ce que sa propre mère aurait fait pour le calmer.

— Tu veux un gâteau ?

Reniflant et hoquetant, elle hocha la tête. Même sous ses larmes et la poussière ramassée sous l'évier, il fallait admettre qu'elle était bien mignonne, cette petite. Et une vraie McAvoy, se dit-il avec un soupir.

— Sais-tu où ils sont ? On pourrait en chiper quelques-uns.

Elle sourit, et pointa un index potelé vers l'un des placards de la cuisine.

Une demi-heure plus tard, ils avaient englouti toute la boîte. Brian les observa un instant, alors que Johnno épuisait son répertoire de grimaces pour faire rire l'enfant. Quand tout allait mal, on pouvait toujours compter sur Johnno.

Finalement, Brian les rejoignit et posa la main sur la tête de sa fille.

— Emma, que dirais-tu d'aller te promener dans ma voiture ?

Elle leva les yeux.

— Avec Johnno ?

— Bien sûr, avec Johnno.

— Encore une qui m'aime, commenta ce dernier avec un soupir comique.

— J'aimerais que tu restes avec moi, Emma. Dans ma nouvelle maison.

— Br... commença Johnno.

Du regard, Brian lui imposa le silence.

— C'est une très jolie maison et tu aurais une chambre pour toi toute seule.

— Je suis obligée ?

— Emma, je suis ton papa, et j'aimerais beaucoup que tu habites avec moi. Tu pourrais essayer, et si tu n'es pas heureuse, nous trouverons une autre solution.

Emma le considéra un instant en faisant la moue. Elle connaissait bien son visage pour l'avoir tant vu sur les photos ; même si, en vrai, elle le trouvait différent. Surtout, elle aimait bien sa voix. Quand elle l'entendait, elle se sentait en sécurité.

— Est-ce que maman va venir ?

— Non.

Les yeux de l'enfant se remplirent de larmes. Elle prit son chien en peluche et le serra contre elle.

— Et Charlie ?

— Bien sûr.

Brian la prit dans ses bras.

— J'espère que tu sais ce que tu fais, mon vieux, dit Johnno.

— Moi aussi, je l'espère.

# 2

Emma eut sa première vision de la grande maison de pierre depuis le siège avant de la Jaguar argentée. Elle était un peu triste que Johnno soit parti – il était rigolo avec sa grosse barbe noire –, mais le monsieur des photos lui permettait de toucher aux boutons sur le tableau de bord. Il ne souriait plus, mais il ne la grondait pas. Et puis, il sentait bon. La voiture aussi sentait bon. L'enfant enfonça le museau de son chien en peluche dans le revêtement de cuir des sièges et babilla dans une langue connue d'elle seule.

La demeure lui paraissait gigantesque, avec ses fenêtres en forme d'arches et ses petites tourelles. Tout autour, la pelouse était vert vif, et un parfum de fleurs flottait dans l'air. Emma fit des bonds en riant d'excitation.

— Château.

Le monsieur sourit.

— C'est ce que je pensais, aussi. Quand j'étais petit, je voulais habiter dans une maison comme ça. Mon papa, ton grand-père, était jardinier, ici.

« Quand il ne cuvait pas son vin », songea Brian, pour lui-même.

— Il est où ?

— Ton grand-père ? En Irlande.

Dans un petit cottage que Brian lui avait acheté, l'année précédente, avec de l'argent emprunté à Pete.

28

Il arrêta la voiture devant le perron de l'entrée, soudain conscient des nombreux coups de téléphone qu'il devrait passer, avant que la presse ne s'empare de la nouvelle. Puis, se tournant vers l'enfant, il la prit dans ses bras, stupéfait de constater avec quel naturel elle se blottissait contre lui.

— Tu feras sa connaissance, un jour, poursuivit-il. Ainsi que celle de tes tantes, oncles et cousins. Tu as une famille, maintenant, Emma.

En pénétrant dans le vaste hall d'entrée, il entendit la voix claire de Beverly, avec son débit rapide.

— J'aime bien ce bleu. Je ne peux pas vivre avec toutes ces fleurs qui poussent sur les murs. Et ces tentures devront également disparaître. On se croirait dans une cave. Je veux de la lumière ; du blanc, du bleu.

Brian s'arrêta dans l'encadrement de la porte du salon et trouva la jeune femme assise en tailleur à même le sol, des catalogues d'échantillons éparpillés tout autour d'elle. Le papier peint avait déjà été en partie arraché des murs, et les travaux de replâtrage étaient en cours de finition. Beverly aimait attaquer le travail sous des angles divers.

Elle paraissait si petite, au milieu de tout ce fatras. Ses cheveux noirs coupés au carré, à la Louise Brooks, étaient rehaussés par des anneaux d'argent qui brillaient à ses oreilles. Ses yeux avaient quelque chose d'exotique, tant par leur forme que par leur couleur : entre ses longs cils, des paillettes d'or égayaient ses iris verts. Son visage ovale avait gardé le hâle de leur dernier week-end aux Bahamas et Brian revoyait son corps dur et mince, allongé sur le sable ; il pouvait même en sentir la douceur sous ses doigts.

À la voir ainsi vêtue d'un pantalon étroit et d'une sage chemise blanche, nul n'aurait pu deviner qu'elle était enceinte de deux mois.

Brian la contempla un instant, sa fille installée à cheval sur sa hanche droite. Il se demandait comment Beverly allait réagir.

— Bev.

— Brian, je ne t'avais pas entendu.

Elle se tourna, ébauchant un geste pour se lever, puis elle s'arrêta net, le visage envahi d'une pâleur subite. Elle regardait fixement l'enfant nichée dans les bras de Brian. Mais, se ressaisissant bien vite, elle congédia les deux décorateurs qui se querellaient au sujet des échantillons.

— J'ai besoin de discuter encore de tout cela avec Brian, dit-elle. Je vous appellerai d'ici à la fin de la semaine.

Elle les raccompagna jusqu'à la sortie, referma la porte et, respirant profondément, revint vers Brian, une main posée à plat sur son ventre.

— Voici Emma, dit ce dernier.

Beverly eut un sourire forcé.

— Bonjour, Emma.

— 'Jour.

Intimidée, la petite enfouit son visage dans le cou de Brian.

— Emma, veux-tu aller regarder la télévision, pendant un moment ? reprit-il sur un ton désespérément enjoué. Il y en a une immense, dans la pièce à côté. Toi et Charlie pouvez vous installer sur le sofa.

— J'ai envie de faire pipi, chuchota-t-elle.

— Oh...

Beverly regarda son amant. Il avait l'air si déconcerté qu'elle aurait sans doute éclaté de rire, si elle n'avait eu autant envie de pleurer.

— Je vais l'emmener, proposa-t-elle.

Mais Emma s'accrocha plus fort au cou de Brian.

— On dirait que je suis désigné.

Il porta l'enfant jusqu'aux toilettes, de l'autre côté du hall d'entrée, et jeta un regard impuissant vers Beverly, avant de fermer la porte.

— Tu, hmm...

Déjà, Emma avait baissé sa culotte et s'installait sur la cuvette des W.-C.

— Je ne fais plus pipi comme les bébés, déclara-t-elle. Maman dit que seules les petites filles idiotes et méchantes se salissent.

— Et toi, tu es grande, assura Brian en étouffant le flot de rage qui montait en lui. Tu es jolie et en plus, intelligente.

Quand elle eut terminé, Emma se rhabilla maladroitement.

— Tu peux regarder la télé avec moi ?

— Dans un petit moment. D'abord, je dois parler avec Bev. Elle est très gentille, tu sais, ajouta-t-il en soulevant l'enfant devant le lavabo Elle habite avec moi, aussi.

Emma joua un instant avec l'eau du robinet.

— Est-ce qu'elle tape ?

— Non.

Brian la serra très fort contre lui.

— Personne ne te tapera plus jamais. C'est promis.

Le cœur chaviré, il la porta dans une pièce uniquement meublée d'un sofa et d'une console géante de télévision. Il alluma le poste et choisit une chaîne qui programmait une comédie.

— Je vais revenir très vite, affirma-t-il.

Emma le regarda sortir et parut soulagée de voir qu'il laissait la porte ouverte.

Quand Brian regagna le salon, Beverly avait repris sa place sur le tapis et triturait des échantillons.

— Ainsi, Jane ne mentait pas, dit-elle.

— Non. C'est ma fille.

— Je le vois bien, Brian, murmura-t-elle en faisant un effort manifeste pour ne pas pleurer. Elle te ressemble tellement que c'en est effrayant.

— Oh, Bev.

Il s'approcha pour la prendre dans ses bras.

— Non, je t'en prie, dit-elle. J'ai besoin de quelques minutes pour me remettre du choc.

— Pour moi aussi, c'était un choc.

Il alluma une cigarette et en tira une longue bouffée.

— Tu sais pourquoi j'ai rompu avec Jane. Elle était instable. J'avais l'impression, parfois, qu'elle aurait pu me dévorer.

Brian se mit à faire les cent pas devant Beverly.

— Elle est la première fille avec laquelle j'ai couché. J'avais à peine treize ans. Mon père buvait comme un trou et piquait des colères noires, avant de tomber raide. Alors j'avais pris l'habitude de me cacher dans la cave de notre appartement. Un jour, Jane était là, comme si elle m'attendait. Avant que je comprenne ce qui m'arrivait, elle était sur moi.

— Tu n'es pas forcé de me raconter tout ça, Brian.

— Je tiens à ce que tu saches.

Il tira de nouveau sur sa cigarette.

— On avait beaucoup de points communs tous les deux. Chez elle aussi, ça se disputait sans arrêt. Il n'y avait jamais assez d'argent. Et puis, quand j'ai commencé à m'intéresser à la musique, j'ai passé moins de temps avec elle. Elle est devenue complètement hystérique. Elle me menaçait, elle parlait de se suicider. Mais j'ai tenu bon et on s'est perdus de vue, jusqu'à ce que les gars et moi ayons formé le groupe. C'était l'époque où on peinait comme des fous. On jouait dans des bouges infâmes, gagnant à peine de quoi survivre. J'ai craqué. Sans doute parce qu'elle était comme un point d'ancrage, quelqu'un de familier, qui me connaissait bien. Peut-être aussi parce que j'étais un crétin.

Beverly renifla un peu.

— Tu es toujours un crétin, dit-elle avec un petit rire noyé.

— Ouais, je sais. En tout cas, je n'ai pas tardé à m'en mordre les doigts. On est restés ensemble presque un an. Vers la fin, elle perdait complètement les pédales. Elle essayait de semer la zizanie dans le groupe, elle interrompait les répétitions, faisait des scènes à n'en plus finir. Un soir, elle s'est même jetée sur une fille dans le public, sous prétexte que je la regardais. Après, elle pleurait, elle me suppliait de lui pardonner. Au bout d'un moment, il était devenu plus facile de lui dire : « D'accord, c'est oublié. » Quand je l'ai quittée, elle a recommencé à me menacer de se suicider. On venait de rencontrer Pete et on avait fait toute une série de concerts improvisés, en France et en Allemagne. Il était sur le point de décrocher notre premier contrat pour l'enregistrement d'un disque. Peu après, on quittait Londres, et je l'effaçais de ma mémoire. Je ne savais pas qu'elle était enceinte, Bev. Je n'avais même pas pensé à elle, ces trois dernières années. Si je pouvais revenir en arrière...

Il s'interrompit, pensant à l'enfant dans la pièce voisine, avec sa fossette et ses yeux pervenche.

— Je ne sais pas ce que je ferais, conclut-il avec un soupir.

Beverly entoura de ses bras ses genoux repliés. Elle était une jeune femme sensée, issue d'une famille stable et heureuse, pour qui la pauvreté et la souffrance n'étaient que des notions un peu vagues ; même si ce que Brian lui en avait dit était, justement, ce qui l'avait attirée vers lui.

— Ce qui nous intéresse, en l'occurrence, c'est ce que tu vas faire maintenant.

— C'est déjà fait.

— Quoi donc ?

— J'ai pris Emma. C'est ma fille. Elle va vivre avec moi.

— Je vois.

Elle marqua une pause.

— Tu ne crois pas que nous aurions pu en parler ensemble ? Aux dernières nouvelles, nous devions nous marier dans quelques jours.

— Et rien n'est changé.

Il s'accroupit devant elle et la secoua par les épaules, soudain paniqué à l'idée qu'elle aussi, comme tant d'autres, allait se détourner de lui.

— Je voulais t'en parler, Bev. Mais c'était impossible. Je suis entré dans cet appartement dégoûtant, qui puait, et Jane s'est comportée exactement comme par le passé, alternant les cris et les supplications. Je n'avais qu'une idée : sortir de là aussi vite que possible. Quand j'ai voulu voir la gosse, elle avait disparu. Elle se cachait.

Il se redressa, frottant son visage dans ses mains.

— Seigneur, Beverly, je l'ai trouvée sous l'évier, tremblante comme un animal effrayé.

— Mon Dieu, murmura Bev.

— Jane allait la battre. Elle était sur le point de tabasser cette pauvre petite fille morte de peur. Quand je l'ai vue... Bev, regarde-moi. S'il te plaît. En la voyant, comme ça, c'est moi que j'ai revu. Tu comprends ?

— Je le voudrais.

La jeune femme secoua la tête, luttant toujours contre les larmes.

— Non, je ne veux pas comprendre. Je désire que les choses redeviennent ce qu'elles étaient, ce matin, quand tu es parti.

— Tu penses que j'aurais dû l'abandonner ?

— Non... Si.

Elle pressa ses deux paumes contre ses tempes.

— Je ne sais pas. On aurait dû en parler. On aurait peut-être trouvé un arrangement.

Brian s'agenouilla devant la jeune femme et lui prit les mains entre les siennes.

— C'est ce que je voulais faire : rouler un peu, réfléchir, et rentrer à la maison pour tout te raconter. Et puis, Jane a crié qu'elle se suiciderait. Elle encore, j'aurais pu l'ignorer. Mais elle a dit qu'elle tuerait aussi Emma.

— Non. Elle n'y pensait pas sérieusement.

— À ce moment-là, si. J'ignore si elle aurait été capable de mettre sa menace à exécution, mais je ne pouvais pas prendre le risque d'abandonner Emma. Je ne lui aurais même pas laissé l'enfant d'un autre, Beverly.

— Non, bien sûr, murmura cette dernière, accablée par ce qu'elle venait d'entendre. Comment as-tu fait pour la prendre à Jane ?

— Elle a accepté, répondit-il brièvement. Pete s'occupe de la procédure légale.

— Brian, insista la jeune femme en le regardant droit dans les yeux. À quel prix ?

— J'ai signé un chèque de cent mille livres sterling et promis de lui verser une rente de vingt-cinq mille livres par an, jusqu'aux vingt et un ans d'Emma.

— Brian, tu as acheté cette enfant ?

— On n'achète pas ce qui est déjà vôtre.

Il secoua la tête, comme pour chasser le goût amer qui lui restait de cette transaction.

— C'était le seul moyen pour que Jane nous laisse tranquilles, tous les trois.

Il caressa le ventre de Beverly.

— Tous les quatre. Écoute-moi : la presse va s'emparer de cette affaire et ce ne sera pas joli. Je te demande d'affronter la tempête avec moi. Il va y avoir beaucoup de remous ; puis ça passera. Je souhaiterais aussi que tu donnes une chance à Emma.

Beverly eut un petit haussement d'épaules fataliste.

— Où veux-tu que j'aille ?

— Bev...

Elle le regarda d'un air perplexe. Bien sûr, elle se tiendrait à son côté, dans cette épreuve, mais elle avait encore besoin d'un peu de temps.

— Tu ne crois pas qu'il est imprudent de laisser une petite fille de trois ans toute seule aussi longtemps ? demanda-t-elle simplement.

Brian se releva.

— Tu as raison. Je vais voir ce qu'elle fait.

— Allons-y ensemble.

Emma était encore sur le sofa, les bras enroulés autour de Charlie. Elle dormait, sans que le bruit de la télévision parût la gêner. Des larmes avaient creusé deux sillons sur ses joues. Devant ce spectacle, Beverly sentit son cœur chavirer.

— Il ne nous reste plus qu'à demander aux décorateurs de s'occuper d'une des chambres, en haut.

Emma était allongée dans le lit, entre des draps propres et doux, et elle gardait les paupières étroitement closes. Elle savait que si elle les ouvrait, il ferait noir, et dans le noir, des choses affreuses se cachaient.

Elle tenait son poing fermé autour du cou de Charlie et tendait l'oreille. Il arrivait aussi que les choses produisent des sons, comme des sifflements déchirant l'air. Pour le moment, elles étaient silencieuses, mais elles attendaient, à l'affût, qu'Emma ouvre les yeux. C'était sûr. Elles étaient là.

L'enfant laissa échapper un gémissement, avant de se mordre la lèvre. Maman se fâchait toujours, quand elle pleurait, la nuit. Maman viendrait et la secouerait très fort ; elle lui dirait qu'elle était stupide, un vrai bébé. Et pendant qu'elle était là, les choses se glisseraient sous le lit ou dans les coins de la chambre.

Emma enfouit son petit visage dans la fourrure de Charlie, respirant son odeur familière et un peu viciée.

Elle se rappelait qu'elle était dans un endroit différent ; dans la maison du monsieur qui était sur les photos, et l'espace d'un instant, sa terreur d'enfant se mua en curiosité. Il lui avait dit qu'elle pouvait l'appeler papa. C'était un drôle de nom. Les paupières toujours scellées, Emma s'essaya à prononcer ce mot, murmurant les deux syllabes dans l'obscurité, comme une litanie.

Pour dîner, ils avaient mangé du poisson pané et des frites dans la cuisine, avec la dame aux cheveux noirs. Il y avait de la musique et la dame n'avait pas l'air très heureuse, même quand elle souriait. Emma se demandait si elle attendrait d'être seule avec elle pour la frapper.

Le gentil monsieur papa lui avait donné son bain. Il faisait une drôle de tête, mais il ne pinçait pas et il ne lui avait pas mis de savon dans les yeux. Il lui avait posé des questions, au sujet des bleus qui couvraient son corps et elle lui avait répété, mot pour mot, les paroles que maman lui avait apprises : elle était maladroite ; elle tombait tout le temps.

Emma avait alors surpris une lueur étrange, dans les yeux du monsieur, mais il ne l'avait pas giflée. Il lui avait donné un tee-shirt rigolo, qui lui arrivait jusqu'aux orteils.

La dame était venue aussi, quand il l'avait couchée. Elle s'était assise au bord du lit et elle avait souri, pendant qu'il lui racontait une histoire de princesse dans un château.

Mais à son réveil, ils étaient partis. Et la chambre était toute noire. Elle avait peur. Peur que les choses ne viennent la chercher pour la mordre, avec leurs grandes dents. Peur que sa maman n'arrive et la frappe, parce qu'elle n'était pas à la maison, dans son propre lit.

Et ça, c'était quoi ? Elle était sûre d'avoir entendu un chuchotement, dans un coin. Respirant à peine, l'enfant ouvrit un œil. Les ombres bougèrent au-dessus d'elle. Elles allaient l'attraper. Étouffant ses sanglots contre Charlie, Emma essaya de se faire toute petite ; si petite que les choses affreuses et sifflantes qui se cachaient dans le noir ne la verraient pas. Sa maman les avait sûrement envoyées pour la punir d'avoir suivi le monsieur des photos.

La terreur continua de monter en elle et l'enfant se mit à trembler, à transpirer. Soudain, un hurlement strident s'échappa de ses petits poumons, tandis qu'elle se jetait hors du lit et trébuchait dans le couloir.

Il y eut un grand bruit, comme si un objet venait de se briser.

Tombée au sol, Emma serrait son chien en peluche contre elle, s'attendant au pire. Puis, les lumières s'allumèrent, et elle cligna des yeux. Des voix résonnèrent et, se pressant contre le mur, elle se tint immobile, pétrifiée, le regard fixé sur les morceaux du vase en faïence qu'elle venait de briser.

Ils allaient la battre, la renvoyer, l'enfermer dans un placard sombre où elle serait dévorée.

— Emma ?

Tout étourdi de sommeil et ressentant encore les effets du joint qu'il avait fumé, avant de faire l'amour avec Bev, Brian marcha vers l'enfant. Celle-ci se recroquevilla sur elle-même ; maintenant les coups allaient pleuvoir.

— Ça va ? demanda-t-il.

— Elles l'ont cassé, dit-elle, espérant ainsi échapper à la punition.

— Qui ça, elles ?

— Les choses dans le noir. Maman les a envoyées pour me prendre.

— Oh, Emma.

Il la serra dans ses bras.

— Brian, qu'est-ce qui...

Beverly apparut à son tour, nouant encore la ceinture de son peignoir. Elle vit ce qui restait de son vase de Dresde et poussa un petit soupir, avant de les rejoindre en évitant les morceaux brisés.

— Elle s'est fait mal ?

— Je ne crois pas, non. Elle est terrifiée.

— Voyons.

Elle prit la main d'Emma. L'enfant avait le poing serré, le bras crispé, bandé comme un arc.

— Emma.

Le ton de Beverly était ferme, mais sans méchanceté. Méfiante, Emma leva la tête.

— Tu t'es fait mal ? demanda Beverly.

La petite pointa le doigt vers son genou. Quelques gouttes de sang tachaient le tee-shirt blanc et Beverly souleva l'ourlet. C'était une longue coupure ; superficielle, mais une coupure tout de même... N'importe quel enfant aurait hurlé, après une chute pareille. Cependant, cette petite blessure n'était peut-être rien pour Emma, comparée aux hématomes que Brian avait trouvés partout sur son corps, quand il lui avait donné son bain. Obéissant à un réflexe, plus qu'à un quelconque instinct maternel, Bev se pencha et déposa un baiser sur la coupure. Lorsqu'elle releva la tête, le petit visage stupéfait de l'enfant, avec sa bouche bée et ses yeux écarquillés, balaya ses dernières réserves. Son cœur vola vers l'enfant.

— C'est bon, ma puce, on va s'occuper de toi.

Elle souleva Emma dans ses bras et l'embrassa dans le cou.

— Il y a des choses dans le noir, chuchota Emma.

— Ton papa va les chasser ; pas vrai, Brian ?

Toujours accroupi au sol, Brian regardait la femme qu'il aimait serrer sa fille contre elle. Il luttait contre les larmes, son âme d'Irlandais toute chavirée.

— Bien sûr, répondit-il en se raclant la gorge. Je vais les couper en morceaux et les jeter dehors.

— Quand tu auras terminé, n'oublie pas de balayer tout ça, lui dit Bev.

Cette première nuit de sa nouvelle vie, Emma la passa blottie contre sa famille, dans un grand lit de cuivre.

# 3

Emma était assise sur la banquette qui bordait la grande fenêtre en demi-cercle du salon. Depuis neuf jours, déjà, elle passait des heures à scruter, par la fenêtre à meneaux et au-delà du jardin limité par des digitales pourpres et des buissons d'ancolies, l'allée de gravier et la grille de fer forgé. Elle attendait.

Ses hématomes s'estompaient, mais elle ne l'avait guère remarqué. Personne ne l'avait frappée. Pas encore en tout cas. Chaque jour, elle prenait le thé, et les nombreux amis qui allaient et venaient librement, dans la grande maison, lui offraient des bonbons ou des poupées de porcelaine. Tout cela paraissait très étrange à la petite fille. On lui faisait prendre son bain, chaque soir, même quand elle ne s'était pas salie, et elle avait toujours des vêtements propres. Dans sa chambre, une lampe dispensait une lueur rosée toute la nuit et les murs étaient couverts de boutons d'or. Les monstres ne venaient presque plus jamais, et pourtant, l'enfant ne doutait pas une seconde que sa mère reviendrait bientôt la chercher. Alors, elle demeurait sur ses gardes, refusant de s'habituer à cette nouvelle vie.

Beverly l'avait emmenée faire des courses dans les grands magasins et lui avait acheté toutes sortes de vêtements. Emma avait une préférence pour la robe d'organdi rose à volants. Le jour où son papa et Beverly s'étaient mariés, elle l'avait portée et se sentait jolie comme une princesse, avec ses petites chaussures noires vernies et son collant blanc. Personne ne l'avait grondée, quand elle s'était salie aux genoux.

Le mariage avait paru très solennel à l'enfant. Tout le monde se tenait debout, dans le jardin, et le soleil un peu blafard essayait, en vain, de chasser les nuages. Quelqu'un du nom de Stevie avait chanté de sa voix rocailleuse, en s'accompagnant d'une guitare. Il était entièrement vêtu de blanc, sa longue chemise aussi bien que son pantalon large. Emma pensait qu'il était un ange, mais lorsqu'elle avait demandé à Johnno si elle avait vu juste, il avait ri.

Beverly portait une couronne de fleurs sur les cheveux et une robe multicolore dont l'étoffe fluide lui caressait les chevilles. Aux yeux d'Emma, elle était la plus jolie femme du monde, et, pour la première fois de sa vie, elle avait connu l'envie ; si seulement elle pouvait grandir d'un seul coup, être aussi belle et se tenir ainsi près de son papa. Plus jamais elle n'aurait peur. Et, comme les petites filles des contes de fées que Brian aimait à lui raconter, elle vivrait heureuse jusqu'à la fin des temps.

Quand la pluie avait commencé à tomber, on s'était réfugié à l'intérieur de la maison. Il y avait des gâteaux et le champagne coulait à flots. Les guitares avaient continué à jouer, tandis que les invités chantaient et riaient de bon cœur. Des femmes superbes se promenaient dans la maison, vêtues de jupes très courtes ou de longues robes de coton. Certaines lui roucoulaient des compliments, d'autres lui tapotaient la tête, mais de façon générale, on l'avait laissée seule.

Personne n'avait remarqué qu'elle avait dévoré trois grosses parts de gâteau et taché le col de sa nouvelle robe. Il n'y avait pas d'autre enfant avec qui jouer et Emma était trop jeune pour être impressionnée par les noms et les visages de toutes les vedettes présentes.

Elle finit par s'ennuyer ferme. Elle avait un peu mal au cœur d'avoir englouti toutes ces sucreries et, sans rien demander à personne, elle alla se coucher, bercée par les bruits de la soirée.

Plus tard, elle s'était réveillée. Elle ne se sentait pas très bien. Aussi, prenant Charlie sous son bras, était-elle redescendue. Une très forte odeur de marijuana flottait dans l'air et l'enfant s'était figée brusquement. Comme pour le gin, le parfum doux et un peu âcre de l'herbe lui rappelait sa mère et les brutalités qu'elle avait l'habitude de lui faire subir, une fois que les effets de la drogue s'étaient estompés pour laisser place à la réalité.

Le cœur misérable, la petite s'était assise sur une marche de l'escalier, murmurant des paroles rassurantes à son chien en peluche. Sa maman était-elle là ? Si oui, elle allait la reprendre. Emma savait bien qu'elle ne porterait plus, alors, sa jolie robe rose ; elle n'entendrait plus jamais la voix de son papa et Beverly ne l'emmènerait plus dans les beaux magasins.

Elle s'était faite toute minuscule, en entendant des pas derrière elle.

— Coucou, Emma.

Brian planait, en paix avec le monde. Il s'était laissé choir à côté d'elle.

— Que fais-tu ? avait-il demandé.

— Rien.

— Quelle soirée, pas vrai ?

Prenant appui sur ses coudes, il avait souri au plafond. Jamais, même dans ses rêves les plus fous, il n'avait imaginé recevoir un jour, dans sa propre maison, des géants comme McCartney, Jagger ou Daltrey. Et le jour de son mariage. Seigneur, il venait de se marier !

Brian était assez catholique, et plus idéaliste encore, pour croire au caractère définitif de son engagement. Maintenant que les vœux étaient prononcés, c'était pour toujours. Et cette journée était la plus belle de sa vie. Peu importait que son père, trop soûl ou trop fainéant, n'ait pas pris la peine d'utiliser les billets d'avion que Brian lui avait envoyés. Sa vraie famille était ici, avec lui. Désormais, le passé n'aurait plus de prise sur lui. Seuls comptaient les lendemains. Tous ces lendemains qui l'attendaient.

— Alors, Emma ? Tu veux aller danser avec ton papa pour célébrer son mariage ?

Les épaules affaissées, la gosse avait juste secoué la tête. La fumée qui tournoyait autour d'eux tel un nuage mystique lui donnait mal à la tête.

— Tu veux du gâteau ?

Brian avait tendu la main pour tirer gentiment sur une mèche de cheveux blonds, mais l'enfant s'était recroquevillée pour l'éviter.

— Qu'est-ce qui t'arrive ? s'était-il exclamé en lui tapotant l'épaule.

Déjà mis à rude épreuve par ses excès de gourmandise, l'estomac d'Emma avait achevé de se révolter sous les effets de la terreur et, avec un hoquet, elle rendit ce qu'elle avait mangé sur les genoux de son père, avant de se serrer pitoyablement contre la rampe de l'escalier. Elle n'avait même plus la force de se défendre contre les coups qui allaient pleuvoir. Mais Brian avait simplement éclaté de rire.

— Eh bien, tu dois te sentir beaucoup mieux.

Trop euphorique pour ressentir le moindre dégoût, il s'était relevé, avant de tendre la main à sa fille.

— Allons nous laver, maintenant.

À la grande stupéfaction de la petite Emma, il n'y avait eu ni coups, ni gifles, ni pincements d'aucune sorte. Au lieu de ça, il les avait débarrassés tous deux de leurs vêtements avant de la prendre avec lui, sous la douche. Il lui avait même fredonné une chanson de marins ivres et elle avait oublié sa nausée.

Lorsqu'ils avaient été secs, enroulés dans leurs serviettes, il l'avait portée jusqu'à sa chambre et l'avait aidée à se coucher, avant de se laisser glisser sur le sol. Quelques secondes plus tard, il ronflait.

Tout doucement, Emma était sortie de son lit pour s'asseoir à côté de lui. Rassemblant tout son courage, elle avait même posé un baiser sur la joue encore humide de son papa. Elle était amoureuse pour la première fois de sa vie et, le cœur content, elle avait coincé Charlie sous le bras de Brian, avant de s'endormir ainsi, blottie contre lui.

Et puis, il était parti. Quelques jours à peine après le mariage, une grosse voiture était venue le chercher. Il l'avait embrassée en promettant de lui rapporter un cadeau. Emma n'avait su que le regarder en silence. Elle ne l'avait pas cru, quand il avait promis de revenir bientôt ; même après avoir entendu sa voix au téléphone. Beverly disait qu'il était en Amérique, où ses disques se vendaient à la vitesse de l'éclair et les filles hurlaient chaque fois qu'elles le voyaient.

Dans la maison, depuis son départ, il n'y avait presque plus de musique, et Beverly pleurait, parfois. Quant à Emma, jour après jour, elle s'installait avec Charlie, sur le banc qui bordait la fenêtre en demi-cercle, et elle regardait l'allée. Elle aimait imaginer que la grosse voiture noire revenait s'arrêter devant l'entrée ; la portière s'ouvrait et son papa en sortait. Mais les jours passaient sans qu'elle le voie arriver, et elle était de plus en plus convaincue qu'il était parti pour toujours. Il l'avait abandonnée parce qu'il ne l'aimait pas ; il ne voulait pas d'elle. Elle était un fléau et, en plus, une sacrée imbécile. Elle s'attendait à ce que Beverly s'en aille à son tour et la laisse seule, dans le grand château vide. Alors, sa maman reviendrait.

Que pouvait-il bien se passer dans l'esprit de la gosse ? se demandait Beverly.

Debout dans l'encadrement de la porte, elle regardait Emma, prostrée devant la fenêtre, dans une position désormais habituelle. La petite pouvait rester immobile pendant des heures, patiente comme une vieille femme. Il était rare de la voir jouer, si ce n'était avec l'affreux chien en peluche qu'elle trimballait partout, et plus rare encore qu'elle demandât quoi que ce soit.

Près d'un mois s'était écoulé depuis ce jour fatidique où l'enfant était entrée dans leur vie, et Beverly n'était toujours pas adaptée à la situation. Quelques semaines plus tôt, son avenir lui semblait encore tout tracé. Elle souhaitait à Brian tout le succès qu'il pouvait espérer, bien sûr. Mais plus que tout, elle voulait fonder avec lui un foyer, une famille.

Élevée dans la croyance de l'Église d'Angleterre, au sein d'une famille aisée qui prônait les vertus de morale et de responsabilité, elle n'avait jamais ressenti le besoin de se rebeller. Jusqu'à sa rencontre avec Brian.

Elle savait qu'en dépit de leur présence à son mariage, ses parents ne lui pardonneraient jamais totalement de s'être installée avec Brian avant la cérémonie nuptiale. Pas plus qu'ils ne pouvaient comprendre son choix d'épouser un musicien irlandais qui, non content de mettre en question l'autorité et l'ordre établi, écrivait des chansons les défiant ouvertement. Et pour finir, il y avait eu le scandale de l'enfant illégitime de Brian et l'acceptation de la situation par leur fille. Mais que pouvait-elle faire ? On ne pouvait pas nier l'existence de la petite.

Beverly aimait ses parents. Sans doute une part d'elle-même aspirerait-elle toujours à gagner leur approbation. Mais son amour pour Brian lui semblait bien plus fort ; tellement plus que c'en était parfois terrifiant. Et cette enfant se trouvait être la fille de

Brian. Par conséquent, les souhaits de Beverly, les projets qu'elle avait échafaudés, avant, rien ne tenait plus devant le fait qu'Emma était aussi sa fille, désormais.

D'ailleurs, on ne pouvait pas regarder Emma avec indifférence. Elle avait beau garder le silence et tout faire pour passer inaperçue, elle vous chavirait le cœur ; parce qu'elle était jolie, bien sûr, avec ce visage angélique dévoré de grands yeux bleus. Mais surtout parce qu'elle rayonnait d'innocence ; une innocence miraculeuse, quand on savait quel enfer avait été le sien, tout au long des trois premières années de sa vie. L'innocence et la résignation, songea Beverly. À cet instant, elle aurait pu entrer dans le salon, et se diriger vers Emma pour la frapper, sans que celle-ci se rebelle contre l'abus. Et cela était plus tragique encore que le dénuement dans lequel elle avait vécu.

Beverly posa une main sur son ventre, où une vie s'épanouissait. Elle ne pourrait plus jamais exaucer son vœu le plus cher, qui était de donner à Brian son premier enfant. Et pourtant, elle n'avait qu'à contempler la petite Emma pour que son ressentiment disparût. Comment pourrait-elle jamais en vouloir à quelqu'un d'aussi vulnérable ?

Malgré tout, elle se refusait à aimer. Pour adorable qu'elle fût, Emma était l'enfant d'une autre femme, la preuve d'une intimité que Brian avait partagée avec une autre. Cinq ans, dix ans plus tôt, peu importait. Tant qu'il y aurait Emma, le souvenir de Jane planerait au-dessus d'eux.

Oh, et zut, pourquoi fallait-il qu'il parte, juste au moment où tout était sens dessus dessous ? Il y avait cette gamine qui glissait dans la maison comme une ombre et tous ces ouvriers martelant murs et plafonds à longueur de journée. Sans oublier la presse. C'était aussi écœurant que Brian l'avait prévu, avec ces gros titres étalant leurs noms et celui de Jane en première page. Beverly détestait voir sa propre photo à côté de celle de Jane ; elle haïssait ces articles racoleurs, avec leurs histoires de nouvelles épouses et d'anciennes maîtresses.

Et cela durait, plus longtemps qu'elle ne l'avait craint. On pénétrait les recoins les plus intimes de sa vie pour les étaler au grand jour. Elle était Mme Brian McAvoy, maintenant ; autrement dit, propriété publique. Pour l'amour de Brian, elle s'était crue capable de tolérer toutes ces indiscrétions. Mais quand il était à des milliers de kilomètres, comme en ce moment, elle sentait sa belle sérénité l'abandonner. Comment pourrait-elle supporter toute sa vie de se voir ainsi poursuivie et photographiée, de fuir les micros et porter perruque et lunettes noires chaque fois qu'elle voulait accomplir des actions aussi banales que l'achat d'une paire de chaussures ? Elle se demandait si Brian comprendrait jamais l'humiliation qu'elle ressentait à voir ainsi sa grossesse étalée dans les tabloïds que des milliers d'inconnus liraient le matin, en buvant leur thé.

Elle ne pouvait pas rire des mensonges colportés, quand il n'était pas avec elle. Encore moins les ignorer. Alors elle ne sortait plus. En moins de deux semaines, la maison dont elle avait tant rêvé, avec ses chambres douillettes et ses fenêtres ensoleillées, était devenue une véritable prison. Une prison qu'elle partageait avec l'enfant de Brian.

— Emma, dit Beverly en plaquant un sourire sur ses lèvres, j'ai pensé que tu aimerais peut-être prendre ton goûter.

Il n'y avait rien que la petite fille reconnût plus facilement qu'un sourire forcé.

— Je n'ai pas faim, dit-elle en s'agrippant de plus belle à Charlie.

— Je te comprends, répondit la jeune femme. Moi non plus, je n'ai pas beaucoup d'appétit, avec tout ce bruit dans la maison.

Et tout à coup, Beverly se décida à franchir le pas. Si elles étaient coincées toutes les deux sous le même toit, autant établir le dialogue. Elle alla s'installer sur la banquette, à côté de l'enfant.

— Tu as un joli point de vue, d'ici. Je crois que je devrais planter encore quelques massifs de roses. Qu'en penses-tu ?

Emma eut un petit haussement d'épaules.

— Nous avions un jardin ravissant, quand j'étais une petite fille, poursuivit Beverly, en désespoir de cause. J'adorais m'y installer, l'été, avec un livre, et écouter le bourdonnement des guêpes. C'est drôle, la première fois que j'ai entendu la voix de Brian, je me trouvais dans le jardin.

— Il habitait avec vous ?

Cette fois, elle avait capté l'attention de l'enfant. Il suffisait de lui parler de Brian.

— Non, c'était à la radio, leur premier single : *Shadowland*.

Elle se mit à fredonner les paroles du refrain et s'interrompit, lorsque Emma enchaîna, d'une belle voix de soprano, étonnamment claire et forte.

— Oui, c'est celle-là.

Sans s'en apercevoir, Beverly avait tendu la main pour caresser les cheveux de la petite.

— J'avais l'impression qu'il la chantait juste pour moi. Toutes les filles devaient imaginer la même chose.

Emma se tut, un moment. Elle se rappelait comment sa mère la passait et la repassait, sur le tourne-disque, buvant, sanglotant, tandis que les paroles se répercutaient dans l'appartement.

— Est-ce que vous l'aimiez parce qu'il chantait cette chanson ?

— Oui. Mais après l'avoir rencontré, je l'ai aimé encore plus fort.

— Pourquoi il est parti ?

— À cause de sa musique, de son travail.

Beverly regarda Emma et surprit des larmes dans ses grands yeux bleus.

— Oh, Emma, il me manque aussi. Mais il sera de retour dans quelques semaines.

— Et s'il ne revient pas ?

C'était idiot, bien sûr, mais Beverly se réveillait parfois au milieu de la nuit, tenaillée par la même angoisse.

— Mais si, il va revenir. Un homme comme Brian a besoin que les gens écoutent sa musique et, pour cela, il doit jouer devant eux. Il s'en ira souvent, mais il reviendra toujours. Il t'aime, tu sais. Et il m'aime aussi.

Quêtant le réconfort autant qu'elle souhaitait en apporter, elle prit la main d'Emma.

— Il y a autre chose. Sais-tu comment les bébés arrivent ?

— Les hommes les fourrent dans les femmes, et après ils n'en veulent pas.

Beverly étouffa une exclamation scandalisée.

— Les hommes et les femmes qui s'aiment font des bébés ensemble, et, la plupart du temps, ils les désirent de toutes leurs forces. J'ai un bébé, juste ici.

Elle pressa la main de l'enfant sur son ventre.

— C'est le bébé de ton papa et bientôt, quand il sera né, il deviendra ton petit frère ou ta petite sœur.

Emma hésita un instant, avant de laisser glisser sa main sur l'estomac de Beverly. Elle ne voyait pas bien comment un bébé pouvait se cacher, là-dedans. Madame Perkins, la voisine, avait un ventre énorme, juste avant l'arrivée du petit Donald.

— Il est où ? demanda-t-elle.

— À l'intérieur. Il est encore tout petit ; il va grandir tranquillement pendant six mois, avant de sortir.

— Est-ce qu'il m'aimera bien ?

— Je crois, oui. Brian sera son papa, tout comme il est le tien.

Enchantée, Emma se mit à caresser le ventre de Beverly comme elle caressait Charlie, parfois.

— Je m'occuperai bien du bébé. Personne ne lui fera de mal.

— Non, personne ne lui fera de mal.

Poussant un soupir, Beverly entoura de son bras les épaules de l'enfant et la serra contre elle. Cette fois, Emma ne se déroba pas ; elle continuait de regarder le ventre de la jeune femme, fascinée.

— J'ai un peu peur d'être maman, Emma. Je pourrais peut-être m'entraîner avec toi.

Beverly se leva soudain.

— Nous commençons tout de suite. Montons dans ta chambre... Tu vas mettre ta jolie robe rose, et...

Au diable les journalistes, les curieux et les badauds !

— Nous allons prendre le thé au Ritz.


C'est ainsi que naquit, pour Emma, sa première relation avec une autre femme, qui ne fût pas basée sur la peur ou l'intimidation. Durant les jours qui suivirent, elles firent des courses chez Harrod's, se promenèrent dans Green Park et déjeunèrent au Savoy. Beverly ignorait les photographes. Et quand elle découvrit le goût de l'enfant pour les beaux tissus et les couleurs vives, elle l'encouragea avec frénésie. En l'espace de deux semaines, la petite fille, qui était arrivée avec une seule robe, celle qu'elle avait sur le dos, se retrouva l'heureuse propriétaire d'une armoire pleine de jolis vêtements.

Mais le soir, la solitude revenait les hanter, l'une et l'autre, tandis qu'elles reposaient chacune dans son lit, soupirant après le même homme.

Beverly, surtout, était à l'agonie. Elle craignait que Brian ne se lassât d'elle ou qu'il rencontrât une autre femme s'accordant mieux avec l'univers dans lequel il évoluait. Le corps de son mari lui manquait, ainsi que ses caresses. Il était si facile de croire qu'il l'aimerait toujours quand il était allongé près d'elle, dans ces moments si doux qui suivent les élans effrénés de la passion. Mais là, seule dans le grand lit de cuivre, elle ne pouvait s'empêcher de craindre qu'il succombât à la tentation de combler sa solitude avec des amours de passage.

Le ciel commençait à s'éclaircir, un matin, lorsque le téléphone sonna. Beverly tâtonna quelques instants, avant de décrocher le combiné.

— Oui, allô...

— Beverly, dit la voix de Brian sur un ton d'urgence.

Réveillée instantanément, la jeune femme se redressa dans son lit.

— Brian ? Qu'y a-t-il ? Que s'est-il passé ?

— Rien. Tout. On fait un malheur, Beverly.

Il eut un rire un peu abasourdi.

— Chaque soir, la foule s'élargit. Ils ont dû doubler la sécurité pour empêcher les filles de se jeter sur la scène. C'est complètement dingue, Beverly. Tout à l'heure, l'une d'elles a attrapé la manche de Stevie, alors qu'on se précipitait vers la limousine. Elle lui a carrément arraché sa veste. La presse nous appelle les pionniers de la deuxième vague de l'invasion britannique. Les pionniers, tu te rends compte ?

S'appuyant contre les oreillers, Beverly se força à faire preuve d'un peu d'enthousiasme.

— C'est merveilleux, Brian. On a bien vu quelques séquences à la télévision, ici, mais pas grand-chose.

— J'ai l'impression d'être un gladiateur, debout, sur la scène, au milieu des clameurs de la foule. Je ne peux pas t'expliquer ce que je ressens, dans ces moments-là. C'est inimaginable. Je crois que Pete lui-même est impressionné.

Beverly eut un sourire, en pensant au pragmatique imprésario de son mari ; pour lui, tout commençait et finissait avec les affaires.

— Dans ce cas, tu dois vraiment faire un tabac.

— Ça ouais, alors !

Il tira sur le joint qu'il avait allumé pour exacerber encore son sentiment d'euphorie.

— J'aimerais que tu sois là, tu sais.

La jeune femme entendit alors des bruits de fond : de la musique et des rires mêlés, d'hommes et de femmes.

— Moi aussi, murmura-t-elle.

— Alors, viens. Fais ton sac et prends l'avion.

— Quoi ?

— Je suis sérieux, Beverly. Tout cela serait tellement meilleur si tu étais près de moi.

De l'autre côté de la pièce, en face de Brian, une grande jeune femme brune entreprit de se déshabiller, avec une lenteur hypnotique, tandis que Stevie, le guitariste leader, ouvrait des yeux grands comme des soucoupes.

— Écoute, poursuivit Brian, je sais que nous avons discuté et décidé qu'il valait mieux que tu restes à la maison, mais on se trompait. Tu as besoin d'être ici, avec moi.

Beverly sentit des larmes lui monter aux yeux, en même temps qu'elle riait de bonheur.

— Tu veux que j'aille te retrouver en Amérique ?

— Dès que tu pourras. Tu pourrais nous retrouver à New York dans... merde, Johnno, quand serons-nous à New York ?

Vautré sur un canapé, Johnno vida le fond d'une bouteille de Jim Beam.

— Où est-ce qu'on est maintenant ? interrogea-t-il d'une voix empâtée par l'alcool.

— Peu importe, dit Brian en se frottant les yeux. Je vais demander à Pete de s'occuper des détails. Fais ta valise.

La jeune femme était déjà hors du lit.

— Et Emma ?

— Amène-la aussi. Pete se débrouillera pour lui obtenir un passeport. Quelqu'un t'appellera cet après-midi pour te donner des instructions. Seigneur, Beverly, c'est fou ce que tu me manques.

— Tu me manques aussi. Nous serons là dès que possible. Je t'aime, Brian, plus que tout au monde.

— Moi aussi, je t'aime. À bientôt.

Agité et insatisfait, Brian reprit sa bouteille de brandy à l'instant où il raccrocha. Il voulait sa femme avec lui, maintenant, pas dans un jour, ni même dans une heure. Le seul son de sa voix avait éveillé son désir ; elle paraissait timide, hésitante, comme le soir où il l'avait rencontrée, dans ce pub enfumé où il venait de se produire avec son groupe. Elle semblait un peu perdue, et pourtant, en dépit de son apparente fragilité, il y avait quelque chose de solide en elle, quelque chose de vrai. Il n'avait pu l'oublier, ni cette nuit-là, ni toutes celles qui avaient suivi.

Il porta le goulot de la bouteille de brandy à ses lèvres et but longuement. De toute évidence, la jolie brune et Stevie n'allaient pas prendre la peine de se déplacer jusqu'à la chambre voisine pour faire l'amour. Une blonde qui s'était frottée un moment à Brian, sans succès, avait attaqué Johnno sans plus de résultat. Dépitée, elle venait de se rabattre sur P. M., le batteur. À la fois amusé et envieux, Brian avala une autre rasade d'alcool. P. M. avait à peine vingt et un ans, un visage rond et des traces d'acné sur le menton. Il semblait tout à la fois excité et scandalisé, tandis que la blonde glissait lentement contre lui, avant d'enfouir le visage entre ses jambes.

Brian ferma les yeux et s'endormit.

Il rêva de Beverly et de leur première nuit d'amour. Assis en tailleur sur le sol de son propre appartement, ils avaient parlé longtemps, avec ferveur, de musique et de poésie. Yeats, Byron et Browning. Rêveurs, ils se passaient un joint. Brian ne se doutait pas qu'elle touchait à la drogue pour la première fois. Pas plus qu'il n'aurait imaginé, jusqu'au moment où il avait pénétré la jeune femme, à même le sol, au milieu des bougies coulant dans leur cire, qu'elle faisait l'amour pour la première fois.

Elle avait pleuré un peu. Mais loin de le culpabiliser, ces larmes avaient éveillé en Brian un étrange besoin de la protéger. Il était tombé amoureux, totalement, de manière un peu poétique. Cette nuit merveilleuse remontait à plus d'un an, mais il n'avait pas touché une autre femme, depuis. Chaque fois que la tentation devenait trop forte, il évoquait le visage de Beverly.

Le mariage, c'était pour elle et pour l'enfant qu'elle portait. Leur enfant. Il ne croyait pas au mariage – cet étrange contrat passé au nom de l'amour – mais il ne se sentait pas pris au piège. Pour la première fois depuis sa misérable enfance, il pouvait compter sur autre chose que la musique pour le réconforter et l'exciter.

« Je t'aime plus que tout au monde », lui avait-elle dit. Il y avait dans ces mots un don total et inconditionnel de soi dont Brian se savait incapable. Il ne pourrait jamais lui faire un tel aveu. Mais il l'aimait, et quand il aimait, il était loyal.

— Allons, mon pote, dit Johnno en le mettant debout, presque sans le réveiller. C'est l'heure du dodo.

— Beverly va venir, Johnno. Elle va nous retrouver à New York.

Riant à demi, Brian jeta un bras mollasse autour du cou de son ami.

— Tu te rends compte, on va à New York, mon vieux ? New York. Parce qu'on est les meilleurs.

— Sympa, hein ?

Avec un léger grognement, Johnno le laissa retomber sur le lit.

— Dors un bon coup, Brian. Demain, il faudra tout recommencer.

— Va réveiller Pete, marmonna Brian, comme Johnno lui ôtait ses chaussures. Passeport pour Emma. Billets d'avion. Faut que je fasse bien les choses.

— Ne t'inquiète pas.

Légèrement chancelant – il avait un peu forcé sur le Jim Beam –, Johnno consulta sa nouvelle montre suisse. Pete n'apprécierait sans doute pas d'être tiré du lit à une heure aussi tardive, mais tant pis, il allait, lui, remplir sa mission.

# 4

Pour son baptême de l'air, au-dessus de l'Atlantique, Emma eut droit au confort des places de première classe. Hélas, elle fut incapable d'apprécier ce privilège, car elle fut malade tout le long du voyage. Elle ne pouvait pas, comme Beverly le lui conseillait régulièrement, admirer les jolis nuages ou le livre d'images qu'on lui avait donné. Même vide, l'estomac de l'enfant roulait impitoyablement et c'est à peine si elle était consciente des tapotements de la main de Beverly sur la sienne ou de la voix rassurante de l'hôtesse de l'air.

Peu importait qu'elle fût vêtue d'une jolie jupe rouge avec son chemisier à fleurs, ou que Beverly lui eût promis de l'emmener tout en haut de l'Empire State Building. La nausée ne lui laissait aucun répit et la perspective de revoir son papa ne lui était plus d'aucune consolation.

Lorsqu'ils atterrirent enfin à l'aéroport Kennedy, elle était trop faible pour tenir sur ses jambes. Complètement éreintée, Beverly passa les contrôles de douane et manqua pleurer de soulagement, lorsqu'elle aperçut la silhouette élégante de Pete.

Sanglé dans un complet impeccable, l'imprésario jeta un coup d'œil au visage exsangue de l'enfant et à la jeune femme qui la portait dans ses bras.

— Le voyage a été difficile ?

Un petit rire fusa des lèvres de la jeune femme.

— Pensez-vous. Ce fut un plaisir, du début à la fin. Où est Brian ?

— Il voulait venir, mais j'ai dû m'y opposer, répondit Pete en prenant le sac de la jeune femme. Nos lascars ne peuvent plus ouvrir une fenêtre pour prendre l'air, sans provoquer des émeutes.

— Et vous adorez ça.

En souriant, il lui indiqua la sortie du terminal.

— Optimiste comme je suis, je ne m'attendais pas à un tel raz de marée, je dois l'admettre. Brian va devenir un homme très riche, Beverly. Nous allons tous être riches.

— L'argent n'est pas une des priorités de Brian.

— Peut-être pas, mais je ne vois pas comment il pourrait le repousser du pied, s'il continue à entrer à flots. Allons, une voiture nous attend.

— Et les bagages ?

— Ils seront livrés à l'hôtel.

Il s'arrêta devant une Mercedes limousine blanche aussi grande qu'un bateau et, voyant l'air déconcerté de la jeune femme, sourit de nouveau.

— Quand on est l'épouse d'un roi du rock, il faut s'attendre à voyager avec style.

Sans rien dire, Beverly s'installa sur la banquette de cuir et alluma une cigarette. À cause de la fatigue du voyage, sans doute, elle se sentait étrangement vide et déplacée. À côté d'elle, Emma dormait.

Pete ne s'arrêta pas dans le lobby du Waldorf ; il les mena directement vers un des ascenseurs, où ils s'engouffrèrent sans jeter un seul regard autour d'eux. La discrétion était de mise, songea l'imprésario, mais c'était un peu dommage tout de même. Une petite scène de panique à l'aéroport ou à l'entrée de l'hôtel, même inopportune, aurait pu faire la une des journaux, et avoir des retombées excellentes sur la vente des disques.

— Je vous ai réservé une suite avec deux chambres.

Une telle extravagance ne laissait pas de gêner son âme pratique, mais Pete la justifiait par le fait que la présence de Beverly rendrait Brian plus coopératif, et plus créatif aussi. D'ailleurs, la presse allait adorer ce tableau familial : la vedette emmenant sa famille avec lui, en tournée. S'il ne pouvait pas promouvoir l'image d'un homme célibataire et sexy, il ferait l'apologie du mari aimant et du père attentionné. Ce qui comptait, c'était le résultat.

— Nous sommes tous au même étage, poursuivit-il. Et le service de sécurité est très strict. À Washington, deux adolescentes ont réussi à s'introduire dans la chambre de Stevie en se glissant dans un chariot de femme de chambre.

— On ne s'ennuie pas, il me semble.

Pete haussa les épaules, l'air blasé.

— Nos gars ont une interview, aujourd'hui. Et le Sullivan Show, demain.

— Brian ne m'a pas dit où nous allions, ensuite.

— Philadelphie, puis Detroit, Chicago, Saint-Louis…

Beverly poussa un soupir de soulagement en voyant s'ouvrir enfin les portes de l'ascenseur. Que lui importait où ils allaient. Elle était ici. Et déjà, en dépit de son épuisement et de ses courbatures aux bras, elle sentait l'énergie de Brian flotter autour d'elle.

Pete sortit une clé de sa poche.

— Vous avez deux heures avant l'interview. C'est un nouveau magazine qui va sortir son premier numéro à la fin de cette année. *Rolling Stone*.

Elle prit la clé, heureuse qu'il eût la délicatesse de ne pas s'imposer durant le peu de temps qu'il leur avait donné pour se retrouver.

— Merci, Pete. Brian sera prêt.

À l'instant où elle ouvrait la porte, ce dernier sortit en courant de la chambre voisine et les serra, Emma et elle, contre lui.

— Dieu merci, murmura-t-il en déposant une pluie de baisers sur le visage de Beverly.

Il prit sa fille, toujours endormie, dans ses bras.

— Qu'a-t-elle ?

Beverly caressa les mèches blondes et soyeuses de la petite.

— Le vol l'a rendue affreusement malade et elle a à peine dormi dans l'avion. Tout ira mieux, une fois qu'elle sera couchée.

— OK, ne bouge pas, je m'en occupe.

Il porta Emma dans la deuxième chambre et celle-ci ne réagit que lorsqu'il la glissa entre les draps.

— Papa ?

— Oui, murmura-t-il, ému. Tu vas dormir un moment. Tout va bien.

Apparemment rassurée par le son de sa voix, elle sombra de nouveau dans un sommeil paisible.

En sortant, Brian laissa la porte entrouverte, instinctivement. Puis, il contempla Beverly. Ses yeux cernés paraissaient immenses dans son visage livide. Une bouffée d'amour le submergea, plus forte et plus urgente que tout ce qu'il avait connu jusqu'alors. Sans rien dire, il marcha vers elle, la souleva dans ses bras et la porta jusqu'à son lit.

Les mots lui manquaient, lui qui les déversait généralement par torrents. Plus tard, ils afflueraient, par pages entières, tous nés de cette heure si précieuse passée avec sa femme.

La radio était allumée, à son chevet, ainsi que la télévision au pied du lit. Il avait chassé le silence avec des voix, du bruit. Mais lorsqu'il la toucha, elle fut toute la musique dont il avait besoin.

Alors, il la déshabilla lentement, la regardant, absorbant chaque moment avec frénésie. Plus tard, il se rappellerait le frémissement de la circulation de l'autre côté de la fenêtre, le recréant sous forme de basses et d'aigus. Les petits soupirs qui échappaient à Beverly deviendraient l'accompagnement d'une mélodie. Il pouvait même entendre le chuchotement musical de ses propres mains, tandis qu'elles glissaient sur la peau de la jeune femme.

Le corps de Beverly changeait déjà, subtilement, sous la lente poussée de la vie qui grandissait en elle. Il caressa son ventre arrondi, ébahi par ce miracle de la nature. Plein d'humilité, il y posa les lèvres, avec une sorte de vénération.

C'était idiot, mais il se sentait comme un soldat au retour de la guerre, couvert de blessures et de médailles. Enfin, ce n'était peut-être pas si idiot que ça ! L'arène dans laquelle il avait combattu et gagné n'était pas un endroit où il pouvait emmener Beverly. Elle l'attendrait toujours. Et cette patience, cette dévotion, il les lisait dans ses yeux verts pailletés d'or, tandis qu'elle le prenait tendrement dans ses bras. Sa passion était toujours plus calme, moins égoïste, s'équilibrant avec les besoins et l'urgence qui l'agitaient, lui. Avec Beverly, il se sentait un homme et non plus un symbole dans un monde qui en était affamé. Et lorsqu'il pénétra en elle, il murmura son nom en un long soupir de gratitude et d'espoir.

Plus tard, comme elle reposait entre les draps froissés, Brian se mit à parler avec un enthousiasme décuplé. Tout ce qu'il avait toujours souhaité, tout ce dont il avait rêvé, se trouvait à sa portée.

— Pete a fait filmer le concert à Atlanta. C'était complètement dingue, Beverly. Pas seulement les cris des fans, mais le bruit, la houle. On s'entendait à peine chanter, dans ce tohu-bohu, comme si on était sur une piste de décollage, avec des avions s'envolant tout autour de nous. Mais au milieu du chaos, il y avait des gens qui écoutaient vraiment. Parfois, on distinguait un visage, au milieu des lumières et de la fumée, et on ne chantait plus que pour cette personne. Et puis, Stevie se lançait dans un solo de guitare, comme dans *Undercover* et c'était la folie, de nouveau. C'était comme... je ne sais pas moi, comme faire l'amour.

— Désolée si je n'ai pas applaudi, dit Beverly.

Riant, il effleura délicatement la cheville de la jeune femme.

— Je suis tellement heureux que tu sois là. Cet été n'est pas un été comme les autres. Je le sens. C'est dans l'air, sur les visages des gens. Et nous participons de cette ambiance générale. Il n'y aura plus jamais de retour en arrière, Beverly. Fini l'époque où nous mendiions pour passer dans des pubs minables, trop heureux d'être payés en bières et en frites. Tu te rends compte, ma chérie, nous sommes à New York. Après-demain, des millions de personnes nous auront entendus. Et ça va compter. *Nous* allons compter, enfin.

— Tu as toujours compté, Brian.

— Non, répondit-il en secouant la tête. Je n'étais qu'un chanteur débraillé de plus. Mais c'est terminé. Nous avons un public, maintenant. Les gens nous écoutent. Et tout cet argent va nous permettre de chercher, d'expérimenter ; nous ne nous contenterons pas de faire du rock gentillet. Il y a une guerre, au-dehors. Toute une génération est sur le point de se soulever et nous pouvons devenir leur voix.

Beverly n'entendait rien à ces grands rêves, mais c'était l'idéalisme de Brian qui l'avait attirée, dès le début.

— Tant que tu ne me laisses pas derrière toi.

— Je ne pourrais pas, répondit-il du fond de son cœur. Je vais te donner le meilleur, Beverly. À toi et au bébé. Je le jure.

Il l'embrassa.

— Et maintenant, il faut que je m'habille. Pete tient beaucoup à ce que nous soyons en couverture de ce magazine qui va sortir en novembre. Allez viens, on va prendre une douche.

— Je pensais rester ici.

— Beverly...

Il réprima un soupir d'impatience. Ils avaient déjà parlé de tout ça. Bien des fois.

— Tu es ma femme. Les gens ont envie de te connaître, de nous connaître. Si nous nous livrons un petit peu, ils ne nous poursuivront pas pour en savoir davantage.

Il croyait sincèrement à ce qu'il disait.

— C'est particulièrement important à cause d'Emma. Le monde entier doit voir que nous formons une vraie famille.

— Une famille devrait être une chose privée.

— Peut-être. Mais les histoires concernant Emma sont déjà dans la nature.

Il les avait lues, des douzaines, parlant d'Emma comme de l'enfant de l'amour. Ç'aurait pu être pire, si les journalistes avaient su la vérité, à savoir qu'elle avait été conçue sans la plus petite once de sentiment. Non, c'était son autre enfant, pensa-t-il en posant la main sur le ventre de Beverly, qui était le fruit de l'amour.

— J'ai besoin de toi, murmura-t-il.

À contrecœur, la jeune femme obtempéra.

Vingt minutes plus tard, on frappa à la porte de la suite et ce fut elle qui alla répondre.

— Johnno !

Il lui sourit.

— Je savais bien que tu ne pourrais pas vivre longtemps sans moi.

Il la fit basculer sur son bras et plaqua deux bises sonores sur ses joues. Comme elle riait, il leva la tête et vit Brian paraître sur le seuil de la pièce.

— Et zut, nous sommes découverts. Autant lui avouer la vérité, maintenant.

— Où as-tu déniché ce truc ridicule que tu as sur le crâne ? demanda Brian.

Johnno remit Beverly sur ses pieds et redressa le chapeau mou tout blanc.

— Il te plaît. C'est le dernier cri.

— Ça te donne un air de maquereau, commenta son ami, avant de se diriger vers le bar.

— Et voilà. Je savais bien que j'avais fait le bon choix. Ça m'a presque coûté la vie, mais j'ai réussi à m'échapper pour aller faire quelques courses sur la Cinquième Avenue. Sers-m'en un, tant que tu y es, ajouta-t-il, comme Brian se versait un whisky.

— Tu es sorti ?

— J'avais mis des lunettes de soleil, une tunique à fleurs et une perruque de rasta. Le déguisement a bien marché jusqu'à ce que j'essaie de rentrer à l'hôtel. J'ai perdu la perruque.

Brian lui tendit un verre, et Johnno avala une gorgée d'alcool avant de s'enfoncer dans les coussins du canapé avec un soupir de satisfaction.

— Je me sens chez moi à New York, mon vieux.

— Pete va t'étrangler, s'il apprend que tu es sorti tout seul.

— Pete peut aller se faire voir ailleurs, répondit Johnno d'un ton joyeux. Il n'est pas mon genre, de toute façon.

Souriant, il vida son whisky.

— Alors, où est le bout de chou ?

— Elle dort, répondit Beverly.

On frappa de nouveau et cette fois, Brian répondit. Stevie entra et, avec un hochement de tête imperceptible en direction de Beverly, marcha directement vers le bar. P. M., qui le suivait, s'effondra dans un fauteuil, le visage un peu pâle.

— Pete dit que l'interview aura lieu ici, déclara-t-il. Où as-tu trouvé ce chapeau ? enchaîna-t-il en s'adressant à Johnno.

— C'est une longue et triste histoire, mon garçon.

Soudain, Johnno aperçut la petite silhouette d'Emma, dans l'entrebâillement de sa porte.

— Surtout, ne regardez pas, mais nous avons de la compagnie. Salut, bouille de prune.

L'enfant rit doucement, sans bouger. À cet instant, elle n'avait d'yeux que pour Brian, qui traversa la pièce et la souleva dans ses bras.

— Emma ! Quel effet ça fait d'être un globe-trotter ?

Elle croyait avoir rêvé l'instant où il l'avait bordée et embrassée. Mais il était bien là, lui souriant, et sa merveilleuse voix effaçait, comme par miracle, ses maux d'estomac.

— J'ai faim, dit-elle en lui offrant un sourire éblouissant.

— Pas étonnant.

Il baisa la fossette au coin de sa petite bouche.

— Tu veux du gâteau au chocolat ?

— De la soupe, intervint Beverly.

— De la soupe et du gâteau au chocolat, concéda-t-il.

Il la reposa pour appeler le service de chambre.

— Viens ici, Emma, j'ai quelque chose pour toi, reprit Johnno en tapotant le coussin près du sien.

Emma hésita. Sa mère lui disait cela très souvent, avant de lui assener... une gifle. Mais Johnno avait un bon sourire et lorsqu'elle s'installa à côté de lui, il tira un œuf en plastique de sa poche avec, à l'intérieur, une bague ornée d'une grosse pierre rouge bien criarde. Il le lui donna et la petite bouche d'Emma décrivit un « oh » extasié, tandis qu'elle faisait tourner l'objet dans ses mains, le regard fixé sur la bague virevoltant dans sa bulle transparente.

C'était un geste spontané. Johnno était passé devant une de ces machines qui prennent des pièces de monnaie, et comme il en avait plein ses poches, il en avait glissé une dans la fente.

Plus ému qu'il ne voulait le laisser paraître, il ouvrit l'œuf pour la petite fille et, lui prenant la main, glissa la bague à son majeur.

— Là, maintenant, nous sommes fiancés.

Emma eut un sourire rayonnant.

— Je peux m'asseoir sur tes genoux ?

— D'accord, répondit-il.

Puis, se penchant à son oreille, il ajouta :

— Mais si tu fais pipi dans ta culotte, je romps nos fiançailles.

Elle rit, confortablement installée contre lui, et se mit à jouer avec sa bague.

— D'abord ma femme, et ensuite, ma fille, commenta Brian.

— Tu n'aurais de bonnes raisons de t'inquiéter que si tu avais un fils, grommela Stevie qui, à peine les mots prononcés, les regretta amèrement.

Il jeta deux glaçons dans son verre et avala une longue rasade d'alcool.

— Désolé, grommela-t-il. J'ai la gueule de bois. Ça me met de mauvais poil.

Comme on frappait de nouveau à la porte, Johnno haussa simplement les épaules.

— La presse est là, mon vieux. C'est le moment de sortir ton fameux sourire.

Johnno était furieux, mais il le cacha bien, tandis qu'un jeune reporter barbu s'asseyait parmi eux. Ils n'avaient pas la moindre idée de ce qu'il devait endurer. Aucun d'entre eux n'avait cherché à devenir son ami, à l'exception de Brian, bien sûr, qu'il connaissait depuis l'école. On l'avait traité de tous les noms : tante, pédale, homo ; et ça faisait autrement mal que les raclées occasionnelles qu'il avait essuyées. Et encore, en avait-il évité un bon nombre, grâce à la loyauté de Brian, toujours prêt à jouer des poings pour l'aider à se défendre.

La pauvreté était banale, dans le quartier est de Londres qui les avait vus naître et grandir, et la violence sous-jacente, toujours prête à exploser. Mais il existait des moyens de s'évader. Pour Johnno et Brian, c'était la musique.

Elvis, Chuck Berry, Muddy Waters. Ils rassemblaient le peu d'argent qu'ils parvenaient à gagner ou à voler, pour acheter ces précieux 45 tours. À douze ans, ils avaient composé leur première chanson : un essai bien piteux, se rappelait Johnno, scandé de rimes affligeantes et sans le moindre rythme. Brian avait échangé une pinte du gin de son père contre une vieille guitare et reçu une sacrée correction, pour sa peine. Mais, aussi mauvaise fût-elle, c'était leur musique.

Johnno avait presque seize ans, quand il avait pris conscience de son homosexualité. Il avait pleuré, s'était jeté sur toutes les filles qui voulaient bien de lui, pour essayer de renverser le destin. En vain.

Finalement, c'était Brian qui l'avait aidé à accepter. Ils buvaient, un soir, au sous-sol de l'appartement de ce dernier. Cette fois, c'était Johnno qui avait chipé du whisky à son père. Une vieille radiocassette posée sur le sol déversait une chanson de Roy Orbison et la confession du garçon avait jailli, poussée par l'ivresse et le désespoir.

— Je ne suis qu'une merde, avait dit Johnno. Je ne serai jamais rien d'autre. Mon père est un bon à rien qui passe son temps à picoler, ma mère ne sait que se plaindre, ma sœur racole et mon petit frère a été arrêté deux fois, ce mois-ci.

— À nous de faire ce qu'il faut pour nous tirer de là, avait répondu Brian, que l'alcool rendait philosophe. Nous seuls pouvons changer la face de notre destin, Johnno. Et on y arrivera.

— La face du destin, je ne pourrai la changer qu'en me foutant en l'air. C'est peut-être ça, la solution, d'ailleurs.

— Qu'est-ce que tu racontes ? avait demandé Brian en cherchant une Pall Mall dans un paquet froissé.

— Je suis pédé, voilà ce que je raconte.

— Pédé ?

Brian s'était immobilisé, la main en l'air, l'allumette à quelques centimètres de sa cigarette.

— Allons, Johnno. Ne sois pas stupide.

— Je te dis que j'en suis un, avait crié Johnno, le visage baigné de larmes. J'aime les garçons. Je ne suis rien qu'une salope de tante.

Bien que secoué par cet aveu, Brian était assez soûl pour garder l'esprit ouvert.

— T'es sûr ?

— Tu crois vraiment que j'irais inventer un truc pareil ?

Brian garda le silence, un instant. La nouvelle était renversante. Mais Johnno était son ami depuis plus de six ans : durant tout ce temps, ils s'étaient serré les coudes, ils avaient pris la défense l'un de l'autre, et surtout, ils avaient partagé les mêmes rêves, les mêmes secrets. Brian fit craquer une autre allumette et tira une bouffée de sa cigarette.

— Bah, si t'es fait comme ça, alors, t'es fait comme ça. C'est pas une raison pour se taillader les veines.

— T'es pas pédé, toi.

— Non.

Du moins, à cet instant, espéra-t-il avec ferveur ne pas l'être. Il se promit de passer les semaines à venir à se le prouver avec toutes les filles qu'il pourrait séduire. Non, il n'était pas pédé. Les acrobaties sexuelles auxquelles il se livrait avec Jane Palmer étaient la preuve éclatante de ses préférences.

— Mais des tas d'hommes le sont, tu sais, enchaîna-t-il. Des écrivains, des artistes... Nous sommes musiciens, alors tu n'as qu'à considérer ce penchant comme une part de ton âme créatrice.

— C'est des conneries, marmonna Johnno en s'essuyant le nez.

— Peut-être, mais c'est mieux que de te suicider. Pour moi, en tout cas. Car il faudrait que je trouve un nouveau partenaire.

Un sourire naquit timidement sur les lèvres de Johnno, tandis qu'il saisissait la bouteille de whisky.

— Alors, nous sommes encore partenaires ?

— Évidemment.

Brian lui passa sa cigarette.

— Du moment que je ne te donne pas des envies.

Et le sujet fut clos.

Quand Johnno prenait un amant, il le faisait discrètement et n'en parlait jamais. Dans le groupe, son homosexualité était connue de tous, mais, à l'insistance de Pete, il cultivait l'image d'un grand séducteur de femmes. Généralement, Johnno s'en amusait.

Il avait bien quelques regrets, même s'il n'aimait pas l'admettre. Ainsi, à cet instant, tandis qu'il faisait rebondir la petite Emma sur ses genoux, il se dit tristement qu'il n'aurait jamais d'enfant. Et puis, en voyant Brian glisser un bras autour des épaules de Beverly, il se dit aussi que le seul homme qu'il aimât réellement ne serait jamais son amant.

# 5

Emma fut époustouflée par New York.

Après un petit déjeuner tardif, au cours duquel Brian lui avait permis de manger de la confiture de fraise et des gâteaux nappés de sucre glace, il était parti et l'avait laissée entre les mains de Beverly. Mais Emma ne s'était pas inquiétée, cette fois. Son papa allait passer à la télévision, le soir même, et il lui avait promis qu'elle pourrait aller le voir dans le studio d'enregistrement.

En attendant, Beverly s'était affublée d'une perruque blonde et de lunettes de soleil, et elles sillonnaient la ville à l'intérieur de l'immense voiture blanche.

Emma aimait bien regarder par la vitre fumée de la portière. Les trottoirs fourmillaient d'activité ; les gens se bousculaient et, partout, ce n'était que concerts de Klaxon. Il y avait des femmes en minijupe, perchées sur de hauts talons, avec des coiffures bouffantes et laquées, aussi rigides que si elles avaient été sculptées dans la pierre. D'autres, au contraire, portaient des jeans et des sandales, leurs longs cheveux raides tombant en pluie dans leur dos. À tous les coins de rue, il y avait des vendeurs ambulants, qui proposaient hot dogs, sodas et glaces.

Le chauffeur de la limousine se tenait bien droit, la casquette vissée sur le crâne. Il n'appréciait guère la musique, à l'exception de Frank Sinatra ou

Rosemary Clooney, mais il savait que ses deux adolescentes de filles, elles, seraient folles de joie, quand il leur rapporterait des autographes, à la fin de son contrat de deux jours.

Il arrêta la voiture devant une vaste entrée.

— Nous y sommes, madame. L'Empire State Building. Voulez-vous que je repasse vous chercher dans une heure ?

— Dans une heure, oui, répondit Beverly.

Le chauffeur vint leur ouvrir la portière et elle prit fermement la main d'Emma, avant de sortir dans la chaleur moite de cette journée d'été.

La file était longue devant l'entrée ; des bébés pleuraient, des enfants hurlaient. Elles s'y joignirent, suivies discrètement par deux gardes du corps. Très vite, elles furent poussées vers un ascenseur, puis débarquées de nouveau à un étage supérieur, où il leur fallut attendre encore. Mais Emma n'y voyait pas d'inconvénient. Tant que Beverly la tenait par la main, elle pouvait allonger le cou et observer tous les gens autour d'elle. Il y avait des têtes chauves, des chapeaux mous et des barbes à foison. Et quand elle fut fatiguée de regarder en l'air, elle baissa les yeux et contempla les centaines de chaussures. Là aussi, les styles se mélangeaient, entre les sandales de corde, les baskets blanches et les escarpins de toutes les couleurs. Enfin, leur tour arriva, et elles s'engouffrèrent dans un ascenseur.

Emma écarquilla les yeux, en sentant ses oreilles se boucher, comme dans l'avion. L'espace d'un instant, elle fut terrifiée à l'idée d'être malade, de nouveau. Elle se mordit la lèvre et retint sa respiration, regrettant de n'avoir pas apporté Charlie avec elle. Puis les portes s'ouvrirent et le mouvement cessa. Autour d'elle, les gens riaient et sortaient en se bousculant. Elle obéit à Beverly, qui l'entraînait derrière elle, et la suivit en luttant encore contre la nausée.

Un stand était aménagé là, avec des étagères pleines de souvenirs et de larges baies vitrées à travers lesquelles elle put admirer le ciel et les immeubles de Manhattan. Ébahie, l'enfant en oublia son malaise.

— C'est quelque chose, n'est-ce pas, Emma ?

— C'est le monde ?

Bien qu'elle fût aussi impressionnée que la petite fille, Beverly eut un rire.

— Non. Juste une infime partie. Allez, viens, sortons.

Le vent les cueillit de plein fouet, faisant voleter la jupe d'Emma et repoussant l'enfant, tandis qu'elle trébuchait, dans son effort pour garder l'équilibre. Mais la sensation, loin de l'effrayer, lui parut euphorisante. Beverly, qui riait toujours, la prit dans ses bras.

— Nous sommes sur le toit du monde, Emma !

La petite regarda les croisements de rues, au milieu des gratte-ciel, des voitures et des autobus, minuscules comme des jouets.

— Est-ce qu'on pourrait vivre ici ? demanda-t-elle.

Beverly glissa une pièce de monnaie dans la fente d'un télescope et tenta de repérer la statue de la Liberté.

— Vivre où, ici, à New York ?

— Non. Sur le toit.

— Personne n'habite ici, Emma.

— Pourquoi pas ?

— Parce que c'est une attraction touristique, répondit la jeune femme. Et l'une des merveilles du monde, je pense. On ne peut pas vivre dans une merveille.

Mais Emma continua d'admirer la vue et se dit qu'elle, elle pourrait.


Le studio de télévision n'impressionna guère Emma. Ce n'était ni aussi joli ni aussi grand que sur le petit écran. Les gens étaient très ordinaires. En revanche, les caméras la fascinaient, et les personnes qui les manipulaient lui parurent très importantes. Elle allait demander à Beverly si c'était comme de regarder à travers l'œil du télescope, mais, au même moment, un monsieur se mit à parler très fort. Son accent américain était le plus étrange que l'enfant ait entendu, jusqu'alors, et elle ne comprit rien à ce qu'il dit, excepté le dernier mot : Devastation. Puis, il y eut une explosion de cris.

Une fois passé le premier choc, Emma lâcha la jupe de Beverly et se pencha légèrement en avant. Elle ne comprenait pas la raison de tout ce bruit, mais ces voix jeunes et enthousiastes ne lui semblaient pas de mauvais augure. Elle sourit, lorsque son père bondit sur la scène et mêla sa voix, forte et claire, à celles de Johnno et de Stevie. Ses cheveux étincelaient sous les projecteurs. Il y avait de la magie dans l'air.

Et cette image s'imprima à jamais dans l'esprit d'Emma et dans son cœur. L'image de quatre jeunes gens debout sur une scène, et baignant dans la lumière, la musique et la félicité.


Plusieurs milliers de kilomètres plus loin, Jane était assise dans son nouvel appartement. Sur une table, à côté d'elle, il y avait une bouteille de gin et une once d'« or colombien » : de la cocaïne pure. Elle avait allumé des bougies, des douzaines, comptant sur l'éclairage tamisé et la drogue pour venir à bout de sa mauvaise humeur. La voix de Brian s'élevait des haut-parleurs de sa chaîne stéréo.

Avec l'argent de son ancien amant, elle s'était installée à Chelsea. C'était un quartier jeune et à la mode, dans lequel se bousculaient les musiciens, les poètes et les artistes, ainsi que tous ceux qui gravitaient toujours autour d'eux. Jane espérait y trouver un autre Brian ; un idéaliste avec un beau visage et des mains expertes. Alors elle traînait dans les pubs, écoutant de la musique et ramassant, parfois, un compagnon pour la nuit.

Elle vivait dans un grand appartement de six pièces, entièrement meublé de neuf. Ses placards regorgeaient de vêtements achetés dans les boutiques à la mode et, à son doigt, brillait un énorme diamant acheté quelques jours plus tôt, sur un coup de cafard. Déjà, il ne lui plaisait plus.

Elle avait cru que cent mille livres représentaient tout l'argent du monde, et très vite découvert que les grosses sommes se dépensaient aussi facilement que les petites. Il lui en restait assez pour assurer encore un moment son train de vie, mais elle avait très vite compris qu'elle aurait pu tirer davantage de la vente d'Emma.

Il aurait payé le double, se disait-elle en faisant tinter les glaçons dans son gin. Plus encore. Et Pete aurait pu grommeler et faire la grimace autant qu'il voulait ; Brian tenait à la petite. Les enfants le faisaient craquer. Elle le savait, mais n'avait pas eu l'intelligence d'en profiter.

Vingt-cinq ridicules milliers de livres par an. Comment ferait-elle pour vivre avec une telle misère ? Elle prenait bien encore un client, de temps en temps, mais c'était autant pour la compagnie que pour gagner un peu de cash. Elle ne se doutait pas qu'Emma lui manquerait. Au fur et à mesure que les semaines passaient, le concept de la maternité revêtait pour elle une signification émotionnelle.

Elle avait donné le jour à cette enfant. Elle avait changé ses couches sales et dépensé ses sous durement gagnés pour lui acheter de la nourriture et des vêtements. Maintenant, la gosse ne se rappelait sans doute plus qu'elle avait une mère.

Mais elle allait prendre un avocat, le meilleur, qu'elle paierait avec l'argent de Brian. Pas un tribunal, dans ce pays, ne manquerait de voir que la place de l'enfant était auprès de sa mère. Elle récupérerait

Emma. Ou mieux encore, elle obtiendrait deux fois plus d'argent. Une fois qu'elle les aurait saignés, un peu, Brian et sa nouvelle femme ne l'oublieraient pas de sitôt. Personne ne l'oublierait d'ailleurs, ni la presse, ni ce public imbécile, ni même sa propre petite bâtarde.

Caressant cette idée avec délectation, elle étala de fines traînées de poudre blanche sur la table, prit une paille et se prépara à décoller.

# 6

Emma n'en pouvait plus d'attendre. Dehors, tombait une vilaine neige fondue, mais elle continuait de presser son nez contre la vitre de la fenêtre pour essayer d'y voir quelque chose.

Ils allaient arriver bientôt. Johnno l'avait dit. Elle était assez sage pour ne pas lui demander, une fois de plus, quand exactement. Il l'aurait grondée. Mais elle ne se tenait plus d'impatience.

Son papa rentrait à la maison, avec Beverly et son nouveau petit frère, Darren. Elle répéta le prénom plusieurs fois en souriant.

Rien dans sa jeune vie n'avait encore été aussi important que la naissance de son frère. Il serait à elle et il aurait besoin d'elle pour s'occuper de lui. Depuis de longues semaines, elle s'entraînait sur toutes les poupées qui emplissaient désormais sa chambre.

Elle savait beaucoup de choses à présent. Il fallait tenir la tête des bébés pour éviter qu'elle tombe en arrière et ne se détache du cou. Parfois aussi, ils se réveillaient au milieu de la nuit, pleurant pour qu'on leur donne du lait. Mais cela ne la dérangerait pas. Pas du tout.

On ne lui avait pas permis d'aller le voir à l'hôpital, et cette interdiction l'avait bouleversée à un point tel que pour la première fois, depuis son arrivée dans sa nouvelle maison, elle s'était cachée dans un placard.

Pourtant, malgré l'ampleur de son chagrin, elle savait qu'il n'y avait pas là de quoi s'étonner : les adultes se moquaient bien des colères des enfants.

Fatiguée d'attendre debout, elle s'installa sur la banquette de la fenêtre en rotonde et caressa Charlie, tout en essayant de penser à autre chose. À l'Amérique, par exemple. Elle en avait vu des merveilles, là-bas : la grande arche d'argent de Saint-Louis ; le lac de Chicago, qui lui avait paru aussi grand que l'océan. Et Hollywood...

Son père s'était produit dans un immense théâtre en plein air qu'ils appelaient le Bowl. C'était un nom bizarre, mais l'enfant avait aimé les cris et les applaudissements du public qui s'élevaient autour d'elle, pendant qu'il chantait.

Elle avait eu trois ans à Hollywood ; à cette occasion, tout le monde était venu manger du gâteau blanc.

Ils avaient pris l'avion presque tous les jours, aussi. Et chaque jour, elle avait eu peur, bien qu'elle ait appris à combattre la nausée. Des tas de gens les suivaient partout. Son papa les appelait des Roadies. Et puis, il y avait les hôtels, avec le service de chambre et un nouveau lit, presque tous les soirs. Elle aimait bien se réveiller, le matin, et découvrir un paysage inconnu, par la fenêtre ; voir des têtes toujours différentes. La prochaine fois qu'ils iraient à l'hôtel, Darren serait avec eux et tout le monde l'aimerait.

En regardant la neige fondue tomber du ciel, Emma pensa à leur formidable veillée de Noël. Comme ils s'étaient amusés ! Elle avait eu sa chaussette, accrochée au manteau de la cheminée, avec son nom brodé dessus. Sous l'arbre qu'ils avaient décoré, il y avait des tas de cadeaux. Et l'après-midi, ils avaient joué à cache-cache dans la maison. Même Stevie. Il avait fait semblant de tricher pour la faire rire, puis il lui avait permis de le chevaucher et ils avaient galopé à travers tout le rez-de-chaussée.

Plus tard, son père avait construit un bonhomme de neige et, lorsqu'elle avait commencé à ressentir la fatigue de la journée, elle s'était blottie devant le feu de la cheminée en écoutant de la musique. Elle avait alors connu le plus beau moment de sa vie. Jusqu'à aujourd'hui.

Un bruit de moteur dans l'allée la fit sursauter, et elle pressa son visage contre la vitre.

— Johnno ! Johnno ! cria-t-elle en sautant à bas de la banquette. Ils sont là !

Elle traversa le salon, volant presque, ses petites chaussures claquant légèrement sur le parquet de bois. Johnno la suivit. Tant pis pour l'inspiration. Il reprendrait plus tard les paroles de la chanson qu'il était en train d'écrire.

— Hé, attends ! Qui est là ?

— Mon papa et Beverly et mon bébé.

— Ton bébé, hein ?

Il ébouriffa les cheveux de l'enfant et se tourna vers Stevie, qui expérimentait des sons au piano.

— Tu viens accueillir le dernier des McAvoy ?

— J'arrive.

— Moi aussi, renchérit P. M. en fourrant une part de cake dans sa bouche, avant de se lever. Je me demande s'ils ont réussi à sortir de l'hôpital sans provoquer une émeute.

— Avec les précautions que Pete a prises, même James Bond y aurait perdu son latin. Il y avait deux limousines pour faire diversion, vingt gardes du corps et finalement, la fuite dans un camion de fleuriste.

Il secoua la tête en riant et se dirigea vers la porte, précédé d'Emma, qui bondissait littéralement sur place.

— La gloire fait de nous des mendiants, ma puce. Ne l'oublie jamais.

Mais l'enfant se fichait bien de la gloire et des mendiants. Elle voulait voir son petit frère. À l'instant où la porte s'ouvrit, elle se rua sur son père.

— Laisse-moi le voir, demanda-t-elle, impérieuse.

Brian se pencha en avant et souleva la couverture qui enveloppait la précieuse petite vie, dans ses bras.

Pour Emma, la première vision de son frère représenta l'amour le plus total, le plus inconditionnel qui soit.

Il n'était pas comme une poupée. Même à cet instant, alors qu'il dormait, ses cils bougeaient. Sa bouche était petite et humide, sa peau fine, délicate. Il portait un bonnet bleu, mais Emma savait qu'en dessous, ses cheveux étaient aussi noirs que ceux de Beverly. Son petit poing était fermé, et Emma le toucha, très doucement, du bout des doigts.

— Qu'en penses-tu ? demanda Brian.

— Darren, murmura-t-elle avec douceur, savourant ce nom. C'est le plus beau bébé dans le monde entier.

— Il a la jolie bouille des McAvoy, commenta Johnno, qui se sentait tout ému. Joli travail, Beverly.

— Merci, répondit la jeune femme.

Elle était heureuse que ce fût terminé. Aucun des livres qu'elle avait lus ne l'avait préparée à la douleur merveilleuse et épuisante de l'accouchement… Maintenant, elle ne souhaitait rien d'autre que se reposer et être mère.

— Le médecin préconise que Beverly reste au lit, durant quelques jours, déclara Brian. Tu veux monter dans ta chambre ?

— Surtout pas. Je ne suis pas pressée de me retrouver alitée.

— Alors viens t'asseoir dans le salon et je vais te préparer une bonne tasse de thé, proposa Johnno.

— Ça me va.

— Je monte coucher le bébé, reprit Brian, souriant de l'air ébahi de P. M., qui demeurait prudemment en retrait. Il ne mord pas, tu sais. Il n'a pas de dents.

P. M. sourit en enfonçant les mains dans ses poches.

— Ouais, je sais. Mais ne me demande pas de le toucher tout de suite.

— Occupe-toi de Beverly, en attendant que la gouvernante arrive. Je ne veux pas qu'elle se fatigue.

— Ça, c'est dans mes cordes, dit P. M., qui retourna aussitôt vers le salon.

— Nous, on va coucher le bébé, répéta Emma en tenant fermement un coin de la couverture. Je peux te montrer comment on fait.

La nurserie était joliment décorée et meublée d'une commode, une table à langer et un berceau ancien sur lequel veillait un immense ours en peluche. Un rocking-chair attendait sagement près de la fenêtre et, partout, ce n'était que couleurs pastel et dentelle blanche.

Brian posa le nourrisson dans son berceau et, lorsqu'il eut retiré le bonnet bleu, elle tendit la main pour le caresser tout doucement.

— Est-ce qu'il va se réveiller bientôt ? demanda-t-elle.

— Je ne sais pas. J'ai l'impression que les bébés sont plutôt imprévisibles.

Brian s'accroupit près de sa fille.

— Nous devons faire très attention avec lui, Emma. Il est si petit.

— Je ne permettrai pas qu'il lui arrive quelque chose, répondit l'enfant, solennelle. Jamais.

Elle posa sa main sur l'épaule de son père et regarda dormir son frère.


Emma n'était pas sûre d'aimer Mlle Wallingsford. La jeune gouvernante avait des jolis cheveux roux, mais elle ne lui permettait presque jamais de toucher son bébé Darren.

Beverly, elle, s'était entretenue avec des douzaines de candidates et se félicitait chaque jour d'avoir choisi

Alice Wallingsford, qui avait vingt-cinq ans, d'excellentes références et lui donnait entière satisfaction.

Durant les premiers mois de Darren, Beverly était tellement fatiguée et sujette à des sautes d'humeur que les services d'Alice lui étaient devenus indispensables. Celle-ci se révélait la meilleure interlocutrice possible pour parler de poussée dentaire, d'allaitement et de régimes. Et Beverly s'en trouvait ravie, étant aussi déterminée à retrouver sa ligne qu'à devenir une mère modèle. Avec Brian installé à demeure et occupé à écrire des chansons avec Johnno, elle travailla donc à créer le foyer dont elle avait tant rêvé pour eux.

Elle écoutait son mari avec attention, quand il parlait de conflits en Asie, ou encore d'émeutes raciales aux États-Unis, mais son univers n'incluait d'autre véritable souci que celui de savoir si le soleil brillerait suffisamment pour lui permettre d'emmener Darren en promenade. Elle apprit à faire du pain et s'essaya au tricot, tandis que Brian écrivait pour s'élever contre la guerre et toutes les formes d'étroitesse d'esprit.

Aux yeux de la jeune femme, c'était la période la plus douce de toute sa vie. Son bébé grandissait et son mari la traitait comme une princesse, de jour comme de nuit.

Un jour, à midi, elle se balançait dans le rocking-chair, Darren à son sein et la petite Emma à ses pieds. Son fils venait de s'endormir, après la tétée et elle se leva pour le coucher.

— Est-ce que je pourrai le prendre, quand il se réveillera ? demanda Emma, qui la regardait faire.

— Oui, mais seulement si je suis avec toi.

— Mademoiselle Wallingsford ne veut jamais me le laisser.

— Elle est juste prudente.

Beverly posa la couverture sur le corps endormi de son fils et le contempla un instant. Il avait presque cinq mois, maintenant, et déjà, elle ne pouvait imaginer la vie sans lui.

— Allons dans la cuisine, confectionner un gâteau au chocolat. Ton père adore ça.

Une heure plus tard, comme elles sortaient le dessert du four, la porte d'entrée claqua brutalement, et Brian parut, livide, le regard cerclé de rouge.

— Brian, qu'y a-t-il ? s'exclama Beverly en se précipitant à sa rencontre.

Il secoua la tête, comme pour chasser une pensée insupportable.

— Ils l'ont tué, dit-il.

— Quoi ? Qui ? Tué qui ?

— Kennedy. Robert Kennedy. Ils l'ont tué.

— Oh ! mon Dieu. Mon Dieu.

Beverly se figea, pétrifiée, horrifiée. Elle se rappelait le jour où le président américain avait été assassiné, et le choc qui avait secoué le monde entier. On venait de faire le même sort à son frère ; son jeune frère si brillant.

— Pete a fondu sur nous en pleine répétition, pour nous annoncer la nouvelle. Il l'avait apprise par la radio. Aucun de nous ne voulait le croire, jusqu'à ce que nous l'entendions à notre tour. Nom de Dieu, Beverly, il y a quelques mois à peine, c'était Martin Luther King. Qu'est-ce qui se passe ?

Alice était entrée dans la cuisine, quelques secondes à peine après Brian.

— Seigneur, murmura-t-elle, cette pauvre famille. Cette pauvre mère.

— Alice, soyez gentille et préparez-nous du thé, intervint Beverly en poussant son mari vers le salon.

— Dans quel monde avons-nous jeté nos enfants ? poursuivait Brian, d'une voix brisée. Quand ces gens comprendront-ils ? Quand finiront-ils par comprendre ?

Emma s'était tenue discrètement à l'écart, durant tout cet échange. Elle était bouleversée de voir des larmes dans les yeux de son papa et se demandait qui était ce Kennedy. Puis, comme personne ne s'occupait d'elle, elle monta dans la nurserie pour s'asseoir avec Darren et laissa les adultes à leurs conversations de grands.

C'est là qu'ils la trouvèrent, une heure plus tard, fredonnant une berceuse que Beverly chantait souvent, le soir, quand elle bordait l'enfant.

Paniquée, Beverly fit mine d'aller vers elle, mais Brian l'arrêta d'un geste.

— Non. Tu ne vois pas qu'ils sont bien ?

Emma se balançait dans le rocking-chair, ses pieds loin du sol, le bébé tendrement niché dans ses bras.

Levant les yeux, elle eut un sourire lumineux.

— Il pleurait, mais il est content maintenant. Il m'a souri.

Elle se pencha pour déposer un baiser sur la joue de son petit frère, tandis qu'il gargouillait avec insouciance.

— Il m'aime, n'est-ce pas, Darren ?

— Oui, il t'aime.

Brian alla s'agenouiller devant le rocking-chair et enroula ses bras autour d'eux.

— Dieu merci, vous êtes là, murmura-t-il en tendant la main pour que Beverly les rejoigne. Je crois que si je ne vous avais pas, je deviendrais fou.


Brian se rapprocha encore de sa famille, durant les semaines qui suivirent. Chaque fois qu'il le pouvait, il travaillait chez lui et caressa même l'idée d'installer un studio d'enregistrement dans la maison. La guerre du Viêtnam l'obsédait, ainsi que les combats horribles qui déchiraient son Irlande natale. Ses disques se vendaient de mieux en mieux, mais la satisfaction des premiers temps s'était estompée. Il utilisait sa musique à la fois comme un moyen de projeter ses sentiments et un butoir contre ce qu'il y avait de pire en lui. Sa famille le maintenait en équilibre. Ils étaient sa planche de salut, un carré de ciel clair au milieu de la tempête.

Ce fut Beverly qui lui donna l'idée d'emmener Emma avec lui, au studio d'enregistrement. Ils commençaient à jeter les bases de leur troisième album. Un album que Brian jugeait plus important encore que celui de leurs débuts. Cette fois, ils devaient prouver que Devastation n'était pas un coup de chance, une pâle imitation de groupes établis comme les Beatles ou les Rolling Stones. Brian voulait se prouver que la magie de l'année écoulée était toujours là.

Il voulait quelque chose d'unique, un son qui ne serait qu'à eux. Il avait écarté une douzaine de rocks bien solides qu'ils avaient écrits avec Johnno. Ceux-là pouvaient attendre. Et en dépit des objections de Pete, le reste du groupe l'appuyait dans sa décision de pimenter leur nouvel album de prises de position politiques, de bon vieux rock rebelle et de folk irlandais. Des guitares électriques et des flageolets.

Quand Emma pénétra dans le studio, elle ne se doutait pas qu'elle avait la chance d'assister à la genèse d'un événement dans l'histoire de la musique. Pour elle, il s'agissait simplement de passer la journée avec papa et ses copains. C'était comme un grand jeu ; tous ces équipements, ces instruments, la pièce murée de verre. Elle s'installa dans un fauteuil tournant, sirotant du Coca-Cola avec une paille.

— Tu ne crains pas que la puce s'ennuie ? demanda Johnno en laissant courir ses doigts sur le clavier de l'orgue électronique, tandis que Brian ajustait la sangle de sa guitare.

— Si on ne peut même pas distraire une petite fille, mieux vaut tout laisser tomber, répondit celui-ci. D'ailleurs, je préfère la garder avec moi, pendant un moment. Jane a recommencé à faire du bruit.

— Quel fléau, commenta Johnno.

— Elle n'obtiendra rien, cette fois encore, mais c'est pénible.

Il jeta un bref regard en direction d'Emma et vit qu'elle était occupée à parler avec Charlie.

— Elle prétend maintenant avoir été forcée à signer ces papiers. Pete s'en occupe.

— Elle veut plus d'argent.

— Pete ne lâchera pas un cent de plus, tu peux en être sûr. Et moi non plus. Bon, on fait un essai ?

— Salut poussinette, dit Stevie en chatouillant l'estomac d'Emma. Tu passes une audition ?

— Je vais regarder, répondit l'enfant, fascinée par l'anneau d'or qui brillait à l'oreille du guitariste.

— C'est bien. On joue toujours mieux devant un public. Dis-moi quelque chose, Emmy, ajouta-t-il en se penchant et prenant un air de conspirateur. La vérité, rien que la vérité : qui est le meilleur, de nous tous ?

C'était devenu un jeu, entre eux, auquel la petite se prêtait avec enthousiasme. Elle leva les yeux, les baissa, regarda à droite, puis à gauche et cria :

— Papa !

Prenant un air faussement dégoûté, Stevie la chatouilla un instant.

— Dans ce pays, il est interdit de faire subir des lavages de cerveau aux enfants, dit-il en rejoignant Brian.

— Elle a du goût, répliqua celui-ci.

— Oui, mais il est tout mauvais.

Il prit sa guitare dans son étui et la caressa du bout des doigts.

— On commence par quoi ?

— Les instrumentaux de *Outcry*.

— On commence par le meilleur. OK, c'est parti, les gars.

Des quatre, Stevie était le seul à avoir grandi au sein d'une famille aisée, dans une vraie maison avec un jardin et deux domestiques à demeure. Il était habitué à ce qu'il y avait de mieux et se lassait très vite de tout. Jusqu'au jour où il était tombé amoureux de la guitare, faisant regretter à ses parents de lui en avoir offert une.

À quinze ans, il avait créé son premier groupe, qui avait duré six mois avant d'être démantelé par des querelles intestines. Sans se décourager, il en avait formé un deuxième, puis un troisième. Son talent naturel et sa virtuosité avaient attiré de nombreux musiciens qui espéraient trouver en lui des qualités de meneur qu'il n'avait pas.

Il avait rencontré Brian et Johnno à une soirée de Soho, dans un de ces appartements noirs de monde, de fumée de hasch et d'encens et aussitôt, l'intensité du premier, liée à l'humour détaché et caustique du second, l'avaient attiré. Pour la première fois de sa vie, il avait pu suivre un leader et s'était embarqué dans l'aventure de Devastation avec un réel soulagement. Pourtant, à l'époque, c'était plutôt la galère. Ils mendiaient la possibilité de jouer dans des pubs miteux et passaient des jours et des nuits à écrire des chansons et composer de la musique. Il y avait aussi toutes les femmes, des tas de femmes, prêtes à s'allonger avec un beau jeune homme blond qui jouait de la guitare.

Et puis, lors du premier concert à Amsterdam, il avait rencontré Sylvie, si jolie avec ses joues rondes, son anglais approximatif et son regard candide. Ils avaient fait l'amour comme des fous dans une petite chambre dégoûtante, au toit percé. Stevie était tombé amoureux. Il avait même caressé l'idée de la ramener à Londres avec lui.

Mais Sylvie était tombée enceinte.

Il se rappelait le moment où elle le lui avait annoncé, livide, les yeux emplis d'espoir et de crainte. Mais il n'avait que vingt ans ! Sa musique passait avant tout. Il le fallait. Et si ses parents apprenaient qu'il avait eu un enfant d'une serveuse de cocktails hollandaise... Quelle humiliation il avait ressentie, alors, à l'instant de découvrir qu'en dépit du chemin parcouru, en dépit de toutes ses rébellions, ses protestations, l'opinion de ses parents comptait toujours autant pour lui !

Pete avait pris les mesures nécessaires pour l'avortement et Sylvie avait fait ce que l'on exigeait d'elle, sans chercher à retenir ses larmes. Puis, elle était sortie de sa vie sans se retourner et, brusquement, Stevie avait compris à quel point il l'aimait. Trop tard.

Il n'aimait pas y repenser. Il s'y refusait. Mais c'était dur, avec la présence constante de la petite Emma. Son enfant à lui, s'il était né, aurait eu le même âge.

De son côté, Emma était aux anges. Elle regrettait seulement que Darren ne fût pas là pour partager le plaisir de regarder leur papa et ses amis travailler leur musique. L'atmosphère était différente de celle qui avait enveloppé la tournée en Amérique. Aujourd'hui, ils se disputaient, plaisantaient ou s'asseyaient silencieusement durant les play-back. Elle ne connaissait pas la signification des termes techniques qu'ils utilisaient et s'en moquait bien. Elle écoutait, regardait, mangeait des tas de frites graisseuses et buvait des litres de Coca-Cola.

Pendant une interruption, elle s'installa sur les genoux de P. M., et se mit à taper sur la batterie. Elle dit son nom dans un des micros et rit de l'entendre résonner à travers la pièce. Puis, une baguette de tambour à la main, elle s'assoupit dans un fauteuil pivotant, la tête posée sur son fidèle Charlie, avant d'être réveillée par la voix de son père et les accents déchirants d'une ballade évoquant un amour tragique.

Émerveillée, elle écouta en frottant ses petits yeux. Son cœur était trop jeune pour qu'elle fût touchée par les paroles, mais la musique l'émut. Elle ne devait plus jamais entendre cette chanson sans se rappeler cet instant où elle s'était éveillée au son de la voix de son père, la tête pleine de musique. Lorsqu'il se tut, elle oublia qu'elle devait garder le silence et, bondissant sur sa chaise, elle tapa dans ses mains.

— Papa !

Dans la cabine d'enregistrement, Pete poussa un juron, mais Brian leva la main.

— Laisse, dit-il.

Riant, il se tourna vers Emma.

— Laisse-le comme ça, répéta-t-il en tendant les bras.

Lorsque l'enfant s'y jeta, il la souleva très haut dans les airs.

— Qu'en dis-tu, Emma ? Je viens de faire de toi une star !

# 7

Si, en 1968, Brian s'était senti découragé par l'assassinat de Martin Luther King, puis par celui de Robert Kennedy, il retrouva sa foi en l'homme, au cours de l'été 1969, avec Woodstock. Pour lui, ce festival était un hymne à la jeunesse et à la musique, une célébration de l'amour et de la fraternité. Cela symbolisait le réveil des consciences, après la terrible année écoulée, durant laquelle le sang avait été versé, les guerres et les émeutes avaient fait rage. Tandis qu'il se tenait debout sur la scène et contemplait la foule impressionnante, l'océan de visages levés vers lui, Brian savait qu'il ne participerait jamais plus à quelque chose d'aussi énorme, ni d'aussi mémorable. Dans le même temps, il était terrifié à l'idée que cette décennie s'achève, et avec elle, l'esprit qui l'avait dominée, et qui allait peut-être s'éteindre dans les années 1970.

Il vécut les trois journées de festivités musicales dans l'État de New York, dans une fièvre formidable et une explosion de créativité. L'ambiance générale, alliée à toutes les drogues qui circulaient aussi librement que du pop-corn au cinéma, le rendaient littéralement euphorique. Il passa une nuit entière dans leur caravane, composant sans s'arrêter pendant quatorze heures d'affilée, tandis que la cocaïne faisait rage dans son organisme. Au cours d'un après-midi mystique, assis dans les bois en compagnie de Stevie, il écouta la musique et les clameurs de quatre cent mille spectateurs, qui emplissaient l'atmosphère. Sous l'emprise du LSD, il perçut toutes sortes d'univers dans une simple feuille d'érable.

Brian épousa complètement Woodstock et son concept. Son seul regret était de n'avoir pu convaincre Beverly de les accompagner. Une fois de plus, elle préférait l'attendre, cette fois, dans la maison qu'ils avaient achetée, sur les collines d'Hollywood. La grande histoire d'amour de Brian avec l'Amérique commençait tout juste et sa deuxième tournée aux États-Unis lui avait donné l'impression d'un retour chez lui.

Il avait envie de... Non, il avait désespérément besoin de recapturer les sensations et l'excitation phénoménales ressenties lorsque leur succès était encore neuf ; lorsque le groupe était comme une force électrique emportant l'adhésion du public et du monde de la musique. Au cours de l'année précédente, il lui avait semblé voir s'éloigner cette unité magique, comme si elle devait disparaître avec les *sixties*. À Woodstock, il l'avait sentie se recomposer.

Quand ils montèrent à bord de l'avion, Brian sombra dans le sommeil, épuisé. À côté de lui, Stevie avala deux barbituriques et s'évada vers des contrées psychédéliques. Johnno, quant à lui, entama une partie de poker avec des techniciens de l'équipe. Seul P. M., installé près d'un hublot, était en proie à la plus grande agitation.

Il ne voulait rien oublier. À l'inverse de Brian, il n'était pas aveuglé par le symbolisme et les prises de position du festival ; il voyait les ordures et le manque d'installations sanitaires. La musique, Seigneur, la musique était sublime ! À tel point que c'en était parfois insupportable. Mais souvent, trop souvent, il lui avait semblé que l'audience était trop béate, trop gorgée d'herbe ou de substances chimiques, pour s'en apercevoir. Et s'il avait, comme les autres, éprouvé le merveilleux sentiment d'unité et de paix qui avait flotté dans l'air, unissant quatre cent mille personnes et les faisant vivre, trois jours durant, comme une immense famille, il avait également remarqué la saleté, les excès sexuels et l'abondance de drogues.

Ces dernières, surtout, lui faisaient peur. Il ne pouvait l'admettre, pas même devant ceux qu'il considérait comme ses frères. La drogue le rendait malade ou idiot, quand elle ne l'endormait pas. Il n'en prenait que lorsqu'il lui semblait impossible de se dérober et il était toujours stupéfait et scandalisé de constater avec quelle insouciance Brian et Stevie essayaient tout ce qu'on leur proposait. Il était encore plus effrayé par la facilité et la constance avec lesquelles Stevie injectait de l'héroïne dans ses veines.

Johnno, lui, était plus sélectif, dans ce domaine. Mais Johnno avait une telle personnalité que nul n'aurait songé à se moquer de lui, sous prétexte qu'il refusait de prendre de l'acide. Ce n'était pas son cas à lui.

P. M. sentait son cerveau fonctionner à toute vitesse, avec une étonnante lucidité. Tout bien considéré, il se reconnaissait un statut à part, dans le groupe. Pour commencer, il n'était pas musicien. Oh, à la batterie, il pouvait tenir tête aux meilleurs. Il était doué. Sacrément doué. Mais il ne pouvait ni composer de la musique, ni la lire. Il n'avait pas l'esprit plein d'idéaux, de poésie ou d'opinions politiques. Et il n'était pas particulièrement beau. Encore maintenant, à vingt-trois ans, il souffrait parfois de poussées d'acné.

Mais en dépit de ce qu'il considérait en lui comme des carences, il faisait partie d'un des plus grands, des plus célèbres groupes de rock du monde. Il avait des amis, des vrais. Et il était riche. Durant les deux dernières années, il avait accumulé plus d'argent qu'il n'avait imaginé en gagner durant toute sa vie. Et il ne le jetait pas par les fenêtres. À cause de son père qui dirigeait un petit atelier de réparations, à Londres, il s'y connaissait en affaires et en comptabilité. Des quatre, P. M. était celui qui posait le plus de questions à Pete, au sujet de leurs dépenses et de leurs profits. Il était aussi le seul à prendre le temps de lire les contrats qu'ils signaient.

Il n'avait pas grandi dans la misère, comme Johnno et Brian, mais il était loin d'avoir connu le luxe confortable de l'enfance de Stevie.

P. M. contempla les nuages, à travers son hublot, et retint un soupir. Ils se dirigeaient vers le Texas. Un autre festival de rock à ajouter à la liste déjà longue de ceux auxquels ils avaient participé, cette année-là. Ça ne le dérangeait pas, au fond. Ensuite, il y aurait encore un autre concert, dans une autre ville. Tout cela finissait par se mélanger, dans son esprit. Mais il ne voulait surtout pas que le vertige cesse. Il craignait trop de sombrer de nouveau dans l'obscurité.

À la fin de l'été, ils retourneraient en Californie, à Hollywood. Pendant quelques semaines, ils vivraient au milieu des stars de cinéma. Et pendant quelques semaines, se dit-il, tiraillé entre le plaisir et la culpabilité, il serait près de Beverly...

La seule personne que P. M. aimât davantage que Brian, c'était la femme de Brian.


Emma installa les cubes, avec leurs lettres majuscules. Elle était très fière d'apprendre à lire et à écrire, et tenait absolument à partager ses nouvelles connaissances avec Darren.

— E-M-M-A, dit-elle en posant son doigt sur les cubes correspondant à chaque lettre. À toi de le dire, maintenant. Emma.

— Ma !

Riant, Darren poussa les blocs en une pile désordonnée.

— Ma Ma.

— *EM*-Ma, corrigea la petite fille, se penchant pour déposer un baiser sur la joue de son frère. Tiens, en voilà un plus facile. P-A-P-A. Papa.

— PaPaPaPa !

Très content de lui, le gamin se redressa sur ses jambes potelées et courut jusqu'à la porte, à la recherche de Brian.

— Non ! s'exclama Emma. Il n'est pas là. Mais maman est dans la cuisine. On donne une grande fête, ce soir, pour célébrer la fin de l'enregistrement du dernier album. Bientôt, nous rentrerons en Angleterre.

Cette perspective la réjouissait, bien qu'elle aimât la maison en Amérique autant que le château aux alentours de Londres. Durant toute l'année qui venait de s'écouler, elle et sa famille avaient traversé l'océan aussi naturellement que d'autres prennent leur voiture pour se rendre à l'autre bout de la ville.

Elle avait fêté ses six ans à l'automne 1970 et, sur l'insistance de Beverly, son éducation avait été confiée à un précepteur britannique. Dès leur retour en Angleterre, elle irait à l'école avec d'autres filles de son âge. L'idée lui semblait aussi terrifiante qu'excitante.

— Quand on rentrera à la maison, je vais apprendre encore plein de choses et je te répéterai tout, dit-elle en empilant les cubes. Regarde, ça, c'est ton nom. Le plus joli de tous. Darren.

Celui-ci s'accroupit et contempla les lettres, avant de jeter ses bras en avant et de tout renverser.

— Darren ! cria-t-il. Darren McAvoy.

— Tu n'as aucun mal à prononcer ce nom-là, pas vrai ? dit-elle avec un sourire.

Elle entreprit d'échafauder une autre construction, qu'il s'empresserait fatalement de démolir. L'enfant était le soleil de sa vie, son petit frère aux cheveux noirs et aux yeux verts comme la mer. Du haut de ses deux ans, il avait le visage d'un chérubin et plus d'énergie qu'un démon.

Sa photo avait paru en couverture de *Newsweek*, *Photoplay* et *Rolling Stone*. Le monde entier adorait Darren McAvoy. Le sang des paysans d'Irlande et celui des conservateurs britanniques coulaient dans le sien, mais il était un prince. Et, en dépit des précautions de Beverly, il ne se passait pas une semaine sans que les paparazzi ne réussissent à prendre de nouvelles photos de lui.

— Voilà le château, dit Emma en disposant les cubes. Et tu es le roi.

— Suis l'roi, acquiesça l'enfant.

— Oui. Le roi Darren premier.

— Premier, répéta-t-il.

— Tu es un bon roi, gentil avec tous les animaux, poursuivait sa sœur en serrant son fidèle Charlie contre elle. Et voilà tous tes chevaliers.

Elle prit des poupées et des jouets en peluche dans une caisse.

— Voilà papa et Johnno, Stevie et P. M. Et voilà Pete. Lui, il est, hmm... Premier ministre. Et voilà la belle lady Beverly.

Ravie, Emma contempla cette assemblée bigarrée.

— M-man, dit Darren en tapant dans ses mains.

— Elle est la plus jolie lady du monde, et une affreuse sorcière lui veut du mal.

Une très vague image de sa propre mère traversa l'esprit de la petite fille, de manière fulgurante.

— Alors tous les chevaliers vont la sauver.

Imitant un bruit de galopade, elle poussa les jouets vers la poupée.

— Mais sire Papa est le seul à pouvoir briser le charme.

— Sire Papa, répéta Darren que cette combinaison de mots parut amuser à un tel point qu'il roula sur lui-même et démolit le bel échafaudage.

— Allons bon, si tu détruis ton propre château, j'abandonne.

— Ma, dit Darren en se relevant et jetant ses petits bras autour du cou de sa sœur. Ma Ma, on joue à la ferme.

— D'accord, mais il faut commencer par ranger les cubes, ou Mlle Wallingsford va rouspéter.

— Péter. Péter. Péter.

— Darren.

Emma porta ses deux mains à sa bouche et pouffa de rire.

— Ne dis pas ça, voyons.

Mais le gamin, ravi de l'avoir fait rire, se mit à crier ce mot nouveau à tue-tête.

— Eh bien, qu'est-ce que j'entends, s'écria Beverly en apparaissant dans l'encadrement de la porte.

— Il veut dire « rouspéter », expliqua Emma.

— Je vois.

La jeune femme tendit les bras pour que son fils s'y réfugie et celui-ci noua aussitôt ses petites jambes autour de la taille de sa mère, afin de pouvoir se renverser dans sa position favorite : la tête en bas.

Beverly ignorait qu'on pût aimer aussi fort. Même sa passion pour Brian pâlissait en comparaison de l'amour qu'elle ressentait pour son enfant. Tout ce qu'on lui donnait, il le rendait au centuple sans même le savoir, par un simple sourire, un baiser ou une pression de ses bras potelés. Toujours au bon moment. Darren était ce qu'il y avait de mieux et de plus beau dans la vie de sa maman.

— Que faites-vous, tous les deux ? demanda-t-elle.

— On jouait au château, mais Darren préfère le démolir.

— Darren le destructeur, commenta Beverly en reposant l'enfant sur le sol. Maintenant, il faut aider ta sœur à ranger.

— Je peux le faire, proposa Emma.

— Il doit apprendre à ramasser ses affaires, ma chérie. Même si nous aimerions, toi et moi, continuer à nous en occuper à sa place.

Elle les observa ensemble ; la délicate enfant blonde et le garçon brun et costaud. L'époque était révolue où Emma se cachait dans les placards. Grâce à Brian et, Beverly l'espérait, un peu grâce à elle, la petite s'était peu à peu muée en une joyeuse et délicieuse nature. Mais Darren avait eu le premier rôle dans cette transformation. Dans sa dévotion pour son frère, Emma en oubliait ses frayeurs, sa timidité même, et, en retour, Darren l'adorait. Tout bébé, déjà, il cessait de pleurer plus vite, si sa sœur le consolait. Et chaque jour qui passait voyait ce lien entre eux se renforcer.

Beverly avait été profondément émue, lorsque, quelques mois plus tôt, Emma s'était mise à l'appeler maman. Cela paraissait naturel. Beverly elle-même ne pensait presque plus jamais à l'enfant comme à la fille de Jane. Elle ne ressentait pas, pour elle, l'amour farouche et presque désespéré qu'elle vouait à Darren, mais son affection n'en était pas moins réelle et chaleureuse.

— Nous allions jouer à la ferme, reprit Emma.

Une heure plus tard, Brian les découvrit, penchés sur le tapis turc qui gondolait, au-dessus d'une armée de tracteurs. Avant qu'il ait eu le temps de parler, Emma s'était levée.

— Papa est rentré !

Elle se lança vers lui et termina sa course par un bond, certaine que les bras de son héros seraient là pour la cueillir.

Il la souleva contre lui et planta un baiser sonore sur sa joue, avant de prendre Darren avec son bras libre. Ainsi encombré de son précieux fardeau, il fit le tour de la petite clôture blanche.

— Alors, on joue encore à la ferme ?

— C'est ce que Darren préfère.

Beverly attendit qu'il fût assis et lui sourit. Brian ne lui paraissait jamais autant à sa place que lorsqu'il était entouré de sa famille.

— Je crains que tu ne sois installé en plein sur le tas de fumier.

— Oh ?

Il se pencha pour attirer sa femme contre lui.

— Aucune importance. J'ai déjà été dans la merde.

— Merde, répéta Darren, avec une diction impeccable.

— Bravo, marmonna Beverly.

Son mari se contenta de sourire et de chatouiller son fils.

— Alors, où en êtes-vous exactement ?

— Nous labourons sous le blé, pour pouvoir planter du soja.

— Très bien. Tu es un sacré gentleman-farmer, fiston ! Il faudra vraiment que nous allions en Irlande. Comme ça, tu pourras conduire un vrai tracteur.

— Darren est encore trop petit pour conduire un tracteur, déclara Emma, ses mains sagement posées sur ses genoux.

— Absolument, renchérit Beverly avec un coup d'œil complice à Brian. De même qu'il ne peut pas encore utiliser une batte de cricket ni monter sur la bicyclette qu'un certain papa pressé lui a achetée.

— Les femmes, dit Brian en s'adressant à son fils. Elles ne comprennent rien aux trucs de machos.

— Péter, récita Darren, très content de ce nouveau mot.

— Pardon ? s'esclaffa Brian.

— N'essaie pas de comprendre, répondit Beverly, avant de se lever. Et maintenant, il faut commencer à ranger tout cela avant le dîner.

— Excellente idée.

Brian bondit sur ses pieds et saisit la main de Beverly.

— Emma, chérie, tu t'occupes de tout. Maman et moi avons à faire avant le dîner.

— Brian...

— Mademoiselle Wallingsford est dans la cuisine, poursuivit-il en entraînant sa femme à sa suite. N'oubliez pas de vous laver les mains.

— Brian, c'est le désordre le plus total...

— Emma se charge de tout. Elle est très organisée et elle adore ça, conclut-il en attirant Beverly dans leur chambre.

— Brian, j'ai un million de choses à faire...

— Peut-être, mais celle-là passe avant le reste.

Il s'empara furieusement de ses lèvres, heureux de sentir les protestations de son épouse mourir comme par enchantement.

— C'était déjà une priorité hier soir, murmura-t-elle en se coulant contre lui. Et encore ce matin.

— Ça passe toujours avant le reste.

Il défit les boutons de son jean, puis débarrassa Beverly du sien, émerveillé, comme chaque fois, de la sentir si ferme, si mince, entre ses doigts. Après deux grossesses. Non, une. Il oubliait souvent, peut-être délibérément, qu'elle n'avait pas donné le jour à Emma. Et pour familier que lui fût le corps de la jeune femme, il suffisait qu'il la touche pour être transporté à l'époque de leurs premières nuits d'amour.

Ils avaient fait du chemin, depuis ce petit appartement, avec le vieux lit qui craquait. À présent, ils étaient propriétaires de deux maisons, dans deux pays différents ; mais le sexe entre eux était aussi fort, aussi doux que lorsque Brian n'avait dans les poches que ses rêves et ses espoirs.

Ils roulèrent sur le lit, enlacés, et il la regarda se hisser sur lui, le visage transformé par le plaisir.

Elle n'avait presque pas changé. Ses cheveux, juste un peu plus longs, lui frôlaient les épaules, brillants et raides. Sa peau avait la pâleur du lait, à peine rosie par la passion. Il se souleva légèrement et prit ses seins entre ses mains, avant d'y déposer des baisers plus légers que des chuchotements.

Avec Beverly, il voulait la beauté. Et il la trouvait. Agrippant les hanches de la jeune femme, il lui laissa l'initiative, sachant qu'elle l'emporterait exactement là où il voulait aller.

Nue, elle s'étira, avant de se lover contre lui. À travers ses yeux mi-clos, elle voyait le soleil entrer par la fenêtre. Elle voulait imaginer que c'était le matin. Un matin paresseux où ils pourraient traîner au lit pendant des heures.

— Je ne pensais pas que je me sentirais bien, ici, pendant tout ce temps où vous travailliez à l'enregistrement. Mais ce fut merveilleux.

— Tu peux rester un peu plus longtemps ; on prendrait quelques semaines à ne rien faire et on retournerait à Disneyland.

— Darren pense déjà que c'est son parc d'attractions personnel.

— Dans ce cas, nous lui en construirons un.

Il se souleva sur un coude.

— Beverly, j'ai discuté avec Pete, juste avant de rentrer. Avec *Outcry*, on a un disque de platine à notre palmarès.

— Oh ! Brian, c'est fabuleux.

— Mieux que ça encore. J'avais raison.

Il se redressa, le visage animé.

— Les gens écoutent. Ils nous écoutent vraiment. *Outcry* est devenu une sorte d'hymne pour tous ceux qui luttent contre la guerre. Nous sommes en train de créer une différence.

Brian n'était pas conscient de la note de désespoir qui perçait dans sa voix ; le désespoir d'un homme essayant de se convaincre lui-même.

— Nous allons sortir un autre single de l'album. *Love Lost*, je pense, même si Pete prétend que ce n'est pas assez commercial.

— C'est une chanson tellement triste.

— Justement, s'exclama-t-il. J'aimerais la faire jouer au Parlement, au Pentagone et aux Nations unies ; partout où ces salauds bedonnants et satisfaits prennent des décisions. Il faut agir, Beverly. Puisque les gens m'écoutent, je dois en profiter pour dire quelque chose d'important.


Pete Page était installé à son bureau, dans l'appartement en terrasse qu'il avait loué, au cœur de Los Angeles. Il réfléchissait.

Comme Brian, il était ravi du succès d'*Outcry*. En ce qui le concernait, ce bonheur était lié au nombre faramineux des ventes, plutôt qu'à un éventuel impact social. Normal. C'était son boulot.

Comme il l'avait prédit, trois ans plus tôt, Brian et les autres étaient devenus très riches. Et il avait bien l'intention de faire en sorte que leur fortune s'accroisse encore.

Dès l'instant où il les avait entendus pour la première fois, Pete avait su qu'il tenait le jackpot. Leur musique était un peu rude, écorchée : dans l'air du temps... À l'époque, il avait déjà décroché des contrats d'enregistrement pour deux groupes, mais avec Devastation, c'était la gloire qu'il visait.

Il avait besoin d'eux, comme ils avaient besoin de lui. Il les avait accompagnés sur la route. Il avait battu le rappel de tous les producteurs de disques, contacté toutes ses relations. Et son investissement lui avait rapporté plus qu'il n'avait espéré. Mais aujourd'hui, il se fixait d'autres objectifs. Il voulait davantage. Pour eux. Et pour lui-même.

Le groupe commençait à lui donner du souci. Depuis quelque temps, ses membres s'aventuraient un peu trop chacun de son côté. Johnno se rendait sans cesse à New York. Stevie disparaissait totalement, parfois plusieurs semaines. P. M. était toujours dans les parages, mais complètement obnubilé par une starlette un peu trop ambitieuse. Enfin, il y avait Brian, qui passait son temps à faire des déclarations contre la guerre.

Ils formaient un groupe de rock and roll, nom d'un chien, et ce qu'ils faisaient séparément les affectait fatalement en tant que groupe. De même que ce qu'ils faisaient en tant que groupe affectait les ventes. Déjà, ils se faisaient tirer l'oreille pour organiser une tournée, après la sortie du dernier album.

Pete n'avait pas l'intention de les voir se démanteler comme les Beatles.

Il poussa un soupir et pensa à ses quatre poulains. Ce qu'ils avaient été et ce qu'ils étaient devenus.

Il sourit en pensant à la collection de voitures de Johnno. La Bentley, les Rolls, la Ferrari. Il fallait lui reconnaître cette qualité, au moins : Johnno était un homme qui savait profiter de son argent. D'ailleurs, ce n'était pas sa seule vertu. Au fil des années, Pete avait conçu un réel respect pour l'intelligence, le bon sens et le talent de Johnno. Il avait même cessé de s'inquiéter au sujet de son homosexualité. Johnno n'était pas du genre à étaler au grand jour sa vie privée. Et le public l'aimait pour ses tenues extravagantes et son humour dévastateur.

Ensuite, venait Stevie. Son problème, c'était la drogue. Cela n'affectait pas encore son jeu, mais Pete avait remarqué que les sautes d'humeur du guitariste étaient de plus en plus fréquentes. Au cours des deux dernières séances d'enregistrement, tout le monde avait remarqué qu'il planait et même Brian, qui n'était pourtant pas le dernier à s'envoyer en l'air, avait paru agacé.

Oui, il fallait garder un œil sur Stevie.

P. M., quant à lui, était aussi solide qu'un roc. Bien sûr, Pete était parfois fâché de le voir étudier les contrats à la loupe, mais le batteur investissait son argent ingénieusement et en cela, il méritait le respect. Le plus surprenant avait été de voir les filles se jeter à son cou, en dépit de son visage plutôt ingrat. Ainsi, là où Pete avait craint un déséquilibre qui aurait pu nuire au groupe, il avait trouvé un élément entièrement sûr et qui lui donnait, somme toute, entière satisfaction.

Restait Brian.

Pete se versa deux doigts de Chivas Regal et se renversa dans son fauteuil de cuir. Brian était, sans aucun doute possible, le cœur et l'âme de Devastation. Il représentait l'énergie créatrice et la conscience du groupe.

Une chance que cette histoire avec Emma ne lui eût pas porté préjudice. Au contraire, le chanteur avait vu croître son capital de sympathie et, par conséquent, les ventes de disques avaient augmenté. Évidemment, Pete devait encore, de temps en temps, croiser le fer avec Jane Palmer. Cependant, tout cela n'avait eu aucune incidence sur la popularité du groupe. Pas plus que le mariage de Brian. Au départ, Pete s'était senti frustré de ne pouvoir promouvoir l'image de quatre jeunes gens, célibataires et dans le vent. Mais la vie de famille de Brian s'était révélée une aubaine et la meilleure des pâtures à jeter à une presse avide d'informations.

Le problème, c'était cette manie qu'avait Brian de se mêler de politique. Pete mesurait très bien le pouvoir de la presse ; il savait qu'une simple déclaration, en apparence anodine, pouvait détourner le public du personnage qu'il avait idolâtré. John Lennon avait commis une telle erreur, quelques années plus tôt, avec son commentaire un peu sarcastique selon lequel les Beatles seraient plus grands que Jésus. Et Brian était souvent bien près de glisser, lui aussi, sur cette pente dangereuse.

Il avait le droit d'avoir des opinions, bien sûr. Mais venait un moment où les convictions personnelles et le succès public empruntaient des chemins différents. Entre l'amour de Stevie pour les drogues en tous genres et l'idéalisme de Brian, on courait tout droit à la catastrophe.

Il existait des moyens de l'éviter, évidemment, et Pete avait déjà commencé à en envisager certains. D'une part, il fallait convaincre le public que Stevie était un musicien extraordinaire et non un rocker drogué. D'autre part, il fallait que les fans voient en Brian le père dévoué plutôt que le manifestant pour la paix.

Tout était dans l'image. Si celle-ci était efficace, non seulement les jeunes achèteraient les disques et les magazines, mais leurs parents s'y mettraient aussi.

# 8

Ils restèrent deux semaines de plus en Californie, profitant des longues journées ensoleillées pour faire les lézards ou l'amour au milieu de l'après-midi et donnant des fêtes inoubliables qui duraient jusqu'au matin. Beverly décida de jeter sa pilule et Brian écrivit des chansons d'amour. Dans cette atmosphère détendue, le groupe retrouva son unité des premiers temps et la maison sur la colline devint leur quartier général.

— On devrait tous y aller, dit Johnno en passant à son voisin un pétard auquel il n'avait pas touché. *Hair* a été la première comédie musicale importante de notre génération. La première comédie rock.

Lui-même caressait l'idée de créer, avec Brian, une partition et un spectacle dont le triomphe dépasserait celui de *Hair* et celui de *Tommy*, le succès actuel des Who.

— On pourrait faire escale à New York pour quelques jours, poursuivit-il, aller au théâtre, faire un peu les cons et rentrer à Londres.

— Ils se mettent vraiment à poil ? demanda Stevie.

— Jusqu'au trognon, mon vieux. Rien que pour ce spectacle, à mon avis, ça vaut le déplacement et le prix du billet.

— On devrait y aller, dit Brian, que la marijuana et la compagnie de ses meilleurs amis rendaient tout doux.

La tête posée sur les genoux de Beverly, il se disait qu'il était déjà resté trop longtemps au même endroit. Il aimait bien l'idée d'aller passer quelques jours à New York.

— Rien que pour la musique, ça vaut le coup.

— Toi, vas-y pour la musique, commenta Stevie avec un sourire. Moi, j'y vais pour les minettes à poil.

— Il ne reste qu'à demander à Pete de tout organiser. Qu'en penses-tu, Beverly ?

Elle n'aimait guère New York, mais Brian avait manifestement pris sa décision et elle ne tenait pas à gâcher l'humeur sereine et heureuse de ces dernières semaines.

— Ce sera sympa, répondit-elle. Nous pourrons emmener Darren et Emma au zoo et à Central Park, avant de rentrer à la maison.


Emma était ravie de l'aubaine. Elle avait gardé un souvenir émerveillé de son premier séjour à New York et ne contenait pas sa joie, à l'idée de partager les attractions de la grande ville avec Darren.

Elle essaya de lui raconter tout ce qu'ils allaient faire et voir, tandis qu'ils jouaient à la ferme. Près d'eux, Alice Wallingsford faisait les paquets.

— Meuh, dit Darren en brandissant une petite vache à la robe de plastique blanche tachetée de noir. Veux voir un meuh.

— Je ne crois pas que tu verras une vache au zoo, mais il y aura des lions.

Elle poussa un rugissement qui arracha des cris de joie au garçon.

— Emma, tu es en train de l'énerver, dit Alice, presque automatiquement. C'est l'heure de le coucher.

Emma leva les yeux au plafond, tandis que Darren sautillait autour d'elle. Il portait une salopette et des baskets rouges. Pour sa sœur, il essaya, maladroitement, de faire une galipette.

— Toute cette énergie, murmura Alice. Je ne sais pas comment nous arriverons à le faire dormir, ce soir.

— Ne rangez pas Charlie, intervint Emma, avant que la jeune femme ait eu le temps de jeter son chien en peluche dans une des caisses. Il doit prendre l'avion avec moi.

Poussant un soupir, Alice posa le vieux compagnon de l'enfant sur une chaise.

— Il a besoin d'être lavé. Je ne veux plus que tu le mettes dans le berceau de Darren.

— J'aime Charlie, annonça ce dernier en essayant une autre galipette.

Il atterrit sur sa ceinture d'outils de menuisier, mais au lieu de pleurer, il saisit le marteau et se mit à cogner sur un petit établi coloré.

— Peut-être, poursuivit Alice, mais Charlie commence à sentir mauvais. Je ne veux pas de microbes dans le lit de mon bébé.

Darren lui offrit un sourire éblouissant.

— Darren aime les crobes.

Alice le souleva dans ses bras.

— Charmeur, va. Et maintenant, on va aller prendre son bain.

La jeune femme s'arrêta sur le seuil de la porte.

— Emma, ne laisse pas traîner tous ces jouets. Tu pourras prendre ton bain lorsque Darren aura terminé. Puis nous descendrons souhaiter une bonne nuit à tes parents.

L'enfant acquiesça d'un signe de tête et attendit que la gouvernante eût disparu pour aller chercher Charlie. Il ne sentait pas mauvais, se dit-elle en enfouissant sa frimousse dans la fourrure du chien. Et elle le mettrait dans le berceau de Darren, parce que Charlie veillait sur son petit frère, pendant qu'elle dormait.

— Fallait-il vraiment que tu invites tous ces gens, ce soir ? demanda Beverly en secouant un oreiller.

— Comment croyais-tu leur dire au revoir, autrement ? répondit Brian. D'ailleurs, une fois à Londres, nous allons recommencer à travailler comme des fous. Je veux me détendre tant que cela m'est encore possible.

— Et tu penses te détendre avec cent personnes qui se baladent dans la maison ?

— Beverly, c'est notre dernière soirée ici.

Elle ouvrit la bouche, mais la referma en voyant Alice entrer avec les enfants.

— Et voilà mon garçon ! dit-elle en prenant son fils des bras de la jeune femme.

Elle eut un clin d'œil à l'adresse d'Emma, consciente des angoisses de la petite fille, dès qu'il s'agissait de monter à bord d'un avion.

— Alors, Charlie est prêt pour le voyage ? demanda-t-elle.

— Il est un peu nerveux, mais ça ira, s'il est avec moi.

— J'en suis certaine, l'assura Beverly avec douceur, tout en embrassant la joue de Darren. Ils ont pris leur bain, Alice ?

— Oui. Je m'apprêtais à les coucher.

— Je vais m'en occuper. Avec toute cette confusion, aujourd'hui, j'ai à peine vu les enfants.

— Très bien, madame. Je finis de faire les valises.

— Papa, tu nous racontes une histoire ? demanda Emma d'une voix timide. S'il te plaît.

Brian avait l'intention de mettre un disque de Jimmy Hendrix sur la platine et de se rouler un joint. Mais il avait du mal à résister au sourire de sa fille et au rire pétillant de son démon de garçon. Il monta à l'étage avec sa famille.

Il fallut deux histoires pour que les paupières de Darren commencent enfin à s'alourdir. Le petit luttait contre le sommeil avec la même énergie qui lui faisait refuser toute activité sédentaire. Pourtant, il finit par bâiller, le visage enfoui dans le cou de sa mère. Il sentait Emma, tout près de lui, et s'endormit, heureux de savoir qu'elle était là.

Il ne se réveilla pas, lorsque Beverly le coucha dans son berceau, qui serait bientôt trop petit pour lui. Darren dormait comme il vivait. De tout son cœur.

— Il est tellement beau, murmura Beverly, sans pouvoir s'empêcher de caresser sa joue rebondie.

Emma confortablement installée dans ses bras, Brian baissa les yeux sur son fils.

— Quand on le voit, comme ça, on a du mal à se figurer le chaos qu'il est capable de créer dans une pièce, presque d'une seule main.

— Il utilise les deux.

— Et ses pieds.

— Je n'ai jamais connu quelqu'un qui aime autant la vie. Quand je le regarde, je me dis que j'ai tout ce que j'ai toujours souhaité. Je peux l'imaginer, dans un an, dans cinq ans. Ça donne presque envie de vieillir.

— Les rock stars ne vieillissent pas, marmonna Brian d'un ton sarcastique. Elles meurent d'overdose ou se recyclent à Las Vegas dans des complets blancs à paillettes.

— Pas toi, Brian, murmura la jeune femme en glissant son bras autour de la taille de son mari. Dans dix ans, tu seras toujours en tête des hit-parades.

— Ouais. En tout cas, si jamais j'achète un truc à paillettes blanches, je t'autorise à me botter le derrière.

— Avec plaisir.

Elle l'embrassa tendrement.

— Allons coucher Emma.

Brian porta sa fille dans sa chambre, à l'autre bout du couloir, et la coucha doucement, le front barré par un pli soucieux. Il se redressa sans cesser de contempler l'enfant.

— Je veux faire les choses bien, Beverly. Pour eux et pour toi. Le monde est en train de devenir complètement cinglé. Avant, je pensais qu'en réussissant, nous nous ferions écouter, et que cela ferait une différence.

Il secoua la tête.

— Je ne sais plus.

— Qu'est-ce que ne va pas, chéri ?

— Je ne sais pas. Il y a deux ans, quand nous avons commencé à vraiment percer, je pensais que c'était fabuleux. Toutes ces filles qui hurlaient, nos photos dans les magazines, notre musique sur toutes les radios.

— C'est ce que tu voulais.

— Oui. Je le veux toujours. Enfin, je ne sais pas. Comment peuvent-ils entendre notre message, alors qu'ils s'égosillent du début à la fin de chaque foutu concert ? Nous ne sommes qu'une marchandise, une image que Pete façonne pour vendre le plus de disques possible.

Il enfonça ses poings serrés dans ses poches.

— Parfois, j'aimerais revenir à nos débuts, dans ces pubs où les gens nous écoutaient ou dansaient pendant que nous jouions. On pouvait toucher le public, alors. Je n'ai pas compris, à l'époque, à quel point c'était unique et merveilleux. Mais on ne peut plus revenir en arrière.

— Je ne savais pas que tu pensais à tout ça. Pourquoi ne m'en as-tu pas parlé ?

— Je n'en étais pas vraiment conscient. C'est comme un malaise qui grandit en moi. J'ai l'impression de ne plus être Brian McAvoy.

Comment expliquer que les émotions qu'il avait cru voir renaître, à Woodstock, s'étaient effacées peu à peu, durant l'année qui avait suivi ?

— J'ignorais à quel point il serait frustrant de ne pas pouvoir aller prendre un verre avec mes potes, ou lézarder sur une plage, sans voir aussitôt des gens s'agglutiner sur nous, comme s'ils voulaient une part de vous.

— Tu pourrais arrêter. Pourquoi ne pas faire marche arrière, écrire, composer ?

— Non. J'ai besoin d'enregistrer, de me produire sur scène. Je m'en rends compte chaque fois que je chante dans un micro. C'est le reste…, tout le reste, qui me pèse. Je ne sais pas si c'est lié à la façon dont Hendrix et Joplin sont morts. C'est un tel gâchis. Et la rupture des Beatles. J'ai l'impression que nous assistons à la fin de quelque chose, alors que moi, je n'ai pas terminé.

— Ce n'est pas la fin, Brian. Juste un changement.

Il secoua la tête.

— Si on n'avance pas, on recule. C'est comme une spirale infernale. Il y a Pete qui fait pression pour que nous partions en tournée, de nouveau, ou qui essaie de convaincre Stevie de participer à ces sessions en studio, avec d'autres groupes. Tout ce que je sais, c'est que nous ne sommes plus les quatre mecs qui se réunissaient pour jouer de tout leur cœur. Ce n'est plus que de la publicité et du foutu marketing.

Emma bougea un peu dans son lit.

— Et puis, je m'inquiète au sujet de la petite et de son entrée à l'école, et du jour où Darren partira faire sa vie. Comment est-ce que ce sera pour eux ? Est-ce qu'on va les chercher, les harceler à cause de moi ? Je ne veux pas qu'ils aient la même enfance pourrie que moi, mais est-ce que je fais vraiment mieux, en les entraînant dans un truc qui nous dépasse complètement et menace de nous dévorer ?

— Tu réfléchis trop.

Beverly lui prit tendrement le visage entre ses mains.

— C'est ce que j'aime le plus chez toi, d'ailleurs, reprit-elle. Les enfants vont bien. Il n'y a qu'à les regarder pour en être sûr. Leur vie n'est peut-être pas normale, mais ils sont heureux. Et nous allons tout faire pour qu'ils le demeurent. Quoi que tu représentes, tu es leur père. Pour le reste, on se débrouillera.

Brian attira la jeune femme contre lui.

— Je t'aime, Beverly. Je dois être fou de m'inquiéter comme ça. Nous avons tout.

Il posa ses lèvres sur les cheveux de Beverly. Si seulement il pouvait comprendre pourquoi *tout* se révélait soudain être *trop*.


L'insatisfaction de Brian s'évanouit après deux joints. La maison était pleine de gens et de musique. Les drogues circulaient abondamment. Il y avait de tout. De l'herbe, du haschisch turc, de la poudre, des amphétamines. Le rock déchirant de Janis Joplin se répercutait sur les murs et Brian voulait l'écouter, encore et encore, ne fût-ce que pour se rappeler qu'il était vivant ; il avait encore une chance de servir à quelque chose.

Il regarda Stevie danser avec une rousse moulée dans une minijupe pourpre. En voilà un qui ne se souciait guère de devenir un produit tout juste bon à être placardé sur les murs des chambres d'adolescentes. Stevie sautait allègrement d'une femme à une autre sans qu'aucune inquiétude vînt jamais le troubler. Évidemment, il était complètement défoncé, la plupart du temps. Avec un demi-rire, Brian prit un autre joint dans un saladier, décidant qu'il était temps, pour lui aussi, d'aller planer un peu.

Quand Emma se réveilla, le sol vibrait à cause des basses de la stéréo. Elle demeura allongée un moment, essayant, comme elle le faisait parfois, de reconnaître la chanson à travers son rythme.

Elle s'était habituée aux fêtes. Son papa aimait être entouré d'un tas de gens. De musique et de rires. Quand elle serait grande, elle irait à des soirées, elle aussi.

Beverly veillait toujours à ce que la maison fût impeccable, avant l'arrivée des invités, ce que l'enfant trouvait idiot. Le lendemain matin, il régnait toujours une pagaille indescriptible, avec, partout, des verres abandonnés exhalant encore des effluves d'alcool et des tas de cendriers qui débordaient. Généralement, il y avait aussi quelques oubliés, des gens vautrés sur les sofas, endormis au milieu du désordre.

Emma se demandait comment c'était, de rester debout toute la nuit, à parler, rire et écouter de la musique. Quand on était adulte, personne ne vous disait d'aller vous coucher ou prendre votre bain.

Avec un soupir, l'enfant roula sur le dos. La musique était plus rapide, à présent. Elle entendait résonner les basses, dans les murs. Et autre chose. Des pas, qui longeaient le couloir. Mademoiselle Wallingsford, sans doute. Emma ferma les yeux, s'apprêtant à faire semblant de dormir. À moins que ce ne fût papa ou maman, venus voir s'ils dormaient bien, elle et Darren. Dans ce cas, elle dirait qu'elle venait de se réveiller et les persuaderait de lui raconter la soirée.

Mais les pas ne s'arrêtèrent pas devant sa porte.

Elle se redressa dans son lit, déçue, serrant Charlie contre elle, son petit visage ensommeillé illuminé par la douce clarté de sa lampe de chevet en forme de Mickey Mouse. Soudain, elle crut entendre Darren.

D'un mouvement instinctif, elle sortit de son lit, Charlie soigneusement coincé sous son bras. Elle resterait un peu avec son petit frère, jusqu'à ce qu'il se calme ; puis elle lui laisserait Charlie pour qu'il veille sur lui le reste de la nuit.

Le couloir était plongé dans l'obscurité. Bizarre. On le laissait toujours éclairé, pour le cas où elle se réveillerait. Elle hésita un instant, sur le pas de la porte, imaginant les choses qui se dissimulaient dans les coins sombres. Elle voulait rester dans sa chambre avec Mickey.

Puis, Darren poussa un cri.

Il n'y avait rien dans les coins, se dit la petite fille en avançant dans le couloir. Il n'y avait rien du tout. Pas de monstres, de fantômes ou de choses sifflantes.

En bas, les Beatles chantaient dans les haut-parleurs.

Emma mouilla ses lèvres. Partout, du noir. Rien que du noir. Son regard s'était habitué à l'obscurité, lorsqu'elle arriva devant la chambre de son frère. La porte était fermée. Ça non plus, ce n'était pas normal. Elle demeurait toujours entrouverte, pour qu'on puisse l'entendre.

Le cœur cognant dans sa petite poitrine, elle tourna la poignée et poussa la porte.

« *Come together*, chantait John Lennon. *Over me.* »

Il y avait deux hommes dans la chambre. L'un d'eux tenait Darren, luttant pour l'immobiliser, tandis que le bébé hurlait sa peur et sa colère. L'autre brandissait quelque chose...

— Qu'est-ce que vous faites ?

L'homme fit volte-face en entendant sa voix. Ce n'était pas un docteur, se dit l'enfant en voyant la seringue dans sa main. Elle le reconnaissait et savait qu'il n'était pas médecin. D'ailleurs, Darren n'était pas malade.

L'autre homme poussa une bordée d'injures, tout en s'escrimant toujours pour contenir Darren qui gigotait comme un beau diable.

— Emma, dit le monsieur qu'elle connaissait, d'une voix calme et amicale.

Il sourit. Un de ces faux sourires. Il était en colère, songea la petite fille. Il fit un pas vers elle, la seringue toujours dans sa main.

Elle pivota sur ses pieds nus et s'enfuit.

— Ma, hurla Darren derrière elle.

Sanglotant, elle courut dans le couloir. Il y avait des monstres tout autour d'elle. Des monstres affreux avec de grandes dents. Ils la poursuivaient, maintenant.

L'homme réussit presque à attraper l'ourlet de la chemise de nuit rose. Avec un juron, il bondit en avant. Sa main glissa sur la cheville de l'enfant et elle poussa un cri de terreur. Elle venait d'atteindre le haut de l'escalier et se mit à hurler le nom de son père, encore et encore.

Puis, ses jambes s'emmêlèrent. Elle trébucha dans l'escalier et tomba la tête la première.

Quelques minutes auparavant, dans la cuisine, quelqu'un beuglait dans le téléphone, pour essayer de commander cinquante pizzas. Secouant la tête, Beverly alla chercher des glaçons dans le congélateur, en remplit son Martini et s'apprêta à retourner dans le salon. Sur le seuil, elle tomba sur Brian. Celui-ci sourit et lui donna un long baiser langoureux.

— Salut.

— Salut, répondit-elle en nouant les bras autour de son cou, sans lâcher son verre. Brian.

— Hmm ?

— Qui sont tous ces gens ?

Il rit, le visage enfoui dans le cou de la jeune femme.

— Je suis là, moi.

L'odeur de Beverly suffisait à éveiller son désir. Il la pressa suggestivement contre lui.

— Si on leur laissait le rez-de-chaussée pour aller faire un petit tour à l'étage.

— C'est très impoli, murmura Beverly en bougeant contre lui. C'est vilain, impoli, et la meilleure idée que j'aie entendue depuis des heures.

— Dans ce cas...

Il essaya vaguement de la soulever dans ses bras et ils titubèrent ensemble. Une coulée de vin glissa dans le dos de Brian, tandis que Beverly pouffait de rire.

— Tu pourrais essayer de me porter, toi, dit-il.

C'est alors qu'il entendit Emma crier.

Il heurta une table en se retournant. Étourdi par l'alcool et la drogue, il trébucha, se rétablit et courut vers l'entrée. Des gens étaient déjà agglutinés au pied de l'escalier et il les poussa. Elle était là, comme posée au bas des marches.

— Emma. Mon Dieu.

Il craignait de la toucher. Il y avait du sang au coin de sa bouche. Tremblant, il l'essuya du bout du doigt. Il leva des yeux un peu hagards sur la foule de visages, un mélange indéfinissable de couleurs. Son estomac se noua, avant de remonter dans sa gorge.

— Appelez une ambulance, parvint-il à articuler, avant de se pencher de nouveau sur sa fille.

— Ne la déplace pas, dit Beverly, livide, en s'agenouillant près de lui. Je crois que c'est préférable. Il nous faut une couverture.

Une personne plus vive que les autres lui en fourrait déjà une entre les mains.

— Ça va aller, Brian, enchaîna la jeune femme en couvrant l'enfant avec d'infinies précautions.

Il ferma les yeux, secoua la tête, comme pour la vider. Mais lorsqu'il regarda de nouveau, Emma était toujours étendue sur le sol, pâle comme la mort. Il y avait trop de bruit. La musique, les voix qui murmuraient autour de lui. Une main se posa sur son épaule, y imprimant une pression rassurante.

— L'ambulance arrive, dit P. M. Tiens bon, Brian.

— Fais-les sortir, chuchota ce dernier.

Il croisa le regard choqué de Johnno.

— Fais-les sortir.

Avec un hochement de tête, Johnno poussa les gens dehors. La porte était ouverte et la nuit scintillait. Enfin, le hurlement des sirènes déchira l'air.

— Je vais monter, dit Beverly, prévenir Alice de ce qui s'est passé et voir Darren. Nous allons accompagner Emma à l'hôpital. Tout ira bien, Brian. Je le sais.

Il ne put que hocher la tête, sans détourner les yeux de sa petite fille inerte. Il ne pouvait pas la laisser. S'il avait osé, il aurait couru dans la salle de bains, enfoncé les doigts dans sa bouche et vomi une partie des substances chimiques qu'il avait ingurgitées, ce soir-là.

— Brian.

Johnno posa une main sur son bras.

— Il faut que tu recules pour leur permettre de s'occuper d'elle.

— Hein ?

— Recule.

Gentiment, Johnno l'aida à se mettre debout, et Brian vit les ambulanciers s'accroupir près de son enfant.

— Elle a dû tomber du haut de l'escalier.

— Elle va se remettre, dit Johnno, échangeant un regard impuissant avec P. M., par-dessus la tête de leur ami.

— Les petites filles sont plus solides qu'elles n'en ont l'air.

— C'est vrai ça, renchérit la voix de Stevie qui, instable sur ses jambes, se tenait juste derrière, les deux mains posées sur les épaules de Brian. Ce n'est pas une petite chute qui va arrêter notre Emma.

— Nous allons à l'hôpital avec vous, dit Pete en se joignant au groupe.

Ensemble, ils regardèrent les ambulanciers soulever le corps de l'enfant pour le glisser sur une civière.

À ce moment, depuis l'étage, Beverly se mit à hurler, hurler, hurler, jusqu'à ce que le son de sa voix eût empli chaque recoin de la maison.

# 9

Lou Kesselring ronflait comme un éléphant blessé. Et quand il s'autorisait une bière avant d'aller se coucher, il ronflait comme deux éléphants blessés. Son épouse, habituée, après dix-sept ans de mariage, avait trouvé la parade : elle dormait avec des boules Quies. Lou savait que Marge l'aimait, à sa manière tranquille et un peu bourrue, et il se félicitait encore d'avoir eu la présence d'esprit de ne pas partager sa couche avec elle, avant le mariage. Lorsqu'elle avait découvert son petit secret, il lui avait déjà passé la bague au doigt.

Cette nuit, il se surpassait. Il y avait près de trente-six heures qu'il n'avait dormi dans son lit. Maintenant que l'affaire Calarmi était bouclée, il allait jouir, non seulement d'une nuit de sommeil complète, mais d'un week-end entier de farniente.

Il rêvait d'ailleurs qu'il s'occupait de son jardin, taillant les rosiers et jouant à attraper des balles de base-ball avec son fils. Ils feraient griller quelques steaks sur le barbecue, tandis que Marge leur préparerait sa fabuleuse salade de pommes de terre.

Il avait dû tuer un homme, douze heures plus tôt. Ce n'était pas la première fois, même si, Dieu merci, cela demeurait exceptionnel. Chaque fois que son travail l'entraînait aussi loin dans l'horreur, il avait besoin, désespérément, de l'ordinaire. De la salade de pommes de terre et de la viande grillée. Le contact du corps ferme de sa femme contre lui, la nuit. Le rire de son fils.

Lou était flic. Un bon flic. Au cours des six années qu'il venait de passer au service des homicides, c'était la deuxième fois qu'il se trouvait dans l'obligation de décharger son arme. Comme la plupart de ses collègues, il savait que son boulot consistait à traverser de longues périodes de monotonie, avec leur poids de déplacements, de paperasseries et de coups de téléphone, entrecoupées de moments fulgurants de terreur.

Il savait aussi qu'il devait voir et affronter des choses dont la plupart des gens n'avaient pas idée, comme les meurtres, les guerres de ghettos, les bagarres dans les contre-allées qui se réglaient à coups de poignard, le sang, le gâchis.

Lou savait tout cela, mais il n'en rêvait pas. Il avait quarante ans et jamais, depuis qu'on lui avait donné son premier badge, seize ans plus tôt, il n'avait rapporté son travail chez lui.

Mais parfois, celui-ci le suivait.

Il roula sur le ventre en inspirant très fort, et son ronflement fut interrompu par la sonnerie du téléphone. Instinctivement, les yeux encore fermés, il tendit la main et décrocha.

— Ouais. Kesselring.

— Lieutenant. C'est Bester.

— Qu'est-ce que tu veux, bordel ?

— Désolé de vous réveiller, mais un incident s'est produit. Vous connaissez McAvoy, Brian McAvoy, le chanteur ?

— McAvoy ? répéta Lou en luttant pour se réveiller.

— Devastation. Le groupe de rock.

— Ouais, ouais. Et alors ?

Le rock, lui, il n'aimait pas trop. À moins que ce soit Presley ou les Everly Brothers.

— Quelqu'un a tué leur petit garçon. Il pourrait bien s'agir d'une tentative de kidnapping qui aurait foiré.

— Eh, merde.

118

Tout à fait réveillé, maintenant, Lou alluma la lumière.

— Donne-moi l'adresse.

La lampe tira Marge de son sommeil. Elle jeta un coup d'œil pardessus son épaule et vit son mari assis sur le bord du lit, en train de griffonner quelque chose sur son calepin. Sans se plaindre, elle se leva, enfila sa robe de chambre et descendit lui faire du café.

*
*  *

Lou trouva Brian à l'hôpital. Il ne savait pas trop à quoi s'attendre. Il avait bien vu le chanteur, à plusieurs reprises, dans des magazines ou à la télé, quand il faisait des discours contre la guerre. Lou n'avait pas de sympathie particulière pour tous ces types qui se camaient, laissaient pousser leurs cheveux et distribuaient des fleurs aux coins des rues. Mais il n'était pas sûr d'approuver la guerre non plus. Il avait perdu un frère en Corée et le fils de sa sœur était parti pour le Viêtnam, trois mois plus tôt.

De toute façon, ce n'était pas les opinions politiques de McAvoy, ou sa coupe de cheveux, qui le préoccupait, pour le moment.

Il marqua une pause, étudiant Brian, qui était effondré sur une chaise. Il avait l'air plus jeune, dans la réalité, se dit Lou. Jeune, un peu trop mince et avec un visage étrangement joli, pour un homme. Brian avait le regard hébété de ceux qui viennent de subir un choc. Il y avait d'autres hommes, dans la pièce, et de la fumée s'élevait de plusieurs cendriers.

Dans un geste mécanique, Brian porta une cigarette à ses lèvres, tira une bouffée, la reposa et souffla.

— Monsieur McAvoy.

Brian leva les yeux. Un homme de haute taille, élancé, lui faisait face. Ses cheveux noirs soigneusement coiffés vers l'arrière dévoilaient un visage aux traits tirés par la fatigue. Il portait un complet gris et une cravate sévère de la même couleur sur une chemise blanche. Ses chaussures noires étaient impeccablement cirées, ses ongles courts, et Brian se demanda comment il avait la force de remarquer tous ces détails.

— Oui.

— Je suis le lieutenant Kesselring.

Il sortit son badge, mais Brian continuait à le regarder droit dans les yeux.

— J'ai besoin de vous poser quelques questions.

— Cela ne peut-il pas attendre ? intervint Pete Page. Monsieur McAvoy n'est pas en état de supporter un interrogatoire, pour l'instant.

— Plus vite nous aurons écarté les procédures préliminaires inévitables, plus vite nous pourrons nous mettre au travail.

Lou remit son badge dans sa poche et s'assit en face de Brian.

— Je suis désolé, monsieur McAvoy. Je ne veux pas ajouter à votre douleur. Je tiens à trouver le responsable.

Brian alluma une cigarette avec le mégot de l'autre. Il ne dit rien.

— Que pouvez-vous m'apprendre, au sujet de ce qui est arrivé ce soir ?

— Ils ont tué Darren. Mon petit garçon. Ils l'ont pris dans son berceau et laissé sur le sol.

Le cœur au bord des lèvres, Johnno se détourna. Lou tira un bloc-notes et un crayon de sa poche.

— Connaissez-vous quelqu'un qui aurait pu vouloir du mal à votre fils ?

— Non. Tout le monde l'adore. Il est tellement vif et drôle.

Brian sentit sa gorge se nouer et déglutit péniblement.

— Je sais que c'est difficile, mais pouvez-vous me parler de ce soir ?

120

— Nous avions organisé une fête. Nous partons tous pour New York, demain.

— Il me faudra une liste des invités.

— Je ne sais pas. Beverly, peut-être...

Il ne termina pas sa phrase, se rappelant que Beverly était dans une chambre voisine, sous sédatif.

— Nous devrions être capables d'établir une liste assez exhaustive, si nous nous y mettons tous, intervint Pete. Mais vous pouvez être sûr qu'aucune personne invitée par Brian ne serait capable d'une telle chose.

Lou avait bien l'intention de s'en assurer.

— Connaissiez-vous tout le monde, à cette soirée, monsieur McAvoy ?

— Non, je ne crois pas.

Il se pencha en avant, reposant ses coudes sur ses genoux et se frottant les yeux avec les paumes jusqu'à se faire mal. La douleur était la seule chose qui pût le réconforter un peu.

— Des amis et des amis des amis. On ouvre la porte et les gens entrent. Comme ça.

Lou hocha la tête, comme s'il comprenait. Il se rappela la soirée que Marge avait donnée en l'honneur de leur quinzième anniversaire de mariage. Tout avait été préparé, pensé et vérifié plutôt cent fois qu'une.

— Nous travaillerons sur la liste, déclara-t-il. Maintenant, votre fille, Emma, c'est ça ?

— Oui, Emma.

— Elle se trouvait à l'étage.

— Oui, elle était couchée. Tous les deux dormaient.

— Dans la même chambre ?

— Non. Alice Wallingsford, notre nanny, était à l'étage, aussi.

— Oui.

Lou savait déjà que la jeune femme avait été trouvée attachée, bâillonnée et terrifiée, dans son lit.

— Et la petite fille est tombée du haut de l'escalier ?

— Je l'ai entendue m'appeler. Je sortais de la cuisine avec Beverly.

Il se rappelait, avec une précision incroyable, le baiser qu'ils avaient échangé, juste avant d'entendre le cri de l'enfant.

— Nous avons accouru. Emma était par terre, au pied des marches.

— Je l'ai vue tomber, intervint P. M. en clignant des yeux. J'ai levé la tête et elle dévalait l'escalier. C'est arrivé si vite.

— Vous avez dit qu'elle avait crié, reprit Lou en s'adressant à P. M. C'était avant qu'elle ne tombe, ou après ?

— Euh..., avant. Oui, c'est même pour ça que j'ai levé les yeux. Elle a crié et paru perdre l'équilibre.

Lou prit des notes. Il lui faudrait parler à la petite fille.

— J'espère qu'elle n'est pas gravement blessée.

— On ne sait pas, murmura Brian, dont la cigarette avait brûlé jusqu'au filtre.

Il jeta ce qu'il en restait dans le cendrier et prit le gobelet de café posé à côté de lui.

— Les médecins sont encore avec elle. On ne m'a rien dit. Je ne peux pas la perdre aussi.

Ses mains tremblaient tellement qu'il renversa du café sur lui. Johnno vint s'asseoir près de lui.

— Emma est costaud. Les gosses tombent sans arrêt.

Il foudroya le policier du regard.

— Vous ne pouvez pas le laisser tranquille ?

— Encore quelques questions, répondit Lou, sans se démonter. C'est votre femme, monsieur McAvoy, qui a trouvé votre fils ?

— Oui. Elle est montée après l'arrivée de l'ambulance. Elle voulait... Elle voulait s'assurer que Darren ne s'était pas réveillé. Je l'ai entendue hurler, hurler, et je me suis précipité. Quand je suis arrivé dans la chambre de Darren, elle était assise sur le sol ; elle le tenait contre elle. Et elle criait. Ils ont dû lui donner quelque chose pour l'endormir.

— Monsieur McAvoy, avez-vous reçu des menaces, contre vous, votre femme ou vos enfants ?

— Non.

— Rien ?

— Non. Enfin, on reçoit bien des lettres de haine, parfois. Pour des histoires de politique, la plupart du temps. Pete s'en occupe.

— Nous aimerions voir tout ce que vous avez reçu au cours des six derniers mois.

— Cela représente un sacré paquet de courrier, lieutenant, lui dit Pete.

— Nous nous débrouillerons.

Brian se leva brusquement, comme un médecin entrait dans la salle d'attente.

— Emma ? dit-il d'une voix étranglée.

— Elle dort. Elle a une commotion cérébrale, un bras cassé et quelques côtes fêlées, mais pas de blessure interne.

— Ça va aller ?

— Elle aura besoin d'une surveillance constante, au cours des jours à venir, mais il n'y a pas de raisons de s'inquiéter.

Alors il pleura. Il sanglota comme il n'avait pas été capable de le faire quand il avait vu le corps sans vie de son fils, ou quand on avait emmené sa famille pour le laisser dans cette pièce aux murs verts. Des larmes brûlantes coulèrent à travers ses doigts, tandis qu'il se couvrait le visage.

Discrètement, Lou referma son bloc-notes et se dirigea vers le médecin, avec lequel il sortit dans le couloir.

— Je suis le lieutenant Kesselring, dit-il en ressortant son badge. Homicide. Quand pourrai-je parler à la petite fille ?

— Pas avant un jour ou deux.

— J'ai besoin de lui poser quelques questions le plus tôt possible.

Il prit une carte dans sa poche et la tendit au médecin.

— Voudriez-vous m'appeler, dès qu'elle sera en mesure de parler. Et la femme, Beverly McAvoy ?

— Sous sédatif. Elle ne reprendra pas conscience avant une douzaine d'heures. Et même à ce moment-là, je ne garantis pas qu'elle sera en état de vous dire quoi que ce soit, ni même que je vous autoriserai à l'approcher.

— Appelez-moi seulement.

Il jeta un coup d'œil en direction de la salle d'attente.

— Moi aussi, j'ai un fils, docteur.


Emma faisait un cauchemar. Elle voulait appeler son papa, sa maman, mais il semblait qu'une main la bâillonnât. Des poids énormes semblaient la maintenir au sol.

Le bébé pleurait et le son de ses cris se répercutait dans la chambre, dans sa tête, à tel point que Darren semblait être enfermé dans son esprit et hurler pour en sortir. Elle voulait aller vers lui. Il le fallait, mais il y avait des serpents à deux têtes tout autour de son lit, leurs gueules ouvertes, leurs crochets prêts à l'attraper et la mordre. Chaque fois qu'elle essayait de s'échapper, les gueules abominables s'élançaient vers elle, sifflant et crachant leur venin.

Si elle restait dans son lit, elle ne risquait rien. Mais Darren avait besoin d'elle. Il l'appelait. Elle devait être brave, assez brave pour courir jusqu'à la porte. Elle parvint jusque-là et les serpents disparurent. Sous ses pieds, le sol paraissait vivant, mouvant. Elle jeta un coup d'œil pardessus son épaule. Il n'y avait là que sa chambre, avec les poupées et les jouets soigneusement alignés sur les étagères, et Mickey Mouse qui

lui souriait gaiement. Soudain, le sourire devint grimace.

Elle sortit dans le couloir obscur.

La musique était partout. Même les ombres semblaient danser en mesure. Il y avait des bruits, aussi.
Une respiration, lourde, humide. Des grognements.
Comme elle courait en direction des cris de Darren,
elle sentit un souffle brûlant sur son bras et un pincement, comme une griffure, sur ses chevilles.

La porte était verrouillée. Elle faisait cogner ses
petits poings sur la cloison, tandis que les hurlements
de Darren montaient, montaient, couverts seulement
par la musique. Puis la porte parut se dissoudre.
Elle vit un homme, mais il n'avait pas de visage. Elle
n'aperçut que la lueur de ses yeux, l'esquisse d'un sourire.

Il marcha vers elle, plus horrible à ses yeux que des
monstres ou des serpents, des gueules béantes ou
des dents de venin. Aveuglée par la terreur, elle s'enfuit.
Les cris de Darren s'amplifiaient derrière elle.

Puis elle trébucha, tomba dans un grand trou noir.
Elle entendit un bruit sec, comme une branche qui
se casse, et elle continuait à tomber, avec dans sa tête,
l'écho infernal de la musique et des cris de son frère.

Quand elle se réveilla, il faisait grand jour. Il n'y
avait pas de poupées sur les étagères, mais des murs
blancs et vides. D'abord, elle se demanda si elle était
dans un hôtel. Puis, la douleur commença ; une souffrance qui l'assaillait de toutes parts. Elle gémit et
tourna la tête.

Son père dormait dans un fauteuil, légèrement renversé en arrière. Sous la barbe naissante, son visage
avait une pâleur de cendre et ses poings étaient serrés
sur ses genoux.

— Papa.

Brian émergea aussitôt du sommeil agité dans
lequel il avait sombré. Il la vit, étendue contre les
draps immaculés de l'hôpital, les yeux écarquillés, l'air

effrayé, et il sentit des larmes brûlantes jaillir encore de ses yeux, lui nouer la gorge. Il les combattit avec le peu de force qui lui restait.

— Emma.

Il alla vers elle, s'assit au bord du lit et pressa son visage contre la poitrine étroite de l'enfant. Elle voulut l'encercler de ses bras, mais le droit était alourdi par le plâtre. Elle se rappela le bruit sec et la douleur aiguë qui avait suivi. Ce n'était donc pas un rêve. Mais alors, le reste...

— Où est Darren ?

Brian étouffa une plainte. Bien sûr, il s'attendait à cette question. Mais comment pouvait-il lui dire ce que lui-même ne parvenait pas encore à croire ou à comprendre ? Elle n'était qu'une enfant. Sa seule enfant.

— Emma.

Il baisa sa joue, ses tempes, son front, comme si cela pouvait estomper la souffrance. Puis il lui prit la main.

— Tu te souviens de l'histoire que je t'ai racontée au sujet des anges qui vivent au paradis ?

— Ils volent, jouent de la musique et ne se font jamais de mal les uns aux autres.

— Oui, murmura Brian, se félicitant amèrement d'avoir tissé ce joli conte. Eh bien, parfois, certaines personnes deviennent des anges.

Il alla chercher sa foi catholique, très loin dans son cœur, et trouva qu'elle pesait bien lourd sur ses épaules.

— Parfois, Dieu aime ces personnes si fort qu'il désire les avoir avec lui au paradis. C'est là que Darren se trouve, maintenant. Il est un ange au paradis.

— Non.

Pour la toute première fois depuis qu'elle était sortie de sa cachette sous l'évier, trois ans plus tôt, Emma repoussa son père.

— Je ne veux pas qu'il soit un ange.

— Moi non plus, ma chérie.

— Dis à Dieu de le renvoyer ici, poursuivit-elle furieusement. Tout de suite.

— Je ne peux pas.

Les larmes lui brouillaient de nouveau la vue ; il ne pouvait plus les arrêter.

— Il est parti, Emma.

— Alors, moi aussi, je veux aller au paradis et m'occuper de lui.

— Non !

Une terreur insupportable lui broya le ventre.

— Tu ne peux pas. J'ai besoin de toi, Emma.

— Je déteste Dieu, déclara l'enfant, farouche, les yeux secs.

« Moi aussi, pensa Brian en la serrant contre lui. Moi aussi. »


Plus d'une centaine de personnes s'étaient bousculées à la soirée des McAvoy, la nuit du meurtre. Le bloc-notes de Lou regorgeait de noms, de déclarations et d'impressions. Mais il n'était guère avancé. La fenêtre et la porte de la chambre du garçon avaient été trouvées ouvertes, bien que la gouvernante affirmât avoir fermé la première. On n'avait découvert aucune trace d'effraction.

Il y avait des empreintes de pas au pied de la fenêtre. Du 44. Mais pas d'impression dans la terre ou les massifs bordant la maison, comme celle qu'aurait pu laisser une échelle, par exemple.

Le témoignage de la nanny ne l'avait guère aidé. Elle s'était réveillée en sentant une main s'écraser sur sa bouche, puis on lui avait bandé les yeux, avant de la bâillonner et de l'attacher. Entre les deux interrogatoires qu'on lui avait fait subir, elle avait changé son estimation du temps où elle était restée ligotée ; d'une demi-heure, elle était passée à 2 heures. La jeune femme ne figurait pas vraiment sur la liste des suspects, mais Kesselring attendait tout de même le résultat de l'enquête qu'il avait fait effectuer sur elle.

Et maintenant, il devait rencontrer Beverly McAvoy. Il avait retardé l'entrevue aussi longtemps que possible. Surtout après avoir vu les photos de police du petit Darren.

— Essayez d'être rapide, lui dit le médecin, devant la chambre de Mme McAvoy. Nous lui avons donné un sédatif léger, mais son esprit est clair. Peut-être trop clair.

— Vous pouvez compter sur moi. J'aurai besoin de voir la petite fille, aussi. Est-elle en état de le supporter ?

— Elle est consciente, mais je ne sais pas si elle vous parlera. Elle n'a pas échangé deux mots avec qui que ce soit, à l'exception de son père.

Avec un hochement de tête, Lou entra dans la pièce. Une femme menue, paraissant à peine assez âgée pour avoir un enfant, encore moins pour le perdre, reposait contre les oreillers, le regard posé au hasard, fixant un point qu'elle ne voyait même pas. Elle portait un pyjama d'hôpital, bleu, et ses mains reposaient sur le drap, inertes.

Près d'elle, Brian était assis sur une chaise, le visage terreux. Ses yeux étaient rouges, gonflés et cerclés de mauve. Mais lorsqu'il leva la tête, Lou y détecta autre chose que la seule douleur ; comme une furie.

— Je suis désolé de vous déranger, dit Lou.

— Le médecin nous a prévenus de votre venue. Vous savez qui a fait ça ?

— Pas encore. J'aimerais parler avec votre femme.

— Chérie.

Brian posa une main sur les doigts immobiles de Beverly, mais celle-ci ne répondit pas.

— Voici le policier qui essaie de découvrir... de découvrir ce qui s'est passé. Je suis désolé, ajouta-t-il en se tournant vers Lou. Je ne me rappelle pas votre nom.

— Kesselring. Lieutenant Kesselring.

— Le lieutenant a besoin de te poser quelques questions.

Elle demeura figée. On aurait dit qu'elle ne respirait pas.

— Beverly, je t'en prie.

Le désespoir qui perça alors dans la voix de Brian atteignit Beverly dans les profondeurs où elle tentait vainement de se cacher. Sa main bougea dans celle de son mari. Un instant, elle ferma les yeux, souhaitant de tout son cœur être morte. Puis, elle les rouvrit et les fixa sur Lou.

— Que voulez-vous savoir ?

— Tout ce que vous pouvez m'apprendre au sujet de cette nuit.

— Mon fils était mort, dit-elle. Qu'importe le reste ?

— Le moindre détail peut m'aider à trouver celui qui a tué votre fils, madame McAvoy.

— Cela me rendra-t-il Darren ?

— Non.

— Je ne sens plus rien.

Elle le regarda avec ses grands yeux fatigués.

— Je ne sens plus mes jambes, ni mes bras, ni ma tête. Quand j'essaye, cela fait trop mal. Il vaut donc mieux ne rien faire, n'est-ce pas ?

— Peut-être. En tout cas pendant un moment, répondit Lou en tirant une chaise près du lit. Mais si vous pouviez me raconter tout ce dont vous vous souvenez ?

Elle renversa sa tête en arrière et fixa le plafond. Sa description de la soirée, faite sur un ton monocorde, était similaire à celle de son mari, et des autres. Des visages familiers, d'autres inconnus, des gens qui entraient et sortaient. Un type qui commandait cinquante pizzas au téléphone, dans la cuisine.

Ça, c'était nouveau, et Lou le nota aussitôt sur son carnet.

Elle était avec Brian, et soudain, le cri d'Emma. Son corps, au pied de l'escalier.

— Quelqu'un a appelé une ambulance, poursuivit-elle. J'ignore qui. Nous ne l'avons pas touchée. Et puis, on a entendu les sirènes. Je voulais l'accompagner à l'hôpital, avec Brian, mais je devais d'abord aller voir Darren et réveiller Alice pour lui dire ce qui était arrivé. Je me suis arrêtée dans la chambre d'Emma pour prendre sa robe de chambre. Je ne sais pas pourquoi. J'ai pensé qu'elle pourrait en avoir besoin. Puis, j'ai longé le couloir. Il n'y avait pas de lumière et ça m'a ennuyée. On laisse toujours allumé pour Emma. Elle a peur du noir. Pas Darren.

Elle eut un demi-sourire.

— Darren n'a jamais eu peur de rien. Nous laissons une petite lampe dans sa chambre, mais c'est pour nous, au cas où il se réveille au milieu de la nuit. Ça arrive souvent. Il aime la compagnie.

Elle porta une main à son visage et sa voix trembla.

— Il n'aime pas être seul.

— Je sais que c'est dur, madame McAvoy.

Mais, songea Lou, elle était la première sur les lieux du crime ; elle avait trouvé le corps, l'avait remué.

— J'ai besoin de savoir exactement ce que vous avez trouvé en entrant dans la chambre.

— Mon bébé.

Elle repoussa la main de Brian. Elle ne supportait pas qu'on la touche.

— Il gisait sur le sol, près du berceau. J'ai pensé : « Oh ! mon Dieu, il a escaladé les barres et il est tombé. » Il était tellement immobile, sur le petit tapis bleu. Je ne voyais pas son visage. Je l'ai pris dans mes bras. Mais il ne se réveillait pas. Je l'ai secoué, j'ai crié, mais il ne se réveillait pas.

— Est-ce que vous avez vu quelqu'un, en haut, madame McAvoy ?

— Non. Il n'y avait personne. Juste mon bébé. Mon bébé. Ils me l'ont pris et ils ne veulent pas me le donner. Brian, pour l'amour du ciel, pourquoi ne me le rendent-ils pas ?

— Madame McAvoy, dit Lou en se levant. Je vais faire tout ce qui sera en mon pouvoir pour trouver celui qui a fait ça. Je vous le promets.

— Ça changera quoi ?

Elle se mit à sangloter, de ces sanglots secs qui secouent l'être tout entier et que les larmes ne viennent pas adoucir.

— Ça changera quoi ?

Lou sortit dans le couloir. Ça changeait quelque chose, se dit-il, la gorge nouée. Il le fallait.

*
* *

Emma étudia Lou Kesselring avec une intensité qui le mit mal à l'aise. Pour un peu, il aurait vérifié que sa chemise n'était pas tachée.

— J'ai vu des policiers à la télé, dit-elle quand il se fut présenté. Ils tirent sur les gens avec leur revolver.

— Parfois, admit Lou en cherchant désespérément un moyen d'amorcer la conversation. Tu aimes la télévision ?

— Oui. Darren et moi, ce qu'on regarde toujours, c'est « 1, rue Sésame ».

— Qui préfères-tu, Big Bird ou Kermit ?

Elle eut un petit sourire.

— J'aime bien Oscar parce qu'il est très malpoli.

Encouragé, Lou s'installa sur le bord du lit sans que l'enfant émît la moindre objection.

— Il y a longtemps que je n'ai pas regardé « 1, rue Sésame », reprit-il. Oscar vit toujours dans une poubelle ?

— Oui. Et il crie après tout le monde.

— Crier fait du bien, parfois. Sais-tu pourquoi je suis ici, Emma ?

Elle ne répondit pas, mais serra un vieux chien en peluche contre elle.

— Il faut que je te parle de Darren.

— Papa dit qu'il est un ange au paradis, maintenant.

— J'en suis sûr.

— Ce n'est pas juste qu'il soit parti. Il n'a même pas dit au revoir.

— Il n'a pas pu.

Elle savait cela, parce qu'au fond de son cœur, elle savait ce qu'on devait faire pour devenir un ange.

— Papa dit que Dieu le voulait, mais je crois que c'est une erreur et que Dieu devrait le renvoyer.

Lou caressa doucement la tête blonde de l'enfant, tout aussi ému par sa logique têtue que par la souffrance de la mère.

— C'est une erreur, Emma. Une terrible erreur. Mais Dieu ne peut pas le renvoyer.

Elle eut une moue de défi.

— Dieu peut faire tout ce qu'Il veut.

Lou continua d'avancer prudemment sur ce terrain glissant.

— Pas toujours. Il arrive que les hommes fassent des choses et que Dieu ne les répare pas. C'est nous qui devons les réparer. Et je crois que tu pourrais peut-être m'aider à découvrir comment cette erreur est arrivée. Veux-tu me parler de cette nuit où tu es tombée dans l'escalier ?

Emma baissa les yeux sur Charlie et tira sur sa fourrure.

— Je me suis cassé le bras.

— Oui, je sais. Je suis désolé. J'ai un garçon, tu sais. Il est plus vieux que toi. Il a presque onze ans. Il s'est cassé le bras en essayant de faire du patin à roulettes sur le toit.

Impressionnée, l'enfant leva la tête.

— Vraiment ?

— Oui. Il s'est également cassé le nez. Il est tombé du toit et il a atterri dans les buissons d'azalées.

— Comment il s'appelle ?

— Michael.

Emma aurait bien voulu le rencontrer et lui demander ce qu'il avait ressenti en s'envolant du toit. Il devait être drôlement brave. Le genre d'exploit que Darren aurait pu accomplir. Elle reporta son attention sur Charlie.

— Darren aurait eu trois ans en février.

— Je sais.

Il lui prit la main. Après quelques instants, elle referma ses petits doigts sur les siens.

— Je l'aimais plus mieux que tout, dit-elle simplement. Est-ce qu'il est mort ?

— Oui, Emma.

— Et il ne peut pas revenir, même si c'est une erreur ?

— Non. Je suis vraiment désolé.

Elle hésita un instant. Il fallait qu'elle lui pose la question ; celle qu'elle n'avait pas osé formuler devant son père. Son père aurait pleuré, il ne lui aurait peut-être pas dit la vérité. Mais ce monsieur, avec ses yeux pâles et sa voix douce, ne pleurerait pas, lui.

— Est-ce que c'est ma faute ? demanda-t-elle dans un souffle, le regard désespéré.

— Pourquoi penses-tu une chose pareille ?

— Je me suis enfuie. Je ne me suis pas occupée de lui. J'avais promis de toujours veiller sur lui et je ne l'ai pas fait.

— Qu'essayais-tu de fuir ?

— Les serpents, répondit-elle sans hésiter, ne se rappelant que le cauchemar. Il y avait des serpents et des choses avec des grandes dents.

— Où ça ?

— Autour du lit. Ils se cachent dans le noir et ils aiment manger les vilaines filles.

— Je vois.

Lou prit son carnet dans sa poche.

— Qui te l'a dit ?

— Maman, ma maman avant Beverly. Beverly dit qu'il n'y a pas de serpents, mais c'est parce qu'elle ne les voit pas.

— Et tu les as vus, le soir où tu es tombée ?

— Ils ont essayé de m'empêcher d'aller vers Darren, quand il pleurait.

— Darren pleurait ?

Contente qu'il ne l'ait pas corrigée au sujet des serpents, Emma hocha la tête.

— Je l'ai entendu. Des fois, il se réveille la nuit, mais il se rendort quand je lui parle et que je lui amène Charlie.

— Qui est Charlie ?

— Mon chien.

Elle lui tendit la peluche et Lou flatta sa tête poussiéreuse.

— Il est superbe. Mais dis-moi, tu as amené Charlie à Darren, ce soir-là ?

— J'allais le faire.

Son petit visage se rembrunit, alors qu'elle faisait un effort pour se rappeler.

— Je l'ai gardé avec moi pour faire peur aux serpents et aux choses. Il faisait noir, dans le couloir. Il ne fait jamais noir dans le couloir. Ils étaient là.

— Qui était là ?

— Les monstres. Je les entendais siffler. Darren pleurait très fort. Il avait besoin de moi.

— Tu es allée dans sa chambre, Emma ?

Elle secoua la tête, se revoyant sur le seuil, cernée par tous ces bruits étranges.

— Les monstres étaient là. Ils le tenaient.

— Tu as vu leurs visages ?

— Ils n'ont pas de visages. Il y en avait un qui le tenait ; il le serrait trop fort ; il le faisait pleurer. Darren m'a appelée, mais je me suis enfuie. J'ai couru et j'ai laissé Darren avec les monstres. Ils l'ont tué. Ils l'ont tué parce que je suis partie.

— Non.

Lou prit la petite fille dans ses bras et la laissa sangloter sur son complet.

— Tu as couru pour aller chercher de l'aide, dit-il en lui caressant les cheveux. N'est-ce pas, Emma ?

— Je voulais que papa vienne.

— C'était la seule chose à faire. Tu n'as pas vu des monstres, Emma. Mais des hommes. Des hommes mauvais. Et tu n'aurais pas pu les arrêter.

— J'avais promis que je m'occuperais de Darren, que je ne permettrais jamais qu'il lui arrive quelque chose.

— Et tu as fait de ton mieux pour honorer ta promesse. Personne ne te fait le moindre reproche.

L'enfant fronça les sourcils. Ce monsieur avait tort, se dit-elle. Elle s'en faisait, elle, des reproches. Elle s'en ferait toujours.

Il était près de minuit, quand Lou rentra chez lui. Il avait passé des heures à son bureau, révisant chacune de ses notes, chaque petit morceau d'information. Il était flic depuis trop longtemps pour ne pas savoir que l'objectivité était sa meilleure alliée. Mais le meurtre de Darren McAvoy était devenu son affaire. Il ne pouvait plus se débarrasser de l'image du garçon : un enfant qui était encore presque un bébé. La photo en noir et blanc était gravée dans son esprit.

Il en avait une autre de la chambre, aussi, avec ses murs blanc et bleu, les caisses de jouets, les petites salopettes soigneusement pliées sur un rocking-chair.

Et, au pied du berceau, la seringue hypodermique encore pleine de phénobarbital. Ils n'avaient pas eu le temps de s'en servir. Ils n'avaient pas eu le temps de l'enfoncer dans une veine du garçon pour l'endormir profondément. Avaient-ils l'intention de l'emporter en passant par la fenêtre ? Brian McAvoy aurait-il reçu un coup de téléphone, quelques heures plus tard, et une demande de rançon ?

Il n'y aurait plus d'appel, désormais.

Lou frotta ses yeux fatigués et monta les marches menant au premier étage de sa maison. Des amateurs, se dit-il. Des maladroits et des meurtriers. Où étaient-ils, bon Dieu ? Qui étaient-ils ?

« Qu'est-ce que ça change ? »

Ça changeait quelque chose. La justice, c'était important.

La porte de la chambre de Michael était ouverte et il fut attiré par le souffle régulier de son fils. Un croissant de lune éclairait le désordre qui régnait dans la pièce ; des jouets et des vêtements éparpillés sur le sol ou empilés sur le lit, la commode. En temps normal, il aurait soupiré devant ce fouillis. L'insouciante négligence de Michael demeurait un mystère pour son père. Autant lui que sa femme étaient de nature soigneuse et organisée. Michael ressemblait à une tornade, un vent destructeur qui se déplaçait à toute vitesse, semant le chaos derrière lui.

Ce soir, pourtant, cette joyeuse pagaille fit monter dans ses yeux des larmes de gratitude. Son garçon était vivant. En sécurité.

Il marcha jusqu'au lit et dut pousser un véritable embouteillage de voitures pour trouver où se poser. Michael dormait sur le ventre, le côté droit de son visage écrasé contre l'oreiller, les bras écartés et le drap roulé en boule à ses pieds.

Lou resta simplement là, à contempler l'enfant qu'ils avaient eu tant de mal à faire avec Marge. Après six ans de patience et deux fausses couches, il était enfin né, avec ses cheveux noirs et épais comme ceux de sa mère. Son nez était légèrement busqué, donnant du caractère au visage qui aurait pu, sinon, paraître un peu trop joli. Il avait un corps ferme et compact, que coloraient, ici et là, des coupures et des bleus.

Lou l'observait en silence et il se rappelait le visage ravagé de Brian McAvoy. La douleur, la fureur et le sentiment horrible de sa propre impuissance. Oui, il comprenait.

Michael bougea, quand son père caressa doucement sa joue.

— P'pa ?

— Oui. Je voulais juste te souhaiter une bonne nuit. Rendors-toi.

Bâillant, Michael changea de position et envoya valser plusieurs voitures, qui tombèrent sur le sol.

— Je n'ai pas fait exprès de le casser, murmura-t-il.

Lou étouffa un rire. Il ne savait pas de quoi le garçon voulait parler et il s'en moquait.

— C'est bon. Je t'aime, Michael.

Mais son fils avait sombré de nouveau dans le sommeil.

# 10

Il faisait beau. L'air était parfumé. De l'Atlantique, soufflait une légère brise qui ébouriffait les herbes hautes. Emma écoutait sa chanson secrète. Par-dessus, résonnait la voix basse et solennelle du prêtre.

Ce dernier était grand et son visage rude encadré de cheveux blancs formait un contraste avec sa robe noire. Il parlait avec un accent similaire à celui de son papa, mais l'enfant ne comprenait pas ce qu'il disait. Elle n'avait pas envie. Elle préférait se concentrer sur le murmure de l'herbe et le meuglement monotone des vaches, là-haut, sur la colline qui surplombait le cimetière.

Darren aurait donc sa ferme en Irlande, même s'il ne devait jamais conduire un tracteur.

Le décor était ravissant, et la petite fille se dit qu'elle n'oublierait jamais les couleurs vives et les senteurs si fraîches de la terre retournée. Elle se rappellerait la caresse de l'air sur ses joues ; un air si humide, à cause de l'océan tout proche, qu'on aurait dit des larmes.

Tout près, il y avait une église. Une construction de pierre avec un clocher blanc et des vitraux colorés. Ils étaient entrés pour prier, avant que le petit cercueil de bois clair ne soit transporté dehors. À l'intérieur, cela sentait très fort les fleurs et l'encens. Des cierges brûlaient au milieu de statues peintes. Un homme saignait sur une croix. Brian lui avait dit que c'était Jésus et qu'il veillait désormais sur Darren, au paradis. Emma ne pensait pas qu'une personne à l'expression si triste et si fatiguée puisse s'occuper de Darren et le faire rire.

Beverly ne disait rien. Elle se tenait debout, immobile, le visage très pâle. Stevie avait encore joué de la guitare, mais cette fois, il était habillé de noir et la mélodie était triste.

Johnno et P. M., les yeux rouges, l'air grave, avaient porté le cercueil hors de l'église, en même temps que quatre hommes, qu'on lui avait présentés comme des cousins à elle. L'enfant se demandait pourquoi il fallait tant de monde pour soulever Darren, qui n'était pas lourd du tout, mais elle n'avait pas osé demander.

Regarder les vaches, les champs et les oiseaux la réconfortait. Darren aurait aimé sa ferme, songea-t-elle. Mais c'était tellement injuste. Il aurait dû se trouver là, à côté d'elle, prêt à courir et à rire. Et non rester enfermé dans cette boîte. Il ne devrait pas être un ange non plus, même si cela signifiait qu'il avait des ailes et de la musique. Si elle avait été forte et courageuse, si elle avait tenu sa promesse, il serait toujours là. C'était elle qu'on aurait dû mettre dans cette boîte, se dit-elle, tandis que les larmes commençaient de couler sur ses joues. Elle avait laissé faire ces monstres et ils avaient tué Darren.

Quand elle se mit à pleurer, Johnno la souleva dans ses bras. Il se balançait légèrement d'avant en arrière, et le mouvement lui faisait du bien. Elle posa la tête sur son épaule solide et écouta les mots qu'il récitait, en même temps que le prêtre.

— Le Seigneur est mon berger...

Battant des paupières pour chasser les larmes de ses yeux, elle essaya de se concentrer de nouveau sur les mouvements sinueux de l'herbe sous la caresse du vent. Elle entendait la voix de son père, vibrante de souffrance.

— ... marcher à travers la vallée de l'ombre de la mort, je ne craindrai pas le mal...

Mais le mal existait, voulait-elle crier. Le mal avait tué Darren et n'avait pas de visage.

Au loin, sur la colline, il y avait un homme. Il se tenait debout, tourné vers le petit cimetière, et prenait des photos.

*

\* \*

Brian finissait une bouteille de whisky irlandais, assis à la table de la cuisine. Il se disait qu'il ne serait plus jamais le même homme. Rien ne serait plus jamais pareil. Et l'alcool, loin de l'apaiser, faisait s'ancrer la douleur plus profondément en lui.

Il ne pouvait même pas réconforter Beverly. Dieu sait qu'il avait essayé. Il avait voulu la consoler et pleurer avec elle. Mais le cœur de Beverly était enfoui si loin à l'intérieur de cette femme pâle et silencieuse qui se tenait près de lui, au moment de mettre leur enfant en terre, qu'il ne pouvait l'atteindre.

Pourtant, il avait besoin d'elle, bon sang ! Il avait besoin de s'entendre dire qu'il existait des raisons à ce qui venait de se produire ; qu'il y avait de l'espoir, même en ces jours les plus sombres de toute sa vie. C'était la raison pour laquelle il avait amené Darren ici, en Irlande, et exigé un service religieux. On n'était jamais plus catholique que lorsqu'on se trouvait confronté à la mort. Mais les litanies familières, l'odeur de l'encens et les paroles d'espérance du prêtre n'avaient pas suffi à tempérer la révolte et la souffrance qui le rongeaient.

Jamais plus il ne verrait son fils. Il ne le tiendrait plus contre lui. Il ne le regarderait pas grandir. Brian voulait s'abandonner à sa colère, mais il n'avait plus de force. Non, il n'existait aucun réconfort au malheur qui l'avait frappé, conclut-il en se versant un autre verre. Il allait devoir apprendre à vivre avec sa peine.

La cuisine sentait la viande rôtie et le pain d'épice. L'odeur flottait encore dans l'air, bien que les membres de sa famille fussent partis depuis plusieurs heures. Ils étaient venus, et Brian leur en était reconnaissant. Ils étaient venus le soutenir et préparer les mets censés nourrir l'âme. Ils avaient pleuré la perte du garçon que la plupart d'entre eux n'avaient jamais rencontré.

Brian vida son verre et le remplit de nouveau.

— Fils ?

Il leva les yeux et aperçut son père qui hésitait, dans l'encadrement de la porte. La situation lui parut presque comique. Quel renversement de situation ! Autrefois, c'était lui, enfant, qui n'osait pas s'aventurer dans la cuisine, quand son père, installé à la table, s'enivrait systématiquement.

— Ouais, répondit-il.

— Tu devrais essayer de dormir.

Il vit les yeux de son père s'attarder sur la bouteille et, sans un mot, la poussa vers lui. Alors, Liam McAvoy entra. À cinquante ans, c'était un vieil homme au visage rougeaud, marqué par les points croisés des vaisseaux capillaires qui s'étaient brisés sous sa peau. Il avait le regard bleu, rêveur, dont avait hérité Brian, et la même chevelure blonde, désormais striée de gris. Il était maigre, comme tassé sur lui-même, et bien différent de l'homme puissant qui avait terrorisé l'enfance de Brian.

— Ce fut un bel enterrement, dit Liam, en se servant à boire. Ta mère aurait été contente que tu l'amènes ici pour qu'il repose avec elle.

— Je ne voulais pas qu'il soit seul. J'ai pensé que sa place était en Irlande, avec la famille.

— Et tu as eu raison.

Brian alluma une cigarette et tendit le paquet à son père. Avaient-ils jamais eu une conversation, tous les deux ? Si oui, Brian ne s'en souvenait pas.

— Ça n'aurait jamais dû arriver, reprit-il.

— Beaucoup de choses se produisent dans ce monde, qui ne devraient pas arriver.

Liam alluma une cigarette à son tour et tira une bouffée. Brian l'observait. C'était comme s'il le voyait vraiment pour la première fois. Ses mains, par exemple. Comment n'avait-il jamais remarqué à quel point elles étaient semblables aux siennes, longues et fines ?

— Pourquoi n'es-tu jamais venu ? demanda-t-il tout à coup en se penchant en avant. Je t'ai envoyé des billets d'avion pour le mariage, pour la naissance de Darren, pour l'anniversaire d'Emma, puis celui du petit. Tu ne l'as jamais vu avant la veillée du corps. Pourquoi n'es-tu pas venu ?

Le père de Brian avait tant de regrets qu'ils se mêlaient aisément les uns aux autres. Il eut un haussement d'épaules fataliste.

— Faire tourner une ferme est un travail prenant. Je ne peux pas aller me promener à tout bout de champ.

— Pas même une fois ? insista Brian, pour qui il était vital, soudain, d'obtenir une vraie réponse. Tu aurais pu envoyer maman. Avant sa mort, tu aurais pu la laisser venir.

— La place d'une femme est auprès de son mari, dit Liam. Tu ferais bien de t'en souvenir, mon garçon.

— Tu n'as jamais été qu'un sale égoïste.

La main de Liam, étonnamment forte, s'abattit sur celle de Brian.

— Surveille ta langue.

— Je ne vais pas courir me cacher, cette fois.

Brian croisa le regard de son père, posément, le défiant des yeux. Il aurait aimé se battre. Là. Tout de suite. Mais Liam reprit son verre et but une longue rasade.

— Je ne vais pas me bagarrer avec toi, le jour de l'enterrement de mon petit-fils.

— Il n'a jamais été ton petit-fils, rétorqua Brian. Tu ne l'as vu que mort. Tu n'as jamais pris la peine de te déplacer. Tu te contentais de te faire rembourser les billets d'avion pour acheter du whisky.

— Et toi, où étais-tu toutes ces années ? Où étais-tu à la mort de ta mère ? Quelque part, je ne sais où, à jouer ta foutue musique.

— Ma foutue musique t'a donné un toit sous lequel tu t'abrites depuis des années.

— Papa, dit la petite voix tremblante d'Emma, depuis le seuil de la porte.

Son chien en peluche serré contre elle, l'enfant les regardait avec de grands yeux effrayés.

— Emma.

Titubant légèrement, Brian alla la prendre dans ses bras, en faisant bien attention au plâtre qui l'entravait.

— J'ai fait un mauvais rêve, murmura-t-elle.

Les serpents étaient revenus. Et les monstres. Elle entendait encore l'écho des cris de Darren.

— Ce n'est pas facile de dormir dans un lit qu'on ne connaît pas, déclara Liam en se levant. Je vais te préparer un lait chaud.

La petite fille renifla et se serra contre son père.

— Je peux rester avec vous ?

— Bien sûr.

Il la porta jusqu'à sa chaise et se rassit en l'installant sur ses genoux.

— Je me suis réveillée et je ne te trouvais plus.

— Je suis là, Emma.

Brian lui caressa les cheveux, observant son père par-dessus la tête de sa fille.

— Je serai toujours là pour toi.


— Même là, se dit Lou Kesselring. Même à un moment pareil.

Il étudiait les photos parues dans un tabloïd qu'il avait remarqué sur un présentoir, à la caisse du supermarché local. Comme tout ce qui concernait les McAvoy, la couverture racoleuse avait attiré son attention, et il avait acheté le magazine.

Bien à l'abri, chez lui, il se faisait plus encore l'effet d'un voyeur. Pour quelques pièces de monnaie, lui et des milliers d'autres pouvaient pénétrer l'intimité d'une famille terrassée par le malheur. C'était là, sur ces clichés un peu flous, où l'on reconnaissait cependant les visages. Il pouvait voir la petite fille, avec son bras dans le plâtre.

Qu'avait-elle vu exactement ? De quoi se souviendrait-elle ? Les médecins qu'il avait consultés lui avaient tous donné la même réponse : si Emma avait vu quelque chose, elle l'avait refoulé. Cela pourrait lui revenir demain, dans cinq ans, ou jamais.

Il parcourut l'article et les légendes qui accompagnaient les photos. Ce n'était qu'un torchon parmi d'autres. Et ils étaient nombreux à se pencher sur le drame des McAvoy. Lou se demanda si Pete Page parvenait à les protéger du pire.

Les yeux fixés sur le cliché noir et blanc du petit Darren, le lieutenant Kesselring réfléchissait. Il ne pouvait plus s'arracher à cette affaire. Pour la toute première fois de sa vie, il rapportait son travail chez lui. Des dossiers, des photos, des notes encombraient son bureau, aménagé dans un coin de la salle de séjour. Il avait choisi ses meilleurs hommes pour l'aider dans l'enquête, mais il vérifiait systématiquement leurs informations. Il avait interrogé lui-même les gens dont le nom était couché sur la liste des invités. Il avait lu et relu les rapports des médecins légistes et il était retourné plusieurs fois dans la chambre de Darren, pour la passer au peigne fin.

Plus de deux semaines s'étaient écoulées depuis le meurtre, et Lou ne tenait rien. Absolument rien.

Les malfaiteurs avaient bien couvert leur piste, pour des amateurs. Et il s'agissait d'amateurs. De cela, Lou était certain. Des professionnels n'auraient jamais étouffé un enfant susceptible de leur rapporter un million de dollars de rançon ; pas plus qu'ils n'auraient été aussi maladroits dans leur tentative de faire croire à une effraction.

Ils se trouvaient à l'intérieur de la maison. Ils étaient entrés par la porte. Ça aussi, Lou en était sûr. Cela ne signifiait pas pour autant que leurs noms figuraient sur la liste que Pete avait réussi à dresser. La moitié du sud de la Californie aurait pu pénétrer chez les McAvoy, cette nuit-là, et se voir offrir un verre, un joint, ou n'importe quelle drogue disponible.

On n'avait trouvé d'autre empreinte que celles des McAvoy et de la nanny, dans la chambre du garçon. Et rien sur la seringue hypodermique. Enfin, pas la moindre trace de lutte.

Et pourtant, il y avait eu lutte. À un moment, une main s'était refermée sur la bouche de Darren McAvoy et, peut-être par inadvertance, sur son nez. Tout avait dû arriver très vite. D'après le coroner, l'enfant était mort entre 2 heures et 2 h 30 du matin. On avait appelé l'ambulance pour Emma à 2 h 17. Tout cela concordait. Et Lou piétinait toujours. Il avait juste besoin d'un détail qui ne correspondrait pas, une histoire qui ne concorderait pas.

Il devait trouver les meurtriers de Darren McAvoy. Sinon, il serait, jusqu'à la fin de ses jours, hanté par le visage du garçon, et celui de sa petite sœur, dévorée par une question tragique.

« Est-ce que c'est ma faute ? »

— Papa ?

Lou sursauta et découvrit son fils à côté de lui, un ballon de football américain entre les mains.

— Michael, ne te glisse pas derrière moi comme ça.

Le gamin leva les yeux au plafond. S'il faisait claquer les portes et marchait à travers la maison comme un individu normal, il faisait trop de bruit. S'il essayait d'être plus discret, on lui reprochait de ne pas en faire assez. De toute façon, il était toujours perdant.

— Papa, répéta-t-il.

— Mm ?

— Tu avais dit qu'on ferait quelques passes, cet après-midi.

— Quand j'aurai terminé, Michael.

Celui-ci se dandina d'un pied sur l'autre. Ces derniers temps, son père lui répondait tout le temps la même chose.

— Quand est-ce que tu auras terminé ?

— Je ne sais pas, mais ça ira plus vite si tu ne me déranges pas toutes les cinq minutes.

« Et merde », se dit le gamin, se gardant bien de prononcer le juron à voix haute. Personne n'avait plus le temps de rien faire. Son meilleur copain était chez son idiote de grand-mère et son deuxième meilleur pote avait attrapé la grippe, ou un machin du même genre. À quoi servaient les samedis, si on ne s'amusait pas un peu ?

Il essaya d'être patient. Vraiment. Il y avait là l'arbre de Noël, avec tous les cadeaux déposés à ses pieds. Michael en prit un qui portait son nom et le secoua, avec précaution. Le bruit était léger, mais lui procura une immense satisfaction.

Un avion téléguidé… Sa première requête, sur la liste qu'il avait donnée à ses parents ; c'était écrit en lettres capitales et souligné trois fois. Histoire de faire comprendre à ses parents qu'il était très sérieux. Michael était persuadé que l'avion se trouvait dans cette boîte.

Il la reposa. Il faudrait encore attendre plusieurs jours, avant d'ouvrir le paquet. Des jours avant qu'il puisse l'emporter dehors pour lui faire faire des loopings.

En attendant, il avait besoin de s'occuper. « Tout de suite. »

Une délicieuse odeur de pâtisserie émanait de la cuisine, ce qui le réjouissait énormément. Mais s'il s'aventurait là-bas, sa mère l'embaucherait aussitôt pour rouler la pâte ou décorer le pain d'épice. Des trucs de fille.

Comment pourrait-il jamais jouer pour les L.A. Rams, si personne ne lui renvoyait ce stupide ballon, sacré nom de nom ?

Et qu'est-ce que son père pouvait bien trouver d'intéressant dans ces papiers et ces photos ? Retournant vers le bureau, il passa la langue sur la dent qu'il avait ébréchée, la semaine précédente, tandis qu'il s'entraînait à faire du roue arrière sur sa bicyclette à trois vitesses. Il aimait bien le fait que son papa soit un flic et s'en vantait à longueur de temps. Bien sûr, il le dépeignait comme un justicier dégainant plus vite que son ombre et bouclant des cinglés comme Charlie Manson à perpétuité. Ce serait différent, s'il devait raconter que son père remplissait des rapports et étudiait des dossiers. Il aurait pu aussi bien être bibliothécaire.

Coinçant le ballon sous son bras, il se pencha sur l'épaule de son père. Il avait dans l'idée qu'en se rendant insupportable, il saurait amener son père à repousser ses papiers et se lever pour venir jouer avec lui. Mais son regard tomba sur la photo de Darren McAvoy.

— Ouah ! C'est un gosse qui est mort ?

— Michael !

Lou se tourna, mais sa colère s'éteignit, lorsqu'il vit le choc et la fascination dans les yeux de son fils. Il décida de suivre son instinct.

— Oui.

— Ça alors ! Qu'est-ce qui s'est passé ? Il est tombé malade ?

— Non. Il a été tué.

— Mais, c'est un bébé. On ne tue pas les bébés.

— On ne devrait pas, mais ça arrive.

Regardant toujours la photo, Michael prit conscience de sa propre mortalité, pour la première fois dans sa jeune vie.

— Pourquoi ? demanda-t-il.

— Je ne sais pas. C'est ce que j'essaie de découvrir.

— Comment ?

— En parlant aux gens, en étudiant leurs témoignages et en réfléchissant beaucoup.

— Ça paraît ennuyeux, commenta le gamin.

— La plupart du temps, oui.

Michael se félicita d'avoir opté pour la profession d'astronaute. Il s'arracha enfin à la contemplation du cliché en noir et blanc, et son regard tomba sur le tabloïd que son père venait d'acheter. Il avait l'esprit vif ; il ne lui fallut qu'une seconde pour tirer les conclusions qui s'imposaient.

— C'est le fils de Brian McAvoy. Quelqu'un a essayé de le kidnapper, mais il est mort. On en parle, à l'école.

— Tu as tout compris, répondit son père en rangeant les rapports et les papiers dans leurs dossiers.

— Ça alors, tu t'occupes de cette affaire ! Tu as rencontré Brian McAvoy et tout ?

— Je l'ai rencontré.

Michael n'en revenait pas. Son père avait fait la connaissance de Brian McAvoy.

— C'est génial. C'est carrément génial. Et tu as rencontré le reste du groupe ? Tu leur as parlé ?

— Oui, je leur ai parlé, répondit Lou, qui se disait que la vie était bien simple, à onze ans. Ils ont l'air très sympathiques.

— Sympathiques ? s'écria Michael, s'étranglant presque. C'est les meilleurs ! Les super meilleurs ! Attends un peu que je raconte ça aux copains.

— Je ne veux pas que tu racontes ça à qui que ce soit.

— Hein ? Mais pourquoi ? Tous mes potes tomberaient raides, s'ils savaient. Il faut que je leur dise.

— Non. Je te demande de garder le secret, Michael.

— Mais pourquoi ? répéta ce dernier.

— Parce que certaines choses sont personnelles.

Il jeta un dernier coup d'œil aux gros titres de la presse à scandales.

— Ou devraient l'être, murmura-t-il. Celle-ci en est une. Allons.

Il prit le ballon de football des mains de son fils.

— On va voir si tu peux attraper mes bombes.

# 11

Depuis la terrasse de sa maison de Malibu, P. M. regardait la mer rouler sur le sable. Un mois s'était écoulé depuis qu'il avait fait l'acquisition de cette demeure et, pourtant, il ne s'y habituait pas. Elle offrait tout ce que l'agent immobilier lui avait promis : des plafonds hauts, une immense cheminée de pierre et des dizaines de mètres carrés de vitrage. Au premier étage, il y avait une autre cheminée et un balcon qui s'enroulait tout autour de la façade.

Même Stevie avait été impressionné, quand P. M. lui avait montré les pièces, l'ameublement et la chaîne stéréo dernier cri qu'il avait fait installer. Mais maintenant, Stevie était à Paris. Johnno à New York. Brian à Londres. Et P. M. se sentait bien seul.

Il était encore question de faire une tournée au printemps, après la sortie du dernier album, mais P. M. n'était pas sûr que Brian soit en état de repartir ainsi à la conquête des salles de concert. Deux mois ou presque avaient passé, depuis cette horrible nuit, et Brian vivait toujours en reclus. Il ne savait peut-être même pas que *Love Lost*, premier au hit-parade des singles, était disque d'or.

La police n'était pas plus près de découvrir qui avait tué le petit Darren qu'au premier jour. P. M. se faisait un devoir de rester en contact avec Kesselring. C'était le moins qu'il pût faire pour Brian et pour Beverly.

Il pensa à cette dernière, à sa pâleur, son visage défait, le jour des funérailles. Elle n'avait pas prononcé une seule parole. P. M. aurait tellement voulu la réconforter. Il ne savait comment faire, et les pensées coupables qu'il nourrissait à son égard lui donnaient si mauvaise conscience qu'il n'avait pu que tapoter la main glacée de la jeune mère.

Tandis que P. M. contemplait la mer, Angie Parks, à quelques mètres derrière lui, descendit les marches de l'escalier circulaire, simplement vêtue d'un tee-shirt rose qui lui couvrait à peine les hanches. Elle avait pris le temps de retoucher son maquillage et savamment coiffé ses longs cheveux blonds, pour leur donner un air de désordre. On obtenait ce qu'on voulait d'un homme par la voie du sexe. Et elle attendait beaucoup de P. M.

Elle jeta un coup d'œil sur le vaste living-room. Bon début. Malibu pourrait devenir une agréable retraite pour le week-end, une fois qu'elle aurait convaincu P. M. de s'installer à Beverly Hills. C'était là que les stars habitaient, et elle avait bien l'intention d'en devenir une. P. M. était son petit tremplin personnel. Cette liaison lui avait déjà permis de décrocher quelques films publicitaires et un rôle secondaire dans un téléfilm. C'était autre chose que les figurations qu'elle s'apprêtait à consentir dans des pornos, pour payer son loyer. Oui, P. M. était vraiment arrivé au bon moment.

Elle fit pivoter son poignet pour admirer le bracelet de diamants et de saphirs qu'il lui avait offert. Elle n'aurait plus à s'inquiéter au sujet du loyer. Mais elle voulait plus. Beaucoup plus. Et pour ça, il fallait continuer à jouer les donzelles énamourées.

Elle se tourna vers la baie vitrée et le vit, debout sur la terrasse. Ainsi tourné vers la mer, les cheveux au vent, baignant dans la lumière du petit matin, il était presque beau. Et il avait l'air bien seul. Même un cœur aussi ambitieux que celui d'Angie pouvait ressentir de la pitié. P. M. n'était plus le même depuis la mort du petit garçon. C'était une triste histoire, vraiment, mais la tragédie l'avait rendu plus dépendant encore. Et toute cette presse valait son pesant d'or. Une femme intelligente devait savoir saisir toutes les opportunités qui se présentaient à elle.

Elle se dirigea vers son amant et se colla contre son dos en lui glissant les bras autour de la taille.

— Tu me manquais, chéri.

Il posa ses mains sur celles de la jeune femme, honteux que sa première pensée ait été pour Beverly.

— Je ne voulais pas te réveiller.

— Tu sais bien que j'adore quand tu me réveilles.

Elle se coula contre lui, ses bras l'entourant comme des lianes chaudes et douces. Poussant un petit soupir, elle l'embrassa.

— Je n'aime pas te voir si triste.

— Je pensais juste à Brian. Je m'inquiète pour lui.

— Tu es un bon ami, chéri, dit-elle en déposant des petits baisers sur son visage. C'est une des qualités que j'aime le plus, chez toi.

Il l'attira contre lui, à la fois stupéfait et ravi, comme toujours, de l'entendre dire qu'elle l'aimait. Elle était si belle avec ses grands yeux bruns et sa jolie bouche. Sa voix était susurrante, telle une musique douce qu'elle ne jouait que pour lui. Son corps ressemblait à un rêve, long, luxuriant et doré comme une pêche. Il glissa les mains le long de ses jambes, avant de pétrir ses fesses rondes, et, lorsqu'elle soupira, il se sentit comme un roi.

— J'ai besoin de toi, Angie.

— Alors, prends-moi.

Elle renversa la tête en arrière et, le regardant à travers ses cils noircis de mascara, elle prit son T-shirt rose par l'ourlet et le souleva lentement, avant de le passer par-dessus la tête. Dans la lumière du soleil, elle se tint debout, dans une érotique nudité, ses seins hâlés pointant fièrement leurs roses extrémités. P. M. eut juste assez de retenue pour la pousser au-delà de la baie vitrée, avant de lui faire l'amour à même le sol.

Elle le laissa faire, prenant plaisir à la plupart de ses caresses et ajoutant quelques gémissements calculés, quand elle le jugeait approprié. Ce n'était pas tant qu'il ne l'excitait pas, mais elle aurait préféré qu'il se montre un peu plus vigoureux, qu'il la brusque un peu.

Mais les solides mains de batteur de P. M. étaient presque révérencieuses, alors qu'il les faisait courir sur son corps cambré. Quand le rythme s'accélérait, que la sueur commençait à couler, il la traitait encore comme du cristal, trop attentionné pour l'écraser de son poids, trop poli, même au plus fort de l'amour, pour s'enfoncer violemment en elle et lui arracher des cris sincères.

Il la prit gentiment, tendrement, et la porta jusqu'au seuil du plaisir. Puis, toujours soucieux de ne pas peser sur elle, il roula sur le côté et lui offrit son bras pour qu'elle y pose la tête.

— Oh, c'était merveilleux, chuchota-t-elle en caressant son torse humide et pâle. Tu es le meilleur, mon chéri. Le meilleur.

— Je t'aime, Angie.

Il abandonna sa main dans l'abondante chevelure de sa maîtresse et se dit qu'il ne désirait rien d'autre. Le sexe sans nom, sans visage, les aventures sans lendemain, tout ça ne l'avait jamais attiré. Il voulait savoir, quand il était en tournée, que quelqu'un l'attendait, à la maison, ou dans ces malheureuses chambres d'hôtel. Il voulait ce que Brian avait.

Pas Beverly, se dit-il, avec un effort pour s'en convaincre. Mais une femme, une famille, un foyer. Avec Angie, il pourrait réaliser son rêve.

— Angie, veux-tu m'épouser ?

Elle retint son souffle. C'était tout ce qu'elle avait espéré et voilà que cela arrivait. Elle imaginait déjà les agents de casting se disputant pour la porter au nombre de leurs clients, et la maison immense à Beverly Hills. Un sourire illumina son visage. Elle faillit éclater de rire. Puis, respirant profondément, elle changea de visage. Quand elle regarda P. M., ses yeux étaient brillants de larmes.

— Tu penses ce que tu dis ? Tu veux vraiment de moi ?

— Je te rendrai heureuse, Angie. Je sais qu'il n'est pas toujours facile d'être marié à quelqu'un qui mène une vie comme la mienne, avec les tournées, les fans, la presse. Mais nous construirons quelque chose ensemble, juste pour nous.

— J'aime ce que tu es, lui dit-elle, tout à fait sincère, cette fois.

— Alors, tu veux bien ? Tu veux bien m'épouser et fonder une famille ?

— Oui.

Elle jeta ses bras autour du cou de P. M. L'épouser, pas de problème. Pour la famille, c'était une autre histoire. Mais ce qui comptait, c'était de devenir la femme de P. M. Ferguson. Désormais, sa carrière pouvait commencer.


Brian se demandait combien de temps encore il pourrait supporter de se traîner ainsi dans la grande maison, jour après jour, et de dormir, nuit après nuit, auprès d'une femme qui se recroquevillait sur elle-même dès qu'il l'effleurait.

Il appelait Los Angeles presque tous les jours, espérant que Kesselring pourrait lui donner quelque chose, n'importe quoi. Il avait besoin d'un nom, d'un visage, sur lequel épancher sa fureur.

Il n'avait plus rien qu'une nursery vide et une épouse qui glissait à travers les pièces de leur demeure, comme le fantôme de la femme qu'il aimait.

Et Emma. Dieu merci, il avait Emma. Si elle n'avait pas été là, au cours des dernières semaines, il serait devenu fou. Elle souffrait, elle aussi, à sa manière triste et silencieuse. Souvent, il s'asseyait près de son lit, tard le soir, et il lui racontait des histoires, chantait pour elle ou l'écoutait. Ils pouvaient se faire sourire l'un l'autre, et alors, la douleur devenait plus supportable.

Brian était terrifié dès que l'enfant quittait la maison, et cela en dépit des gardes du corps qu'il avait engagés pour l'accompagner à l'école et la ramener. Et lui, que ferait-il, au moment de sortir de nouveau ? Car, pour profonde que fût sa peine, le jour viendrait où il lui faudrait retourner sur scène, dans les studios d'enregistrement, à sa musique en somme. Il ne pouvait pas attacher sa petite fille de six ans à ses basques et l'entraîner partout avec lui. Et il n'était pas question de la laisser avec Beverly. Ni maintenant, ni dans un futur proche.

— Monsieur McAvoy ? dit la voix d'Alice, depuis le seuil.

Ils l'avaient gardée, bien qu'il n'y eût plus d'enfant en bas âge. Elle veillait sur Beverly, à présent.

— Monsieur Page est là, qui demande à vous voir.

— Faites-le entrer.

— Salut, Brian.

D'un regard, Pete embrassa la pièce, qui témoignait de la lutte de Brian pour essayer de travailler. Des feuilles de papier roulées en boule étaient éparpillées sur la table et sur le parquet autour de lui ; le cendrier débordait de mégots et une odeur du whisky planait dans la pièce, bien qu'il fût à peine midi.

— J'espère que tu ne m'en veux pas de passer à l'improviste, mais je voulais te parler affaires, et je n'étais pas sûr que tu aurais envie de te déplacer jusqu'à mon bureau.

— En effet.

Brian saisit la bouteille, à portée de la main.

— Tu veux boire un coup ?

— Je préfère attendre un peu, merci.

Il prit une chaise en face de Brian et força un sourire sur ses lèvres. L'humeur entre eux était tendue et étrangement formelle. On ne savait plus comment se comporter en présence de Brian, quelles questions poser ou éviter.

— Comment va Beverly ?

— Je ne sais pas. Elle ne parle pas, refuse de sortir.

Il tira une bouffée de sa cigarette, avant de lever les yeux sur son imprésario.

— Elle passe des heures dans la chambre de Darren. Même la nuit, parfois, je me réveille, et je la trouve assise dans ce foutu rocking-chair.

Portant le verre à ses lèvres, il avala une gorgée de whisky, puis une longue rasade.

— Je ne sais plus quoi faire.

— Tu as pensé à une thérapie ?

— Un psychiatre ? Quelle utilité d'aller raconter sa vie sexuelle, ou ses rapports avec son père ou d'autres conneries du genre ?

— C'est juste une idée, Brian.

— Même si je pensais que ça pourrait l'aider, je doute de réussir à la convaincre.

— Elle a peut-être besoin d'un peu de temps. Il ne s'est passé que deux mois depuis...

— Il aurait eu trois ans, la semaine dernière. Oh, mon Dieu.

Sans rien dire, Pete se leva pour remplir le verre de Brian et le lui tendit de nouveau.

— Tu as des nouvelles de la police ?

— J'appelle Kesselring régulièrement. L'enquête piétine. C'est encore pire de ne pas savoir qui est le coupable.

Pete se rassit. Ils devaient laisser cette pénible histoire derrière eux. Tous. Et aller de l'avant.

— Et Emma ?

— Les cauchemars ont cessé et on lui retire le plâtre dans quelques semaines. L'école l'occupe, mais c'est toujours là. Je le vois dans ses yeux.

— Elle ne s'est rien rappelé d'autre ?

Brian secoua la tête.

— Je ne sais pas si elle a vraiment vu quelque chose ou si c'était un mauvais rêve. Il y a toujours des monstres partout, avec Emma. Je veux qu'elle oublie. D'une manière ou d'une autre, il faut que tous, nous oubliions.

Un instant, Paul ne dit rien.

— C'est une des raisons de ma présence ici. Je ne veux pas te pousser, Brian, mais la maison de disques aimerait beaucoup qu'on organise une tournée au moment de la sortie du nouvel album. Je leur ai demandé d'être patients, mais je me demande si ce ne serait pas une bonne chose, pour toi.

— Une tournée signifierait laisser Beverly, et Emma.

— J'en suis conscient. Ne me donne pas ta réponse tout de suite. Penses-y.

Il prit une cigarette, l'alluma.

— Nous pourrions traverser l'Europe, l'Amérique et le Japon, si vous êtes tous d'accord. Le travail pourrait bien se révéler le meilleur des remèdes.

— Et cela permettrait de vendre des tas de disques.

Pete eut un sourire pincé.

— Aussi. De nos jours, il est impossible de pousser un album au sommet, sans une tournée. À propos de disques, j'ai engagé ce jeune type, Robert Blackpool. Je crois t'en avoir parlé.

— Oui. Tu misais beaucoup sur lui.

— En effet. Tu aimerais son style, Brian. Pour cette raison, je souhaite que tu lui permettes d'enregistrer *On the Wing*.

Brian en oublia de boire, l'espace d'un instant.

— C'est nous qui interprétons toujours nos musiques.

— Ça a été le cas jusqu'à maintenant. Mais il est toujours bon de se déployer un peu.

Pete attendit un instant, jaugeant l'humeur de Brian. Comme celui-ci lui paraissait plus enclin à l'écouter qu'il ne l'avait tout d'abord craint, il insista.

— Tu as retiré cette chanson du dernier album, et elle convient tout à fait à Blackpool. Il n'y a pas de mal à laisser un nouvel artiste enregistrer un morceau que toi et Johnno avez rejeté. En l'occurrence, cela ne ferait qu'agrandir encore votre réputation de paroliers et de compositeurs.

— Je ne sais pas, murmura Brian en se frottant les yeux. J'en toucherai un mot à Johnno.

Pete sourit.

— C'est déjà fait. Il est d'accord, si tu l'es.


Brian trouva Beverly dans la chambre de leur fils et, bien qu'il lui en coûtât, il entra, essayant de ne pas regarder le berceau vide, les jouets rangés sur les étagères et l'immense ours en peluche qu'ils avaient acheté, avant la naissance du petit.

— Beverly.

Il posa une main sur la sienne et attendit, en vain, qu'elle le regardât.

Elle était trop mince. Les os de son visage étaient trop proéminents, et son regard, ainsi que ses cheveux, avaient perdu tout leur éclat. Un instant, il lutta contre l'envie de la prendre par les épaules et de la secouer jusqu'à ce que la vie renaisse en elle.

— Beverly, j'espérais que tu descendrais manger un peu.

La jeune femme sentit l'odeur de l'alcool. Ça lui donnait des haut-le-cœur. Comment pouvait-il rester assis à boire et gribouiller sa musique ? Elle lui retira sa main et la posa sur ses genoux.

— Je n'ai pas faim.

— J'ai des nouvelles. P. M. s'est marié, figure-toi.

Elle leva les yeux vers lui. Un coup d'œil à peine intéressé.

— Il aimerait que nous allions le voir, pour nous montrer sa nouvelle maison et sa nouvelle femme.

— Je ne retournerai jamais là-bas.

Il y avait dans sa voix tant de colère et de violence que Brian recula presque. Mais ce qui le stupéfia le plus, ce fut le regard dont elle le foudroya. Un regard empli de dégoût.

— Qu'attends-tu de moi ? demanda-t-il en s'agrippant aux accoudoirs du rocking-chair. Qu'est-ce que tu veux, à la fin ?

— Que tu me laisses seule.

— Je t'ai laissée seule. Je t'ai laissée t'asseoir ici, seule, heure après heure. Je t'ai laissée seule quand j'avais tellement besoin de toi. Et la nuit, je t'ai laissée seule, alors que j'espérais tant que tu te tournes vers moi. Une fois. Ne serait-ce qu'une fois. Merde, Beverly. C'était mon fils, aussi.

Elle ne dit rien, mais les larmes se mirent à couler sur ses joues. Quand il fit mine de la prendre dans ses bras, elle se dégagea vivement.

— Ne me touche pas. Je ne peux pas le supporter.

Il recula, et elle quitta le rocking-chair pour aller se placer de l'autre côté du berceau.

— Tu ne supportes pas que je te touche, cria-t-il avec fureur. Tu ne supportes pas que je te regarde ou que je te parle. Heure après heure, jour après jour, tu restes prostrée ici, comme si tu étais la seule à souffrir. Il est temps que cela cesse, Beverly.

— C'est facile pour toi ! Tu peux t'asseoir à une table, picoler et écrire ta musique comme si de rien n'était. C'est tellement facile pour toi...

— Non.

Il pressa les paumes contre ses yeux.

— Mais je ne vais pas arrêter de vivre. Il est parti, et je ne peux rien y changer.

— Non, tu ne peux rien y changer. Il fallait que tu aies ta soirée. Il fallait que tu invites tous ces gens dans notre maison. Ta famille ne t'a jamais suffi. Et maintenant, il est parti. Il t'en fallait plus, plus de gens, plus de musique. Toujours plus. Et une de ces personnes que tu as laissées entrer dans notre maison a tué mon bébé.

Brian demeura bouche bée, incapable de parler. Les mots de Beverly venaient de le poignarder plus sûrement qu'un couteau en plein cœur. Il était paralysé par le choc, tandis qu'ils se regardaient, dressés l'un en face de l'autre, avec le berceau vide entre eux.

— Il n'a pas laissé entrer les monstres, dit la petite voix tremblante d'Emma.

Elle se tenait sur le seuil, son petit cartable à la main, le visage livide.

— Papa n'a pas laissé entrer les monstres.

Avant que Brian ait eu le temps de réagir, elle s'enfuit dans le couloir en sanglotant.

— Bravo, parvint à articuler Brian. Puisque tu tiens tellement à être seule, je vais prendre Emma et m'en aller.

Beverly voulait le rappeler, mais elle n'en eut pas la force. Fatiguée, infiniment fatiguée, elle s'effondra dans le rocking-chair.


Il fallut plus d'une heure à Brian pour calmer Emma. Finalement, épuisée par les larmes, elle s'endormit, et il put téléphoner. Son dernier appel fut pour Pete.

— On part pour New York, demain, dit-il d'un ton bref. Emma et moi. Nous y retrouverons Johnno et nous prendrons quelques jours. Je dois repérer une bonne école pour la petite et organiser sa sécurité.

Une fois qu'elle sera installée, on prendra l'avion pour la Californie et on commencera à répéter. Prépare la tournée, Pete, et fais-la durer aussi longtemps que tu pourras.

Il avala une longue rasade de whisky.

— Ça va « rocker » !

# 12

— Elle ne veut pas y retourner, dit Brian en suivant Emma des yeux.

L'enfant faisait le tour de la salle de répétition avec
son bel appareil photo tout neuf. Il le lui avait offert
au cours de leurs adieux éplorés à l'académie Sainte-
Catherine de l'État de New York.

— Elle y avait à peine passé un mois, avant ces
vacances de Pâques, lui rappela Johnno. Donne-lui
un peu de temps pour s'habituer.

— On ne fait que ça. S'habituer.

Huit semaines s'étaient écoulées, depuis que Brian
avait quitté Beverly. La plaie causée par la séparation était encore à vif et toutes les femmes qu'il avait
prises, depuis, étaient comme une drogue, et les drogues, comme des femmes. Elles ne l'apaisaient qu'un
court moment.

— Tu pourrais lui téléphoner, suggéra Johnno, fine
mouche.

— Non.

Brian y avait pensé. Plus d'une fois. Mais la presse
avait fait des gorges chaudes de leur rupture et de
l'appétit qu'il avait manifesté depuis. Il ne voyait pas
ce que Beverly et lui pourraient se dire sans aggraver
la situation.

— Ce qui me préoccupe, maintenant, c'est Emma.
Et la tournée.

— Les deux vont être épatantes.

Le regard de Johnno se posa sur Angie.

— Du moins, je l'espère, ajouta-t-il.

Brian haussa les épaules et laissa courir ses doigts sur le piano.

— Si elle décroche un rôle dans ce film, on en sera débarrassés.

— Petite salope manipulatrice. Tu as vu le caillou qu'elle s'est fait offrir par P. M. ?

Johnno jeta la tête en arrière et affecta un accent précieux.

— Vraiment, chéri, c'est d'un mauvais goût.

— Rentre tes griffes. Tant que P. M. sera dingue d'elle, il faudra se la farcir. D'ailleurs, on a d'autres soucis plus importants que notre petite Angie.

Stevie entrait dans la salle.

Il passait de plus en plus de temps dans les toilettes, remarqua Brian. Et ce n'était certainement pas un problème de vessie. Quoi que Stevie ait injecté, avalé ou sniffé, cette fois, il planait pour de bon. Il s'arrêta près d'Emma et la jeta affectueusement en l'air, avant d'arracher une série d'accords à sa guitare. L'ampli étant débranché, son solo effréné ne produisit aucun son.

— Il vaut peut-être mieux attendre qu'il soit redescendu de son nuage pour lui parler, suggéra Johnno. Si tu arrives à trouver un moment où il n'est pas parti.

Il avait eu l'intention de s'entretenir avec Brian d'un autre problème, mais il se ravisa. Il avait déjà bien assez de souci. Inutile d'en rajouter en lui racontant la rumeur qu'il avait surprise à New York, au sujet de Jane Palmer. Cette vipère allait écrire un livre. Enfin, elle le dicterait et un nègre se chargerait de donner une forme au tissu de mensonges ignobles et racoleurs qu'elle n'allait pas hésiter à déverser. Et elle empocherait certainement une somme rondelette. Brian serait furieux en l'apprenant.

Il valait mieux laisser Pete s'en occuper, et attendre la fin de la tournée pour en toucher un mot au principal intéressé.

Emma ne fit pas très attention à la répétition, quand celle-ci reprit, après la pause. Elle avait déjà entendu toutes les chansons des douzaines de fois. La plupart étaient tirées de l'album que son papa et les autres avaient composé et enregistré, quand ils étaient tous en Californie. Elle s'était rendue souvent au studio pour les regarder travailler. Une fois, Beverly avait même amené Darren.

Elle ne voulait pas penser à Darren. Ça faisait trop mal. Mais alors, elle était submergée par une vague de culpabilité parce qu'elle essayait de le chasser de son esprit.

Charlie lui manquait, aussi. Elle l'avait laissé à Londres, dans le berceau de Darren. Elle espérait que Beverly s'en occuperait. Et peut-être qu'un jour, quand ils retourneraient à la maison, Beverly lui parlerait de nouveau, et rirait avec elle, comme autrefois.

Elle ne savait rien du concept de pénitence, mais il lui semblait avoir bien agi en se séparant de son fidèle chien en peluche.

Et puis, il y avait l'école. Elle était convaincue que le fait de devoir se rendre dans cet endroit, loin de tous ceux qu'elle aimait, était une juste pénitence pour la petite fille qui n'avait pas pris soin de son frère comme elle l'avait promis. Emma se rappelait avoir été punie, quand elle était toute petite : les coups, les reproches, tout cela lui paraissait bien enviable, maintenant. Parce qu'une fois passée la colère, tout reprenait normalement. Alors que cette fois, son bannissement n'en finissait pas.

Papa disait qu'il l'avait inscrite dans cette excellente école pour qu'elle devienne très intelligente. Et puis, elle y serait en sécurité, avait-il ajouté. Il y avait des hommes qui la surveillaient tout le temps. Emma détestait ça. Ils étaient très forts, silencieux, avec des regards las. Pas comme Johnno et les autres. Elle, ce qu'elle voulait, c'était se rendre de ville en ville avec son père et ses copains, même si elle devait prendre l'avion sans arrêt. Elle voulait dormir dans des hôtels, jouer au trampoline sur les lits et commander des desserts au téléphone. Mais elle devait retourner à l'école, retrouver les bonnes sœurs, les prières et les leçons de grammaire.

Elle regarda son père, qui entonnait les premières mesures de *Soldier Blues*. C'était encore une chanson sur la guerre, et la violence contenue dans les paroles était encore amplifiée par la force de la mélodie et du rythme. La petite fille écouta, fascinée. Était-ce le fracas des cymbales de P. M., ou la manière dont Stevie faisait vibrer sa guitare ? En tout cas, quand la voix de Johnno se mêla à celle de Brian, elle leva son appareil photo.

Elle aimait bien prendre des photos. Il ne lui venait pas à l'esprit que l'engin offert par son père était trop cher ou trop sophistiqué pour une enfant de son âge ; ou encore que ce cadeau était, pour Brian, un moyen d'alléger ses remords de l'avoir exilée dans une obscure institution.

— Emma.

Elle se tourna et considéra l'homme qui venait de lui adresser la parole. Un instant, elle hésita, puis se rappela.

— Tu te souviens de moi ? demanda Lou.

— Oui, répondit-elle. Vous êtes l'inspecteur.

— C'est cela.

Il posa la main sur l'épaule de son fils, debout à côté de lui, essayant de l'arracher, un instant, à la contemplation béate de son groupe favori.

— Voici Michael. Je t'ai parlé de lui.

Le visage de l'enfant s'illumina, mais elle n'osa pas demander à ce grand garçon de lui raconter comment il s'était envolé du toit, avec ses patins à roulettes.

— Bonjour, dit-elle simplement.

— Salut, répondit distraitement Michael en reportant toute son attention sur les quatre hommes, au milieu de la salle.

— Je veux des cors, lança Brian, la main levée pour interrompre la chanson. Le son n'est pas complet sans ça.

C'est alors qu'il aperçut l'homme qui se tenait à côté d'Emma. Son cœur cessa de battre.

— Lieutenant, dit-il.

Lou jeta un regard d'avertissement à son fils, et traversa la distance qui le séparait de la rock star.

— Monsieur McAvoy, je suis désolé d'interrompre votre répétition, mais je voulais vous parler de nouveau, ainsi qu'à votre fille, si c'est possible.

— Vous avez du nouveau ?

— Malheureusement non. Mais si vous pouviez m'accorder quelques minutes de votre temps ?

— Bien sûr. Vous allez déjeuner, les gars ? Je vous rejoindrai.

— Je peux rester, si tu veux, proposa Johnno.

Brian lui sourit.

— Non. Merci, vieux.

De son côté, Emma surprit l'air extasié de Michael. Elle avait vu cette même expression sur le visage des filles, à l'école, quand elles avaient appris qui était son père. Elle sourit. Le visage du garçon lui plaisait, avec son nez un peu busqué et ses yeux gris.

— Tu veux les rencontrer ?

— Ça oui, alors, ce serait bath.

— J'espère que vous n'y voyez pas d'inconvénient, dit Lou. J'ai emmené mon fils. Ce n'est pas très réglementaire, mais...

— Je comprends, le rassura Brian en enveloppant le jeune garçon d'un long regard envieux.

Celui-ci souriait à Johnno, qui s'était arrêté pour lui dire quelques mots.

— Je pourrais lui envoyer un album, si vous voulez, proposa Brian. Le dernier ne sort que dans deux semaines. Il sera la vedette de la cour du lycée.

— C'est très généreux de votre part.

— Pas du tout. J'ai l'impression que vous nous avez consacré beaucoup plus de temps que vous n'êtes tenu de le faire.

— Ni vous ni moi n'avons des boulots de fonctionnaires, monsieur McAvoy.

— En effet. J'ai toujours détesté les flics. Comme tout le monde, je suppose, jusqu'au jour où on a besoin d'eux. J'ai fait appel à une agence de détectives privés, lieutenant.

— Oui, je sais.

Brian eut un rire.

— J'aurais dû m'en douter. Ils m'ont rapporté que vous aviez couvert plus de terrain que cinq flics réunis, au cours des derniers mois. C'est la seule chose qu'ils ont été capables de m'apprendre. Il faut croire que vous voulez la peau de ces salauds autant que moi.

— C'était un garçon magnifique, monsieur McAvoy.

— Ça oui, il l'était.

Il avala sa salive péniblement.

— De quoi voulez-vous parler ? reprit-il.

— Il y a juste quelques détails que j'aimerais revoir avec vous. Je sais que c'est répétitif.

— Aucune importance.

— J'aimerais aussi parler à Emma.

Brian se rembrunit aussitôt.

— Elle ne peut rien vous dire.

— Je n'ai peut-être pas posé les bonnes questions.

— Écoutez, Darren est parti, et je ne veux pas risquer la santé mentale de ma fille. Elle est fragile, en ce moment. Elle n'a que six ans et, pour la deuxième fois de sa vie, elle vient d'être déracinée. Vous avez dû lire que ma femme et moi étions séparés.

— Je suis désolé.

— C'est plus dur encore pour Emma. Je refuse de la bouleverser davantage.

— D'accord, murmura Lou, qui renonça à suggérer l'hypnose. Je n'insisterai pas.

À cet instant, visiblement ravie de son rôle d'hôtesse, Emma s'avança vers eux, avec Michael.

— Papa, c'est Michael.

— Bonjour.

L'adolescent ne put que sourire bêtement. Sa langue faisait des nœuds.

— Tu aimes la musique ? demanda Brian.

— Oh ! ouais. J'ai presque tous vos disques.

Il avait désespérément envie de demander un autographe, mais craignait de passer pour un idiot.

— C'était super de vous entendre jouer, et tout ça. Vraiment super.

— Merci.

Emma prit une photo.

— Mon papa t'enverra une copie, dit-elle en admirant la dent ébréchée de Michael.

*
*   *

Quand Lou quitta la salle de répétition, traînant son fils derrière lui, il sentait poindre une migraine et souffrait de frustration aiguë. Il avait respecté le vœu du père d'Emma, contre sa conviction profonde. Son instinct lui disait que l'enfant avait vu quelque chose, avant de tout refouler, en peuplant l'affreux souvenir de monstres et de serpents. Il n'aimait pas beaucoup admettre que la solution de cette affaire dépendait peut-être d'une gosse de six ans. D'autant plus que, les médecins étaient formels, sa mémoire des événements pouvait fort bien ne jamais revenir.

Restait l'homme aux pizzas. Il avait fallu deux jours pour retrouver la boutique de livraison et l'employé qui avait pris la commande de cinquante pizzas. Ce dernier avait cru à une plaisanterie, mais il se rappelait le nom du type qu'il avait eu au téléphone. Tom Fletcher. Joueur de saxophone de son état, celui-ci avait éprouvé subitement, vers 2 heures du matin, une envie irrépressible de pizza. On avait mis des semaines pour retrouver sa trace, et encore plusieurs semaines pour le faire revenir de Jamaïque, où il était sous contrat.

Les derniers espoirs de Lou reposaient sur cet homme. Celui, ou ceux, qui se trouvaient dans la chambre de Darren, n'étaient pas redescendus par l'escalier principal ; ils n'avaient pas, non plus, pris la fuite par la fenêtre. Il fallait donc envisager l'escalier de la cuisine, où Tom Fletcher essayait de convaincre un employé sceptique de livrer cinquante pizzas bien garnies.

— Ça alors, papa, c'était vraiment fabuleux, dit Michael en traînant les pieds sur la chaussée, pour faire durer encore le plaisir. Les copains vont être fous, quand je vais leur dire. Je peux en parler, maintenant, pas vrai ? Tout le monde sait que tu t'occupes de l'affaire.

Lou s'installa derrière le volant et ouvrit la portière du passager à son fils.

— Pourquoi il y a des gardes partout ? poursuivit celui-ci.

— Quels gardes ?

— Ceux-là, répondit le gamin en indiquant du doigt un groupe de quatre hommes vêtus de complets sombres, à l'entrée de la salle.

— Comment sais-tu que ce sont des gardes ?

— Bah, ça se voit, tiens. Il suffit de regarder, répondit Michael en levant les yeux au plafond.

Lou réprima un sourire.

— Ils sont là pour empêcher les gens de harceler les musiciens ou de leur faire du mal. Pour la petite fille, aussi. On pourrait essayer de la kidnapper.

— Tu veux dire qu'ils ont des gardes avec eux tout le temps ?

— Oui.

— Quelle barbe ! murmura Michael, remettant sérieusement en question sa nouvelle vocation de rock star. J'aimerais pas ça, moi. Comment peut-on avoir des secrets ?

— C'est difficile.

Ils roulèrent un moment en silence.

— On peut aller chez McDonald's ?

— Si tu veux.

— Ça doit pas lui arriver souvent, hein ?

— Pardon ?

— La petite fille, Emma. Elle doit pas pouvoir aller chez McDonald's.

— Non, répondit Lou en lui ébouriffant les cheveux. Probablement pas.

Quelques minutes plus tard, il installait Michael dans un box, avec un cheeseburger, une grosse frite et un milk-shake. Puis il l'abandonna un instant pour aller téléphoner de sa voiture. Depuis le parking, il voyait son fils ajouter du ketchup sur son burger.

— Kesselring. Je serai au poste dans une heure.

— J'ai une mauvaise nouvelle, Lou. Au sujet de Fletcher, votre homme aux pizzas.

— Il n'est pas arrivé à Los Angeles ?

— Si. On a envoyé deux gars pour le chercher, ce matin, mais ils sont arrivés six heures trop tard. Il était mort.

— Merde.

— On dirait une overdose standard. Avec de l'héroïne de superqualité. On attend le rapport du coroner.

— Et merde ! Et merde !

Il abattit son poing sur le toit de la voiture.

— On a envoyé les mecs du labo dans sa chambre d'hôtel.

— Ils l'ont passée au peigne fin du sol au plafond.

— OK. Donne-moi l'adresse.

Il chercha son calepin dans sa poche.

— Je dépose mon fils à la maison et j'y vais.

# 13

*Académie Sainte-Catherine, 1977*

Encore deux semaines, songea Emma. Encore deux
longues, deux interminables semaines, et elle serait
libérée pour l'été. Elle verrait son père, Johnno et les
autres. New York ! Elle pourrait respirer sans qu'on
vienne lui dire qu'elle respirait pour Dieu. Elle pourrait penser sans qu'on la mette en garde contre les
pensées impures. Vraiment, les bonnes sœurs devaient en nourrir des tas, pour passer ainsi leur vie à
en prêter aux autres.

Elle repoussa son livre de conjugaison française et
regarda par la fenêtre, au-delà des pelouses,
jusqu'aux murs de pierre qui séparaient l'institution
du reste de l'univers. Presque comme une prison.

Heureusement, il y avait Marianne Carter ! Elle
sourit en revoyant le visage constellé de taches de
rousseur de sa camarade de chambre et meilleure
amie. Sans elle, la vie à Sainte-Catherine eût été une
véritable torture et Emma se disait parfois qu'elle se
serait enfuie. Évidemment, elle n'aurait pas su où
aller. Il n'y avait qu'un endroit où elle souhaitât se
trouver : auprès de son père, et celui-ci l'aurait ren-
voyée illico entre les mains des religieuses, qui
n'auraient pas manqué de la punir. Elles aimaient ça,
les punitions. Marianne était justement en train de
payer pour sa dernière insolence : deux heures à

récurer les toilettes pour avoir dessiné une caricature de la mère supérieure. La pire de toutes était sœur Immaculata, la directrice. Emma la détestait. Elle était si laide, avec sa petite bouche aux lèvres sèches et pincées, sa verrue sur le menton et cette manie de distribuer des corvées pour la moindre petite infraction au règlement.

Emma en avait parlé à Brian, mais celui-ci avait seulement paru amusé.

Il lui manquait. Tous lui manquaient.

Elle voulait rentrer chez elle, mais où ? Elle pensait souvent à la grande maison de Londres dans laquelle elle avait été si heureuse, hélas trop peu de temps. Elle pensait à Beverly et se désolait que son père ne parlât plus jamais d'elle, bien qu'ils n'eussent pas divorcé. Elle pensait à Darren, aussi. Son adorable petit frère. Parfois, il lui semblait avoir oublié son visage, sa voix. Mais quand elle rêvait de lui, elle le revoyait aussi clairement que s'il était près d'elle.

Elle n'avait presque aucun souvenir de la nuit où il était mort. Mais chaque fois qu'elle était malade ou bouleversée, le cauchemar revenait la hanter : elle marchait dans le couloir sombre ; elle croisait les monstres qui tenaient Darren entre leurs mains crochues, tandis que celui-ci criait et se débattait. Elle tombait, aussi.

À son réveil, elle avait tout oublié.

Marianne entra en trombe et lui montra ses mains.

— Fichues ! dit-elle avec emphase en se laissant tomber sur son lit. Quel aristocrate français voudra encore me faire le baisemain ?

Emma réprima un sourire.

— C'était dur ?

— Cinq toilettes. Dé-goû-tant. Beurk. Quand je quitterai cet endroit de malheur, j'engagerai une femme de ménage pour ma femme de ménage.

Elle roula sur le ventre et croisa ses chevilles en l'air.

— J'ai entendu Mary Jane Witherspoon parler à Teresa O'Malley, reprit Marianne, de sa voix animée. Elle va le faire avec son petit copain, quand elle rentrera chez elle, cet été.

— Qui ?

— Je sais pas. Il s'appelle Chuck ou Huck ou un truc de ce style.

— Non, je veux dire Mary Jane ou Teresa ?

— Mary Jane, eh, banane. Elle a seize ans et elle est formée.

Emma considéra sa poitrine plate avec un froncement de sourcils. Est-ce qu'elle aurait des seins, elle, à seize ans ? Et un petit copain avec qui « le faire » ?

— Et si elle tombe enceinte, comme Susan, au printemps ?

— Oh, les parents de Mary Jane arrangeraient ça. Ils ont des tonnes d'argent. D'ailleurs, elle a un diaphragme.

— Tout le monde a un diaphragme.

— Pas ce genre-là. C'est un contraceptif.

— Oh...

Comme toujours, Emma était prête à s'en remettre à la science beaucoup plus étendue de Marianne.

— Tu le glisses à l'intérieur, tu sais, avec de la gelée, et ça tue le sperme, expliqua celle-ci. Tu peux pas te retrouver en cloque avec du sperme mort.

Marianne roula sur son dos et bâilla vers le plafond.

— Je me demande si sœur Immaculata l'a jamais fait.

L'idée était si ébouriffante qu'Emma éclata de rire.

— Ça m'étonnerait, dit-elle. Je suis sûre qu'elle prend son bain tout habillée.

— Saperlote, j'avais presque oublié ? s'exclama Marianne.

Fouillant dans la poche de son uniforme froissé, elle en sortit un paquet de Marlboro.

— J'ai découvert de l'or dans les chiottes du deuxième étage. Quelqu'un l'avait scotché derrière le réservoir d'eau.

Elle se leva pour fouiller dans un tiroir et brandit un sachet d'allumettes.

— Et tu les as prises ! s'exclama Emma.

— Un peu mon neveu ! Verrouille la porte.

Elles se partagèrent une cigarette, tirant de petites bouffées maladroites devant la fenêtre ouverte. Ni l'une ni l'autre n'appréciaient particulièrement le goût, mais fumer était une pratique adulte et interdite. Autant dire irrésistible.

— Encore deux semaines, dit Emma, rêveuse.

— Toi tu vas à New York et moi je vais me retrouver dans un camp de vacances, une fois de plus.

— Au moins, tu n'auras plus sœur Immaculata sur le dos.

— Ça, c'est vrai. Mais je vais tout de même demander aux parents de me laisser quinze jours avec ma grand-mère. Elle est supercool.

— Moi, je prendrai des tonnes de photos.

Marianne hocha la tête, se projetant dans un avenir plus lointain encore.

— Quand on s'en ira d'ici, on prendra un appartement dans un endroit comme Greenwich Village ou Los Angeles. Je deviendrai une artiste et toi, tu seras reporter-photographe.

— On donnera des fêtes.

— Les plus grandes. Et on portera des vêtements sublimes.

Elle tira sur l'ourlet de son uniforme.

— Et surtout pas de kilt.

— Plutôt mourir.

— Plus que quatre ans, dit Marianne.

Emma poussa un soupir.

— Encore quatre ans.

À l'autre bout du continent, Michael Kesselring, vêtu de la robe noire et coiffé de la toque des lycéens diplômés, étudiait son reflet dans la glace. Il n'arrivait pas à le croire. Adieu, le lycée. La vie commençait, enfin. Il y aurait l'Université, bien sûr. Mais pas avant l'automne. Et d'ici là, l'été lui tendait les bras !

Il avait dix-huit ans. L'âge de boire de l'alcool, de voter et, grâce au président Carter, de faire des projets sans service militaire pour les entraver.

Pour l'instant, il n'avait pas la moindre idée de ce qu'il voulait faire. Son petit boulot à temps partiel dans une boutique de tee-shirts lui rapportait de quoi mettre de l'essence dans la voiture et sortir les filles au cinéma. C'était bien pratique, mais de vocation, Michael n'en avait pas.

Il ôta la robe et la toque, un peu ému, malgré lui. Il avait l'impression de se dépouiller de sa jeunesse.

Autour de lui régnait le chaos le plus total. Dans sa chambre, on trouvait de tout, à condition de bien chercher : des vêtements, des disques, des magazines, parmi lesquels une collection de *Playboy* qu'il ne jetait plus, depuis que sa mère avait renoncé à faire le ménage chez lui, et enfin, les trophées sportifs dont il était si fier.

La nature l'avait doté d'un corps d'athlète, de longues jambes et d'excellents réflexes. Il avait de qui tenir, aimait à répéter sa mère. Le fait est qu'il ressemblait à son vieux, en dépit de leurs désaccords. Et les sujets qui les opposaient étaient nombreux, depuis la longueur des cheveux, les vêtements, jusqu'à la politique et les coupe-feu. Le capitaine Kesselring était un rigoriste. Forcément, quand on faisait le métier de flic...

Michael se rappelait le jour où il avait commis l'imprudence de rapporter un tout petit joint à la maison. Il avait été privé de sorties pendant un mois. Et quelques malheureux excès de vitesse lui avaient coûté aussi cher.

« La loi, c'est la loi », avait coutume de dire Lou. Dieu merci, Michael n'avait pas du tout l'intention de devenir flic.

Il prit le gland qui pendait à sa toque. C'était un geste bêtement sentimental, mais qui le saurait ? Il fourragea dans les tiroirs de sa commode à la recherche de la vieille boîte à cigares, dans laquelle il serrait ses trésors les plus précieux. Il y avait là la lettre d'amour que Lori Spiker lui avait écrite en troisième – avant de lui préférer un motard, avec sa Harley Davidson et ses tatouages ; son entrée pour le concert des Rolling Stones auquel il avait pu se rendre, après des heures de discussion avec ses parents ; la capsule de sa première bière illégale et, au fond, sa photo avec Brian McAvoy.

La petite fille avait tenu parole, songea Michael. À peine deux semaines après cette journée inoubliable où il avait fait la connaissance du groupe Devastation, le cliché était arrivé dans la boîte aux lettres, avec le dernier album tout juste sorti des presses. Pendant des jours, il avait été le roi, au lycée.

Michael se revit, à onze ans, exultant à l'idée de rencontrer ses idoles, et il songea que son père lui avait fait alors un merveilleux cadeau. C'était d'autant plus exceptionnel que Lou se rendait lui-même à cette répétition pour les besoins de son enquête. Or, le capitaine Kesselring ne mélangeait jamais le travail et le plaisir.

Cette fois-là, pourtant, il avait fait une exception.

Bizarre, se dit Michael, comme il se rappelait bien cette époque, tout à coup. Son père rapportait ses dossiers à la maison, jour après jour. Ce n'était jamais arrivé avant ; ni depuis. Le meurtre de ce petit garçon l'avait occupé des mois entiers. C'était l'année où Michael avait été pris en Little League de base-ball et Lou avait manqué la plupart des matchs.

L'affaire McAvoy avait longtemps fait la une des journaux et elle refaisait encore surface, de temps en temps. La police n'avait jamais élucidé le mystère, et Michael se demanda si son père pensait encore à Brian McAvoy et à l'enfant mort ; ou à la petite fille qui avait pris la photo. Lui-même ne gardait de celle-ci qu'une image imprécise : des cheveux blond pâle, des grands yeux tristes, une voix douce à l'accent charmant. Pauvre petite, se dit-il en rangeant la photo et le gland de sa toque dans la boîte à cigares. Qu'avait-elle bien pu devenir ?

# 14

Incroyable ! Déjà, la fin des vacances approchait. Dans moins d'une semaine, Emma reprendrait l'avion et réintégrerait Sainte-Catherine. Bien sûr, Marianne lui manquait. Il leur faudrait des jours pour se raconter leurs péripéties respectives. Pour Emma, c'était l'été le plus réussi de toute sa vie, bien qu'ils ne fussent finalement restés que quinze jours à New York.

Ils s'étaient rendus à Londres afin de filmer une séance d'enregistrement pour un documentaire, et ils avaient pris le thé au Ritz, comme avec Beverly, bien des années plus tôt. Emma avait passé presque tout le temps avec son père, Johnno, Stevie et P. M., les écoutant jouer ou dévorant des hamburgers avec eux dans la cuisine, pendant qu'ils discutaient du nouvel album.

Emma avait usé des rouleaux entiers de pellicule et brûlait de les ranger dans un album de photos. Chaque fois qu'ils lui manqueraient, tous, elle le feuilletterait et revivrait ces moments de bonheur.

Et puis, son père l'avait emmenée dans un vrai salon de coiffure, et, à présent, ses cheveux lui tombaient sur les épaules en boucles tire-bouchonnées. Elle se sentait presque adulte, avec sa nouvelle tête. Son corps aussi commençait à se développer. Oh, il s'agissait à peine d'un renflement timide des seins, un léger creusement de la taille, mais enfin, on ne risquait plus de la prendre pour un garçon. Et, pour finir, elle était bronzée.

D'ailleurs, grâce à la plage, l'idée de se rendre en Californie ne lui avait plus paru aussi mauvaise. La plage et le surf ! Elle avait dû livrer une véritable bataille pour persuader Brian de la laisser essayer ce sport. Et, sans la complicité de Johnno, elle n'aurait sans doute obtenu ni la permission ni sa belle planche rouge. Évidemment, elle était encore bien maladroite et tombait très souvent, mais, du moins, le procédé l'éloignait-il un peu des gardes du corps qui, sur la plage, transpiraient sous leurs parasols. Elle se demandait bien à quoi ils servaient, du reste. Personne ne savait qui elle était.

Chaque année, elle espérait que son père les débaucherait, et, chaque année, ils reprenaient du service. Par bonheur, ils ne pouvaient pas la suivre dans l'eau, se dit-elle en s'allongeant sur sa planche de surf. Et même s'ils la surveillaient constamment avec leurs grosses jumelles, elle pouvait toujours faire semblant d'être seule, ou, mieux encore, avec un des groupes d'adolescents qui hantaient les plages.

Une vague la souleva, et elle jouit un instant du plaisir de se sentir portée. Le grondement de l'océan se mêlait aux hurlements des dizaines de radiocassettes éparpillées partout sur le sable. À quelques mètres d'elle, un grand garçon au maillot bleu marine attrapait un rouleau, qui le porta doucement vers le bord. Emma envia son adresse et sa liberté.

Puisqu'elle ne pouvait avoir la seconde, décidat-elle brusquement, elle allait travailler à développer la première.

Elle attendit la bonne vague, puis, prenant une inspiration, se leva sur sa planche et se laissa glisser. Elle tint bon quelques secondes, avant de perdre l'équilibre. Quand elle refit surface, elle vit le garçon en bleu qui lui jetait un coup d'œil, tout en écartant ses cheveux de son visage. Piquée dans sa fierté, elle essaya, encore et encore, ne tenant jamais plus de quelques secondes, avant que la planche se dérobe sous ses pieds et l'envoie, elle, s'écraser dans les vagues. Et chaque fois, elle se forçait à recommencer, et attendait le prochain rouleau.

Elle imaginait les gardes du corps sirotant leur Coca-Cola tiède et commentant sa maladresse. Chaque échec devenait une humiliation publique, et un nouveau défi à relever. Une fois, au moins, elle voulait chevaucher la vague jusqu'au rivage.

Ses muscles la faisaient souffrir, tandis qu'elle se hissait de nouveau sur la planche. Elle vit arriver un rouleau superbe avec son tunnel de glace bleue, bordé de mousse blanche.

Celui-là !

Elle l'attrapa. Son cœur bondit dans sa gorge, tandis qu'elle glissait le long du conduit d'eau. La plage semblait courir vers elle. Le tambour de l'océan était comme une musique à ses oreilles. L'espace d'un instant, elle goûta au bonheur d'être libre. Libre.

Puis la vague, haute comme une tour, se referma derrière elle, la chassant de sa planche, et les éjecta toutes deux dans les airs. L'espace d'une seconde, elle était debout, au soleil ; la seconde d'après, elle culbutait dans le mur d'eau. La gifle monumentale lui coupa la respiration et l'envoya rouler, les bras et les jambes battant comme du caoutchouc.

Ses poumons la brûlaient, et elle se débattit pour remonter à la surface, qu'elle voyait bouger au-dessus de sa tête. Mais un puissant tourbillon l'attirait vers le fond. Ses forces diminuaient et elle se demanda soudain si elle devrait prier. L'acte de contrition flottait dans son cerveau : « Mon Dieu, j'ai un très grand regret de vous avoir offensé... »

Comme elle se sentait aspirée de plus belle, la prière mourut dans son esprit et fut remplacée par une musique : « *Come together. Right now. Over me.* »

Une bouffée de panique la saisit. Il faisait noir. Les monstres étaient de retour. Des mains couraient sur elle et, dans sa terreur, elle chercha à les repousser. C'était le monstre, celui qui voulait la tuer comme il avait tué Darren.

Un bras venait de se refermer sur sa gorge. Des points rouges dansèrent devant ses yeux. Et soudain, elle brisa la surface de l'eau.

— Calme-toi, lui disait une voix. Je vais te ramener. Tiens bon et calme-toi.

Elle étouffait. Emma commença à tirer sur le bras qui la tenait, avant de s'apercevoir qu'il ne l'empêchait pas de respirer. Elle voyait le soleil. Elle était encore vivante. Des larmes de gratitude et de honte jaillirent de ses yeux.

— Ça va aller, reprit la voix.

Elle posa une main sur le bras de son sauveur.

— J'ai failli y rester, parvint-elle à articuler.

— Un peu ! Mais tu t'es payé une sacrée chevauchée, d'abord.

Il l'étendit sur le sable et, presque aussitôt, elle aperçut les gardes du corps. Trop faible pour parler, elle se contenta de les foudroyer du regard. Cela ne les fit pas reculer, mais les retint d'avancer davantage.

— N'essaie pas de te relever pendant quelques minutes.

Emma tourna la tête, toussa et régurgita un peu d'eau de mer. Autour d'elle, il y avait de la musique – les Eagles, pensa-t-elle. *Hotel California*. Elle avait entendu un autre air, quelques instants plus tôt, mais ne se rappelait plus les paroles ou la mélodie. Elle toussa de nouveau, cligna des yeux sous le soleil et se concentra sur son sauveur.

Le garçon en bleu marine, pensa-t-elle en ébauchant un faible sourire. L'eau dégoulinait de ses cheveux noirs. Il avait les yeux gris, un beau gris profond et clair comme l'eau d'un lac.

— Merci, dit-elle.

— Pas de problème.

Il s'installa près d'elle, un peu mal à l'aise dans son rôle de chevalier. Les gars allaient le charrier pendant des semaines, mais il n'avait pu se résoudre à abandonner la jeune fille. Ce n'était qu'une gamine, après tout. Une belle gamine, tout de même. Encore plus gêné, il lui donna une petite tape fraternelle sur l'épaule et se dit qu'elle avait les yeux les plus grands et les plus bleus qu'il ait jamais vus.

— Je suppose que j'ai perdu ma planche.

La main en visière, il scruta l'horizon.

— Non, Fred est en train de la ramener. C'est une belle planche.

— Je sais. Je ne l'ai que depuis deux semaines.

— Ouais, je t'ai vue traîner par ici.

Elle s'était redressée sur ses coudes et ses boucles blondes tombaient en cascade sur ses épaules. Elle avait une jolie voix, aussi, douce et musicale.

— T'es anglaise ? demanda-t-il.

— Irlandaise, en partie. Nous repartons dans quelques jours.

Emma poussa un soupir et remercia le dénommé Fred, qui venait de déposer la planche à ses pieds. Puis, ne sachant que dire, elle frotta le sable collé à ses genoux, tandis que le garçon en bleu congédiait, d'un geste de la main, son copain et le petit groupe qui s'était rassemblé autour d'eux.

— Quand mon père va apprendre ça, il ne me laissera plus faire de surf, murmura Emma.

— Pourquoi l'apprendrait-il ?

— Il sait toujours tout, répondit-elle en s'efforçant de ne pas regarder ses gardes du corps.

— On se fait tous rétamer, un jour ou l'autre. Tu te débrouillais plutôt bien.

— Vraiment ? dit-elle en rosissant légèrement. Toi, tu es doué. Je t'ai observé.

— Merci.

Il sourit, révélant une dent ébréchée.

Emma le regarda fixement, et un éclair subit lui traversa la mémoire.

— Mais, tu es Michael !

— Ouais, acquiesça-t-il. Comment le sais-tu ?

— Tu ne te souviens pas de moi ?

Elle s'assit dans le sable.

— On s'est rencontrés, oh, il y a longtemps. Je suis Emma. Emma McAvoy. Ton père t'avait amené à une répétition, un jour.

— McAvoy ?

Michael écarquilla les yeux.

— Brian McAvoy ?

Comme il répétait le nom de la star, il vit Emma jeter un rapide coup d'œil autour d'eux, pour s'assurer qu'on ne l'avait pas entendu.

— Je me rappelle maintenant. Tu m'as envoyé une photo. Je l'ai toujours.

Il plissa les yeux en regardant par-dessus l'épaule d'Emma.

— C'est pour ça qu'ils sont là, tous les deux, murmura-t-il. Je pensais qu'ils faisaient partie des Narcotiques.

— Des gardes du corps, confirma Emma. Mon père s'inquiète.

— Tu m'étonnes.

Michael revoyait très clairement la photo du petit garçon. Soudain, il ne sut que dire.

— Ton père était gentil, reprit Emma. Il était venu me voir à l'hôpital, quand on a perdu mon petit frère.

— Il est capitaine, maintenant, dit le jeune homme, à court d'idées.

— C'est bien. Tu le salueras de ma part.

— Bien sûr.

Le silence s'installa entre eux, interrompu par le seul bruit des vagues.

— Euh, écoute, tu veux boire quelque chose ? Un Coca ?

Emma leva les yeux, émerveillée par une telle offre. C'était la première fois de sa vie qu'elle parlait plus de cinq minutes avec un garçon. Des hommes, oui. Sa vie était peuplée d'hommes, depuis toujours. Mais un garçon un peu plus âgé qu'elle, qui lui offrait un soda, c'était une merveilleuse, une étourdissante expérience. Elle allait accepter quand elle songea aux gardes du corps. Non, elle ne pouvait supporter de les voir assister à son premier... rendez-vous.

— Merci ; il vaut mieux que je rentre. Papa devait passer me prendre dans deux heures, mais je ne me sens pas d'attaque à refaire du surf aujourd'hui. Je vais lui téléphoner.

— Je peux te ramener.

Il eut un haussement d'épaules nerveux. C'était ridicule de se sentir aussi gêné en présence d'une gosse, mais il n'y pouvait rien. Elle l'impressionnait.

— Si tu veux, ajouta-t-il piteusement.

— Tu dois avoir mieux à faire.

— Non, pas vraiment.

Il avait envie de revoir Brian McAvoy, songea Emma après une seconde de bonheur absolu. Un garçon comme lui – il devait avoir au moins dix-huit ans – ne pouvait s'intéresser à elle. Mais la fille de Brian McAvoy, là, c'était différent. Elle se leva, un sourire un peu forcé aux lèvres. Après tout, il lui avait sauvé la vie. Elle pouvait bien lui faire plaisir en lui permettant de revoir son idole.

— D'accord, dit-elle. Si ça ne te dérange pas.

— Pas du tout.

— Attends-moi une seconde.

Elle se dirigea vers les gardes du corps, ramassant sa serviette et son sac au passage.

— Mon ami me ramène à la maison, annonça-t-elle.

— Mademoiselle McAvoy, intervint l'un des hommes, Masters, en s'éclaircissant la gorge. Il serait préférable d'appeler votre père.

— Je ne vois pas l'intérêt de le déranger.

Le deuxième garde, Sweeney, essuya son front en sueur.

— Votre père n'aimerait pas que vous montiez en voiture avec un inconnu.

— Michael n'est pas un inconnu, répliqua Emma d'un ton hautain. Je le connais, et mon père aussi. Il est le fils d'un capitaine de police.

Elle enfila son grand tee-shirt par-dessus son Bikini.

— D'ailleurs, vous serez derrière nous, alors, qu'est-ce que ça change ?

Sur ces mots, elle se tourna, le menton levé, s'en voulant un peu de se montrer désagréable avec ces hommes qui ne faisaient que leur travail. Mais elle était décidée à ne pas se laisser humilier devant Michael, qui l'attendait avec leurs deux planches de surf.

Masters s'apprêtait à intervenir, mais Sweeney posa une main sur son épaule.

— Laisse, dit-il. La pauvre petite a bien mérité une petite récréation. Cela ne lui arrive pas souvent.

La jauge de la voiture flirtait dangereusement avec le rouge, quand Michael s'arrêta devant les grilles de l'immense propriété, à Beverly Hills. Il surprit l'air étonné du garde, tandis qu'il leur ouvrait le portail de fer forgé, puis il s'engagea dans l'allée bordée d'arbres, se désolant intérieurement d'avoir choisi ce jour précis pour revêtir son plus vieux chandail.

La maison, toute de pierre rose et de marbre blanc, s'élevait sur quatre niveaux et s'étalait sur un arpent de terrain soigneusement planté de pelouses luxuriantes. On accédait à l'intérieur depuis le perron, par un vaste porche.

En sortant de la voiture, Michael remarqua un paon, qui déambulait tranquillement dans l'herbe rase.

— Cet endroit est sympa, remarqua-t-il.

— C'est chez P. M., expliqua Emma, un peu gênée par le style outrancier des lieux. Enfin, la femme de P. M. La propriété appartenait à un producteur de cinéma, mais Angie a tout fait refaire. Elle tourne en Europe, en ce moment, alors on est venus passer quelques semaines. Tu as le temps d'entrer ?

— Oui. Si tu es sûre que ça ne gêne pas.

— J'en suis sûre.

Michael entreprit de détacher sa planche de surf du toit de la voiture.

— Je vais devoir raconter à papa ce qui s'est passé, reprit-elle. Les gardes du corps s'en chargeront, de toute façon. Tu ne m'en voudras pas, j'espère, si je minimise les faits.

— Tu penses ; je sais ce que c'est. Les parents réagissent toujours avec excès. Ça doit être plus fort qu'eux.

Il entendit la musique à l'instant où ils franchirent le seuil. Un piano, une attaque de cordes, une série de notes expérimentales et le piano, de nouveau.

— Tu n'as qu'à poser la planche contre le mur. Ils sont au fond, là-bas.

Elle hésita un instant, avant de prendre la main de Michael pour le guider au bout du vaste hall d'entrée.

Michael n'avait jamais vu une maison pareille. Des portes s'ouvraient sur des enfilades de pièces où des tableaux abstraits formaient des touches de couleurs vives sur les murs blancs. Même le sol était immaculé. Michael avait l'impression de traverser un temple.

Puis il vit la déesse, ou plutôt son portrait grandeur nature, au-dessus de la cheminée. Elle était blonde, avec une bouche aux lèvres boudeuses, et portait une robe à paillettes blanches, si serrée que ses seins plantureux semblaient vouloir en jaillir.

— Ouah !

— C'est Angie, lui dit Emma en fronçant légèrement le nez. La femme de P. M.

— Oui. J'ai vu son dernier film.

Il contemplait le portrait, fasciné.

— C'est quelque chose, hein ? reprit-il.

— Oui, comme tu dis.

Même du haut de ses treize ans, Emma avait compris ce qu'il entendait par là. Elle tira impatiemment sur la main de Michael et poursuivit son chemin.

Enfin, elle ouvrit la porte de la seule pièce dans laquelle elle se sentît bien, au milieu de ce mausolée. La seule, sans doute, où P. M. avait pu exprimer ses goûts. Il y avait de la couleur ; un mélange de bleus, de rouges et de jaune d'or. Des récompenses étaient alignées sur des étagères, des disques d'or accrochés aux murs et, près de la fenêtre, deux plantes s'épanouissaient sous la caresse du soleil californien – des citronniers que P. M. avait plantés lui-même.

Brian et Johnno étaient assis devant le grand piano à queue. Des feuilles de papier gisaient sur le sol et un grand pichet de limonade glacée trônait sur la table basse, flanqué de deux verres.

— On garde la mélodie à la guitare, disait Brian en jouant. Les cordes rattrapent le tempo, reprennent le thème, un instant, mais c'est toujours la guitare qui domine.

— Soit, seulement le rythme n'est pas bon.

Johnno repoussa les mains de Brian pour faire courir les siennes sur le clavier.

Brian tira une cigarette et l'alluma.

— Je déteste quand tu as raison.

— Papa, dit Emma.

Il leva les yeux. Son sourire s'effaça, dès l'instant où il remarqua la présence de Michael.

— Emma, tu devais m'appeler, si tu décidais de rentrer plus tôt.

— Je sais, mais j'ai rencontré Michael.

Elle eut un sourire charmant qui creusa la fossette au coin de sa bouche.

— J'ai fait la culbute et il m'a aidée à récupérer ma planche. J'ai pensé que ça te ferait plaisir de le revoir.

Brian fronçait les sourcils, profondément déboussolé par la vision de sa fille, sa toute petite fille, main dans la main avec un garçon qui était déjà presque un homme.

— Le revoir ? dit-il.

— Tu ne te souviens pas ? Son père l'avait amené à une répétition, un jour. Le policier.

— Kesselring.

Brian sentit une main lui broyer l'estomac.

— Tu es Michael Kesselring ?

— Oui, monsieur. J'avais onze ans, quand on s'est vus, la première fois. Je n'ai jamais oublié.

Brian avait trop l'habitude d'être sous les projecteurs pour laisser percer les sentiments qui l'agitaient. Il regardait le grand jeune homme brun, solide, et ce qu'il voyait, c'était son petit garçon à lui, ce qu'il aurait pu devenir.

— Sympa de te revoir, dit-il. Johnno, tu connais Michael ?

— Évidemment. Tu as réussi à convaincre ton père de t'acheter cette guitare électrique, finalement ?

— Oui, répondit le jeune homme, flatté qu'on se souvînt de lui. J'ai même pris des leçons, pendant un moment, mais je n'étais vraiment pas doué. Je joue un peu d'harmonica, à la place.

— Si tu allais chercher un Coca-Cola à notre invité, Emma ?

— Je ne veux pas vous interrompre, dit Michael.

— Ce n'est pas grave, répondit Johnno en lui faisant signe de s'asseoir sur un des canapés. Que penses-tu de notre nouvelle chanson ?

— J'adore tout ce que vous faites.

— Ah bon ? Tu n'aimes pas le disco ?

— Ah, non, alors !

— À la bonne heure ! Brian, ce garçon a du goût.

Brian s'était laissé tomber dans un fauteuil et observait la scène, encore tout retourné. Conscient de son trouble, Johnno continua à faire les frais de la conversation.

— Alors, comment es-tu tombé sur Emma ?

— Elle a eu un petit problème avec sa planche de surf et je l'ai aidée. Elle a vraiment la forme, monsieur McAvoy. Juste besoin d'un peu de pratique.

Brian parvint à afficher un sourire.

— Tu fais beaucoup de surf ?

— Chaque fois que je peux.

— Comment va ton père ?

— Bien. Il est devenu capitaine.

— Oui, il paraît. Tu dois avoir quitté le lycée, maintenant.

— Oui, monsieur. J'ai obtenu mon diplôme en juin.

— Tu continues ?

— Oui. Je vais tenter l'Université. Mon père compte là-dessus.

— Tu penses reprendre le flambeau ? demanda Johnno.

— Devenir flic ? Ça m'étonnerait. Il faut être drôlement patient ; comme papa, justement. Pour votre fils, par exemple, il a travaillé sur l'affaire pendant des années, même après qu'elle a été classée.

Il se mordit la lèvre brusquement, scandalisé par son manque de tact.

— Il se consacre à son travail, conclut-il piteusement.

— Oui, c'est vrai, dit Brian avec un grand sourire, cette fois. Tu lui offriras mes amitiés, veux-tu ?

— Bien sûr.

C'est avec soulagement que Michael vit Emma revenir avec les Coca-Cola.

Une heure plus tard, elle le raccompagnait à sa voiture.

— Merci, dit-elle, d'avoir caché à quel point j'ai été stupide, cet après-midi.

— Ce n'est rien.

— Si. Il se met dans des états pas possibles.

Elle poussa un soupir et contempla les murs qui entouraient la propriété. Partout où elle allait, il y avait des murs.

— Je crois qu'il m'enfermerait dans une bulle, s'il le pouvait.

— Ça doit être dur, pour lui, après ce qui est arrivé à ton frère.

— Oui. Il a toujours peur que quelqu'un ne m'enlève, moi aussi.

— Et toi, tu as peur ?

— Non, je ne crois pas. Les gardes du corps sont toujours là, de toute façon.

Michael hocha la tête. Il avait une terrible envie de toucher les cheveux blonds de la jeune fille. Il posa la main sur la poignée de la portière, hésita.

— Je te verrai peut-être à la plage, demain.

Un cœur de femme se mit à battre dans la poitrine étroite d'Emma.

— Peut-être.

— Je pourrais te donner quelques tuyaux, pour le surf.

— Ce serait super.

Il s'installa derrière le volant et mit le contact.

— Merci pour le Coca et tout le reste. C'était vraiment fabuleux de revoir ton père et Johnno.

— Viens quand tu veux. Au revoir, Michael.

— Au revoir.

Il s'éloigna vers les grilles de fer forgé, manquant presque rouler sur la pelouse, parce qu'il avait les yeux rivés à son rétroviseur.

Michael retourna à la plage chaque jour, mais il ne la revit plus, cet été-là.

# 15

Il restait une heure avant que sœur Immaculata parcoure le couloir des dortoirs dans ses larges chaussures noires, et pointe sa mine renfrognée dans chaque chambre pour s'assurer qu'il n'y avait plus de musique et que les vêtements étaient proprement rangés dans les penderies.

Il leur restait une heure, et Emma craignait que cela suffise largement pour commettre une folie. Son amie la regardait en tapant du pied.

— Alors, tu es prête ? demanda Marianne avec impatience.

— Je ne crois pas, murmura-t-elle.

— Emma, ça fait cent sept ans que tu presses de la glace contre tes oreilles. Elles doivent être gelées.

— Tu es sûre de savoir ce que tu fais ? insista cette dernière, pour la énième fois.

— Évidemment, dit Marianne en s'approchant du miroir pour admirer les petites perles dorées qui ornaient les lobes de ses oreilles. J'ai bien regardé, quand ma cousine m'a percé les miennes. Et on a tous les instruments. De la glace, une aiguille et la pomme de terre qu'on a volée dans la cuisine. Deux petits coups de pointe et tes oreilles deviendront enfin sophistiquées.

Emma regardait fixement l'aiguille. Elle cherchait un moyen de se tirer de cette situation, oreilles et fierté intactes.

— Je n'ai pas demandé à papa s'il était d'accord.

— Bon sang, Emma, se percer les oreilles est un choix personnel. Tu as tes règles, tu as des seins, donc tu es une femme !

Mais Emma n'était pas sûre de vouloir être une femme, si cela impliquait de voir sa meilleure amie lui enfoncer une aiguille dans le lobe de l'oreille.

— Je n'ai pas de pendentifs ou de perles, comme toi.

— Je t'ai dit que tu pourrais emprunter les miennes. J'en ai des tonnes. Allons, fais voir un peu ton fameux flegme britannique.

— Bon.

Emma prit une profonde inspiration, avant d'ôter le linge plein de glaçons de son oreille droite.

— Fais pas de connerie.

— Qui, moi ?

Marianne s'agenouilla près de la chaise et, à l'aide d'un feutre, dessina un petit x sur le lobe qu'elle s'apprêtait à percer.

— Dis, juste au cas où ma main glisserait et l'aiguille se planterait dans ton crâne, est-ce que je pourrai récupérer ta collection de disques ?

Elle pouffa de rire et posa la pomme de terre derrière l'oreille de son amie. Un instant plus tard, il eût été difficile d'établir qui, des deux, avait le plus mal au cœur.

— Oh ! là, là ! dit Marianne en enfouissant sa tête entre ses genoux. Au moins, mes parents n'ont pas à craindre que je devienne un jour une droguée. Je serais bien incapable de me shooter.

Emma glissa sur sa chaise.

— Tu n'avais pas dit que je le sentirais, déclara-t-elle d'une voix blanche. Tu n'avais pas dit que j'entendrais.

— Je n'en savais rien. Remarque, quand Marcia me l'a fait, on avait chipé du bourbon dans le bar de papa et pas mal picolé. On ne devait plus rien sentir.

Elle leva la tête et plissa les yeux. Il y avait juste une goutte de sang sur le lobe d'Emma, mais ça n'en était pas moins impressionnant.

— Il faut faire l'autre, maintenant.

Emma ferma les yeux.

— Seigneur.

— Tu ne peux pas te balader avec une seule oreille percée.

Elle prit une autre aiguille et se prépara pour le deuxième round.

— Tu as le beau rôle, toi. Il te suffit de ne pas bouger.

Les dents serrées, Marianne visa et tira. Emma grogna simplement, avant de glisser complètement jusqu'au sol.

— C'est fini, dit son amie. Tu n'as plus qu'à nettoyer ça avec du peroxyde pour éviter l'infection, et à les cacher sous tes cheveux pendant un moment, pour que les bonnes sœurs ne voient rien.

Soudain, la porte s'ouvrit et les deux adolescentes bondirent sur leurs pieds, craignant l'arrivée intempestive de sœur Immaculata. Mais ce fut Teresa Louise Alcott, leur voisine, qui fit irruption, dans sa robe de chambre rose et ses chaussons.

— Qu'est-ce que vous faites ?

— Une orgie, répondit Marianne en se laissant retomber. On ne t'a jamais dit de frapper avant d'entrer ?

Teresa sourit simplement. Elle était de ces filles qui se proposent toujours quand on cherche des volontaires, terminent leurs devoirs à temps et jouent les grenouilles de bénitier à la messe. Marianne la détestait, par principe.

— Oh, tu te fais percer les oreilles !

Teresa se pencha pour étudier les pointes de sang sur les lobes d'Emma.

— Mère supérieure va piquer une crise.

— Si tu allais en piquer une, toi, dans ta chambre ? suggéra Marianne.

— Ça t'a fait mal ? enchaîna l'autre en s'adressant à Emma.

— Non, c'était génial, marmonna celle-ci. Marianne va s'occuper de mon nez, après. Tu n'auras qu'à regarder.

Teresa ignora le sarcasme.

— Tu ne voudrais pas me faire la même chose, Marianne, après la tournée de sœur Immaculata ?

— Je ne peux pas. Je n'ai pas terminé mon devoir de français.

— Moi si, dit Teresa, finaude. Si tu me perces les oreilles, je te laisserai le recopier.

Marianne pesa un instant le pour et le contre.

— D'accord, dit-elle finalement.

— Super. Mais j'allais oublier pourquoi j'étais venue.

Elle sortit un article de magazine d'une des poches de sa robe de chambre.

— Ma sœur m'a envoyé ça, parce qu'elle sait que je vais à l'école avec toi, Emma. Elle l'a découpé dans *People*. Tu connais ? C'est un magazine génial, avec des photos de toutes les vedettes. Ton père y figure souvent. Enfin, bref, j'ai pensé que tu serais contente de voir ça, alors je te l'ai apporté.

Un peu calmée de ses émotions avec Marianne, Emma se rassit dans son fauteuil et prit l'article. Aussitôt, elle eut un nouveau haut-le-cœur. Sous le titre : « Triangle Éternel », s'étalait une photo de Beverly roulant sur le sol avec une autre femme. Et son père, l'air à la fois stupéfait et furieux, se penchait vers elles. La robe de Beverly était déchirée et son regard luisait de rage et de haine.

— Pas mal, hein ? C'est ta mère, n'est-ce pas ?

— Ma mère, murmura Emma en regardant Beverly.

— La blonde dans la robe à paillettes. Moi, je mourrais pour avoir une robe comme ça. Jane Palmer. C'est ta mère, pas vrai ?

— Jane.

Elle reporta son attention sur l'autre femme et toutes ses anciennes terreurs lui sautèrent à la gorge ; comme quand elle avait trois ans ; comme le jour où une autre fille lui avait montré un exemplaire du livre de Jane Palmer, qui circulait sous le manteau : *Dévastée*.

C'était Jane. Beverly se battait avec elle et Brian était là. Mais pourquoi ? Soudain, un fol espoir l'envahit. Son père et Beverly étaient peut-être ensemble, de nouveau. Ils allaient peut-être pouvoir reformer une famille.

Elle fronça les sourcils et lut le texte qui accompagnait la photo.

*Les très rares privilégiés de la haute société britannique à avoir payé deux cents livres pour participer à un dîner de charité au Mayfair de Londres, mardi soir, se sont vu offrir bien plus que de la mousse de saumon, du champagne et les promesses d'une conscience apaisée par leur bonne action. En effet, Beverly Wilson, décoratrice d'intérieur très recherchée sur la place de Londres et l'épouse de la rock star du groupe Devastation, Brian McAvoy, dont elle est séparée, s'est copieusement battue avec Jane Palmer, ancienne maîtresse de McAvoy et auteur du best-seller : Dévastée.*

*Les spéculations vont bon train quant aux raisons qui ont pu provoquer ce crêpage de chignons, mais certaines sources affirment que l'ancienne rivalité n'est jamais morte. Une fille est née des amours coupables de Jane Palmer avec Brian McAvoy : Emma, treize ans, qui a hérité de la beauté poétique de son père et fréquente une institution privée, quelque part aux États-Unis.*

*Beverly Wilson, qui est séparée de McAvoy depuis des années, était la mère du seul fils de la rock star, Darren, dont le meurtre tragique continue de déconcerter la police.*

*Pour se rendre à cette réception, McAvoy n'était accompagné ni de Mlle Palmer, ni de Mlle Wilson, mais*

*de sa conquête du moment, la chanteuse Dory Cates.
Et, bien qu'il soit intervenu personnellement pour séparer les deux lutteuses, il n'échangea guère plus de
quelques mots avec sa femme, qui quitta la soirée au
bras de son cavalier, P. M. Ferguson, batteur du groupe
Devastation. Brian McAvoy et Beverly Wilson n'étaient
pas disponibles pour commenter l'incident, mais Jane
Palmer clame déjà son intention d'inclure cette scène
dans son nouveau livre.*

*Pour reprendre les propres paroles d'une chanson de
McAvoy, « les flammes anciennes brûlent fort et brûlent
longtemps. »*

Suivaient des commentaires de l'assistance, mais
Emma cessa de lire. Ce n'était pas la peine.

— C'est rigolo, hein, la façon dont elles s'arrachent
leurs fringues devant tout le monde ! commenta
Teresa, dont les yeux brillaient d'excitation. Tu crois
qu'elles se battaient à cause de ton père ? Il est tellement beau. Je suis sûre que c'est ça. Exactement
comme dans les films.

Marianne envisagea un instant d'étrangler l'impor-
tune, mais elle se ravisa. Il y avait d'autres moyens,
plus subtils, de traiter avec les imbéciles. Elle prit une
nouvelle aiguille. Ah ! mademoiselle la commère voulait qu'on lui perce les oreilles ! Eh bien, soit. Si on
oubliait la glace, ce serait juste une faute d'étourderie.

— Tu devrais retourner dans ta chambre, Teresa.
Sœur Immaculata va arriver d'une minute à l'autre.

— Oui, tu as raison. Alors, passe me voir à
10 heures, d'accord ?

— Ton devoir de français contre mes services ?

— Absolument.

Teresa porta les mains à ses oreilles.

— Oh, comme je suis impatiente !

— Et moi donc, marmonna Marianne.

Elle attendit que la porte soit refermée pour glisser
un bras autour des épaules de son amie.

— Ça va ?

— Cela ne cessera jamais, murmura Emma en regardant la photographie de sa mère.

Ce n'était pas un de ces clichés flous qui permettent de reconnaître le sujet photographié sans déceler l'expression du visage. Non, le tirage était excellent et il était facile, trop facile, de déceler la hargne dans les yeux de Jane Palmer.

— Crois-tu que je sois comme elle ?

— Comme qui ?

— Ma mère.

— Voyons, Emma, tu ne l'as pas revue depuis que tu étais toute petite.

— Mais il y a les gènes, l'hérédité et toutes ces choses.

— Des conneries.

— Pourtant, moi aussi, parfois, j'ai envie d'être méchante comme elle l'était.

— Et alors ? Tout le monde a envie d'être méchant, de temps en temps. C'est parce que la chair est faible et que nous croulons sous le poids du péché originel.

— Je la hais.

Quel soulagement de pouvoir le dire !

— Je la hais. Et je hais Beverly de ne pas vouloir de moi. Et papa de m'avoir mise ici. Je hais les hommes qui ont tué Darren. Je les hais tous. Elle aussi, elle hait tout le monde. Ça se voit dans ses yeux.

— C'est pas grave. Moi aussi, il m'arrive de haïr tout le monde, et pourtant, je ne connais même pas ta mère.

Emma pouffa de rire. Elle n'aurait su dire pourquoi, mais la réflexion de Marianne l'amusa beaucoup.

— Moi non plus, je suppose.

Elle renifla, poussa un soupir.

— Je me souviens à peine d'elle.

— Tu vois bien ? Comment pourrais-tu être comme elle, dans ce cas ?

— En plus, je ne lui ressemble pas, poursuivit Emma, qui avait désespérément besoin de s'en convaincre.

Soucieuse de porter un jugement objectif, Marianne lui prit l'article des mains et étudia la photo.

— Pas du tout, en effet. Tu as le teint, les yeux et la forme du visage de ton père. Crois-en une artiste.

Emma toucha les lobes de ses oreilles.

— Tu vas vraiment percer celles de Teresa ? demanda-t-elle.

— Un peu, mon neveu. Avec l'aiguille la plus molle que je pourrai trouver. Tu veux te charger de l'une des deux oreilles ?

Emma s'esclaffa.

# 16

Stevie n'avait jamais eu aussi peur. Il y avait des barreaux, tout autour de lui, et quelque part dans le couloir, de l'eau gouttait d'un robinet mal fermé. Parfois, des voix s'élevaient et des bruits de pas résonnaient, suivis d'un silence affreux.

Il avait besoin d'une dose. Son corps tremblait, transpirait. Son estomac, noué, refusait de se libérer dans le cabinet de toilette en porcelaine ébréchée. Son nez et ses yeux coulaient. C'était la grippe, se dit-il. Il avait une foutue grippe. Il avait besoin d'un toubib, et ils le laissaient pourrir dans ce trou. Assis sur le lit de camp, il remonta ses genoux contre sa poitrine, le dos au mur.

Il était Stevie Nimmons. Le meilleur guitariste de sa génération. Il était quelqu'un. Et pourtant, ils l'avaient mis en cage, comme un animal. Ils l'avaient enfermé, avant de jeter la clé.

Il avait besoin d'une dose. Seigneur, juste un petit fix, et il pourrait rire bien haut de ce qui lui arrivait.

Dieu, qu'il faisait froid ! Il arracha la couverture pliée au bout du lit de camp et se recroquevilla dessous. Il avait soif, aussi. Sa bouche était tellement sèche qu'il n'avait pas assez de salive pour avaler.

Quelqu'un allait venir, pensa-t-il, comme ses yeux s'emplissaient de larmes. Quelqu'un allait venir et tout arranger. Seigneur, il avait besoin d'une dose. Sa mère allait venir et lui dire que tout était réglé.

Ça faisait tellement mal. Il se mit à sangloter, tant la douleur était violente. Chaque respiration qu'il prenait semblait libérer de minuscules éclats de verre dans son organisme. Ses muscles étaient en feu, sa peau, comme de la glace.

Juste un. Juste une bouffée, un shoot, une ligne, et il irait bien de nouveau.

Ne savaient-ils pas qui il était, bordel de merde ?

— Stevie.

Il entendit son nom. Les yeux embués de larmes, il regarda vers la porte de la cellule. Passant la main sur sa bouche, il cligna des yeux. Il essaya de rire, mais le son qu'il produisit ressemblait à un sanglot rauque. Il se redressa. Pete. Pete allait tout arranger.

Stevie se prit les pieds dans sa couverture et s'étala sur le sol. Son corps était d'une incroyable maigreur. Son visage, tandis qu'il se relevait, était gris, terreux et creusé de rides profondes ; le blanc de ses yeux, injecté de sang. Et il puait.

— Mec, je suis malade, dit-il en s'accrochant aux barreaux. J'ai la grippe.

La grippe du junkie, pensa Pete, impassible.

— Il faut me faire sortir d'ici, poursuivit Stevie. C'est complètement dingue. Ils ont débarqué chez moi. Dans ma maison, bon Dieu, comme une bande de salauds de nazis. Ils ont agité un papier sous mon nez et ils ont commencé à ouvrir les tiroirs. Ils m'ont traîné jusqu'ici comme si j'étais un assassin. Ils m'ont mis les menottes.

Il se mit à sangloter de nouveau, essuyant son nez du revers de la main.

— Il y avait des gens qui regardaient, quand ils m'ont traîné hors de chez moi. Ils prenaient des photos. C'est pas normal, Pete. C'est pas normal. Il faut que tu me sortes de là.

Durant cette tirade, Pete était demeuré silencieux, immobile. Quand il parla enfin, sa voix était calme.

Il avait déjà traversé des crises et savait comment les retourner à son avantage.

— On a trouvé de l'héroïne chez toi, Stevie, et toute la panoplie du parfait toxico. Tu vas être inculpé pour détention de drogue.

— Contente-toi de me faire sortir d'ici, nom de Dieu !

— Est-ce que tu m'écoutes ?

La question claqua, sèche, froide, et posée.

— Ils ont trouvé assez de came chez toi pour te mettre à l'ombre pendant un bon moment.

— Quelqu'un l'a mise là. C'est un coup monté. C'est...

— Arrête de te foutre de ma gueule.

Le regard durci, Pete fit cependant un effort pour ne pas montrer le dégoût qu'il ressentait.

— Tu as le choix, reprit-il. Soit tu vas en taule, soit tu entres dans une clinique.

— J'ai le droit de...

— Tu n'as aucun droit. Tu as dépassé les bornes, Stevie. Si tu veux que je t'aide, il faudra faire exactement ce que je te dis.

— Sors-moi de là, c'est tout ce que je te demande.

Stevie se laissa retomber et se recroquevilla sur lui-même.

— Sors-moi de là.


— Combien de temps va-t-il y passer ? demanda Beverly en versant le pouilly dans deux verres à pied.

— Trois mois.

Johnno la regarda, content de constater que l'ancienne Beverly n'était pas trop profondément enfouie sous son nouveau personnage un peu lisse.

— Je ne sais pas comment Pete a obtenu cet arrangement, et je ne suis pas sûr d'avoir envie de le savoir, mais si Stevie fait son temps à la clinique Whitehurst, il ne passera pas devant le tribunal.

— Tant mieux. Il a besoin d'aide, pas d'une sentence de prison.

Elle s'installa sur le canapé, à côté de lui.

— La nouvelle est sur toutes les ondes et je me demandais justement que faire, quand tu as frappé à la porte. Je pourrais peut-être aller lui rendre visite, dans quelques semaines.

— Je doute qu'il soit joli à voir.

— Il aura besoin de ses amis, déclara-t-elle en reposant son verre sans y avoir touché.

— Parce que tu en es toujours ?

Elle leva les yeux. Son visage s'adoucit et elle porta sa main sur le visage de Johnno.

— Tu as bonne mine, tu sais. Je me suis toujours demandé ce que tu cachais sous cette barbe.

— Les sixties sont loin. Et c'est bien dommage. Tu te rends compte que j'ai porté une cravate, la semaine dernière ?

— Non.

— Bon, elle était blanche et de cuir, mais une cravate tout de même.

Il se pencha en avant et l'embrassa sur la joue. Le temps n'était jamais que du temps, après tout.

— Tu m'as manqué, Beverly.

— Les années ont passé si vite.

— Pour certains d'entre nous. Il paraît que tu es avec P. M.

Elle prit son verre et sirota son vin, lentement, pour ne pas avoir à répondre trop vite.

— Tu es venu potiner, Johnno ?

— Tu sais bien que j'adore les potins. Dois-je prétendre ne pas avoir vu les photos dans les tabloïds ?

Comme toujours quand il était le plus sérieux, Johnno eut recours au sarcasme ; un sarcasme discret, mais tranchant comme une lame de rasoir.

— Bien sûr, ma préférée reste celle où on te voit rouler sur le sol avec Jane.

Il saisit la main vengeresse de Beverly au vol et la baisa.

— Mon héroïne.

Le rire de la jeune femme fusa, spontané, et elle se détendit.

— Je n'avais pas l'intention de me battre ; et je n'ai aucun regret de l'avoir fait.

— Bravo. Tu es une amazone, ma chérie.

— Elle a fait une réflexion au sujet de Darren, murmura la jeune femme.

— Je suis désolé.

Le sourire de Johnno disparut et il lui reprit la main.

— J'ai vu rouge, continua-t-elle. C'est un cliché, je sais, mais c'est vraiment ce qui arrive, quand tu es fou de colère. L'instant d'après, je me jetais sur elle, pour Darren, pour moi. Et pour Emma. On peut dire que j'ai un sacré toupet de défendre Emma, après ce que je lui ai fait subir.

— Beverly.

— Non, on ne va pas remuer tout ça. C'est du passé. Je suppose que Jane va raconter des horreurs sur mon compte, dans son prochain livre, et mon affaire ne s'en portera que mieux.

Elle respira profondément.

— P. M. me dit que vous allez former votre propre label ?

— Ce devrait être officiel dans deux semaines. Où est-il, d'ailleurs, notre brave P. M. ?

— Il a dû se rendre en Californie pour le divorce. En fait, il devrait arriver d'un moment à l'autre.

— Ici ?

Elle but une autre gorgée de vin, mais soutint le regard de Johnno sans ciller.

— Oui, ici. Un problème, Johnno ?

— Je ne sais pas. Ça en pose un ?

Une lueur farouche brûla dans le regard de Beverly.

— C'est un homme très doux, très bon.

— Je sais. Je l'aime bien, moi aussi.

Beverly poussa un soupir.

— Ne rendons pas les choses plus compliquées qu'elles ne le sont déjà, Johnno. Nous voulons juste un peu de bonheur, un peu de tranquillité d'esprit.

— Ne raconte pas de conneries, tu veux ? P. M. est amoureux de toi depuis des années.

— Et alors ? Je ne mérite pas que quelqu'un m'aime, qu'un homme me mette en tête de ses priorités ?

— Si. Mais lui, ne mérite-t-il pas la même chose ?

Elle se leva et marcha vers la fenêtre. La pluie londonienne traçait des lignes verticales sur les vitres.

— Je ne vais pas lui faire de mal, dit-elle en se retournant. Il a besoin de quelqu'un en ce moment. Moi aussi. Qu'est-ce qui te gêne dans tout ça ?

— Brian, répondit-il simplement.

— Quel rapport ? Avec lui, c'est fini depuis longtemps.

Johnno se leva à son tour.

— Je ne te ferai pas l'insulte de te traiter de menteuse ou d'idiote, Beverly. Je dirai juste que je tiens à toi, comme je tiens à P. M. Et à Brian. Je pense aussi au groupe, à ce que nous sommes, ce que nous avons fait et pouvons encore faire.

— Allons, je ne suis pas une Yoko Ono ! Je n'ai pas l'intention de vous séparer. Est-ce que je me suis jamais immiscée dans vos affaires ?

— Non, jamais. Tu n'as peut-être jamais su, non plus, à quel point il t'aurait été facile de le faire. Brian n'a jamais aimé personne comme il t'a aimée, Beverly. Crois-moi. Je sais ce que j'avance.

— Ne me dis pas ça.

Il allait insister, au contraire ; mais au même instant, la porte s'ouvrit à la volée et des pas rapides résonnèrent dans le couloir.

— Beverly ! Beverly…

P. M. fit irruption dans la pièce, son manteau ouvert et dégoulinant de pluie.

— Johnno, Dieu merci ! Je viens juste d'entendre la nouvelle au sujet de Stevie, à la radio. Qu'est-ce qui se passe ?

Johnno reprit sa place sur le canapé.

— Assieds-toi, mon garçon. Je vais tout te raconter.


Il l'aimait si tendrement. Il la touchait si gentiment. À la lueur des chandelles qui tressaillaient dans l'obscurité, Beverly fit courir sa main le long du dos de P. M. Ses murmures étaient doux ; les paroles qu'il prononçait, caressantes. C'était facile, tellement facile de se donner à lui, de laisser les sentiments de son compagnon les porter tous les deux.

Elle ne se demanderait jamais s'il avait besoin d'elle ; si elle lui suffisait, et jusqu'à quand. Elle ne passerait jamais des nuits entières à se poser des questions, à s'inquiéter, à souffrir. Et elle ne sentirait jamais avec lui, jamais, le frisson, l'émotion unique qui naît de la fusion parfaite, de l'unité absolue, de la certitude d'avoir trouvé l'âme sœur.

Elle lui donnait tout ce qu'elle pouvait, s'ouvrant à lui, l'accueillant en elle ; mais son corps ne tremblait pas comme celui de P. M. ; son cœur ne menaçait pas d'exploser dans sa poitrine. La jouissance venait, pourtant. Et pour cela, pour l'amour et la tendresse qu'il lui prodiguait, elle lui était reconnaissante.

Mais elle aurait dû se douter qu'une relation aussi simple ne durait pas.

P. M. l'attira contre lui, pour retenir la chaleur qui émanait d'elle. Il aimait la sérénité qui alourdissait les membres de Beverly, après l'amour, leur donnant une immobilité élégante, comme un air d'abandon.

Ses yeux étaient mi-clos, ses lèvres douces et entrouvertes, et, lorsqu'il posait la tête contre ses seins, comme il aimait à le faire, il entendait les battements de son cœur. Parfois, ils parlaient ainsi, comme jamais il n'avait parlé avec son épouse, durant leurs sept ans de mariage. Ils discutaient de tout et de rien, avant de glisser doucement vers le sommeil. Et le matin, il se réveillait, étourdi et heureux de la trouver près de lui.

— Le divorce est bien engagé, dit-il. Ce ne sera bientôt plus qu'un mauvais souvenir.

— Tant mieux, murmura Beverly. Je sais combien tu souhaites que cela se termine.

— Oui. J'ai épousé Angie pour de mauvaises raisons. Je rêvais tellement de m'installer, d'avoir une femme, un foyer, une famille. Évidemment, cette baraque monstrueuse de Beverly Hills n'a jamais été un foyer. Quant à la famille, Angie avait toujours une bonne excuse pour retarder le moment de la fonder. C'est aussi bien. Je n'étais pas plus fait pour elle qu'elle ne l'était pour moi.

— Ne sois pas si dur avec toi-même.

— Mais c'est la vérité. Angie m'a choisi en pensant à sa carrière. On s'est jetés dans le mariage, et ni elle ni moi n'avons eu l'intelligence ou le courage d'en sortir aussi vite, quand ça s'est gâté.

Il marqua une pause, préparant ses phrases avec soin.

— En regardant en arrière, je vois mes erreurs très clairement. Je ne les ferai plus, Beverly – si tu me donnes une chance.

— P. M.

Elle remua alors, agitée, un peu effrayée, mais les mains de son amant se posèrent sur ses épaules, étonnamment fermes, la forçant à le fixer.

— Je veux que tu m'épouses, Beverly, pour toutes les bonnes raisons possibles.

Elle hésita, non parce qu'elle ne connaissait pas la réponse, mais parce qu'elle craignait de le blesser, de lui faire de la peine. Finalement, elle leva une main vers la joue de P. M.

— Je ne peux pas, dit-elle. Je suis désolée, mais je ne peux pas.

Il la regarda longuement, lisant le regret dans ses yeux, et une trace de pitié qui lui donna envie de hurler.

— À cause de Brian.

Elle allait acquiescer, mais se dit, tout à coup, qu'il n'y avait pas que ça.

— Non, répondit-elle. À cause de moi.

Elle se dégagea, ramenant le drap autour d'elle.

— Je ne peux pas oublier, vois-tu. Je croyais que j'y étais parvenue, je le voulais, mais je ne peux pas.

Sa voix était triste et voilée de regrets.

— Être avec toi est la meilleure chose qui me soit arrivée depuis très, très longtemps. Je me suis sentie heureuse, de nouveau. Et cela m'a enfin permis de voir clair en moi.

— Tu l'aimes toujours.

— Oui. Je crois que je peux vivre avec ça, l'accepter et continuer, avec toi, avec quelqu'un. Mais c'est moi qui l'ai chassé, tu comprends ?

— Que veux-tu dire ?

— Il ne t'en a jamais parlé ?

Elle sourit.

— Non, bien sûr. Même à toi, il n'aurait rien dit. Après que Darren a été tué, j'ai chassé Brian de ma vie. Je l'ai puni, P. M. Lui et Emma. J'ai fait du mal à Brian au moment où il avait le plus besoin de moi. Je l'ai blâmé pour ce qui s'était passé parce que j'avais trop peur de me blâmer, moi.

— Pour l'amour du ciel, Beverly, ni toi ni lui n'étiez responsables.

— Je n'en ai jamais été sûre. J'ai refusé de partager mon chagrin avec lui. Et, pendant qu'il souffrait, que nous souffrions tous les deux, je me suis détournée de lui. Il ne m'a pas quittée, P. M. C'est moi qui l'ai quitté. Ainsi que la pauvre petite Emma. Je suppose que tous les deux, à notre façon, nous l'avons abandonnée. D'être avec toi m'a fait comprendre ce que j'avais fait. À nous tous. Tu mérites mieux qu'une femme qui n'a pas aimé suffisamment et qui le regrettera toujours.

— Je peux te rendre heureuse, Beverly.

— Oui, je crois que tu le pourrais.

Elle prit le visage de P. M. entre ses mains.

— Mais moi, je ne te rendrais pas heureux, pas longtemps, en tout cas. Tu saurais toujours que je l'ai aimé d'abord et que, d'une certaine manière, je n'aimerai jamais personne d'autre.

Oui, il savait. De tout temps, il avait su. Si seulement il avait pu ressentir de la haine, pour elle, pour Brian. Mais il aimait.

— Pourquoi ne retournes-tu pas avec lui ? Pourquoi ne lui parles-tu pas ?

— Darren aurait dix ans, aujourd'hui. Il est trop tard pour revenir en arrière.

Emma traversa la pelouse à vive allure. Si elle avait l'air de savoir exactement où elle allait et pourquoi, aucune religieuse ne l'arrêterait pour lui poser des questions. Elle avait déjà préparé une excuse : un devoir de botanique.

Elle voulait juste s'isoler un moment. Elle se sentait prête à hurler, tant elle avait besoin d'être seule. Elle ne désirait même pas la compagnie de Marianne. Elle s'en voulait d'avoir menti à sa meilleure amie et ne manquerait pas de confesser son péché au père Prelenski. Mais il lui fallait une heure. Une heure de solitude pour penser, pour réfléchir.

Elle jeta un bref coup d'œil par-dessus son épaule et bifurqua derrière une haie, avant de se réfugier au cœur d'un bouquet d'arbres, où on ne pouvait pas la voir depuis les fenêtres de l'institution. Alors, elle se laissa tomber dans l'herbe.

C'était samedi et elle était autorisée à porter son jean et ses baskets. Il faisait suffisamment frais, à l'ombre des feuillages, pour qu'elle se félicitât d'avoir enfilé un chandail. Assise en tailleur, elle posa son cahier sur ses genoux et l'ouvrit. À l'intérieur, se trouvaient des dizaines de coupures de presse et de magazines qui lui avaient été passées par Teresa ou d'autres camarades tout aussi curieuses. Emma gardait tout ce qu'elle pouvait trouver sur les siens, les déchirements qu'ils avaient subis, les scandales et les commérages. Tout depuis Darren. Il y avait même des photos d'elle, enfant, avec son petit frère, et les gros titres qui avaient accompagné le meurtre. Elle cachait tout cela au fond d'un tiroir, car si les bonnes sœurs découvraient son secret, elles en parleraient à son père et il prendrait cet air triste qu'Emma ne supportait pas de lui voir. Elle ne voulait pas lui faire de la peine ; simplement, elle ne pouvait pas oublier.

Elle relut les articles, bien qu'elle fût capable de les réciter de mémoire, cherchant toujours un détail qui lui aurait échappé, une explication, un indice qui lui permettrait de comprendre ce qui s'était passé et comment elle aurait pu tout empêcher.

En vain.

Il y avait aussi d'autres coupures, plus récentes ; des pages entières consacrées à Beverly et P. M., avec des spéculations sur l'avenir de leur relation ; il y avait l'annonce du nouveau label de Devastation – Prisme –, et des photos de la soirée de lancement, à Londres. Son père y assistait, accompagné d'une nouvelle petite amie, et toujours Johnno et P. M. Mais pas Stevie.

Avec un soupir, Emma tira une autre feuille de papier glacé. Stevie était dans une clinique pour drogués. On disait qu'il était toxicomane. D'autres le traitaient de criminel. Emma se rappelait simplement l'avoir pris pour un ange, autrefois. Elle trouvait qu'il avait l'air fatigué, sur les photos ; fatigué, maigre et effrayé. Les journaux parlaient de tragédie, de scandale. Mais elle, personne ne lui disait rien. Quand elle avait posé des questions à son père, il avait simplement répondu que Stevie avait perdu le contrôle de lui-même et recevait de l'aide. Elle n'avait pas de raison de s'inquiéter.

Pourtant, elle s'inquiétait. Ils étaient sa famille ; la seule famille qui lui restait. Elle avait déjà perdu Darren. Elle devait s'assurer qu'elle n'allait pas perdre tous les autres.

Alors, dans son style appliqué, elle écrivit à ceux qu'elle aimait.

# 17

Stevie lut la lettre d'Emma au soleil, assis sur un petit banc dans le parc, au cours de sa promenade matinale. C'était un endroit ravissant, avec des buissons de roses thé et, partout, le chant des oiseaux. Un sentier de brique serpentait à travers des tonnelles de glycines et, tant le personnel de Whitehurst que les patients, étaient autorisés à s'y promener sans restriction ; il suffisait d'ignorer, au bout, les épais murs de pierre.

Stevie détestait la clinique, les médecins et les autres malades. Il avait en horreur les séances de thérapie, les horaires fixes et les sourires pleins d'assurance de leurs geôliers. Mais il faisait ce qu'on lui demandait de faire et disait ce qu'ils souhaitaient entendre : il était un toxicomane. Il avait besoin d'aide. Il allait réapprendre à vivre, au jour le jour.

Il prendrait leur méthadone et rêverait d'héroïne.

Il apprenait à rester calme. Il devenait roublard. Dans quatre semaines et trois jours, il sortirait de ce trou. Libre. Et cette fois, il ferait un peu plus attention. Cette fois, il contrôlerait sa consommation d'euphorisants. Il sourirait aux médecins et aux reporters. Il prononcerait des discours sur les méfaits de la drogue et mentirait comme un arracheur de dents. Quand il serait sorti, il vivrait comme il en avait envie.

Personne n'avait le droit de lui dire qu'il était malade, ou qu'il avait besoin d'aide. S'il voulait se défoncer, il se défoncerait. Que savaient-ils tous des pressions qui pesaient sur lui, jour après jour ? La nécessité d'exceller, d'être toujours meilleur que les autres ?

Il avait peut-être exagéré un peu. Peut-être. Alors, il ferait plus attention. Les fichus médecins lampaient bien leur bourbon. Il snifferait une ligne quand il aurait envie d'une ligne. Et s'il avait envie de hasch, il fumerait du hasch.

Et qu'ils aillent se faire foutre. Tous.

Il arracha l'enveloppe, content qu'Emma lui ait écrit. Il ne connaissait aucune personne, du sexe féminin, qui lui inspirât des sentiments aussi purs et honnêtes. Sortant une cigarette, il l'alluma, se renversa contre le dossier du banc et respira la fumée qui se mêlait au parfum des roses.

*Cher Stevie,*

*Je sais que tu es dans une sorte d'hôpital et je suis désolée de ne pas pouvoir te rendre visite. Papa dit qu'il est allé te voir, avec les autres, et que tu as meilleure mine. Je voulais que tu saches que je pense à toi. Quand tu iras mieux, on pourra peut-être partir en vacances, tous ensemble, comme en Californie, l'été dernier. Tu me manques beaucoup et j'ai toujours horreur de l'école. Mais il ne me reste que trois ans et demi. Tu te souviens, quand j'étais petite, tu me demandais toujours qui était le meilleur ? Je répondais toujours : « papa », et tu faisais semblant d'être fâché. Eh bien, je ne t'ai jamais dit que tu jouais bien mieux de la guitare. Ne le répète pas à papa. Voilà une photo de toi et moi, à New York, il y a deux ans. Papa l'a prise, tu te souviens ? C'est pour ça qu'elle est un peu floue. J'ai pensé que tu aimerais l'avoir. Tu peux m'écrire si tu en as envie. Sinon, c'est pas grave. Je sais que j'aurais dû mettre des paragraphes dans cette*

*lettre, revenir à la ligne et tout, mais j'ai oublié. Je*
*t'aime, Stevie. Guéris vite.*

*Je t'embrasse très fort.*

*Emma.*

Stevie reposa la lettre sur ses genoux. Et sanglota.

P. M. ouvrit sa lettre, assis à même le sol de la maison vide qu'il venait d'acheter, à la sortie de Londres. Il sirotait une bière et la voix de Ray Charles chantait le blues, à travers les haut-parleurs de sa chaîne stéréo. C'était la seule pièce meublée, autour de lui.

Quitter Beverly n'avait pas été facile, mais il aurait été plus difficile encore de rester. Elle l'avait aidé à trouver la demeure et promis de la décorer. De temps en temps, ils feraient même l'amour. Mais jamais elle ne serait sa femme.

Il en voulait à Brian. Quoi que Beverly ait pu lui dire, P. M. se sentait moins triste en reportant le blâme sur Brian. Ce dernier n'avait pas eu la force de rester avec elle, quand tout allait mal. Depuis le début, il l'avait mal traitée, lui imposant l'enfant qu'il avait eue avec une traînée et lui demandant de l'élever comme la sienne ; disparaissant des semaines pour partir en tournée ; la forçant à vivre une vie qu'elle n'avait pas souhaitée, avec la drogue, les groupies et les abus permanents d'une presse avide de commérages.

Que dirait Brian, que diraient-ils tous, s'il quittait le groupe ? Peut-être le remarquerait-on enfin, lui, le petit batteur insignifiant. Brian McAvoy pouvait aller au diable et emmener Devastation avec lui.

Il avala une gorgée de bière et, plus par habitude que par curiosité, lut la lettre d'Emma. Celle-ci lui écrivait environ tous les deux mois et il répondait toujours par une carte postale, ou un petit cadeau. Ce n'était pas la faute de la gosse, si son père était un salaud.

215

*Cher P. M.,*

*Je devrais sûrement dire que je suis désolée au sujet de ton divorce, mais je ne le suis pas. Je n'aimais pas Angie. Les bonnes sœurs disent que le divorce est un péché, mais je crois que le vrai péché, c'est de faire semblant d'aimer quelqu'un qu'on n'aime pas. J'espère que tu es heureux de nouveau, parce que quand je t'ai vu, l'été dernier, tu étais triste.*

*On parle beaucoup de toi et de Beverly, dans les journaux. Je ne devrais peut-être pas te dire ça, mais je ne peux pas m'en empêcher. Si toi et Beverly vous vous mariez, je ne serai pas en colère. Elle est si belle et si gentille ; je comprends que tu ne puisses pas t'empêcher de l'aimer. Et puis, si elle est heureuse avec toi, elle ne me détestera peut-être plus. Je sais que tu ne t'es pas disputé avec papa, comme ils le disent dans certains magazines. Ce serait stupide de lui en vouloir parce qu'il aime Beverly, lui aussi.*

*J'ai trouvé une photo que j'avais prise de toi et papa, il y a longtemps. Je sais que vous allez commencer le nouvel album, bientôt, alors tu pourras lui montrer. J'espère que tu es heureux, parce que je t'aime.*

*Je te verrai peut-être à Londres, cet été.*

*Je t'embrasse très fort,*

*Emma.*

P. M. contempla la photo, un long moment, puis la glissa dans l'enveloppe avec la lettre. Divorcer de sa femme était une chose. Mais il s'avisait brusquement que divorcer de sa famille en était une autre.

De retour à New York, Johnno passa la première journée à dormir et la seconde à composer. Il vivait seul, en ce moment, et c'était très bien. Son dernier amant l'avait rendu fou, avec sa manie de l'hygiène et de la propreté. Lui-même était plutôt maniaque, mais de là à laver toutes les bouteilles et les canettes qui arrivaient du supermarché... !

Et puis, il appréciait le silence.

Il envisagea un instant de passer la soirée dehors, avant de se dire qu'il avait la flemme. Ce n'était pas tant le décalage horaire qui l'avait épuisé, que la fatigue accumulée au cours des dernières semaines, entre les tracas juridiques liés à la création du nouveau label et la pénible visite qu'ils avaient rendue à Stevie, à la clinique ; le pire était peut-être de voir Brian sombrer de plus en plus profondément dans l'alcool.

Et pourtant, sa musique était meilleure que jamais : cinglante, lyrique, poignante et rêveuse. Brian ne parlait pas de sa souffrance ou de sa colère au sujet de la relation entre P. M. et Beverly, mais ses sentiments explosaient dans ses chansons.

Cela suffisait à faire le bonheur de Pete, songea Johnno. Tant que Devastation roulait, tout baignait.

Il marcha vers la cuisine et sortit la salade de crevettes que lui avait préparée son intendante. Il déboucha une bouteille de vin blanc et compulsa le courrier qui s'était accumulé durant son absence. Lorsqu'il reconnut l'écriture d'Emma, il sourit.

*Cher Johnno,*
*Je me suis échappée, un moment. Je serai sûrement punie, plus tard, mais si je ne m'étais pas isolée un peu, je me serais mise à hurler.*
*La plupart des bonnes sœurs sont de mauvaise humeur, aujourd'hui. Trois grandes ont été renvoyées, hier. Le règlement interdit de fumer en uniforme, alors trois filles se sont mises en sous-vêtements dans les vestiaires, et elles ont allumé des cigarettes. La plupart d'entre nous trouvent ça cool, mais Mère Supérieure n'a pas beaucoup d'humour.*

Avec un rire, Johnno poussa sa salade, but une gorgée de vin et reprit sa lecture.

*Ces temps-ci, je pense beaucoup à papa, à toi et aux autres. J'ai lu des articles au sujet de Stevie et je ne supporte pas tout ce qu'on dit sur lui. Tu l'as vu ? Est-ce qu'il va bien ? Il a l'air tellement vieux et malade, sur la photo du London Times. Je ne veux pas croire qu'il est un toxicomane, mais qu'en est-il au juste ? Je ne suis plus une enfant. Papa refuse de m'en parler, alors je m'adresse à toi. Tu me dis toujours la vérité. Certaines filles, ici, prétendent que toutes les rock stars sont des drogués. Ces nanas sont des vraies connes.*

*Les potins traversent les murs jusqu'à nous, aussi. J'ai un article et des photos de People, avec Beverly, papa et P. M. Jane est dessus, elle aussi. Je ne veux pas l'appeler ma mère. S'il te plaît, ne dis pas à papa que je t'ai écrit à ce sujet. Ça le bouleverse, et pourtant, ça ne change rien. Moi aussi, j'étais chamboulée, au début ; mais j'ai bien réfléchi. C'est OK si Beverly aime P. M., non ? C'est comme si elle faisait partie de la famille, de nouveau.*

*En fait, je t'écris pour te demander de veiller sur papa. Il fait semblant de ne plus penser à Beverly et de ne plus l'aimer, mais je sais bien que c'est faux. Quand je quitterai l'école pour de bon, je pourrai moi-même m'occuper de lui. On va s'installer à New York, avec Marianne, et je pourrai voyager partout avec lui, et prendre des photos.*

*Celle que je t'envoie est un autoportrait. Je l'ai prise la semaine dernière. Tu as vu les pendentifs ? Marianne m'a percé les oreilles et j'ai failli m'évanouir. Je ne l'ai pas encore dit à papa, alors motus, d'accord ? Les vacances de Pâques sont dans neuf jours et il pourra constater les dégâts par lui-même. Papa dit que nous allons en Martinique. Viens, Johnno, s'il te plaît.*

*Je t'aime,*

*Emma.*

Et que devait-il faire au sujet d'Emma ? se demanda Johnno. Il pourrait montrer la lettre à Brian et lui dire : « Tiens, lis ça et rachète-toi une conduite, un peu. Ta fille a besoin de toi. » Mais ni Brian, ni Emma ne le lui pardonneraient.

Elle grandissait, et vite. Les oreilles percées, les soutiens-gorge et la philosophie. Brian ne pourrait pas la garder dans une bulle beaucoup plus longtemps.

Johnno jeta la tête en arrière et vida son verre. Il pouvait au moins essayer de se trouver là, quand, pour l'un comme pour l'autre, la situation exploserait. Et, pour commencer, il allait passer quelques jours en Martinique.

Allongé sur la plage, Brian regardait sa fille courir dans les vagues. Le sable blanc était chaud sous son corps et le rhum glissait, suave, dans sa gorge.

Brian contemplait Emma et se demandait pourquoi elle avait toujours l'air aussi pressée de se rendre d'un point à un autre. Il aurait pu lui dire qu'une fois arrivé, on trouvait la gloire bien fugace. Mais elle ne l'aurait pas écouté. C'était une adolescente maintenant. Doux Jésus, comment sa fille avait-elle grandi si vite ? Et lui, comment avait-il atteint l'âge de trente-trois ans ?

Emma plongea sous un rouleau et émergea de nouveau, quelques mètres plus loin.

— Seigneur, quelle énergie, s'exclama Johnno en se laissant tomber à côté de lui. Elle ne prend jamais le temps de souffler, hein ?

— Non. Est-ce qu'on devient vieux, Johnno ?

— Les rock stars ne vieillissent pas, mec. Elles se recyclent à Las Vegas.

Il but une gorgée de rhum dans le verre de Brian et fit la grimace.

— Et nous n'en sommes pas encore là.

Ils demeurèrent silencieux, un instant, écoutant le roulement des vagues. Johnno était content d'être venu. La tranquillité de la propriété privée, avec son bout de plage tout aussi privé, était juste ce dont il avait besoin après la folie de New York et la pluie printanière de Londres. La villa qu'ils avaient louée s'élevait sur trois étages, avec des terrasses avançant sur la mer et des murs pastel qui brillaient au soleil. Partout, l'air sentait bon la brise marine et les fleurs.

Oui, il était content. Pas seulement à cause du décor idyllique, ou même du climat, mais à cause des moments heureux passés avec Brian et Emma. Hélas, c'était déjà presque terminé.

— Pete a téléphoné tout à l'heure, reprit-il.

Brian regardait sa fille et la manière dont elle offrait son visage à la caresse du soleil. Elle était hâlée. Pas bronzée. Son corps avait une teinte de pêche dorée et il s'inquiétait en pensant au garçon qui, bientôt, voudrait le goûter.

— Qu'est-ce qu'il raconte ?

— Tout est prêt pour le mois prochain. On va pouvoir commencer à enregistrer.

— Et Stevie ?

— Il suivra une espèce de programme pour patients externes. On va lui filer de la méthadone, autrement dit. Si tu ne peux pas prendre ta drogue dans la rue, c'est le gouvernement qui te la fournit. Quoi qu'il en soit, il sera prêt. Toi aussi ?

— Je suis prêt depuis longtemps.

— Content de l'entendre. Tu ne vas pas casser la figure à P. M. ?

— Fiche-moi la paix, Johnno.

— Je préfère que tu lui écrases le nez, plutôt que de te voir passer les prochains mois à lui faire la gueule ou à préméditer de l'assassiner pendant son sommeil.

— Je n'ai aucun problème avec P. M., dit Brian. C'est sa vie.

— Et ta femme.

Brian le foudroya du regard, mais il parvint à contenir le flot d'injures qui ne demandait qu'à jaillir de ses lèvres.

— Beverly n'est plus ma femme depuis longtemps.

— À d'autres, mon vieux. C'est à moi que tu parles. Je sais que ça va être dur pour toi. Je veux juste m'assurer que tu es prêt.

Brian leva son verre et se rappela qu'il était vide. Il soupira et le reposa.

— On ne peut pas revenir en arrière, Johnno. Et on ne peut pas rester sur place non plus. Alors, prêt ou pas, il faut continuer à avancer.

— Hou, c'était super ! s'écria Emma en se laissant tomber à genoux, entre son père et Johnno. Vous devriez venir vous baigner.

— Dans l'eau ? dit Johnno. Emma, ma chérie, il y a des choses dans l'eau. Des choses visqueuses.

La jeune fille éclata de rire et les embrassa tous deux, l'un après l'autre.

— Je comprends, lança-t-elle, moqueuse. Les petits vieux restent sur la plage. Les gens d'âge mûr, aussi.

— D'âge mûr ? s'exclama Brian.

Il saisit une mèche des cheveux d'Emma et tira dessus.

— De qui parles-tu ?

— Eh bien, de deux types que je connais bien et qui passent leur temps assis sur le sable. Allons, restez bien sages et reposez-vous. Je vais aller vous chercher des rafraîchissements et prendre mon appareil photo. Il faut fixer cette image pour la postérité.

— Elle n'a pas la langue dans sa poche, la petite. T'as remarqué, Brian ?

— J'ai remarqué.

— Et on va la laisser s'en tirer comme ça ?

Brian échangea un regard avec son ami.

— Pas question.

Emma poussa un cri, quand ils se jetèrent sur elle. L'un lui attrapa les jambes, l'autre, les bras et ils coururent vers le rivage. Retenant sa respiration, Emma les entraîna dans l'eau avec elle.

Emma n'avait jamais été aussi heureuse de toute sa vie. Ces vacances avaient été parfaites. Elle passait ses journées au soleil, et ses soirées à écouter Johnno et son père jouer et chanter. Elle tricha aux cartes avec le premier et fit de longues promenades sur la plage avec le second. Elle avait des tas de rouleaux de pellicule à développer et tout autant de souvenirs. Comment pouvait-elle dormir, dans ces conditions ?

C'était sa dernière soirée en Martinique ; sa dernière nuit avec son père. Sa dernière nuit de liberté, aussi. Demain, elle serait dans l'avion, en direction de Sainte-Catherine et de ses règlements draconiens.

Avec un soupir, elle se rappela que l'été serait bientôt là. Elle retournerait à Londres, reverrait Stevie et P. M., et pourrait assister aux séances d'enregistrement du nouvel album. D'une façon ou d'une autre, elle traverserait les quelques semaines à venir. Il le fallait. Pour son père.

En attendant, la nuit était belle, la maison, silencieuse, et elle décida de profiter pleinement des derniers moments en allant goûter le bonheur d'être seule, sur la plage. Même les gardes du corps devaient dormir. Elle s'assiérait sur le sable, contemplerait la mer, et personne ne la surveillerait.

Emma glissa silencieusement à travers la maison et les portes coulissantes de la baie vitrée, avant de s'éloigner en courant.

Elle se donna une heure. Quand elle retourna vers la villa, elle était toute mouillée, n'ayant pu résister au désir de se baigner encore une fois. Elle rentra dans le living-room, prête à rejoindre vivement sa chambre, quand la voix de son père résonna. Emma recula dans l'ombre.

— Chut, ne fais pas de bruit. Tout le monde dort.

Il y eut un gloussement féminin et une voix chuchota, avec un accent français :

— Je ne fais pas plus de bruit qu'une souris.

Brian entra dans la pièce avec une petite femme brune. Elle portait un sarong rose fuchsia et tenait une paire de sandales dorées à talons hauts dans sa main.

— Je suis tellement contente que tu sois venu ce soir, chéri.

Elle se colla contre Brian, jeta les bras autour de son cou et lui donna un baiser dévorant, à pleine bouche.

Affreusement gênée, Emma ferma les yeux. Mais elle entendait des soupirs et des gémissements rauques.

— Mmm, tu es pressé, on dirait, dit la femme en riant.

Elle glissa ses mains sous la chemise de Brian.

— Je vais t'en donner pour ton argent, mon chéri. Mais d'abord, tu m'as promis une petite fête.

— Exact.

Ça l'aiderait, se dit Brian. Elle avait des cheveux noirs et brillants, mais ses yeux étaient marron ; pas verts. Après deux petites lignes de coke, ça n'aurait plus aucune importance. Rien n'aurait d'importance. Il marcha vers une table, déverrouilla un tiroir et prit un sachet en plastique.

La petite brune tapa dans ses mains et le rejoignit, tandis qu'il s'agenouillait devant la table basse.

Dans son coin, muette d'horreur, Emma regarda son père préparer la cocaïne. Il étala quatre traînées de poudre blanche sur un miroir, les affinant avec une lame de rasoir. Puis, il prit une paille et se pencha. Ses gestes étaient sûrs, entraînés.

— Ah ! dit la femme, après avoir reniflé par les deux narines. Elle est fabuleuse.

Brian glissa deux doigts dans le sarong de sa compagne et l'attira contre lui. Il se sentait invincible. Jeune. Puissant. Il était dur et gonflé de désir. Il la poussa vers le sol, décidé à la prendre très vite, la première fois. Après tout, il avait payé pour une nuit entière.

— Papa.

Il releva la tête brusquement, clignant des yeux. Sa fille était là, à deux mètres, le visage blême, ses cheveux dégoulinant d'eau sur ses épaules.

— Emma ?

— Emma ? roucoula la femme en se retournant. Qui est Emma ? Ah, tu aimes les enfants, aussi. Bon, bon. Viens, ma jolie. Viens te joindre aux festivités.

— La ferme, imbécile. C'est ma fille.

Il bondit sur ses pieds.

— Emma, je croyais que tu étais couchée.

— Oui, répondit-elle platement. Je vois ça.

— Tu ne devrais pas être là, dit-il en s'avançant vers elle. Tu es toute mouillée. Où étais-tu ?

— Sur la plage, répondit l'adolescente en évitant son regard.

Elle se tourna vers l'escalier.

— Seule ? Tu es allée sur la plage, seule, en pleine nuit ?

Emma pivota sur ses talons.

— Oui, je suis allée sur la plage, seule, en pleine nuit. Et maintenant, je vais me coucher.

— Tu sais très bien que tu ne dois te rendre nulle part sans garde du corps. Seigneur, tu es allée nager. Et si tu avais été prise d'une crampe ?

— Je me serais noyée.

— Viens, chéri, reprit la femme. Laisse la petite aller au lit.

— Je t'ai dit de fermer ta gueule ! hurla Brian, avant de prendre le bras de sa fille. Ne recommence jamais, tu m'entends ?

— Oh, oui, je t'entends parfaitement bien, dit Emma en se dégageant brusquement.

— On reparlera de ça plus tard.

— De quoi ? De ma promenade sur la plage ou de ça ? cria-t-elle, balayant la scène d'un geste.

— Ça, comme tu dis, ne te regarde pas.

— Non. Tu as tout à fait raison. Je vais donc te laisser avec ta putain et ta drogue.

Il la gifla. Sa main était partie brusquement et il vit la marque sur la joue de son enfant, avant même d'avoir compris ce qu'il venait de faire. Aussitôt, son visage se décomposa.

— Emma...

Elle avait reculé en secouant la tête. Il n'avait presque jamais élevé la voix sur elle, et ce soir, alors que pour la première fois, elle se dressait contre lui, le critiquait, il la giflait. Faisant volte-face, elle se rua dans l'escalier.

Johnno la laissa passer. Il se tenait à mi-chemin sur les marches, simplement habillé d'un pantalon de survêtement, décoiffé, les yeux lourds de sommeil.

— Je veux lui parler d'abord, dit-il en saisissant le bras de Brian pour l'empêcher de se lancer après sa fille. Elle ne t'écoutera pas pour l'instant. Laisse-moi faire.

Celui-ci hocha la tête. Sa main le brûlait, à l'endroit où elle était entrée en contact avec la joue de son enfant. Son bébé.

— Johnno..., je saurai me faire pardonner, bredouilla-t-il.

— Bien sûr, répondit Johnno. En attendant, règle tes bêtises, ici.

Emma avait les yeux secs. Elle était assise sur son lit, sans paraître remarquer ses vêtements mouillés, mais elle ne pleurait pas. Le monde, l'univers magique qu'elle avait construit autour de son père, venait de s'écrouler. Elle était perdue, une fois de plus.

Elle sursauta, quand la porte s'ouvrit. Puis, reconnaissant Johnno, elle poussa un soupir.

— Je vais bien, dit-elle. Je n'ai pas besoin qu'on vienne me tenir la main.

— D'accord.

Il entra quand même, et vint s'asseoir près d'elle.

— Tu veux me crier dessus, un moment ?

— Non.

— Tu devrais, ça soulage. Si tu enlevais ces frusques ? Tu es trempée.

Il porta une main devant ses yeux, écarta les doigts et sourit.

— Je ne regarde pas, c'est promis.

Parce que cela lui donnait quelque chose à faire, Emma se leva pour aller prendre un peignoir dans sa salle de bains.

— Tu savais, n'est-ce pas ?

— Que ton père aime les femmes ? Oui. Je crois que j'ai commencé à m'en douter quand nous avions douze ans.

— Je ne plaisante pas, Johnno.

Il soupira.

— OK, écoute-moi, ma puce. Un homme a le droit d'avoir des relations sexuelles. Ce n'est tout simplement pas le genre d'activité dont il a envie de parler avec sa fille.

— Il l'a payée. C'est une putain.

Elle s'était plantée devant lui, serrée dans un peignoir d'éponge blanche et il lui prit les mains entre les siennes. Elle avait l'air si jeune, si vulnérable, tout à coup.

— Que veux-tu que je te dise ? Que les bonnes sœurs ont raison et que c'est un péché ? Peut-être. Mais dans la vie réelle, les gens commettent des péchés, Emma.

— Dans ce cas, c'est normal de coucher avec une étrangère si on se sent seul.

— Je comprends maintenant pourquoi Dieu n'a pas voulu que je sois père, marmonna Johnno.

Il essaya mieux : la vérité.

— Le sexe, c'est facile, Emma. Un acte vide, aussi excitant qu'il puisse paraître, sur le moment. Faire l'amour avec quelqu'un est une expérience totalement différente. Tu le découvriras un jour. Quand il y a des sentiments, on pourrait presque dire que c'est sacré.

— Je ne comprends pas. Je ne crois pas que j'aie envie de saisir la nuance. Il est sorti, il a trouvé cette femme et il a payé pour elle. Il avait de la cocaïne. Je l'ai vu. Je sais que Stevie..., mais je n'ai jamais pensé que papa...

— Il existe toutes sortes de solitude, Emma.

— Toi aussi, tu fais ça ?

— Moi aussi, admit-il, non sans difficulté. Je crois que j'ai presque tout essayé. C'étaient les sixties, Emma. Il faut l'avoir vécu pour comprendre.

Il eut un petit rire et la força à s'asseoir près de lui.

— J'ai arrêté parce que je n'aimais pas ça. Je déteste perdre le contrôle de moi-même pour une petite défonce. Je n'en suis pas un héros pour autant. C'est plus facile, pour moi. Je ne supporte pas les mêmes pressions que Brian. Il prend tout à cœur, alors que je vis les choses comme elles viennent. Ce qui compte avant tout, pour moi, c'est le groupe. Pour Brian, c'est le monde entier. Il a toujours été comme ça.

Mais Emma continuait de voir son père, la tête penchée sur la cocaïne.

— Ce n'est pas bien quand même.

— Non, admit-il en glissant un bras autour des épaules de l'adolescente. Je suppose que non.

Elle se mit à pleurer, alors. Ses larmes étaient lourdes et brûlantes.

— Je ne voulais pas savoir tout ça. Je l'aime.

— Je sais. Et il t'aime aussi. Nous t'aimons tous.

— Si je n'étais pas sortie, ce ne serait jamais arrivé.

— Tu ne l'aurais pas vu, mais cela aurait existé malgré tout.

Il baisa les cheveux d'Emma.

— Maintenant, tu dois juste accepter le fait qu'il n'est pas parfait.

— Ce ne sera plus pareil, hein ?

Elle poussa un soupir et se laissa aller contre lui.

— Rien ne sera plus jamais pareil.

# 18

*New York, 1982*

— Que va-t-il dire ? demanda Marianne en sortant sa valise du taxi, pendant qu'Emma payait le chauffeur.

— Eh bien, il devrait commencer par dire bonjour.

— Allons donc, Emma.

Celle-ci rejeta ses cheveux sur ses épaules.

— Il va demander ce qu'on fabrique ici et je lui expliquerai.

— Ensuite, il appellera ton père et nous serons traînées à la potence.

— On ne pend plus personne, dans cet État, répondit Emma.

Elle prit sa valise, respira profondément et sourit. New York. C'était si bon d'être de retour. Et cette fois, elle avait l'intention de rester.

— Chambre à gaz, peloton d'exécution, le résultat est le même, continua Marianne. Ton père va nous tuer.

Emma s'arrêta pour regarder son amie.

— Tu veux faire marche arrière ?

— Jamais de la vie !

Elles échangèrent un sourire triomphant et poussèrent la porte du lobby. Emma entra la première, marquant une pause pour sourire au garde du prestigieux immeuble.

— Bonjour, Carl.

— Mademoiselle McAvoy ! s'exclama celui-ci en posant son sandwich au pastrami. Il y a plus d'un an que je ne vous ai vue, n'est-ce pas ? Vous êtes une vraie jeune fille, maintenant.

— Eh oui ! Je vous présente mon amie, Mlle Carter.

— Ravi de faire votre connaissance, mademoiselle Carter. Monsieur Donovan est-il prévenu de votre arrivée ?

— Évidemment.

Emma mentit avec un doux sourire.

— Il ne vous a rien dit ? C'est bien de Johnno. Nous ne resterons que deux jours.

Tout en parlant, elle se dirigeait vers l'ascenseur, soucieuse de ne pas laisser au garde l'opportunité d'annoncer leur présence.

— Je vais à l'université ici, à présent.

— Je croyais que vous étiez inscrite à Londres ?

— J'ai effectué un transfert, dit-elle avec un clin d'œil malicieux. Vous savez que mon cœur est ici, à New York.

Comme les portes de l'ascenseur se refermaient sur elles, Marianne arqua un sourcil ironique.

— Quelle maîtrise dans le mensonge !

— Tout n'était pas faux. J'ai dix-huit ans depuis deux mois. Il est temps que je goûte enfin à l'indépendance.

— J'ai dix-huit ans depuis sept mois et ça n'a pas empêché mon père de piquer une crise, quand je lui ai annoncé ma décision de poursuivre mes études à New York. Enfin, c'est fait. Demain, on commence à chercher un appartement. Et après, on pourra enfin vivre comme on l'a toujours rêvé.

— Oui. Mais d'abord, il faut franchir le premier obstacle.

Elles sortirent de l'ascenseur et longèrent le vaste couloir qui menait au duplex de Johnno.

— Laisse-moi parler, dit Emma en poussant la sonnette. Toi, tu risques de t'emporter, comme d'habitude.

— Je suis une artiste, commenta son amie avec un haussement d'épaules. Pas un avocat.

La porte s'ouvrit et Johnno parut sur le seuil.

— Surprise ! cria Emma en se jetant dans ses bras.

— Oh là ! s'exclama-t-il.

Il était à demi vêtu et un peu groggy, après un dîner bien arrosé de vin et la sieste qui avait suivi. Posant les mains sur les épaules d'Emma, il la repoussa un petit peu pour mieux l'étudier. Au cours des dix-huit derniers mois, elle avait poussé comme une plante, mince, gracieuse, avec des touches d'élégance naturelle. Ses cheveux pâles étaient retenus par deux peignes et tombaient sur ses épaules en longues mèches souples. Elle portait un jean usé et une chemisette nouée sur le ventre. De larges anneaux d'or pendaient à ses oreilles.

— Seigneur, tu ressembles à un mannequin en congé.

Il tourna les yeux vers Marianne.

— Et voici ma petite rousse préférée, avec une nouvelle coiffure.

Il passa une main affectueuse dans la tignasse courte et hirsute de la jeune fille.

— C'est à la mode, déclara celle-ci en lui tendant la joue. On vous réveille ?

— Oui. Je devrais peut-être vous inviter à entrer, avant de vous demander ce que vous faites ici. Avec des valises, ajouta-t-il en baissant les yeux.

— Oh, Johnno, c'est merveilleux d'être là, s'écria Emma. Dès l'instant où nous sommes sorties de l'aéroport, je me suis sentie chez moi.

Elle posa son bagage dans l'entrée, esquissa un pas de danse et se laissa tomber sur le canapé du living-room. Avant de se relever aussitôt.

— Comment vas-tu ?

Johnno la connaissait assez pour deviner la nervosité qui se cachait derrière de tels débordements.

— Attends, dit-il. C'est moi qui pose les questions. Vous voulez boire quelque chose ?

— Oui, s'il te plaît.

Il marcha vers un bar circulaire et sortit deux Coca Light.

— Existe-t-il de nouvelles vacances scolaires dont je n'aurais pas entendu parler ?

— Oui. Celles de la Libération. Marianne et moi nous sommes inscrites au NYCC.

— Vraiment ? C'est bizarre. Brian ne m'a rien dit.

— Il ne le sait pas, répliqua Emma en prenant le verre qu'il lui tendait.

Marianne accepta le sien, sourit, mais garda le silence.

— Avant que tu ajoutes quoi que ce soit, reprit Emma, j'aimerais que tu m'écoutes.

Johnno sourit à son tour.

— Comment as-tu faussé compagnie à Sweeney et à son acolyte ?

— Une perruque brune, des lunettes d'écaille... Je boitais un peu, aussi.

— Ingénieux, murmura Johnno, que ce rôle de confident avunculaire ne réjouissait qu'à moitié. Tu te rends compte à quel point Brian va être inquiet ?

Une lueur de regret brilla dans le regard de l'adolescente, mais elle pinça les lèvres d'un air têtu.

— J'ai l'intention de l'appeler et de tout lui expliquer. Ma décision est prise, Johnno. Rien de ce que vous pourrez dire, l'un et l'autre, ne me fera changer d'avis.

— Je n'ai pas encore essayé.

Il regarda Marianne.

— Tu es bien muette, je trouve.

— J'ai eu des consignes. Et puis, je suis déjà passée par là avec mes parents. Ils ne sont pas ravis, mais nous sommes déterminées. Nous avons dix-huit ans, maintenant. Nous savons ce que nous voulons.

Johnno se sentit bien vieux, tout d'un coup.

— Et le fait d'avoir dix-huit ans vous autorise à faire tout ce que vous voulez ?

Marianne s'apprêtait à parler, quand Emma l'interrompit d'un regard.

— Je sais tout ce que je dois à mon père, déclara-t-elle. À toi aussi. Depuis que j'ai trois ans, j'ai toujours fait ce qu'il souhaitait. Pas seulement par gratitude, Johnno, mais parce que je l'aime plus que tout au monde. Je ne peux pas continuer à être sa petite fille et rester sagement enfermée dans les bulles qu'il choisit pour moi. À mon âge, vous vouliez quelque chose, tous les deux, et vous l'avez obtenu. C'est pareil pour moi.

Elle marcha vers sa valise, l'ouvrit et en tira un press-book. Elle n'était plus nerveuse, mais son énergie était encore palpable.

— Ce sont mes photos. Je veux en faire mon métier et je vais suivre des cours, ici, qui me permettront d'apprendre tout ce que j'ai besoin de savoir. Nous allons partager un appartement, Marianne et moi. Je vais rencontrer des gens, me faire des amis, sortir le soir et marcher dans le parc. Je vais enfin faire partie du monde, au lieu de rester assise sur le bas-côté à le regarder passer. Je t'en prie, essaie de comprendre.

— Tu étais donc si malheureuse ?

— Tu n'imagines pas à quel point.

— Tu aurais dû en parler.

— J'ai essayé.

Elle se détourna, un instant.

— Il ne comprenait pas. Il ne pouvait pas. Je voulais juste être avec lui, avec vous. Comme c'était impossible, j'ai essayé d'être ce qu'il voulait. Cette nuit-là, en Martinique...

Elle s'interrompit, choisissant ses mots avec soin. Même Marianne ne savait pas ce qu'elle avait surpris.

— Tout a changé, pour moi. Et pour papa. J'ai pourtant fini ce que j'avais commencé, Johnno. Je lui devais ça, et bien plus encore. Maintenant, je dois penser à moi.

— Je lui parlerai.

Le visage de la jeune fille s'éclaira.

— Merci.

— Oh, ne me remercie pas encore. Il est bien fichu de traverser l'Atlantique pour venir me tordre le cou.

Il prit le press-book des mains d'Emma et le feuilleta.

— Tu as toujours été douée. Vous l'êtes toutes les deux, ajouta-t-il.

Du menton, il désigna une esquisse du groupe Devastation accrochée sur un mur du living-room.

— Je t'avais dit que je la ferais encadrer.

Marianne bondit sur ses pieds en poussant un cri de joie. Elle avait fait ce dessin le soir de la remise de leurs diplômes de fin d'études, l'année précédente. La maison que Brian avait louée, à Long Island, était pleine de monde, et Marianne, qui ignorait la timidité, avait demandé aux quatre hommes de poser pour elle.

— Je ne pensais pas que vous étiez sérieux, dit-elle, ravie.

— Maintenant, je suppose que tu vas faire ton chemin dans les arts plastiques, pendant qu'Emma prendra des photos.

— En effet. Nous aurons du mal à jouer les artistes affamées, avec l'héritage que m'a laissé ma grand-mère, mais on va essayer tout de même.

— À propos, vous avez faim ?

— Oui ! s'écrièrent les deux amies, en chœur.

— Bon, on va vous préparer quelque chose, avant d'appeler Brian.

Johnno fit le tour du bar.

— Ce pourrait bien être notre dernier repas.

— Hé, Johnno, tu ne dormais pas ? lança une voix grave.

Emma et Marianne se retournèrent de concert. Un homme, un homme magnifique, descendait les marches de l'escalier en colimaçon, simplement vêtu d'un caleçon.

— Oh.

Il s'arrêta en les apercevant, passa une main dans la masse décoiffée de ses cheveux noirs et sourit.

— Salut. Je ne savais pas qu'on avait de la visite.

— Luke Caruthers, Emma McAvoy et Marianne Carter, dit Johnno en faisant les présentations.

Il glissa ses mains dans les poches de son pantalon de survêtement.

— Luke travaille pour *New York Magazine*.

Après une brève hésitation, il haussa les épaules.

— Il habite ici.

Un instant, Emma demeura sans voix. Elle avait été assez souvent témoin de cette intimité particulière entre deux personnes, l'avait même suffisamment enviée, chaque fois, pour savoir la reconnaître.

— Salut, parvint-elle enfin à articuler.

— Alors, vous êtes Emma, dit-il en tendant la main. J'ai tellement entendu parler de vous. Je ne sais pas pourquoi, mais je m'attendais à voir une petite fille.

— J'ai grandi.

— Et vous êtes l'artiste, poursuivit-il en se tournant vers Marianne. J'adore votre esquisse, sur le mur.

— Merci, répondit celle-ci avec un large sourire.

— Je viens de promettre à ces demoiselles de les nourrir. Elles ont fait un long voyage.

— Un petit snack de minuit, voilà une excellente idée. Mais laissez-moi m'en occuper. La cuisine de Johnno est du poison.

Marianne hésita, partagée entre la fascination et un choc très bourgeois.

— Hmm, je vais vous filer un coup de main, dit-elle finalement.

Elle jeta un regard à Emma et suivit Luke dans la cuisine.

— Nous avons mal choisi notre moment pour débarquer, murmura Emma. J'ignorais que tu avais un... colocataire.

Respirant profondément, elle se laissa choir sur l'accoudoir du canapé.

— Je ne savais pas, Johnno. Je n'en avais pas la moindre idée.

— C'est le secret le mieux gardé de toute l'histoire du rock'n roll, répondit-il d'un ton léger.

Mais les poings dans ses poches étaient serrés.

— Veux-tu que je t'aide à réserver une chambre au Waldorf ?

Emma rougit et baissa les yeux.

— Non, bien sûr que non. Papa sait-il... ? Évidemment, qu'il sait. Question stupide. Je ne sais pas quoi dire. Il... Luke est vraiment très beau.

Une lueur amusée brilla dans les yeux de Johnno.

— Je trouve aussi.

Emma rougit de plus belle, mais parvint à croiser son regard.

— Tu te moques de moi.

— Non, ma chérie. De toi, jamais.

Elle l'étudia un moment, se demandant s'il lui paraissait différent, tout à coup. Mais Johnno était toujours Johnno. Cela ne changerait jamais. Elle eut un petit sourire.

— Bon, je vais donc devoir changer mes projets.

Il sentit la vieille blessure, plus vive, plus douloureuse que les coups des autres garçons, autrefois.

— Je suis désolé, Emma.

— Pas tant que moi. Me voilà forcée d'abandonner mon vieux fantasme de te séduire un jour.

Pour la première fois depuis qu'elle le connaissait, elle surprit une expression déconcertée sur le visage de Johnno.

— Pardon ?

— Eh bien, j'ai toujours pensé que quand je serais grande, et que tu me verrais enfin comme une femme, je viendrais te rendre visite, je te préparerais un dîner aux chandelles, avec de la musique douce, et je te séduirais.

Elle prit la chaîne qui pendait à son cou, la sortit de son chemisier et dévoila une petite bague en plastique avec une grosse pierre rouge.

— J'ai toujours rêvé que tu serais mon premier homme.

Interdit, Johnno regarda le bijou de pacotille, puis la jeune fille. Il y avait de l'amour dans ses yeux ; le genre d'amour qui dure toute une vie. Et de la compréhension, sans l'ombre d'une critique. Avançant d'un pas, il lui prit les mains entre les siennes.

— J'ai rarement regretté d'être gay, murmura-t-il en les portant à ses lèvres. Aujourd'hui, j'en suis désolé.

— Je t'aime, Johnno.

Il la serra contre lui.

— Moi aussi, je t'aime, Emma. Je me demande bien pourquoi, d'ailleurs, vu que tu n'es qu'une horrible sorcière.

Quand elle rit, il l'embrassa.

— Allons. Tu vas voir. Luke n'est pas seulement beau à regarder ; c'est aussi un fabuleux cuisinier.

*
*   *

Emma fut réveillée tôt, le lendemain matin, par une odeur de café et le son étouffé de la télévision dans la cuisine. Luke se beurrait un toast, quand elle le rejoignit et, l'espace d'un instant, elle fut prise de timidité.

Elle s'était pourtant sentie presque à l'aise, la veille, quand ils avaient tous mangé une soupe et des sandwichs grillés autour de la table. Luke était bien élevé, drôle, intelligent et follement séduisant. Et homosexuel. Comme Johnno, songea la jeune fille.

— Bonjour, dit-elle enfin.

Luke se tourna. Fraîchement rasé, ses cheveux bien coiffés vers l'arrière, il avait une allure totalement différente. Il portait un pantalon gris et une chemise bleue assortie à une cravate légèrement plus foncée : l'image classique du jeune cadre dynamique ; tout le contraire de Johnno.

— Bonjour, répondit-il. Je ne pensais pas que vous referiez surface avant cet après-midi. Du café ?

— Oui, merci. Je n'arrive pas à dormir. Je m'inquiète au sujet de papa et j'ai hâte de savoir comment il a réagi, quand Johnno lui a téléphoné.

— Johnno peut être très persuasif.

Il posa une chope de café devant elle.

— Je peux mettre fin au suspense, si vous voulez. Un toast ?

— Non, merci. Vous savez ce qui s'est passé ?

Luke consulta sa montre et s'installa près d'elle.

— Ils se sont disputés. Longtemps. Johnno l'a traité de divers noms que je ne répéterai pas.

— Oh, non.

— Il a juré aussi de veiller sur vous. Finalement, Brian a accepté que vous restiez ici, mais... à la condition expresse que vous repreniez les gardes du corps.

— Ah, non, alors ! Je refuse que ces deux musclés surveillent chacun de mes mouvements. Je peux aussi bien retourner à Sainte-Catherine. Quand finira-t-il par comprendre qu'un kidnappeur ne se cache pas derrière chaque buisson ? Les gens ne savent même pas qui je suis et ils s'en fichent. Je veux pouvoir vivre normalement.

— La plupart d'entre nous n'en demandent pas davantage.

Il eut un petit sourire compréhensif.

— Vous permettez que je vous donne un conseil ?

— Oui, répondit Emma.

— Essayez d'envisager la situation sous cet angle : vous voulez rester à New York, n'est-ce pas ?

— Oui.

— Vous voulez suivre les cours de NYCC ?

— Oui.

— Vous voulez votre propre appartement ?

Elle poussa un soupir.

— Oui.

— Eh bien, c'est gagné.

Emma garda le silence un moment.

— Vous avez raison, déclara-t-elle enfin. Vous avez tout à fait raison. Et je peux semer les gardes quand je veux.

— Je n'ai rien entendu, répliqua Luke.

Il regarda sa montre de nouveau.

— Bon, il faut que j'y aille. Dites à Johnno que je rapporterai des plats chinois, ce soir.

Il prit un attaché-case, puis s'arrêta.

— J'allais oublier. Ce sont vos photos ? demanda-t-il en désignant le press-book d'Emma, ouvert sur le comptoir.

— Oui.

— C'est du beau travail. Ça vous ennuie si je les prends pour les montrer à quelques personnes ?

— Luke, ce n'est pas parce que je suis une amie de Johnno que vous êtes forcé de...

— Oh là, je vous arrête tout de suite. J'ai vu le book sur le canapé, je l'ai ouvert, j'ai regardé et j'ai aimé ce que je voyais. Johnno n'a rien à voir là-dedans.

Emma frotta ses mains sur ses cuisses.

— Elles vous plaisent vraiment ?

— Vraiment. Et je connais quelques personnes que ça pourrait intéresser. Si vous voulez, je peux les leur montrer.

— Oui. Ce serait super. Je sais que j'ai beaucoup à apprendre. Je suis là pour ça. Évidemment, j'ai fait quelques...

Elle interrompit son bavardage et sourit.

— Merci, Luke. Merci beaucoup.

— À plus tard.

Il coinça le press-book sous son bras et sortit.

Emma resta seule dans la cuisine, respirant lentement, sans oser y croire. Cette fois, elle était sur les rails. Enfin.

# 19

Emma et Marianne se tenaient au milieu du loft qu'elles venaient d'acquérir, en plein Soho.

— C'est chez nous, murmura Emma.

— Je n'arrive pas encore à le croire, renchérit Marianne.

Elles contemplèrent le plancher inégal, la belle hauteur des plafonds, les murs lézardés et les tuyauteries vétustes. Trois étages au-dessous, la rue new-yorkaise vibrait de bruits quotidiens et, pour les deux jeunes filles, c'était une musique.

Le loft était un énorme carré d'espace vide, avec un mur de fenêtres d'un côté et d'immenses pans de glace, de l'autre.

Une caisse de résonance, avait maugréé le père de Marianne.

Une folie furieuse, avait décrété Johnno.

Dans un cas comme dans l'autre, c'était chez elles. Et peu importait la poussière ou les travaux qui s'imposaient. Elles venaient de réaliser leur rêve d'enfance.

Un instant étourdies, Emma et Marianne se regardèrent, avant d'éclater de rire et de danser une polka endiablée à travers le loft.

— Chez nous, dit Emma, haletante, quand elles s'arrêtèrent.

— Chez nous, répéta Marianne.

Elles échangèrent une poignée de main et rirent de nouveau.

— Bon, il va falloir prendre des décisions, maintenant, reprit Marianne.

Elles s'installèrent à même le sol et étudièrent les plans. Il fallait élever un mur ici ; là-bas, un escalier. En haut, une mezzanine pour l'atelier de l'artiste. En bas, une chambre noire pour la photographe.

Durant un long moment, elles construisirent, détruisirent, arrangèrent et dérangèrent. Enfin, Marianne agita sa cigarette.

— Ça y est. C'est parfait.

— Superbe, renchérit Emma. Tu es un génie.

— Oui, acquiesça la première, sans vergogne. Mais tu m'as aidée.

— Exact. Nous sommes toutes les deux géniales. Un espace pour chaque chose et chaque chose à sa place. Je meurs d'impatience de... Oh, merde !

— Merde ? Comment ça, merde ?

— La salle de bains. On a oublié la salle de bains.

Après un bref examen des plans, Marianne haussa les épaules.

— Tant pis. On utilisera celle de la YMCA.

Emma posa simplement sa paume contre le visage de son amie, et poussa.


Perchée sur un escabeau, Marianne peignait les portraits en pied d'Emma et d'elle-même, entre deux fenêtres. Sa copropriétaire s'était chargée d'une tâche plus prosaïque, mais ô combien indispensable : faire les courses.

— On a sonné, cria Marianne, pour couvrir les hurlements de la radio.

— Je sais, répondit Emma en posant un pot de confitures sur une étagère.

Elle se dirigea vers l'ascenseur qui s'ouvrait directement sur leur living-room et poussa le bouton de l'Intercom.

— Oui ?

— McAvoy et Carter ?

— C'est ça.

— Livraison de lits.

Emma actionna le bouton qui ouvrait le portail d'entrée, au rez-de-chaussée, et poussa un cri de guerre.

— Quoi ? demanda Marianne en reculant le cou pour jauger son travail.

— Les lits ! Les lits arrivent.

— Ouais !

Quand la porte de l'ascenseur s'ouvrit avec un tintement, Emma ne vit qu'un vaste matelas couvert de plastique.

— Où dois-je le poser ? demanda une voix étouffée.

— Euh, celui-ci en haut de l'escalier à droite.

Un homme portant une casquette de base-ball bleue qui affichait le prénom Buddy sortit de la cage et souleva l'objet au-dessus de sa tête.

— L'ascenseur n'était pas assez grand pour tout contenir. Mon collègue attend en bas.

— Oh, d'accord.

Emma poussa de nouveau le bouton d'ouverture du portail et, quelques secondes plus tard, le second matelas arriva avec, toujours d'après le couvre-chef, un dénommé Riko. Elle le dirigea vers ses quartiers à elle, tandis que Buddy redescendait pour aller chercher les sommiers. Quand l'ascenseur revint, elle sourit à une série de ressorts.

— On recommence, dit-elle. Celui-ci va là-haut. Vous voulez un rafraîchissement ?

— Avec plaisir, répondit Brian, en apparaissant derrière l'encombrant objet qui remplissait presque toute la cage.

— Papa !

— Monsieur McAvoy ! cria Marianne, par-dessus la radio.

— Je peux passer ? grogna Buddy, avant de manœuvrer pour porter le sommier dans la mezzanine.

— Papa, reprit Emma. Je ne savais pas que tu étais à New York.

— Évidemment. Sapristi, Emma, n'importe qui peut prendre l'ascenseur et débarquer chez vous. Tu laisses toujours l'entrée ouverte ?

— On est en train de nous livrer des lits.

Elle sourit à Riko, lui indiqua où il devait porter son fardeau et embrassa son père.

— Je te croyais à Londres.

— J'y étais. Et puis j'ai eu envie de voir enfin où vivait ma fille.

Il entra plus avant dans la pièce et étudia les lieux, les sourcils froncés. Des draps couvraient une partie du sol, qui avait été refait. Une planche sur des tréteaux faisait office de table et d'établi ; un tabouret, une lampe et un escabeau composaient le reste du mobilier. Sur le rebord de la fenêtre, une radio déclinait les tubes du hit-parade.

— Seigneur, murmura Brian.

— C'est encore une zone en construction, intervint Emma, avec une gaieté forcée. On ne croirait pas, mais c'est presque terminé. Les charpentiers doivent encore compléter quelques petites choses, ici et là, et le plâtrier vient lundi, pour terminer la salle de bains.

— On dirait un entrepôt.

— En fait, c'est une ancienne fabrique, intervint Marianne en essuyant ses mains pleines de peinture sur sa salopette. On a divisé l'espace avec des briques vitrifiées.

Elle désigna le mur de un mètre qui séparait la cuisine du living-room.

— C'est une idée d'Emma. Génial, n'est-ce pas ?

Elle prit le bras de Brian et lui fit faire le tour du propriétaire.

— La chambre d'Emma sera là. Le verre permet de bien la séparer, tout en laissant filtrer la lumière. Moi, je serai là-haut ; une combinaison de studio et d'atelier. La chambre noire d'Emma est déjà installée, par là-bas, et dès lundi, la salle de bains ne sera pas seulement fonctionnelle, mais jolie.

C'était prometteur, Brian devait bien l'admettre. Il avait du mal, pourtant. Tout à coup, sa petite fille devenait une femme capable de se débrouiller sans lui.

— Vous comptez vivre sans meubles ? demanda-t-il.

— On voulait attendre que tout soit terminé, répondit Emma, d'un ton un peu raide. Nous ne sommes pas pressées.

— Vous voulez bien signer là ? demanda Buddy en lui présentant une écritoire à pinces.

Il laissa son regard errer vers Brian et écarquilla les yeux.

— Hé, vous n'êtes pas… Mais, bien sûr que si. Ça alors, McAvoy. Vous êtes Brian McAvoy. Hé, Riko, c'est Brian McAvoy, du groupe Devastation.

— Sans blague ?

Automatiquement, Brian arbora un sourire charmant.

— C'est fabuleux, poursuivit Buddy, qui n'en revenait pas. Ma femme ne me croira jamais. On est allés à votre concert en 1975, pour notre premier rendez-vous. Vous voulez bien me signer un autographe ?

— Bien sûr.

Emma prit un bloc-notes et le tendit à son père.

— Comment s'appelle votre épouse ? demanda Brian.

— Doreen. Ça alors, elle va tomber raide.

— Je ne le lui souhaite pas, dit Brian, souriant toujours, avant de lui tendre le bout de papier.

Après dix minutes de bavardage et la signature d'un second autographe, les deux livreurs s'en allèrent. Aussitôt, Marianne s'éclipsa discrètement dans son studio.

— Tu as une bière ? demanda Brian à sa fille.

— Non. Rien que du Coca.

Brian eut un haussement d'épaules nerveux et se dirigea vers le mur de fenêtres. Ne voyait-elle pas à quel point elle était exposée, ici ? Toutes ces vitres, la ville elle-même. Il avait acheté le premier étage pour y installer Sweeney et un autre homme, mais cette précaution se révélait bien dérisoire, maintenant qu'il était là pour évaluer la situation par lui-même. Sa fille était tellement vulnérable.

— J'espérais que tu choisirais un appartement du côté de Central Park, avec un portier, un minimum de sécurité.

— Comme le Dakota ? Papa, je sais que John Lennon était ton ami, mais crois-tu que ça l'ait avancé d'habiter une de ces tours imprenables ?

— Justement, dit Brian. Ce qui lui est arrivé devrait t'aider à comprendre mon inquiétude. Il a été abattu dans la rue. Et pourquoi ? Simplement à cause de ce qu'il était. Tu es ma fille, Emma. Tu es aussi exposée que lui.

— Et toi, tu ne l'es pas, chaque fois que tu montes sur une scène ? rétorqua la jeune fille. Il suffit d'un cinglé parmi les milliers qui achètent des places pour venir te voir. Tu ne crois pas que j'y pense, moi aussi ?

Il secoua la tête.

— Non, cela ne m'a jamais effleuré. Tu ne l'as jamais dit.

— Ça aurait changé quelque chose ?

Il s'appuya contre le rebord d'une fenêtre et sortit une cigarette.

— Non, murmura-t-il enfin. On ne peut pas changer ce qu'on est, Emma. Même si on le veut. Mais j'ai déjà perdu un enfant. Je ne survivrais pas, si je devais te perdre aussi.

— Je ne veux pas parler de Darren.

— C'est de toi qu'on parle.

— Papa, je ne peux pas continuer à vivre pour toi, ou je finirai par te détester. Je t'ai donné Sainte-Catherine et une année dans un collège que je détestais.

Je dois commencer à vivre pour moi. C'est ce que je suis venue faire à New York.

Brian tira une bouffée de sa cigarette.

— Je me demande si je ne préfère pas que tu me détestes. Tu es tout ce que j'ai.

— Ce n'est pas vrai, protesta Emma en se dirigeant vers lui. Ça ne l'a jamais été, et ce ne le sera jamais.

Elle prit ses mains entre les siennes. Il était si beau. Les années, les souffrances, la vie ne l'avaient pas marqué extérieurement. Peut-être était-il un peu trop mince, mais le passage du temps n'avait pas ridé son visage poétique, ou fait grisonner ses cheveux pâles. Quel miracle avait permis qu'elle grandît, sans pour autant qu'il vieillît ?

— Je ne suis pas tout ce que tu as, reprit-elle avec douceur. Le problème, c'est que, durant la majeure partie de ma vie, tu as été tout ce que j'avais. Et tout ce dont j'avais besoin. Il me faut davantage, maintenant, papa. Tout ce que je demande, c'est une chance de le découvrir.

— Ici ?

— Pour commencer.

Comment pouvait-il discuter un sentiment qu'il comprenait aussi parfaitement ?

— Laisse-moi installer un système de sécurité.

— Papa...

— Emma, j'ai besoin de dormir, la nuit.

Elle rit et se détendit.

— D'accord. Ce sera mon cadeau pour la pendaison de crémaillère.

Elle l'embrassa.

— Tu veux rester dîner ?

Il jeta un regard autour de lui. Ça lui rappelait son premier appartement, même si ce dernier était minuscule, à côté du loft. Il se revit transportant de vieux meubles, peignant des murs tachés, ou faisant l'amour avec Beverly, à même le sol.

— Non, répondit-il brusquement. Sortons, tous les trois.

Marianne se pencha dangereusement sur la rampe métallique de l'escalier en colimaçon.

— Où ça ? demanda-t-elle.

Brian leva la tête et lui sourit.

— À vous de choisir, les filles.


Une fois qu'il eut accepté l'inévitable, Brian joua les pères indulgents. Il acheta une lithographie d'Andy Warhol, une lampe ravissante de chez Tiffany et un tapis d'Aubusson dans des teintes de bleus et de roses poudrés. Durant toute la semaine qu'il passa à New York, il vint les voir chaque jour avec un nouveau présent. Et, constatant le bonheur que cela lui procurait, Emma ne s'opposa pas à ces extravagances.

Elles donnèrent leur première soirée la veille du départ de Brian pour Londres.

Des caisses d'emballage étaient posées sur le tapis précieux, contenant encore des pièces du service de porcelaine de Limoges envoyé par la mère de Marianne. La radio avait été remplacée par une chaîne stéréo à faire trembler les murs : un cadeau de Johnno. Quelques étudiants se mêlaient aux musiciens et autres stars de Broadway, dans une joyeuse mosaïque de styles vestimentaires allant du jean aux robes à paillettes. Les baffles puissantes hurlaient les tubes récents, et d'autres plus anciens, au milieu des rires et des conversations.

Emma assistait à cela en repensant aux fêtes de son enfance, avec les gens installés par terre, sur des coussins, et parlant de leur art, avec passion et animation.

— C'est une soirée intéressante, dit Johnno en glissant un bras autour de son épaule.

— Oui, comme au bon vieux temps, répondit-elle.

— Plus ou moins.

Il eut un geste du menton en direction de Brian qui, assis par terre, tel un troubadour, jouait de la guitare acoustique. Il paraissait chantonner pour lui-même presque autant que pour le groupe qui s'était formé autour de lui, et Emma sentit son cœur se gonfler d'amour.

— Il aime jouer ainsi presque autant que dans un stade.

— Davantage, dit Johnno. Mais je doute qu'il en soit conscient.

— Je crois qu'il a bien accepté mon installation ici, reprit Emma.

Grâce à toi, bien sûr. Et au système de sécurité qu'il m'a imposé. À côté, les gardes de Buckingham Palace ont l'air de modestes amateurs.

— Cela t'ennuie ?

— Non, pas vraiment. Évidemment, j'oublie le code la plupart du temps.

Elle but une gorgée de son Coca-Cola.

— Luke t'a dit qu'il avait montré mes photos à Timothy Runyun ? reprit-elle au bout de quelques instants.

— Oui. Il t'a offert un boulot d'assistante, n'est-ce pas ?

— En effet. À temps partiel.

— C'est un bon moyen de mettre le pied à l'étrier. Rares sont ceux qui débutent tout en haut de l'échelle, tu sais.

— Oh, ce n'est pas ça du tout. Runyun est un des meilleurs photographes de ce pays. Travailler pour lui est une chance extraordinaire.

— Mais ?

Emma chercha le regard de Johnno.

— Est-ce à moi qu'il offre ce job ou à la fille de mon père ?

— Pourquoi ne lui poses-tu pas la question ?

— J'en ai l'intention.

— Le magazine *American Photographer* a bien fait paraître une de tes photos, n'est-ce pas ?

— Oui.

— À ton avis, c'était mérité ?

— Bien sûr, répondit la jeune fille. C'est une très belle photo.

— Alors, cesse de chercher des raisons cachées à tout ce qui t'arrive, de bien ou de mal, Emma.

— C'est tellement important pour moi, Johnno. Toi, tu as la musique ; moi, c'est la photographie.

— Et tu as du talent ?

Elle leva le menton.

— Je suis bourrée de talent.

— Dans ce cas...

Il eut un geste de la main, signifiant que le sujet était clos.

— Vous avez rassemblé pas mal de gens, ce soir.

Emma sourit. Johnno avait raison. Elle avait besoin de se détendre.

— Oui. Je regrette seulement que Stevie et P. M. ne soient pas là.

— La prochaine fois. Nous avons tout de même quelques têtes connues, au milieu des nouvelles. Où as-tu trouvé Blackpool ?

— C'est papa qui l'a croisé, hier. Il donne un concert au Madison Square, le week-end prochain. C'est déjà complet. Tu y vas ?

— Certainement pas, répondit Johnno en arquant un sourcil. Je suis loin d'être un fan.

— Il a pourtant enregistré trois chansons que toi et papa aviez écrites ensemble.

— Les affaires.

— Pourquoi ne l'aimes-tu pas ?

Johnno haussa les épaules.

— Je ne saurais pas dire, exactement. Il y a quelque chose, dans son sourire satisfait, qui me déplaît.

— Il a de bonnes raisons d'être satisfait. Quatre disques d'or, deux Grammy et une femme superbe.

— Dont il est séparé, d'après ce que j'ai entendu. D'ailleurs, il semble s'intéresser de près à notre jolie rousse.

— Qui, Marianne ?

Emma se tourna et chercha son amie du regard. Elle la trouva nichée près de la fenêtre, avec Robert Blackpool. Aussitôt, un sentiment mêlé d'inquiétude et de jalousie lui mordit le cœur.

— Tu as une cigarette ? demanda-t-elle à Johnno.

Il lui en offrit une et lui donna du feu.

— C'est une grande fille, Emma, dit-il en souriant.

— Hmm. Tout de même, il est assez vieux pour...

Elle s'interrompit brusquement, se rappelant que Johnno avait quatre ou cinq ans de plus que Blackpool.

— Attention à ce que tu dis, s'esclaffa Johnno.

Mais Emma n'avait pas envie de sourire. Elle regardait le chanteur, se disant qu'il portait bien son nom. Il avait une beauté ténébreuse, des cheveux sombres et portait toujours des vêtements noirs, de cuir ou de daim. À côté de lui, Marianne, si svelte, si pétillante, avait l'air d'une bougie attendant la flamme qui la consumerait.

— Elle a été tellement protégée, murmura Emma. Toute sa vie s'est passée à Sainte-Catherine.

— Dans le lit voisin du tien, remarqua Johnno.

— Peut-être, mais j'en sortais pour vous rejoindre, tous. J'ai vécu des choses dont elle n'a pas idée. Marianne n'a connu que l'école, les camps de vacances pour gosses de riches et la propriété de son père. Elle joue les jeunes filles délurées, mais elle est très naïve.

— Je lui fais confiance, malgré tout. Et puis, Blackpool est peut-être rusé, mais ce n'est pas un monstre.

— Non, bien sûr que non.

Tout de même, elle allait ouvrir l'œil. Elle porta sa cigarette à ses lèvres et se figea.

Quelqu'un venait de mettre un nouvel album. Les Beatles. *Abbey Road*.

— Emma.

Alarmé, Johnno lui prit les poignets. Elle était livide.

— Emma, bon Dieu, regarde-moi.

Emma sentait son pouls battre à tout rompre.

— Arrête ce disque, chuchota-t-elle.

— Quoi ?

— Arrête ce disque. Je t'en prie. Arrête-le.

— D'accord. Ne bouge pas.

Il se faufila jusqu'à la chaîne stéréo.

Emma s'agrippa au muret de brique de la cuisine. Elle ne voyait plus la soirée, ni ces gens joyeux, trinquant dans des gobelets de plastique blanc. Elle était de nouveau dans le couloir, cernée par les ombres qui bruissaient et sifflaient à ses oreilles. Son petit frère pleurait.

— Emma.

C'était Brian, cette fois. Il l'avait rejointe avec Johnno.

— Qu'y a-t-il, ma chérie ? Tu ne te sens pas bien ?

— Non.

Papa était là. Papa allait chasser les monstres.

— C'est Darren. J'ai entendu Darren crier.

— Oh ! mon Dieu, murmura Brian.

Il la secoua par les épaules.

— Emma, regarde-moi.

— Quoi ?

Elle leva la tête brusquement et son regard vitreux s'emplit de larmes.

— Je suis désolée. Je suis tellement désolée. Je me suis enfuie.

— Ce n'est pas grave, ma chérie.

Brian l'attira dans ses bras et croisa le regard de Johnno.

— Il faut l'emmener dans sa chambre.

Le plus naturellement du monde, Johnno leur ouvrit un passage et fit glisser la porte de verre dépoli, les isolant en partie des bruits de la soirée.

— Allonge-toi, Emma, dit Brian en s'installant près d'elle. Je reste avec toi.

— Je vais bien, murmura-t-elle. Je ne sais pas ce qui a déclenché cela. D'un seul coup, j'avais six ans, de nouveau.

— C'est la musique, dit Johnno, s'asseyant à son tour.

— Oui. La musique. Cette chanson. Autrefois, elle passait quand je me suis réveillée et que j'ai entendu Darren. Quand j'étais dans le couloir. J'avais oublié. Je n'ai jamais pu écouter ce morceau, mais j'ignorais pourquoi. Mais là, peut-être à cause de la soirée, tout est revenu.

— Je vais demander aux gens de partir, dit Johnno.

— Non.

Elle lui prit la main.

— Je ne veux pas tout gâcher pour Marianne. Je vais bien, maintenant. Vraiment. C'était tellement bizarre. Comme si j'étais revenue en arrière. Si j'avais atteint la porte, peut-être que j'aurais vu…

— Non, lança Brian, lui broyant le poignet entre ses doigts crispés. C'est fini. Je ne veux pas que tu y penses.

Emma était trop angoissée pour discuter.

— Je vais me reposer un moment. Personne ne s'en apercevra.

— Je reste avec toi.

— Ce n'est pas la peine. Ça va bien, maintenant. Je vais dormir. Et Noël n'est que dans quelques semaines. J'irai te voir à Londres, comme promis.

— Je reste jusqu'à ce que tu t'endormes, insista Brian.


Le cauchemar la réveilla de nouveau, au petit matin. Brian était parti et elle alluma la lumière, tremblante, le corps recouvert d'une pellicule de sueur. Elle avait eu l'impression de revivre l'horrible drame, exactement comme il s'était déroulé douze ans plus tôt.

Le loft se trouvait à présent plongé dans le silence. Il était 5 heures et tout le monde était parti. Lentement, péniblement, elle se leva, ôta ses vêtements et enfila un peignoir. Puis, elle fit glisser la porte. De l'autre côté, c'était le chaos. Il y avait les odeurs – un mélange d'alcool, de fumée et de parfums – et un désordre de cendriers pleins et de verres posés un peu partout.

Mais pour le moment, elle avait un autre souci en tête que celui de ranger l'appartement. Une tâche à laquelle elle préférait s'atteler immédiatement, avant que la peur ou la lâcheté ne la fassent changer d'avis. Elle s'installa près du téléphone et appela le service des renseignements.

— Oui, je voudrais les numéros d'American Airlines, de TWA et de Pan Am, s'il vous plaît.

# 20

Emma refusait de se sentir coupable. Si Brian découvrait qu'elle avait semé ses gardes du corps et pris l'avion pour la Californie, il serait certes furieux. Mais il ne le saurait peut-être pas. Avec un peu de chance, elle allait passer le week-end à Los Angeles, attraper le vol de nuit dimanche, et rentrer à temps pour se rendre en cours, lundi matin. Seule Marianne connaîtrait la vérité.

Chère Marianne. Elle avait deviné sa détresse et n'avait pas posé de questions. Au lieu de ça, elle s'était levée à l'aube, avait enfilé une perruque blonde, des lunettes, un manteau d'Emma, et pris un taxi pour l'église Saint-Patrick. Pendant qu'elle assistait à la messe, avec les gardes du corps, Emma avait eu le temps de partir pour l'aéroport. Aux yeux de Sweeney et de son acolyte, elle allait passer deux journées tranquilles dans son appartement. Marianne devrait recourir à son imagination, si Brian ou Johnno téléphonaient ; mais la jeune fille n'était jamais à court d'idées.

Quoi qu'il en soit, se dit Emma en débarquant de l'avion, le sort était jeté. Elle se trouvait à Los Angeles et rien ne l'empêcherait de mener à bien la mission qu'elle s'était fixée.

Elle était venue revoir la maison. Celle-ci avait été vendue, bien des années plus tôt, mais elle voulait la voir.

— Le Beverly Wilshire, indiqua-t-elle au chauffeur de taxi.

Épuisée, elle s'appuya contre la banquette arrière et ferma les yeux. Elle avait chaud dans son manteau d'hiver, mais ne se sentait pas la force de l'ôter. Elle allait devoir louer une voiture. Que ne l'avait-elle fait à l'aéroport… Bah. Elle s'en occuperait en arrivant à l'hôtel.

Cette ville était pleine de fantômes. Partout. Le long de Hollywood Boulevard, à Beverly Hills, sur les plages de Malibu et à travers les collines qui surplombaient le bassin de Los Angeles. Les fantômes d'une petite fille de trois ans visitant Disneyland sur les épaules de son père, sous le regard serein de Beverly, dont la main reposait toujours sur son ventre arrondi ; ce ventre d'où naîtrait bientôt une vie sacrifiée. Et toujours, le fantôme de Darren, riant et poussant son tracteur à travers le tapis turc.

— Mademoiselle ?

Emma cligna des yeux. Un portier en uniforme lui tenait la portière. Elle paya sa course et entra dans le vestibule de l'hôtel. Tandis qu'elle prenait la clé de sa chambre, il ne lui vint même pas à l'esprit qu'elle s'apprêtait, pour la première fois de sa vie, à passer le week-end toute seule.

Une fois installée, elle décrocha le téléphone et appela la réception.

— Mademoiselle McAvoy, chambre 312, à l'appareil. Je voudrais louer une voiture pour deux jours. Dès que possible… Ce sera parfait. Je descends dans un moment.

Elle reposa le combiné et prit l'annuaire, qu'elle feuilleta jusqu'à la lettre *K*. Kesselring, Lou. De son écriture appliquée, elle nota l'adresse du policier.


— Tu comptes passer toute la matinée à manger ? dit Lou Kesselring en s'adressant à son fils. Je croyais que tu étais venu tondre la pelouse.

Avec un sourire, Michael engloutit un énorme morceau de pancake.

— C'est une grande pelouse. J'ai besoin de forces. Pas vrai, maman ?

— Ce garçon ne mange rien, depuis qu'il a quitté la maison, acquiesça Marge, ravie d'avoir ses deux hommes à sa table. D'ailleurs, il me reste du gigot que j'ai préparé, cette semaine. Tu vas l'emporter chez toi, Michael.

— Je t'interdis de donner mon gigot à ce parasite, déclara Lou.

Michael arrosa ses derniers pancakes de sirop d'érable.

— Il y a un parasite, ici ?

— Oui, toi. Tu as perdu ton pari et la pelouse n'est toujours pas tondue.

— Je vais le faire, marmonna son fils. D'ailleurs, je suis sûr que ce match était truqué.

— Les Orioles ont gagné parce qu'ils ont bien joué. Et cela remonte à un mois. Tu as perdu. Il faut payer.

Michael leva les yeux au plafond. Ils avaient la même conversation chaque week-end, et cela promettait de durer jusqu'au début de l'année, quand la dette serait enfin épongée.

— En tant que capitaine de police, tu devrais savoir que les paris sont illégaux.

— Et toi, en tant que recrue ignorante assignée à mon secteur, tu devrais faire preuve d'assez de bon sens pour ne pas parier sur un cheval qui va perdre. La tondeuse est dans la remise.

— Je sais où se trouve la tondeuse, dit Michael, qui se leva et jeta un bras autour des épaules de sa mère. Comment fais-tu pour vivre avec ce type ?

— L'habitude, mon chéri, répondit Marge, avec un soupir comique.

Elle le regarda sortir et claquer la porte, comme il l'avait toujours fait. Un instant, elle souhaita que son fils eût dix ans, de nouveau ; mais ce sentiment passa, aussitôt remplacé par une fierté sereine.

Lou s'était levé à son tour et portait son assiette et celle de Michael dans l'évier. Il vieillissait bien ; C'est à peine si sa silhouette s'était alourdie de cinq kilos, au cours des vingt dernières années. Ses cheveux étaient gris, à présent, mais il ne les perdait presque pas. Bien sûr, il regardait approcher la soixantaine avec une sorte de fatalisme un peu sceptique ; mais le principal était qu'il se sentît en paix, avec lui comme avec la vie.

Pourtant, celle-ci lui avait ménagé quelques surprises, ces dernières années. D'abord, Marge, l'épouse et la maîtresse de maison parfaite, avait brusquement déclaré, cinq ans plus tôt, vouloir ouvrir une petite librairie. Lou avait toléré ce caprice, le considérant comme une lubie. Mais son épouse l'avait époustouflé en se révélant une femme d'affaires redoutable. La petite boutique s'était agrandie et elle en avait ouvert deux autres. Elle avait désormais pignon sur rue dans des quartiers très chic, à Hollywood, Beverly Hills et Bel Air. Ensuite, Michael leur avait servi son coup de théâtre. Après avoir traversé l'université sans grande motivation, il avait traîné pendant dix-huit mois, avant de s'inscrire à l'académie de police, sans en parler à personne. Quant à Lou, il commençait à envisager sérieusement ce qui lui avait toujours paru comme une échéance lointaine et peu enviable : la retraite.

Oui, Lou Kesselring était content de sa vie.

De son côté, Michael poussait la tondeuse antique de son père en respirant l'air familier de la banlieue tranquille où il avait grandi. Quelque temps auparavant, il avait quitté le foyer parental pour s'installer dans un appartement, trouvant tout à la fois l'indépendance et des voisins bruyants. C'était normal. Mais il aimait revenir chez lui et retrouver l'atmosphère de son enfance. Rien n'avait changé, ici. Les livreurs de journaux continuaient à faire leur tournée à bicyclette. Les voisins venaient toujours vous emprunter des outils qu'ils oubliaient de vous rendre. Et Michael, quand il revenait, éprouvait un sentiment de continuité auquel il n'avait jamais cru être attaché, jusqu'au jour où il s'était éloigné.

Il fit faire demi-tour à son engin, tout en déboutonnant sa chemise. Noël approchait, mais cela n'empêchait pas le soleil californien de briller. Soudain, une Mercedes décapotable tourna dans la rue. Michael n'y aurait pas prêté attention, si une blonde ne s'était trouvée derrière le volant. Il avait un faible pour les blondes. Elle s'arrêta à quelques mètres et demeura immobile, son visage en partie dissimulé par des lunettes de soleil.

Finalement, la jolie blonde sortit de la voiture. Elle était aussi fine et élégante que sa Mercedes et ses longues mains étaient crispées sur un sac de cuir gris.

Belle et nerveuse, se dit Michael. Elle n'était pas d'ici. Elle avait l'air riche, aussi. Ses vêtements, sa démarche, son port de tête, tout cela respirait l'argent.

Elle s'approcha de lui et quand elle sourit, le cœur de Michael cessa de battre. Il arrêta la tondeuse et la regarda fixement.

— Bonjour, dit-elle. Je suis désolée de vous interrompre.

Il avait la bouche sèche, tout à coup. C'était idiot. Cette voix ; elle l'avait hanté, toutes ces années, durant son sommeil, ou lorsqu'il se trouvait avec une autre femme. Lorsqu'il la vit se mordre la lèvre, il reprit le contrôle de lui-même, ôta ses lunettes de soleil et sourit.

— Salut, Emma. Tu as attrapé quelques bonnes vagues, dernièrement ?

Un instant désarçonnée, la jeune fille le reconnut brusquement et son visage s'éclaira.

— Michael !

Elle se retint de lui jeter les bras autour du cou, rosit d'avoir nourri une telle pensée et lui tendit la main.

— Quelle joie de te revoir.

Les doigts et la paume de Michael étaient durs et moites. Il s'en aperçut aussitôt et les frotta contre son jean.

— Tu... n'es jamais retournée sur la plage.

— Non. Pas plus que je n'ai appris à faire du surf. Tu habites toujours ici ?

— Non, mais j'ai perdu un pari avec mon père, et lui, il a gagné un jardinier pendant quelques semaines.

Il ne savait pas quoi dire. Elle était si belle ; elle paraissait si fragile, debout dans l'herbe fraîchement coupée. Ses yeux n'avaient pas changé. Ils étaient toujours aussi grands, aussi bleus, et hantés.

— Comment vas-tu ? parvint-il à demander.

— Ça va. Et toi ?

— OK. Tu es de passage à Los Angeles ?

— Euh, oui. En fait, je...

— Michael.

Celui-ci se tourna en entendant la voix de sa mère. Elle se tenait sur le seuil de la maison.

— Tu ne veux pas inviter ton amie à venir prendre un rafraîchissement ?

— Si, bien sûr. Tu as le temps ? demanda-t-il en s'adressant à Emma.

— Oui. À dire vrai, j'espérais parler à ton père.

Michael sentit son bel espoir se dégonfler comme un ballon de baudruche. Comment avait-il pu croire qu'elle était là pour lui ?

— Je suis sûr qu'il sera content de te voir, dit-il en forçant un sourire sur ses lèvres.

Emma le suivit dans la maison, les doigts toujours crispés sur son sac à main. Le sapin de Noël était déjà prêt, décoré et entouré de cadeaux joliment enrubannés. Tout autour, le mobilier sentait bon la cire et la douceur du temps qui passe.

— Tu veux t'asseoir ? proposa Michael.

— Oui, merci. Je ne resterai pas longtemps. Je sais que j'interromps votre week-end.

— Ouais ! Toute la semaine, j'ai attendu le moment de tondre la pelouse.

Il sourit, détendu de nouveau, et lui désigna un fauteuil.

— Je vais chercher mon père.

Au même moment, Marge entra dans la pièce avec un plateau sur lequel étaient posés un pichet de thé glacé, des verres et une assiette de cookies.

— Et voilà, s'écria-t-elle. Michael, boutonne ta chemise. C'est un tel plaisir de recevoir une amie de notre fils.

— Emma, voici ma mère. Maman, Emma McAvoy.

Marge accusa l'effet de surprise avec une grande maîtrise, faisant un effort pour ne pas laisser paraître les sentiments de compassion et de fascination qui l'assaillirent.

— Oh, bien sûr, dit-elle simplement.

Elle remplit les verres de thé.

— Je suis ravie de faire votre connaissance, Emma.

— Merci, murmura celle-ci. Je vous prie d'excuser mon intrusion. J'espérais voir le capitaine Kesselring.

— Il est au fond du jardin, en train de vérifier que Michael n'a pas écrasé ses rosiers. Je vais le chercher.

— J'en ai bousillé un, un seul rosier, quand j'avais douze ans, marmonna Michael en prenant un cookie. Et jamais plus il ne me fera confiance. Sers-toi, Emma. Les cookies de ma mère sont fameux.

Elle obéit machinalement.

— J'aime bien votre maison, dit-elle.

Michael se rappela la vaste demeure de Beverly Hills où il l'avait vue pour la dernière fois et haussa les épaules.

— Oui, moi aussi.

Puis, se penchant vers elle, il posa la main sur la sienne.

— Qu'est-ce qui ne va pas, Emma ?

La manière dont il posa la question, avec douceur et sollicitude, manqua annihiler le peu de contrôle qui restait à Emma. Il eût été si facile de s'appuyer sur lui, de tout lui raconter et de se laisser réconforter. Mais justement, elle ne voulait plus fuir la réalité.

Quand Lou les rejoignit, elle se leva.

— Emma, dit le capitaine en marchant vers elle, les mains tendues. Vous êtes devenue une vraie jeune fille.

Elle aurait pu éclater en sanglots, et poser la tête contre sa poitrine, comme elle l'avait fait, enfant, sur son lit d'hôpital.

— Vous avez à peine changé, murmura-t-elle seulement en s'agrippant à ses mains puissantes.

— Voilà le genre de compliment qu'un homme aime entendre de la part d'une belle femme.

Elle sourit.

— C'est tout à fait sincère. J'étudie la photographie et j'essaie d'observer et de me rappeler les visages. Je vous remercie d'accepter de me voir.

— Ne dites pas de sottises. Asseyez-vous donc.

Il remarqua le pichet de thé glacé et se versa un verre.

— Votre père est à Los Angeles, aussi ?

— Non, répondit-elle. Il est à Londres, ou plutôt dans un avion à destination de Londres. J'habite à New York, maintenant. J'étudie là-bas.

— Vraiment ? Je ne suis pas allé à New York depuis des années. Alors, vous voulez devenir photographe. Je me souviens que la dernière fois que je vous ai vue, vous aviez un appareil photo entre les mains.

— Je l'ai toujours. Papa dit souvent qu'il a créé un monstre, le jour où il m'a donné ce Nikon.

— Comment va-t-il ?

— Ça va, murmura-t-elle, sans conviction. Il est très occupé, ajouta-t-elle.

De cela, au moins, elle était sûre. Elle respira profondément.

— Il ignore que je suis ici. Et je préfère qu'il n'en sache rien.

— Pourquoi ?

— Il s'inquiéterait et, de plus, il serait malheureux, s'il apprenait que je suis venue vous voir au sujet de Darren.

— Michael, veux-tu venir m'aider ? dit Marge en faisant mine de se lever.

Mais Emma leva la main.

— Non, il n'est pas nécessaire que vous partiez. Ce n'est pas un secret. Ça ne l'a jamais été.

Agitée, elle croisa et décroisa les mains sur ses genoux.

— Je me demandais simplement s'il n'y avait pas une chose que vous pourriez savoir ; une chose que la presse n'a pas découverte et qu'on m'aurait cachée, parce que j'étais trop jeune. Ce n'est pas que j'y pense sans arrêt, mais c'est toujours là, dans un coin de mon esprit, et, la nuit dernière, je me suis rappelé…

— Quoi ? demanda Lou, se penchant en avant.

— Juste une chanson, murmura-t-elle. La chanson que j'ai entendue, cette nuit-là, quand je m'avançais vers la chambre de Darren. C'était tellement clair, pendant quelques instants. La musique, les paroles, les cris de mon frère. Mais je n'arrive pas à aller jusqu'à la porte. Quand j'essaie de me rappeler, je me revois toujours dans le couloir.

— Peut-être n'avez-vous rien fait ou rien vu d'autre.

Lou fronça les sourcils. Cette affaire continuait de le préoccuper, lui aussi. Il savait que le visage du petit garçon le hanterait jusqu'à sa mort.

— Emma, nous n'avons jamais été sûrs que vous soyez effectivement entrée dans sa chambre. À l'époque, vous le croyiez, mais vous étiez très confuse. Vous auriez tout aussi bien pu entendre un bruit qui vous a effrayée, courir dans l'escalier pour alerter votre père et tomber. Vous n'aviez que six ans et vous aviez peur du noir.

— Je continue à me poser tant de questions. Aurais-je pu intervenir ce soir-là ? Je ne supporte pas de ne pas savoir. J'aurais peut-être pu le sauver.

— Là-dessus, au moins, je peux vous rassurer, déclara Lou.

Il posa son verre de thé glacé. Elle ne devait plus voir en lui que le policier.

— Il y avait deux hommes, dans la chambre de votre frère. La gouvernante a juré avoir entendu deux voix, quand elle a été bâillonnée, et le médecin légiste l'a confirmé. La seringue qu'on a trouvée sur le tapis contenait un sédatif, une dose pour enfant. D'après ce que nous avons pu établir, il s'est passé moins de vingt minutes entre le moment où la gouvernante a été immobilisée et votre chute. C'était une tentative de kidnapping et elle a raté, Emma. Un impondérable a tout fait capoter ; nous ne saurons sans doute jamais lequel. Mais il n'y avait rien que vous puissiez faire. Si vous étiez entrée dans cette chambre, non seulement vous n'auriez pas sauvé Darren, mais on vous aurait tuée aussi, sans aucun doute.

De toutes ses forces, Emma souhaitait qu'il eût raison. Et, quand elle prit congé, une heure plus tard, elle se promit d'essayer d'y croire.

— Tu as des parents merveilleux, dit-elle à Michael, comme il l'accompagnait jusqu'à sa voiture.

— Oui. J'ai presque réussi à les mater.

Il posa la main sur la poignée de la portière. Cette fois, il ne la laisserait pas disparaître aussi vite. Il se rappelait l'expression de son visage, sur la plage, cinq ans plus tôt. Elle était si triste. Si triste et si belle. Il avait été touché profondément, ce jour-là. Touché au cœur.

— Tu vas rester longtemps à Los Angeles ? demanda-t-il.

— Je pars demain, répondit-elle, les yeux baissés.

— C'est rapide, murmura-t-il, déçu.

— J'ai des cours, lundi.

Elle leva la tête. Elle se sentait empruntée, comme lui. Il était plus attirant encore que dans son souvenir, avec son nez un peu busqué et sa dent ébréchée.

— J'aurais bien aimé rester plus longtemps.

— Que vas-tu faire, là, maintenant ?

— Je... je pensais rouler un peu dans les collines.

Il devina instinctivement ce qu'elle avait dans l'idée.

— Tu veux un peu de compagnie ?

Emma allait refuser, poliment, comme on lui avait appris à le faire. Au lieu de ça, elle s'entendit accepter.

— Oui, je veux bien.

— Donne-moi une petite minute.

Il s'éloigna en courant, pour ne pas lui donner le temps de changer d'avis. Quelques instants plus tard, il sortit de la maison en claquant la porte.

— Tu viens de m'épargner une autre heure de jardinage, dit-il avec un sourire, en s'installant dans le siège du passager. Papa ne pourra jamais attendre que je revienne pour terminer. Il est trop organisé.

— Ravie d'avoir été utile.

Elle roula sans but, pendant un moment, contente de sentir l'air s'engouffrer dans ses cheveux. Ils écoutaient la radio et bavardaient de tout et de rien. Quand la voix de son père résonna, claire et forte, dans les haut-parleurs, elle sourit.

— Ça doit te faire tout drôle, non ? demanda Michael.

— De l'entendre ?

Le sourire d'Emma s'élargit.

— Non, pas vraiment. Je connaissais sa voix avant de le connaître. Je ne peux pas penser à lui sans penser à sa musique. Ce doit être la même chose pour toi. Je veux dire, ton père étant policier, tu dois l'imaginer presque toujours avec un revolver, ou un badge, ou une autre pièce de sa panoplie.

— Peut-être. Ça m'a quand même fait tout drôle, quand j'ai commencé à travailler pour lui.

— Travailler pour lui ?

— Eh oui, j'ai plongé, dit-il avec une moue amusée. Comme l'a dit Johnno, une fois, j'ai repris le flambeau.

## 21

Emma s'arrêta au feu rouge et en profita pour se tourner vers lui.

— Tu es flic ? s'exclama-t-elle, le regardant un instant.

— Une recrue ignorante, d'après mon père. Qu'y a-t-il ? Tu es déçue ?

— Non, répondit-elle en redémarrant. Mais c'est drôle, je n'avais jamais pensé à toi en policier.

— Dis-moi, mais c'est fabuleux, ça ! Tu pensais donc un peu à moi ?

— Bien sûr. J'étais horriblement déçue, quand mon père m'a interdit de retourner faire du surf.

— Je t'ai attendue, sur la plage.

— Mon garde du corps a vendu la mèche, dit-elle en haussant les épaules. C'en était fini du surf. Tu aimes ton job ?

— Oui. Jusqu'à la dernière seconde, j'étais convaincu du contraire, et pourtant... Ça doit être le destin. On a beau se cabrer et ruer, on finit par suivre la voie qu'il nous a assignée. Il faut prendre la prochaine route à gauche, si tu veux monter jusqu'à la maison.

Elle lui jeta un coup d'œil oblique.

— Comment le sais-tu ?

— Mon père venait souvent par ici, parfois avec moi. Il restait assis dans la voiture à réfléchir. Il n'a jamais oublié ce qui s'est passé, tu sais. Pas plus qu'il n'a accepté de ne pas avoir trouvé les assassins.

— Je m'en doutais. C'est pourquoi je voulais lui parler.

Avec un soupir, elle arrêta le véhicule sur le bas-côté.

— Tu savais donc ce que j'avais l'intention de faire, quand tu as proposé de m'accompagner ? reprit-elle.

— Je m'en doutais un peu.

— Pourquoi, es-tu venu ?

— Je ne voulais pas que tu sois seule.

Emma se raidit.

— Je ne suis pas fragile, Michael.

— OK. J'avais envie d'être avec toi.

Elle se tourna vers lui. Les yeux gris du jeune homme étaient empreints de bonté, comme ceux de son père, mais ils brillaient aussi d'une flamme différente, plus intense. Il n'y avait là aucune pitié, aucune compassion.

— Merci, dit-elle simplement.

Elle braqua légèrement le volant, reprit la route et suivit la direction qu'il lui avait indiquée. C'était idiot, mais elle s'avisait tout à coup que, sans Michael, jamais elle n'aurait retrouvé la maison. Finalement, elle reconnut la bâtisse de séquoia, au milieu de la pelouse plantée d'arbres. Rien n'avait changé. À l'exception du panneau, devant l'entrée, qui proclamait que la propriété était à vendre.

— Tu veux entrer ? demanda Michael, lui touchant le bras.

— Je ne peux pas, murmura-t-elle, les mains crispées sur le volant.

— Bon. On peut rester là autant de temps que tu le désires.

Emma se revoyait jouer dans le ruisseau qui coulait en contrebas. Elle se rappela un pique-nique, qu'ils avaient organisé à l'ombre d'un chêne. Ils avaient étalé une couverture dans l'herbe ; son père jouait de la guitare, Beverly lisait et Darren dormait paisiblement. Comment avait-elle pu oublier ces moments idylliques ? Ils étaient heureux, ce jour-là. Parfaitement heureux. Ils formaient une famille. Et le lendemain, ils avaient donné une fête et tout avait changé.

— Si, dit-elle brusquement. Je veux entrer.

— D'accord. Mais à mon avis, il vaut mieux ne pas dévoiler ton identité.

Elle hocha la tête, et, redémarrant, elle franchit les barrières, avant de s'arrêter devant le petit perron de l'entrée. Michael prit sa main et, quand la porte s'ouvrit sur une femme d'une quarantaine d'années, il arbora son sourire le plus aimable.

— Bonjour. Nous passions par là et nous avons vu le panneau « à vendre ». Il y a des semaines que nous cherchons une maison. Nous avons d'ailleurs rendez-vous dans moins d'une heure avec un agent immobilier, mais n'avons pu résister au désir de visiter cette demeure. Elle n'est pas encore vendue, n'est-ce pas ?

La femme les jaugea un instant, remarquant le jean et la chemise décontractée de Michael, mais aussi l'élégance discrète d'Emma et la Mercedes décapotable, garée dehors. La maison était sur le marché depuis cinq mois, et nul ne s'était encore présenté pour faire une offre solide.

— Eh bien, nous avons un acheteur potentiel, mais rien ne sera signé avant lundi. Je ne vois pas d'inconvénient à ce que vous jetiez un coup d'œil.

Elle ouvrit la porte en grand.

— Je suis Gloria Steinbrenner.

— Enchanté, dit Michael en lui serrant la main. Michael Kesselring. Et voici Emma.

Madame Steinbrenner s'effaça pour les laisser entrer.

— La maison est en parfait état. Je l'adore, déclara-t-elle avec un enthousiasme qui sonnait faux. J'ai le cœur brisé de devoir la vendre, mais mon mari et moi sommes en instance de divorce, alors...

— Oh, murmura Michael, prenant un air de circonstance. Je suis désolé.

Elle eut un geste désinvolte de la main.

— Vous êtes d'ici ?

— Nous habitons dans la vallée, répondit Michael, très inspiré. Nous aimerions trouver quelque chose dans les collines, loin du monde et du brouillard. N'est-ce pas, Emma ?

— Oui, dit celle-ci en forçant un sourire sur ses lèvres. Vous avez une maison ravissante.

— Merci. La salle de séjour est superbe, comme vous pouvez le constater. Plafonds hauts, poutres de chêne, des portes-fenêtres partout. La cheminée fonctionne, évidemment.

« Évidemment », se dit Emma. Combien de fois s'était-elle assise devant le feu ? Le mobilier, moderne et prétentieux, manquait d'âme, et elle le détesta au premier coup d'œil. Où étaient les coussins, les poufs et les plantes que Beverly avait installés avec tant de goût ? Un jour, Johnno et P. M., grognant et haletant, avaient transporté un arbre jusque dans cette pièce. Ils voulaient faire une blague, mais Beverly l'avait laissé là. Elle avait même acheté une de ces rigolotes statues en plâtre et l'avait coincée entre les branches.

— Emma ?

— Pardon ?

Elle sursauta, se força à revenir dans le présent.

— Je suis désolée.

— Oh, ce n'est pas grave, répondit Mme Steinbrenner, à qui la fascination d'Emma semblait d'excellent augure. Je vous demandais si vous cuisiniez ?

— Euh, pas très bien, non.

— La cuisine est équipée et ultramoderne. Je l'ai fait refaire entièrement, il y a deux ans.

Elle poussa les deux battants d'une porte de saloon et fit le tour de ce qu'elle considérait manifestement comme son chef-d'œuvre, vantant les mérites du micro-ondes, l'importance accordée aux espaces de rangement et le caractère fonctionnel du plan de travail. Emma, quant à elle, souffrait en silence. Elle ne retrouvait plus les pots de cuivre de Beverly ni les flacons d'herbes posés sur le rebord de la fenêtre. La haute chaise de bébé de Darren avait disparu, ainsi que les livres de recettes colorés et les bouquets de fleurs séchées.

Soudain, le téléphone sonna et leur hôtesse s'excusa pour aller répondre.

— Ça va ? demanda Michael.

— Oui, répondit Emma. J'aimerais monter à l'étage.

— Écoute, Jack, disait Mme Steinbrenner, dont la voix ne roucoulait plus du tout. Je me fiche des menaces de ton avocat, compris ?

Michael s'éclaircit la gorge.

— Je vous demande pardon, intervint-il. Vous permettez que nous poursuivions notre petite visite ?

Elle leur fit signe d'aller où bon leur semblait et jura dans le combiné du téléphone.

— Écoute-moi bien, espèce de crétin...

— À mon avis, elle est occupée pour un moment, dit Michael. On y va ?

Emma eut un pauvre sourire. Elle sentait son courage faiblir, mais n'avait pas fait tout ce chemin pour s'arrêter si près du but. Sentant son émoi, Michael glissa un bras autour de ses épaules, et ils se dirigèrent vers l'escalier.

En haut, les portes étaient ouvertes et ils longèrent l'ancienne chambre de Brian et de Beverly, puis celle d'Alice, devenue un salon de télévision. Devant celle qui avait abrité son univers d'enfant, Emma s'arrêta : les poupées avaient disparu, ainsi que la lampe en forme de Mickey. La pièce, impersonnelle, semblait désormais réservée aux amis.

— Je dormais ici, murmura-t-elle. Le papier peint était constellé de petites fleurs et le lit recouvert d'un édredon blanc. Il y avait des rideaux de dentelle rose aux fenêtres et plein de poupées et de boîtes à musique sur les étagères. C'était une chambre comme doivent en rêver toutes les petites filles.

Poussant un soupir, elle se tourna vers le couloir et vers la chambre de Darren. La porte était ouverte, aussi, comme elle aurait dû l'être, cette nuit-là.

— J'étais couchée, dit Emma. Quelque chose m'a réveillée. La musique. J'ai cru que c'était la musique. Je ne l'entendais pas vraiment, mais je sentais vibrer les basses. Je me demandais ce que faisaient tous ces gens, en bas. Je mourais d'envie d'être grande, pour pouvoir me joindre à eux. J'ai entendu quelque chose. Quelque chose, murmura-t-elle en frottant ses tempes. Je ne sais pas quoi, mais – des bruits de pas, se rappela-t-elle brusquement. J'ai entendu marcher dans le couloir. J'espérais que ce serait papa ou Beverly. Je voulais qu'ils me parlent, et peut-être les convaincre de me laisser descendre un moment. Mais ce n'était pas eux.

— Doucement, dit Michael, qui la sentait s'énerver.

— Darren pleurait. Je l'ai entendu pleurer. Je le sais. Ce n'était pas un rêve. Je me suis levée. Alice m'avait dit de ne pas laisser Charlie dans le berceau de mon frère, mais Darren aimait bien dormir avec lui, et il pleurait. J'allais lui apporter Charlie et lui parler un peu, pour l'aider à se rendormir. Mais le couloir était sombre.

Elle regarda, autour d'elle, la lumière éclatante de cette belle journée ensoleillée.

— Le couloir était sombre. Ce n'était pas normal. On laissait toujours une lampe allumée pour moi. J'ai tellement peur du noir. Il y a des choses dans le noir.

— Des choses ? dit Michael, haussant les sourcils.

— Je ne voulais pas sortir dans le couloir, mais Darren pleurait toujours. J'entendais bien la musique, maintenant. Elle jouait très fort et j'étais morte de peur.

Elle se mit à marcher vers la porte.

— Je les entendais siffler autour de moi.

— Quoi ? demanda Michael.

— Les monstres, répondit-elle en se tournant vers lui, le regard intense. Les monstres, ils étaient là. Et puis...

Elle s'interrompit, secoua la tête d'un air douloureux.

— Je ne sais plus. Je ne me souviens pas si j'ai ouvert la porte. Elle était fermée. Ça, j'en suis sûre. Mais je ne sais pas si je l'ai ouverte.

Elle se tint sur le seuil. L'espace d'un instant, elle revit la chambre telle qu'elle était du temps de Darren, avec ses jouets, le berceau sur le tapis bleu, le rocking-chair. Puis la vision disparut, laissant place à la réalité présente. Un bureau de chêne, un fauteuil de cuir, des photos encadrées et des étagères couvertes de bric-à-brac. Un bureau. Ils avaient transformé la chambre de son frère en bureau.

— Il était si beau, murmura-t-elle. Il était merveilleux. Je l'aimais plus que tout au monde. Tout le monde l'adorait.

Des larmes lui brouillèrent la vue.

— Il faut que je sorte d'ici.

— Viens.

Michael la guida jusque dans l'entrée et lança un regard d'excuse à Gloria Steinbrenner, qui raccrochait au même instant.

— Je suis désolé, dit-il. Ma femme ne se sent pas bien.

— Oh.

D'abord déçue et ennuyée, la propriétaire crut faire preuve d'une grande finesse d'esprit en ajoutant :

— Veillez à ce qu'elle se repose bien. Comme vous l'avez constaté, cette maison est faite pour recevoir des enfants. Vous ne voudriez pas les élever dans la vallée, avec toute cette pollution.

— Non, bien sûr, dit Michael en entraînant sa compagne vers la voiture. Nous vous contacterons.

Il s'installa derrière le volant, mit le contact et s'éloigna rapidement. S'il n'avait pas été aussi préoccupé par la pâleur d'Emma, il aurait sans doute remarqué la berline bleu foncé qui s'engagea aussitôt derrière eux.

— Je suis désolée, murmura la jeune fille, tandis qu'ils glissaient sur les routes en lacet.

— Ne sois pas ridicule, répondit-il. Je trouve que tu as été formidable. Tu as vécu un drame affreux et ce que tu as fait aujourd'hui demandait beaucoup de courage. Malgré tout, il faudrait que tu réussisses enfin à tourner la page.

Emma eut un pâle sourire.

— Je ne sais pas si j'en suis capable. J'espérais, en revoyant la maison et en repensant à ce qui s'était passé, que les souvenirs de cette nuit-là reviendraient d'un seul bloc. Ça n'a pas marché.

Elle chaussa ses lunettes de soleil en soupirant.

— En tout cas, je te remercie d'être resté avec moi.

— Penses-tu. Je suis comme les scouts, moi : toujours prêt. Tu as faim ?

Elle hésita un instant, et sourit.

— Oui. Je meurs de faim.

— Je dois avoir de quoi nous offrir des hamburgers.

— Fabuleux.

Il s'arrêta bientôt dans un McDonald's, où Emma approuva l'idée qu'ils fassent envelopper leur commande pour l'emporter. En revenant, Michael reprit sa place derrière le volant.

— J'ai pensé qu'on pourrait aller sur la plage.

— D'accord.

Elle ferma les yeux et s'adossa au siège de cuir. Elle était contente d'être venue. Contente d'avoir monté cet escalier. Contente d'être là, avec Michael, et de sentir le vent chaud dans ses cheveux.

— Il neigeait, quand j'ai quitté New York, dit-elle.

— Tu sais qu'il existe d'excellentes universités, en Californie...

Elle sourit.

— Mais j'aime New York. Depuis toujours. Nous avons acheté un loft. Il est presque vivable, maintenant.

— Nous ? s'enquit Michael, inquiet, tout à coup.

— Ma meilleure amie et moi. Marianne était avec moi à Sainte-Catherine, et nous avions juré de nous installer à New York. Elle est inscrite aux Beaux-Arts.

— Elle veut devenir peintre ?

— Oui. Un jour, les plus grandes galeries se disputeront ses toiles. Elle dessinait toujours des caricatures incroyables des bonnes sœurs.

Ouvrant les yeux, elle remarqua l'air préoccupé de Michael ; il jetait sans cesse des coups d'œil dans le rétroviseur.

— Qu'y a-t-il ? demanda-t-elle.

— Je ne suis sans doute qu'un débutant qui fait du zèle, mais j'ai l'impression qu'une berline bleu foncé ne nous lâche pas d'une semelle, depuis le McDonald's.

Il changea de file et la berline fit de même.

— S'il n'était pas aussi maladroit, je dirais que nous sommes suivis.

— C'est probablement mon garde du corps, murmura Emma, avec un soupir las. Il me retrouve toujours. Parfois, je me dis que papa a planté sous ma peau un de ces engins qui permettent de vous suivre grâce à un clignotant.

— Je pourrais le semer, proposa Michael.

— Vraiment ?

Emma le regarda par-dessus les verres fumés de ses lunettes et pour la toute première fois, il perçut une lueur de vraie joie dans ses yeux lumineux. Il se sentit invincible.

— Durant mon époque rebelle, on jouait à se poursuivre sur la voie expresse, avec des copains. Un moteur comme celui-là devrait laisser notre importun dans la poussière.

— Alors vas-y, s'exclama-t-elle.

Ravi, Michael écrasa le champignon, fit une queue de poisson devant un break et accéléra l'allure. Puis, dépassant un pick-up, bifurquant devant une BMW, il poussa la Mercedes au-delà de la limitation de vitesse.

— Tu es doué, s'esclaffa Emma. Je ne le vois plus, ajouta-t-elle en pivotant sur son siège pour jeter un coup d'œil derrière elle.

— Il essaie de doubler le break, mais celui-ci ne le laisse pas passer. Il doit être furieux que je lui aie coupé la route. Accroche-toi.

Il se livra à un slalom habile entre plusieurs voitures, avant d'emprunter une sortie au bout de laquelle il effectua un brusque demi-tour qui le ramena sur la voie expresse, mais en sens inverse. Ils croisèrent la berline, ralentirent et longèrent tranquillement la rampe de sortie suivante.

— Vraiment doué, répéta Emma. C'est ce qu'on t'apprend à l'Académie de police ?

— Certains talents sont innés, répondit-il en garant la voiture le long de la plage. Et puis, cette Mercedes est un vrai petit bijou à conduire.

— En tout cas, merci.

Emma déposa un baiser sur sa joue et saisit le paquet de hamburgers, avant de s'élancer vers le sable.

— Que j'aime la mer ! s'écria-t-elle en riant et en virevoltant. L'eau, son odeur et le roulement des vagues.

Michael la contemplait, tenaillé par le désir de la prendre dans ses bras et de goûter enfin ses lèvres. Elle était si belle... Emma, se laissant tomber sur le sable, plongea la main dans le sac en papier.

— Ça aussi, ça sent bon.

Elle lui tendit un hamburger et remarqua soudain la manière dont il la dévisageait.

— Qu'y a-t-il ?

— Hein ? Oh, rien. Je me rappelais la première fois que je t'ai vue, à la répétition. Après notre entrevue, papa m'avait emmené manger un hamburger, et je m'étais demandé, ce jour-là, s'il t'arrivait d'aller chez McDonald's.

— Non, mais on se faisait livrer. Il ne faut pas te sentir désolé pour moi, Michael. Surtout pas aujourd'hui.

— D'accord, dit-il en s'asseyant près d'elle. Passe-moi les frites.

Ils dévorèrent tout jusqu'à la dernière miette. Une brise légère s'était levée. Autour d'eux, des familles pique-niquaient, des jeunes gens étalaient leur bronzage ou leur plastique irréprochable. Les radios tournaient, ici et là. Mais Emma n'entendait pas le bruit. Elle vivait un des moments les plus doux, les plus paisibles de sa vie.

— Qu'on est bien, murmura-t-elle. J'aimerais pouvoir rester plus longtemps.

— Moi aussi, j'aimerais que tu restes plus longtemps.

Pris du besoin irrésistible de la toucher, il tendit la main et lui caressa la joue. Elle tourna la tête en souriant, et ce qu'elle vit dans son regard lui fit battre le cœur à grands coups désordonnés. Elle entrouvrit les lèvres, instinctivement, comme pour poser une question.

Emma ne résista pas quand il effleura sa bouche de la sienne. Avec un petit gémissement, elle se rapprocha de lui, autorisant une intrusion qu'elle ne comprenait qu'à demi. Et lorsqu'il pénétra sa bouche, elle entendit le bruit de gorge un peu rauque qu'il laissa échapper, et sentit ses mains d'homme se refermer sur son bras. Sans hésiter, elle se serra contre lui, absorbant la myriade de sensations qui l'envahissaient.

L'aurait-il crue si elle lui avait avoué que, jamais encore, elle n'avait été embrassée de cette manière-là ? Qu'elle n'avait jamais rien ressenti de pareil ? Le désir la traversa comme une coulée de lave chaude, doux et merveilleusement aigu ; elle ferma les yeux pour mieux capter ce plaisir neuf et en sceller le souvenir.

— Il y avait si longtemps que j'en avais envie, murmura-t-il, l'embrassant de nouveau, tendrement.

Emma se força à réfléchir, à reculer. Des sentiments trop forts, trop soudains, naissaient en elle, qu'elle ne savait comment appréhender. Confuse, elle se leva et marcha vers le bord de l'eau.

Michael ne bougea pas. Que penser de l'attitude d'Emma ? Comment distinguer la légèreté, l'indifférence, d'une trop grande émotion ? Il s'exhorta au calme. Il n'était pas de ces hommes qui aiment à la légère. Et, aussi ahurissant que cela parût, il était amoureux. Emma était belle, élégante et sans aucun doute habituée à être désirée par des hommes riches et importants. Il était un flic débutant issu d'une famille de classe moyenne. Poussant un soupir, il se leva à son tour, joua la carte de la décontraction.

— Il se fait tard, dit-il.

— Oui.

Devenait-elle folle ? Emma avait envie de pleurer et de rire tout à la fois. Elle voulait se tourner vers lui, se jeter dans ses bras, mais demain, elle serait à des milliers de kilomètres. Il avait juste voulu être gentil avec la pauvre petite fille riche. Elle se tourna vers lui, souriant calmement.

— Je dois rentrer, reprit-elle. Mais je suis vraiment contente de t'avoir revu.

— Tu sais où me trouver.

Il lui prit la main. Un geste amical, se dit-il. Et puis non ! Au diable l'amitié.

— Je veux te revoir, Emma. Il le faut.

— Je ne sais pas...

— Tu pourrais m'appeler, la prochaine fois que tu reviens.

La manière dont il la regardait troublait Emma, faisait courir des frissons dans tout son corps.

— Oui, bien sûr. J'aimerais bien... Mais j'ignore quand je pourrai revenir.

— Tu seras là pour le tournage du film, non ?

— Quel film ?

Ils se dirigeaient vers la voiture. Michael s'arrêta.

— Tu sais bien. Ils commencent à Londres, mais après, tout se passera ici. Ils ont déjà demandé un renforcement de la sécurité. Le film, poursuivit-il devant l'air interrogateur d'Emma. *Dévastée*. Celui qu'on a tiré du livre de ta mère. Angie Parks tient le rôle principal.

Il s'aperçut tout à coup qu'il venait de commettre une gaffe monumentale.

— Je suis désolé, Emma. Je croyais que tu étais au courant.

— Non, répondit-elle, infiniment lasse, de nouveau. Je ne savais pas.


Il décrocha dès la première sonnerie. Il attendait, transpirant de peur, depuis des heures.

— Oui.

— Je l'ai trouvée, dit une voix tremblante qu'il connaissait bien.

— Et alors ?

— Elle est allée voir le flic, Kesselring. Elle y a passé plus d'une heure. Puis elle s'est rendue dans la maison. Elle est allée dans cette foutue baraque où tout est arrivé. Il faut faire quelque chose, et vite. Je te l'ai dit à l'époque, et je te le répète, je ne porterai pas le chapeau.

— Reprends-toi !

L'ordre claqua, sec, sans appel.

— Elle est entrée dans la maison, tu dis ?

— Oui, la baraque est à vendre. Ils sont carrément entrés dedans, je te dis.

— Elle n'était pas seule ?

— Non. Un mec est venu avec elle. Le fils du flic, je crois.

— Et après, qu'est-ce qu'ils ont fait ?

— Ils sont allés s'acheter des hamburgers.

— Quoi ?

— Je te dis qu'ils sont allés chercher des saloperies de hamburgers, avant de jouer les Fangio sur la voie expresse. Je les ai perdus. Je sais qu'elle va passer la nuit à Los Angeles. Je peux trouver quelqu'un pour s'occuper d'elle.

— Ne sois pas stupide. Ce n'est pas nécessaire.

— Je te dis qu'elle a vu le flic et qu'elle est retournée dans la maison !

— Oui, je t'ai entendu. Réfléchis un peu, au lieu de paniquer. Si elle s'était rappelé quelque chose, tu crois vraiment qu'elle serait tranquillement allée s'acheter à bouffer ?

— Je ne pense pas...

— C'est bien ton problème, et depuis le début. Ce petit voyage impulsif était un dernier effort pour essayer de faire remonter à la surface des souvenirs qui résistent. Il est inutile de faire du mal à Emma.

— Et si elle venait à se rappeler ?

— C'est peu probable. Écoute-moi bien, maintenant. La première fois, il s'agissait d'un accident ; un accident tragique que tu as commis, toi.

— C'était ton idée.

— Évidemment. De nous deux, je suis le seul capable de réfléchir. Mais c'était un accident. Je n'ai pas l'intention de commettre un meurtre avec préméditation.

Il pensa à un musicien qui voulait désespérément des pizzas, mais son nom lui échappait.

— À moins que ce ne soit absolument inévitable, reprit-il. T'as pigé ?

— Tu es vraiment le type le plus glacé qui soit.

— Oui, répondit-il avec un sourire. Et je te conseille de ne jamais l'oublier.

# 22

Il neigeait sur Londres. De gros flocons épais qui glissaient à l'intérieur des cols et fondaient dans le cou. C'était joli comme une carte postale, à moins de se trouver coincé dans les embouteillages sur King's Road.

Emma préférait marcher. Ça ne devait pas faire le bonheur de Sweeney, mais quoi ? Elle trouvait amusant de se promener ainsi dans Chelsea, comme n'importe quel adulte libre de ses mouvements. Il y avait des boutiques partout, des magasins d'antiquités, et les inévitables retardataires qui faisaient leurs courses de Noël à la dernière minute.

En dépit de la neige, elle avait vu une marchande de fleurs, sur Sloane Square. Même en décembre, on pouvait acheter une bouffée de printemps pour un prix raisonnable. Un instant tentée par les parfums et les couleurs, Emma s'était ravisée. Elle ne pouvait pas vraiment, après toutes ces années, se présenter devant sa mère avec un bouquet de fleurs.

Sa mère. Elle ne pouvait nier que Jane Palmer le fût. Pas plus qu'elle ne parvenait à l'accepter. Même le nom lui paraissait distant, comme lu dans un livre. Mais il lui arrivait encore de revoir son visage, furtivement, dans des rêves, avec l'expression agacée qui précédait toujours une gifle ou quelque autre brutalité. Ce visage, qu'elle avait vu depuis dans les magazines, appartenait au passé. Et aujourd'hui, elle s'apprêtait justement à rendre visite à ce passé. Aujourd'hui, elle allait apporter une réponse aux questions restées en suspens pendant toutes ces années.

Elle s'arrêta devant la maison de style victorien, avec ses hautes fenêtres étroites et son toit en coupole. Les rideaux étaient tirés partout et l'allée menant à l'entrée était encombrée de neige. Personne n'avait pris la peine d'accrocher la traditionnelle couronne de pin à la porte, ou une guirlande d'ampoules multicolores.

Emma eut une pensée pour la demeure pimpante des Kesselring. Il n'y avait pas de neige, en Californie, mais ils avaient réussi à créer une atmosphère de fêtes de Noël.

Avec un soupir, elle se fraya un chemin jusqu'à la porte et considéra le marteau de fer forgé en forme de tête de lion. Après une brève hésitation, elle le souleva, puis le laissa retomber sur le panneau de bois. Elle attendit quelques minutes, priant de toutes ses forces pour qu'il n'y eût personne. Si on ne répondait pas, ne pourrait-elle pas se dire qu'elle avait fait son possible pour effacer de son cœur et de son esprit le besoin de revoir Jane ? Elle allait se détourner et s'éloigner, quand la porte s'ouvrit brusquement.

Emma demeura sans voix. La femme qui se tenait devant elle était vêtue d'un négligé de soie rouge tombant sur une épaule et couvrant des hanches devenues trop larges. Ses cheveux formaient une masse hirsute autour de son visage épais. Le visage d'une étrangère. Emma ne reconnut que le regard agacé, et les yeux plissés, désormais rougis par les abus d'alcool, la drogue et l'insomnie.

— Qu'est-ce que c'est ? demanda Jane d'un ton revêche, en serrant son négligé contre elle.

À sa grande horreur, Emma reçut, en pleines narines, ces relents de gin que, depuis toujours, elle associait à sa vie misérable avec Jane.

— Écoute, la belle, reprit celle-ci, j'ai autre chose à fiche que de rester plantée sur le seuil tout mon samedi.

Emma aurait voulu fuir ; tourner les talons et s'en aller, très vite, très loin.

— Je... C'est moi... Emma, bredouilla-t-elle.

Jane ne bougea pas, mais son regard se concentra sur la jeune femme. Elle vit un corps long et mince, des cheveux blond pâle, des traits délicats. Elle vit Brian, avant de voir sa fille. Un instant, elle ressentit comme un regret. Puis ses lèvres se retroussèrent.

— Eh bien, vous m'en direz tant. La petite Emma est venue voir sa maman.

Elle eut un rire bref et Emma se raidit, se préparant à recevoir une calotte. Mais Jane s'effaça simplement pour la laisser passer.

— Entre donc, ma jolie. Nous allons faire un brin de causette.

Emma la suivit jusqu'à un salon encombré, dont les fenêtres étaient bouchées par de lourdes tentures soigneusement tirées. Une odeur bien connue flottait dans l'air, qui n'était pas celle du tabac. Le décor avait changé, mais l'atmosphère était aussi malsaine, aussi étouffante que dans le vieil appartement miteux des faubourgs de Londres.

De son côté, Jane réfléchissait déjà au moyen de tirer le maximum de cette aubaine. Elle avait des besoins, des habitudes qui lui coûtaient très cher, et la rente que Brian lui versait chaque année allait bientôt cesser. Jane savait bien qu'après l'échéance fixée, il ne lui donnerait plus un penny.

— Si on buvait quelque chose pour célébrer nos retrouvailles ? proposa-t-elle.

— Non, merci.

Avec un haussement d'épaules, Jane se servit à boire et leva son verre.

— Aux liens du sang, dit-elle dans un rire. Si je m'attendais à te trouver sur le pas de la porte, après toutes ces années !

Elle but une longue rasade, avant de se laisser choir sur le sofa de velours pourpre.

— Assieds-toi, ma belle, et parle-moi de toi.

— Il n'y a pas grand-chose à dire, répondit Emma, qui s'était assise au bord d'un fauteuil. Je suis venue à Londres pour les fêtes.

— Les fêtes ? Ah, Noël. Tu as apporté un petit cadeau à ta mère ?

Emma secoua la tête. Elle avait l'impression d'être une petite fille, de nouveau. Terrifiée. Esseulée.

— Tu aurais pu faire ça, au moins, poursuivit Jane. Tu n'es pas très généreuse. Mais tu n'as jamais été une enfant très attentionnée. Te voilà presque une femme, maintenant.

Elle étudia les petits diamants qui ornaient les oreilles d'Emma.

— Et drôlement bien mise. Ce que c'est, de fréquenter des écoles de riches et de s'habiller chez les créateurs.

— Je vais à l'université, maintenant. Et je travaille à temps partiel

— Tu travailles ? Pour quoi faire ? Ton père a plus d'argent qu'il ne pourra jamais en dépenser.

— J'aime ce que je fais, murmura Emma, essayant de contrôler sa nervosité. Je veux travailler.

— Tu n'as jamais été très futée. Quand je pense à toutes ces années où je me suis démenée et privée de tout pour t'habiller et te nourrir. Qu'ai-je reçu, en retour ? Des pleurnicheries, jusqu'au jour où tu es partie avec ton père, sans un regard en arrière. Tu as eu la belle vie, hein ? La petite princesse à son papa. Pas une fois tu n'as pensé à moi.

— Si, murmura Emma.

Jane se versa encore du gin. Elle aurait préféré quelque chose de plus fort, mais ce n'était pas le moment de laisser Emma toute seule. Celle-ci pourrait s'envoler, et avec elle, l'occasion de tirer un peu d'argent de cette visite inattendue.

— Il t'a montée contre moi, reprit-elle sur un ton plaintif. Il te voulait pour lui tout seul. Mais c'est moi qui ai supporté la grossesse, l'accouchement. C'est moi qui t'ai élevée d'abord. J'aurais pu me débarrasser de toi, tu sais. Même à l'époque, ce n'était pas compliqué, si on savait à qui s'adresser.

Emma leva les yeux, fixa sa mère d'un regard sombre et intense.

— Pourquoi ne l'as-tu pas fait ?

Jane s'agrippa à son verre. Ses mains commençaient à trembler. Il y avait des heures qu'elle n'avait pas pris quelque chose, et le gin était un pauvre substitut. Mais elle était maligne. Maligne et trop habituée à se leurrer, à se mentir, autant qu'elle mentait aux autres.

— Je l'aimais, répondit-elle. Je l'ai toujours aimé. Nous avons grandi ensemble, tu sais. Et il m'aimait, lui aussi. Il m'adorait. S'il n'y avait pas eu sa musique et sa foutue carrière, on serait toujours ensemble. Mais il m'a jetée comme une rien du tout. Il n'a jamais aimé personne plus que sa musique. Tu crois qu'il tenait à toi ?

Elle se leva en ricanant.

— Il n'en a jamais rien eu à foutre. C'était son image, qui comptait. Le public ne devait pas penser que Brian McAvoy était le genre d'homme à abandonner son enfant.

Emma sentit ses vieilles frayeurs remonter à la surface, mais elle les repoussa avec courage.

— Il m'aime, murmura-t-elle. Il a tout fait pour moi.

— Il aime Brian, s'écria Jane, le regard luisant d'une joie méchante.

Elle avait tout essayé pour gâcher la vie de son amant. Mais elle ne pouvait plus rien contre lui, aujourd'hui. Avec Emma, c'était plus facile.

— Il nous aurait abandonnées toutes les deux, s'il n'avait pas craint le scandale. C'est ce qu'il allait faire, jusqu'à ce que je le menace d'aller tout raconter aux journaux. Il a eu peur des gros titres ! Lui et sa vermine d'imprésario savaient bien comment réagirait le public chéri, en apprenant que l'idole laissait pourrir sa fille bâtarde dans un taudis. Alors il t'a prise et il m'a payé un joli magot pour m'écarter.

— Il t'a payée ? répéta Emma, avec un haut-le-cœur.

— Ce fric, je l'ai mérité.

Jane prit le menton de sa fille entre le pouce et l'index et pinça très fort.

— J'ai mérité chaque sou, et plus encore. Il t'a achetée, comme il a voulu acheter sa tranquillité d'esprit. Mais ça n'a pas marché, hein ? Il continue à trimballer sa mauvaise conscience...

— Lâche-moi, dit Emma en repoussant la main de Jane. Ne me touche plus jamais.

— Tu m'appartiens autant qu'à lui.

— Non, répondit la jeune fille en se levant. Quand tu m'as vendue, tu as vendu les droits que pouvait te conférer ton statut de mère. Et papa m'a peut-être achetée, mais il ne me possède pas davantage.

Emma ravala les larmes qui lui brûlaient les yeux. Elle ne voulait pas pleurer. Pas devant cette femme.

— Je suis venue aujourd'hui pour te demander d'arrêter le film, celui qu'ils vont tourner à partir de ton livre. J'espérais que tu accepterais de le faire pour moi. Mais j'ai perdu mon temps.

— Je suis encore ta mère ! hurla Jane. Tu n'y peux rien.

— Non, je n'y peux rien. Je dois juste apprendre à vivre avec cette idée.

La jeune fille pivota sur ses talons.

— Tu veux que j'arrête ce film ? cria Jane en se lançant derrière elle. À quel point ?

Très calme, Emma se retourna.

— Tu crois que je vais te donner de l'argent ? Tu as fait une erreur de jugement, cette fois. Tu n'obtiendras jamais un sou de moi.

— Petite garce !

La main de Jane claqua en travers du visage d'Emma, qui ne fit pas un geste pour l'éviter. Sans un mot, la jeune fille se dirigea vers la porte, l'ouvrit et sortit.

Emma marcha longuement, sans but, évitant les passants, ignorant les rires, la circulation et l'ambiance de fête autour d'elle. Les larmes ne jaillissaient pas. Elle était stupéfaite de la facilité avec laquelle elle parvenait à les contrôler, désormais. Le froid devait être d'une aide certaine, ainsi que le bruit, qui l'empêchait de réfléchir. Lorsqu'elle se trouva devant chez Beverly, elle ne sut pas si le hasard ou le destin l'avait portée jusque-là, mais, sans hésiter, elle poussa la sonnette. Aujourd'hui, elle allait régler tous ses comptes avec le passé. Après, elle pourrait enfin vivre sa vie.

La porte s'ouvrit. Une bouffée d'air chaud l'accueillit ; un léger parfum de pinède. Alice la dévisagea, d'abord surprise, puis émue. Elle l'avait reconnue immédiatement.

— Bonjour, Alice, murmura Emma. Je suis contente de vous revoir.

L'ancienne gouvernante demeura immobile, les yeux embués de larmes.

— Alice, vous n'oublierez pas de donner le paquet à Terry, si jamais il passe, dit Beverly en apparaissant, un manteau de fourrure sur le bras. Je rentrerai vers…

Elle se figea et son petit sac noir lui échappa des mains.

— Emma, dit-elle dans un souffle.

Un bonheur violent, aigu, lui fit battre le cœur à toute allure, et elle eut envie, un instant, de se précipiter sur la jeune fille pour la serrer contre elle. Mais aussitôt, il y eut la honte, le remords.

— J'aurais dû téléphoner, commença Emma. J'étais en ville, alors j'ai pensé...

— Je suis tellement heureuse que tu sois venue.

Reprenant son sang-froid, Beverly sourit et fit un pas en avant.

— Alice, dit-elle avec douceur. Soyez assez gentille pour nous préparer du thé.

— Tu t'apprêtais à sortir, intervint Emma. Je ne veux pas...

— Ça n'a aucune importance. Alice, répéta-t-elle.

Celle-ci hocha la tête et s'éloigna rapidement.

— Tu as tellement grandi, murmura Beverly. C'est à peine croyable. Mais entre donc, tu dois être gelée, ajouta-t-elle en prenant la main gantée d'Emma.

— Tu avais des projets...

— Rien d'important : le cocktail d'une cliente. J'aimerais vraiment que tu restes, insista Beverly en la dévorant du regard. S'il te plaît.

— Bien sûr.

— Je vais prendre ton manteau.

Elles s'installèrent, comme deux inconnues bien élevées, dans le vaste salon de Beverly.

— C'est superbe, ici, dit Emma en plaquant un sourire poli sur son visage. Il paraît que tu es devenue une décoratrice très recherchée. Je comprends pourquoi.

— Merci.

— J'ai acheté un loft à New York, avec ma meilleure amie, enchaîna la jeune fille, nerveusement. Il n'est pas encore tout à fait terminé. Je n'imaginais pas à quel point c'est compliqué.

— New York, répéta Beverly. Tu habites là-bas, maintenant ?

— Oui. J'étudie la photographie.

— Oh ! Cela te plaît ?

— Beaucoup.

— Tu vas rester longtemps, à Londres ?

— Jusqu'à la fin des vacances de Noël.

Il y eut un silence gêné, qu'Alice interrompit fort opportunément en reparaissant, les bras chargés d'un plateau de thé.

— Merci, Alice, dit Beverly. Je vais servir.

Elle posa sa main sur celle d'Alice, y imprimant une légère pression.

— Elle est restée avec toi, commenta Emma, quand celle-ci eut disparu.

— Oui. Enfin, nous sommes surtout restées ensemble. Tu prends toujours trop de crème et trop de sucre ? demanda Beverly, heureuse de s'occuper les mains et l'esprit avec les tasses, les soucoupes et la théière.

— J'ai renoncé à la crème, répondit Emma. Je prends juste trop de sucre, maintenant.

— Avec Brian, on craignait toujours que tu ne deviennes énorme et que tu te gâtes les dents, avec ton penchant pour les sucreries.

Elle tressaillit et chercha un sujet de conversation plus neutre.

— Mais parle-moi un peu de la photographie. Quels sont tes sujets de prédilection ?

— Les gens. Les portraits. J'espère devenir une professionnelle.

— C'est merveilleux. J'aimerais beaucoup voir tes photos.

Elle marqua une pause.

— Peut-être lors de mon prochain passage à New York.

— Pourquoi ne me demandes-tu pas comment il va, Beverly ? demanda Emma avec douceur. Ce serait plus facile, pour toi comme pour moi.

Beverly leva la tête et croisa le regard de la jeune fille. Ces grands yeux si bleus lui rappelaient tellement Brian.

— Comment va-t-il ? demanda-t-elle.

— Si seulement je le savais. Sa musique marche mieux que jamais. La dernière tournée... mais tu dois savoir tout cela.

— Oui.

— Il compose la bande originale d'un film et parle de réaliser un album conceptuel. Et puis, il y a les vidéos. C'est à croire qu'elles ont été inventées pour le mettre en valeur. C'est presque aussi bon qu'en concert. Il boit trop, enchaîna-t-elle.

— Je l'ai entendu dire. P. M. s'inquiète à son sujet. Mais leurs relations sont tendues, depuis quelques années.

— Je voudrais le convaincre d'entrer dans une clinique, mais il n'écoute pas. C'est difficile de le raisonner, parce que cela n'a pas encore affecté son travail, sa créativité, ni même sa santé. Il voit pourtant Stevie...

— Tu te fais du souci pour Brian.

— Oui.

Beverly eut un pâle sourire.

— C'est pour ça que tu es venue ?

— En partie.

— Emma, je te le jure, si je pensais pouvoir l'aider, je n'hésiterais pas une seconde.

— Pourquoi ?

Beverly prit sa tasse de thé pour se donner le temps de choisir ses mots, avec soin.

— Brian et moi avons partagé beaucoup de choses. Ça fait très longtemps, bien sûr, mais ce ne sont pas des sentiments qu'on peut oublier.

— Tu le détestes ?

— Non, bien sûr que non.

— Et moi ?

— Oh, Emma !

La jeune fille se leva brusquement.

— Je ne voulais pas te poser cette question. Je ne sais pas pourquoi, d'un seul coup, j'ai éprouvé ce besoin de...

Elle s'arrêta devant la cheminée et contempla le feu qui crépitait dans l'âtre.

— Je suis allée voir Jane, aujourd'hui.

— Oh.

Emma eut un rire un peu rauque.

— Oui, « Oh », comme tu dis. J'avais l'impression qu'il le fallait ; que la revoir me permettrait d'y voir plus clair. Et, bêtement, j'espérais la convaincre de faire annuler le tournage du film qu'ils vont tirer de son livre.

Elle se retourna brusquement.

— Tu ne peux pas imaginer ce que j'ai éprouvé en la regardant, en voyant ce qu'elle est et en sachant qu'elle est ma mère.

— Emma...

Beverly réfléchit un instant, avant de poser sa tasse.

— Tu ne lui ressembles en rien. Tu n'étais déjà pas comme elle quand tu es venue chez nous, et tu ne l'es pas davantage aujourd'hui.

— Elle m'a vendue à papa.

— Cela ne s'est pas passé comme ça !

— Il lui a donné de l'argent et elle l'a pris. J'étais une marchandise qu'ils se sont passée, avant de te la refiler.

— Non !

Beverly bondit sur ses pieds, dans un cliquetis de porcelaine.

— Écoute-moi, Emma. J'étais là, le jour où Brian t'a ramenée à la maison. Je me souviens de l'expression qu'il y avait sur ton visage, et sur le sien. Il était nerveux, peut-être même effrayé. C'est vrai, aussi, qu'il lui a donné de l'argent, mais c'était pour te protéger.

— D'après elle, c'était surtout pour protéger son image.

— Elle ment !

Beverly marcha jusqu'à la jeune femme et prit ses mains entre les siennes.

— Brian voulait te tirer de ses griffes parce qu'il avait peur pour toi. Pas à cause de son image, mais parce que tu étais sa fille.

— Et chaque fois qu'il me regardait, chaque fois que tu me regardais, c'était elle que vous voyiez.

— Pas Brian. Jamais lui.

Elle poussa un soupir.

— Moi, peut-être, au début. J'étais jeune. Seigneur, j'avais l'âge que tu as aujourd'hui, Emma. Nous étions follement amoureux ; en pleins préparatifs de mariage. J'étais enceinte de Darren. Et soudain, tu étais là, une part de la vie de Brian qui m'était totalement étrangère. J'avais peur de toi. Je crois même que je t'en voulais d'être là. La vérité, c'est que je ne voulais rien ressentir pour toi, si ce n'est un peu de pitié.

Emma fit mine de se dégager, mais Beverly la saisit par les épaules.

— Je ne voulais pas t'aimer, Emma. Et puis, tout à coup, ce fut trop tard. Ce n'était pas prémédité de ma part. Un jour, j'ai compris que je t'aimais.

Emma éclata en sanglots, brusquement, et, se laissant aller contre Beverly, elle pleura violemment, sans honte.

— Je suis tellement désolée, ma chérie. Je m'en veux tellement de n'avoir pas été là pour toi. Maintenant, tu as grandi et j'ai raté ma chance.

— Je croyais que tu me détestais…, à cause de Darren. Je croyais que tu me blâmais…

— Non.

Beverly se dégagea, consternée, stupéfaite.

— Mon Dieu, Emma, tu n'étais qu'une enfant. J'ai blâmé Brian, et j'avais tort. Je me suis blâmée, moi aussi, et je prie le Seigneur de m'être trompée. Mais quels que soient mes torts, je ne t'ai jamais blâmée, toi.

— Je l'ai entendu pleurer…

— Chut.

Elle s'agrippa aux mains d'Emma et les porta à son visage. Jamais elle ne s'était doutée que celle-ci pût souffrir à ce point. Sinon... peut-être aurait-elle eu la force d'oublier sa propre souffrance pour le bien de l'enfant. Elle espérait de tout son cœur qu'elle l'aurait fait.

— Écoute-moi, reprit-elle. Ce fut la chose la plus horrible qui me soit jamais arrivée ; la plus destructrice ; la plus douloureuse. Je me suis retournée contre ceux que j'aurais dû chérir plus fort encore. Pendant plusieurs années, j'étais comme un zombie ; je voulais mourir, en finir. Il y avait quelque chose en lui, Emma, quelque chose de magique. Parfois, j'avais du mal à croire qu'il était né de ma chair et de mon sang. Et quand il est parti, comme ça, si vite, de cette façon cruelle et inutile, c'était comme si on m'avait arraché le cœur. Je ne pouvais rien faire. J'avais perdu mon enfant. Et dans mon chagrin, je me suis détournée de mon autre enfant. Et je l'ai perdue.

— Je l'aimais aussi. Je l'aimais tant.

— Je sais, dit Beverly, souriant avec douceur. Je le sais.

— Et toi aussi, je t'aimais. Tu m'as tellement manqué.

— Je ne pensais pas que je te reverrais un jour, ou que tu pourrais me pardonner.

Emma n'en croyait pas ses oreilles. Et tout ce temps, elle avait craint d'être celle à qui on ne pardonnerait jamais ! Il avait suffi de quelques mots, pour jeter un peu de baume sur ses plaies ouvertes. Soudain, elle retrouva le sourire.

— Quand j'étais petite, je pensais que tu étais la plus belle femme du monde, dit-elle. Je le pense toujours. Ça t'ennuierait si je t'appelais maman, de nouveau ?

Beverly la serra dans ses bras en tremblant.

— Attends une seconde, dit-elle, tout à coup. J'ai quelque chose pour toi.

Restée seule, Emma prit un mouchoir dans son sac et s'essuya les yeux. Sa mère avait toujours été, et serait toujours Beverly. Cette quête-là, au moins, elle pouvait l'abandonner derrière elle.

— Je l'ai gardé pour toi, déclara Beverly en revenant. Et sans doute un peu pour moi, aussi. Il m'a aidé à traverser bien des nuits solitaires.

Poussant un cri de joie, Emma bondit sur ses pieds.

— Charlie !

# 23

Vingt-deux musiciens d'orchestre se bousculaient dans le studio ; il y avait des violonistes, des violoncellistes, des flûtistes, des bassons et une harpiste. Deux assistants s'étaient donné du mal pour accrocher des guirlandes au plafond et décorer un drôle de petit arbre de Noël en aluminium.

Johnno avait préparé une mixture alcoolisée qu'il était le seul, apparemment, à supporter sans l'ombre d'un effet secondaire. Les autres n'étaient pas ivres – pas encore – mais les effusions allaient se multipliant dans une joyeuse ambiance.

Ils travaillaient sur une chanson depuis plus de quatre heures et Brian était presque satisfait du résultat. Le casque sur les oreilles, il écoutait la dernière prise, émerveillé comme au premier jour de constater à quel point une petite mélodie née dans sa tête pouvait subitement prendre corps et commencer une vie qui lui était propre.

Pete se tenait dans la cabine d'enregistrement, visiblement agacé, comme d'habitude, par le perfectionnisme qu'affichait Brian ; mais celui-ci ne lui accordait pas l'ombre d'une pensée.

Johnno, lui, jouait au poker avec un flûtiste et la ravissante harpiste. Avec sa verve et son humour ravageur, il avait animé le jeu en imposant la tricherie et des paris outrageux. De son côté, P. M. lisait un roman policier. Il semblait préférer la solitude, ces temps-ci. Stevie était encore dans les toilettes. Sa dernière tentative de désintoxication avait duré moins d'une semaine, après sa sortie de clinique.

Le groupe était satisfait, songea Brian, et largement prêt à clore cette longue journée de travail. Il écouta les dernières notes de la chanson.

— Je veux refaire les voix.

Johnno tendit les deux mains.

— Qu'est-ce que je vous avais dit ?

Ses deux partenaires de jeu pouffèrent de rire, avant de lui fourrer chacun un billet de cinq livres dans les paumes.

— Comment savais-tu qu'il voudrait une autre prise ? demanda la harpiste.

— Je connais mon petit gars.

Johnno se leva, remarqua l'air ennuyé de Pete, et, comme Brian, l'ignora superbement.

— Et une petite dernière pour la postérité !

— Tu peux pas faire ça, vieux ! s'écria Stevie, qui revenait des toilettes. Tu sais quel jour on est ? C'est la satanée soirée de Noël.

— Il nous reste deux heures, répondit Brian.

C'était triste à constater, mais il faudrait sans doute vingt minutes avant que Stevie redescende de son nuage. À cet instant, il planait à vingt mètres au-dessus du sol.

— Plus vite on aura fini et plus vite tu pourras rentrer accrocher ton bas au manteau de la cheminée, conclut Brian.

— Hé, regardez qui est là ! annonça Stevie, comme Emma entrait discrètement dans le studio. Notre petite fille. Alors, ma belle, qui est le meilleur, ici ? demanda-t-il en jetant un bras autour de l'épaule de la jeune femme.

Emma força un sourire sur ses lèvres et embrassa sa joue maigre et creuse.

— Papa, répondit-elle.

— Tu n'auras que du charbon dans ton bas de Noël.

— Je pensais que vous seriez encore là. Je peux vous écouter un moment ?

— C'est cinq pence et deux shillings, intervint Johnno.

Il avait remarqué la détresse d'Emma et l'aida à se dégager naturellement de l'étreinte de Stevie, sans cesser de badiner :

— Mais puisque c'est jour de fête, on te fait cadeau des shillings.

— Nous n'en avons plus pour longtemps, assura Brian.

— Il a dit la même chose il y a deux heures, poursuivit Johnno. Ce type est un maniaque. On s'en débarrasse dès la fin de l'audition.

Brian posa sa cigarette et but une longue gorgée d'eau plate pour s'éclaircir la gorge.

— Juste les voix sur *Lost the Sun*.

— La vingtième prise, commenta P. M.

— Désolé de t'arracher à ta littérature, railla Brian.

— *Lost the Sun* ? intervint Emma en se plaçant instinctivement entre les deux hommes. J'ai de la chance, c'est ma préférée.

— Tant mieux, dit Johnno. Comme ça, tu pourras faire le chœur.

Elle fit un pas pour aller s'asseoir, mais Brian lui prit le bras en souriant d'un air ravi.

— Hé, attends un peu ! C'est exactement ce dont nous avons besoin. Tu vas entrer au deuxième couplet.

Il demanda à un assistant d'apporter un autre casque et installa sa fille devant un micro.

— Papa, je ne peux pas..., protesta celle-ci.

— Mais si, tu peux. Tu connais les paroles et la mélodie.

— Oui, mais...

— C'est parfait. J'aurais dû y penser plus tôt. Cette chanson a besoin d'une touche féminine. Le ton doit être léger, juste un peu triste.

— Ça ne sert à rien de discuter, renchérit Johnno en collant le casque sur les oreilles de la jeune fille. Il est parti au galop sur son idée.

Emma poussa un soupir et décida de jouer le jeu.

— Quel sera mon pourcentage ? Est-ce que mon nom paraîtra sur l'album ? Qu'en est-il du contrôle artistique ?

Brian lui pinça le nez.

Le voir heureux suffisait au bonheur d'Emma. Rien ne valait une nouvelle idée pour le faire décoller. Il donnait des instructions, consultant Johnno, gardant un œil de lynx sur Stevie et évitant P. M. avec subtilité.

Emma entendit la musique dans sa tête, le jeu nostalgique des cordes et des flûtes. C'était un son arrondi, presque classique. Comme de la pluie ; pas un orage, mais une pluie grise et continue.

La voix de son père résonna dans ses oreilles, claire, douce, en dépit des paroles mélancoliques.

« J'ai cherché ton visage / J'ai appelé ton nom / Tu étais la lumière / Les ombres m'ont couvert / J'ai perdu le soleil. »

Elle écouta, frappée comme toujours par l'harmonie presque surnaturelle qu'il parvenait à créer, avec Johnno. La voix de Brian s'éleva, tenant les notes, les caressant. Et soudain, l'évidence la frappa de plein fouet. Le soleil qu'il avait perdu, c'était Beverly. Cette chanson parlait d'elle, lui était dédiée.

Écarquillant les yeux, Emma les fixa sur son père. Comment n'avait-elle pas compris plus tôt ? Il l'aimait toujours. Il n'était pas en colère, ni plein de ressentiment, mais désespérément amoureux.

Quand vint son tour de chanter, Emma, de toute son âme, unit sa voix à celle de Brian :

« Ma vie n'est qu'ombre sans toi / Sans toi / Je rêve de lumière et me réveille dans l'ombre / J'ai perdu le soleil. »

La musique s'éleva, s'amplifia et mourut. Alors, Emma porta la main de son père à ses lèvres et la baisa tendrement.

— Je t'aime, papa.

Le cœur dans la gorge, il se pencha sur elle et sa bouche effleura la sienne.

— Envoyez le play-back, lança-t-il.

Il était plus de minuit, quand les musiciens commencèrent à s'en aller, et il se passa encore une bonne heure avant que Brian se déclarât satisfait de la voix additionnelle. Emma le vit se verser un plein gobelet de Chivas Regal et l'avaler comme si c'était de l'eau, tout en poursuivant une discussion technique avec l'ingénieur du son. Elle avait beau comprendre un peu mieux la douleur de Brian, elle ne pouvait rester là, à le regarder la noyer dans des litres de whisky.

Elle déambula dans le studio et fit un détour par les toilettes pour se rafraîchir un peu. Ils parlaient tous d'aller terminer la soirée dans un club et, fatiguée ou pas, elle avait l'intention de les accompagner pour veiller sur son père.

Elle ouvrit la porte et se figea, choquée. Des traînées de sang zébraient le carrelage d'ordinaire si blanc, et son odeur, froide, métallique, se mêlait à une puanteur de vomi. Elle porta les mains à sa gorge et recula, trébuchant presque, avant de courir vers le studio.

— Papa !

Brian finissait son Chivas tout en enfilant son manteau. Le bonheur du travail accompli se lisait sur son visage et il plaisantait avec Johnno ; mais le rire mourut sur ses lèvres, à l'instant où il vit l'expression bouleversée de sa fille.

— Quoi ? Que se passe-t-il ?

— Dans les toilettes. Vite.

Elle lui prit la main et l'entraîna derrière elle.

— Il y en a partout sur les murs. Je... je ne peux pas entrer, dit-elle en s'agrippant à Johnno.

Brian poussait déjà la porte. Il jeta un bref coup d'œil, avant de la claquer brutalement.

— Nom de Dieu !

Il saisit le bras d'Emma et se tourna vers Pete.

— Fais nettoyer ça, ordonna-t-il à son imprésario.

— Quoi ? s'écria sa fille en se dégageant. Papa, pour l'amour du ciel, il y a du sang partout sur les murs. Quelqu'un s'est blessé. Il faut...

— Va chercher ton manteau et sortons d'ici.

— Mais il faut appeler la police, un médecin...

— Calme-toi, Emma, intervint Pete. Il n'y a aucune raison d'appeler la police.

— Aucune raison ?

— Emma, tu vas oublier cet incident.

— Mais...

— C'est Stevie !

Furieux, Brian la prit par les épaules et la força à regarder vers le coin où s'était traîné le guitariste, avant de se laisser tomber par terre.

— Il utilise des drogues dures, de nouveau. Tu ne peux pas enfoncer des aiguilles dans toutes les veines de ton corps et ne pas perdre de sang.

— Mon Dieu, murmura la jeune femme. Il est en train de se tuer.

— Probablement.

— C'est tout ce que tu trouves à dire ?

— Que veux-tu que je fasse ? répliqua Brian, attrapant le manteau d'Emma et le lui collant dans les bras. C'est sa vie.

— Tu ne peux pas blâmer Brian, intervint Pete. Il a essayé, je t'assure. Nous avons tous essayé. Dès que l'album sera enregistré, nous le convaincrons de suivre une nouvelle cure de désintoxication.

— Dès que l'album sera terminé. Toujours le foutu album !

Révoltée, elle se tourna vers son père.

— Il est ton ami.

Celui-ci ne prit pas la peine de se défendre. Combien de fois avait-il supplié Stevie d'accepter de l'aide ? Combien de fois avait-il essuyé lui-même son sang ?

— Tu ne comprends pas, dit-il simplement.

— Non, tu as raison. Je ne comprends pas.

Elle jeta un coup d'œil autour d'elle.

— Je rentre à la maison.

— Emma...

Déchiré, Brian se tourna pour regarder Stevie.

— Va-t'en, déclara P. M. Je m'occupe de le ramener chez lui.

— D'accord.

Brian rattrapa Emma dehors. La neige avait cessé de tomber et la lune brillait d'un éclat bleuté. Il serra son manteau contre lui pour lutter contre la morsure du froid et posa la main sur l'épaule de sa fille.

— Emma.

Elle s'arrêta, mais ne se retourna pas.

— Je comprends que tu sois bouleversée. C'est une vision que nul ne devrait avoir à supporter. Jamais.

La jeune femme fit volte-face et le regarda droit dans les yeux.

— Et pourtant tu fais la même chose !

— Je n'ai jamais utilisé d'aiguille, Emma. Jamais.

— Et le reste, c'est bien ? s'exclama-t-elle, en dépit de son soulagement.

— Ni bien ni mal. C'est la réalité.

— Pas mon genre de réalité.

— Je le sais, et j'en suis heureux.

Il prit le visage d'Emma entre ses mains.

— Crois-moi, si je pouvais, je te protégerais de tout ce qui peut te faire du mal ou de la peine.

— Je ne veux pas être protégée. Je n'en ai pas besoin.

Ils s'interrompirent pour regarder Johnno et P. M. porter Stevie jusqu'à une des voitures.

— Est-ce donc le genre de vie que tu désires ? reprit la jeune femme. C'est pour ça que tu as tant travaillé ? C'était ça, tes beaux rêves ?

Brian était furieux. Furieux parce qu'il avait honte. Honte devant sa fille. Honte de ne pas connaître la réponse à ses questions.

— Je ne peux pas l'expliquer, Emma. Mais je sais que l'on n'obtient jamais tout ce qu'on veut, et encore moins tout ce dont on a rêvé.

Elle se détourna de nouveau, mais ne s'éloigna pas. Tendrement, il déposa un baiser dans ses cheveux. Puis, ils se dirigèrent vers la voiture de Brian. Sans parler.

Telle une ombre, Sweeney leur emboîta le pas.


Michael avait beau avoir vécu toute sa vie du côté de Hollywood, il n'en était pas moins un peu badaud, comme le commun des mortels. Aussi, ne vit-il aucun inconvénient à faire partie de l'équipe de sécurité assignée au tournage du film *Dévastée*. Évidemment, la mission n'était pas toujours de tout repos. D'abord, il fallait contrôler les hordes de fans. Ceux du groupe Devastation, par exemple, après s'être insurgés contre le livre de Jane Palmer, conspuaient maintenant les producteurs du film, et certains arboraient des airs franchement belliqueux. Il y avait aussi les jeunes filles qui hurlaient et pleuraient à chaque apparition de Matt Holden, le jeune premier en vogue qui s'était vu confier le rôle de Brian. Elles n'étaient pas les moins imprévisibles. Michael avait reçu des coups de pied dans les chevilles, des coups de poing, et certaines avaient même sangloté sur son uniforme.

Aujourd'hui, la tension était à son comble. C'était le premier jour de tournage d'Angie Parks. On avait recréé une rue de Londres en plein studio et des figurants déambulaient dans le décor, vêtus à la mode du début des années 1960. Soudain, elle apparut. La star du film. L'ex-femme de P. M. Ferguson, dans le rôle de l'ancienne maîtresse de Brian McAvoy. L'ironie n'avait pas échappé à la presse qui en avait fait ses choux gras.

Angie s'avança, longue, plantureuse, son corps de déesse serré dans une minijupe et un chemisier de coton. Elle eut un geste amical, mais distant, en direction des fans et s'entretint quelques instants avec son partenaire et le réalisateur. La scène était simple. Jane et Brian longeaient cette rue londonienne, étroitement enlacés. Toute la matinée, les deux acteurs arpentèrent donc les mêmes cent mètres, pour les différents angles de caméra, puis pour les gros plans de Jane, quand elle levait un visage adorateur vers son amant.

Durant la pause du déjeuner, Michael s'aperçut brusquement qu'Angie le regardait avec insistance et il lui sembla, tout à coup, que son col l'étranglait. Il la vit murmurer quelques paroles à un assistant, puis s'éloigner au bras du réalisateur.

Les dialogues furent ajoutés à la scène, plus tard dans la journée. La même promenade, les mêmes mouvements. Il était question de promesses d'amour éternel, de projets d'avenir. Mais Michael n'entendit rien. Il savait seulement qu'entre deux prises, Angie lui jetait un long regard.

Elle le draguait, se dit-il avec un sentiment mêlé d'excitation et de terreur brute. Et sans s'embarrasser de subtilité. Il n'en fut pas moins choqué, quand, une fois la scène achevée, elle lui fit signe de la rejoindre.

— Ma caravane est par là-bas, dit-elle.

— Je vous demande pardon ?

— Ma caravane, reprit-elle en le fixant avec un sourire lent et séducteur.

Sa bouche était peinte en rose vif, pour les besoins du film, et elle passa le bout de sa langue sur sa lèvre supérieure, sans le quitter des yeux.

— Je dois me changer et me démaquiller, reprit-elle. Vous n'aurez qu'à m'attendre à l'extérieur. C'est vous qui me reconduisez chez moi.

— Mais, mademoiselle Parks, je suis de service...

— Oui. À mon service. J'ai reçu des lettres de menaces au sujet de ce rôle, voyez-vous. Je me sentirai tellement plus en sécurité, avec un homme fort près de moi.

Elle marqua une pause pour signer quelques autographes.

— Les producteurs ont tout arrangé avec vos supérieurs, cet après-midi.

Sur un dernier battement de cils, elle s'éloigna de sa démarche onduleuse, tandis que Michael demeurait figé sur place.

— Kesselring.

Clignant des yeux, Michael se tourna vers le sergent Cohen.

— Vous allez escorter Mlle Parks chez elle, dit ce dernier, dont le visage rougeaud était plus congestionné que d'habitude. Jusqu'à nouvel ordre, vous passerez la prendre le matin pour l'accompagner au studio et vous la reconduirez le soir.

À en juger par le ton mordant de sa voix, Cohen n'approuvait guère cet arrangement.

— Je compte sur vous pour vous conduire convenablement, conclut-il.

— Oui, sergent.

Michael veilla à ne pas laisser exploser son sourire, avant que Cohen eût disparu.

Elle sortit de sa caravane une demi-heure plus tard, vêtue d'une robe rouge serrée à la taille par une grosse ceinture de cuir. Son parfum flottait autour d'elle, laissant dans son sillage de ces bouffées capiteuses qui montent directement au cerveau d'un homme. Ses cheveux tombaient en cascades blondes sur ses épaules et ses yeux étaient dissimulés par de grosses lunettes de soleil.

Elle s'arrêta devant la portière, à l'arrière de la voiture de patrouille, et attendit que Michael l'ouvrît pour elle. Alors, elle s'installa sur la banquette, lui donna son adresse et ferma les yeux. Durant tout le trajet, elle ne prononça pas une parole, et Michael finit par se dire qu'il s'était trompé sur ses intentions. Il se sentait à la fois ridicule et soulagé.

En arrivant devant les grilles de fer forgé, elle fit un signe de la main au garde, et Michael s'engagea dans l'allée, se rappelant la première fois qu'il était venu là, plusieurs années auparavant, avec Emma. Cette pensée le fit sourire. Tristement. Avec regret. Chère, douce Emma. Elle ne ferait jamais partie de sa vie, sinon dans ses rêves.

Il s'arrêta devant le perron, coupa le contact et sortit pour ouvrir la portière à la comédienne.

— Entrez, ordonna Angie.

— Madame, je...

— Entrez, répéta-t-elle, avant de monter les marches.

Elle laissa la porte ouverte derrière elle, certaine qu'il allait la suivre. Les hommes suivaient toujours.

Puis elle se dirigea vers ce qu'elle appelait volontiers son salon de réception et, abandonnant ses lunettes de soleil sur une table, marcha vers un cabinet Louis XV.

— Scotch ou bourbon ? demanda-t-elle sans se retourner, le devinant sur le seuil, un peu gêné, hésitant.

— Je suis en service, murmura-t-il.

Il ne put s'empêcher de lever les yeux vers le portrait grandeur nature qui trônait au-dessus de la cheminée. Il le connaissait. Il l'avait déjà vu, avec Emma.

— Bien sûr, dit Angie, qui se versait déjà un soda au bar. Je trouve très rassurant que vous preniez à ce point votre devoir au sérieux. Un Coca-Cola, ça ira ?

Elle versa le contenu d'une canette dans un verre et, se tournant vers lui, le lui tendit.

— J'aimerais que nous bavardions, quelques instants. Faire connaissance... Puisque vous allez vous occuper de moi, pendant un moment.

Elle marquait un léger temps d'arrêt après chaque phrase, laissant traîner les mots et prenant un plaisir manifeste à tisser la toile de séduction dans laquelle elle allait faire tomber sa victime.

— Allez, ajouta-t-elle avec un sourire. Je ne vous mordrai pas.

Elle attendit qu'il acceptât le verre, avant de s'en servir un et de se lover dans un coin du sofa.

— Asseyez-vous et parlez-moi de vous.

Angie savourait chaque instant de cette petite scène, ressentant les premiers effets de l'excitation. Il était si jeune ; son corps serait dur comme du roc. Une fois débarrassé de sa charmante timidité, il serait passionné, avide. Il ne pouvait guère avoir plus de vingt-cinq ans. À cet âge, les hommes sont infatigables.

Michael s'assit à son tour, parce qu'il se sentait idiot, debout au milieu de cette pièce, un verre de Coca dans la main. Il n'était pas stupide. Sa première impression au sujet des intentions d'Angie Parks était la bonne. Restait à décider, maintenant, ce qu'il allait faire, lui.

— Je suis flic, deuxième génération, déclara-t-il enfin. Né en Californie.

Il but une gorgée en se disant qu'il était détendu. Bon sang, il avait vingt-quatre ans. Si l'époustouflante Angie Parks voulait flirter, il pouvait bien lui passer ce petit caprice.

— Et un fan, ajouta-t-il avec un sourire.

— Vraiment ? dit Angie, ronronnant presque.

— J'ai vu tous vos films.

Une fois de plus, son regard fut attiré par le portrait.

— Il vous plaît ? demanda-t-elle.

— Oui. Il est superbe.

D'un long mouvement fluide, elle tendit la main, souleva le couvercle d'une boîte en argent, posée sur la table basse, et tira une cigarette. Elle la tint entre l'index et le majeur, le regardant jusqu'à ce qu'il comprenne le message et s'empare du briquet assorti, qui trônait dans la boîte argentée.

— En fait, je l'ai déjà vu, reprit-il.

— Quoi donc ?

— Le portrait. C'est drôle, quand on y pense. J'étais ici même, il y a sept ou huit ans. Avec Emma.

Angie plissa les yeux.

— Emma McAvoy ?

— Oui. Je l'avais vue à la plage. On s'était rencontrés, plusieurs années auparavant. Je l'ai ramenée chez elle. Enfin, ici. Je crois que vous tourniez un film, en Europe.

— Vraiment, murmura Angie.

Elle réfléchit quelques instants, et sourit. Ça rendait la situation plus piquante, encore. Voilà qu'elle s'apprêtait à séduire un ami de la jeune Emma, alors même qu'elle jouait le rôle de sa mère, dans ce qui s'annonçait comme le film le plus chaud de l'année. Elle posa son verre sur la table basse et se pencha vers Michael, jouant un instant avec les boutons de sa chemise.

— Comme le monde est petit… Vous voyez Emma souvent ?

— Non. Enfin, à dire vrai, je l'ai vue le mois dernier, quand elle est venue à Los Angeles.

— C'est charmant, susurra Angie en faisant sauter le premier bouton. Vous êtes... ensemble, tous les deux ?

— Non. C'est-à-dire... Non. Mademoiselle Parks...

— Angie.

Elle souffla des volutes de fumée vers le visage de Michael.

— Et vous, quel est votre nom, chéri ?

— Michael. Michael Kesselring. Je ne...

Angie se figea, un instant.

— Kesselring ? Existe-t-il un lien avec le policier qui était chargé de l'enquête sur le meurtre McAvoy ?

— C'est mon père. Mademoiselle...

Elle eut alors un formidable rire. Un rire clair et ravi.

— De mieux en mieux. Appelons cela le destin, Michael.

Sa main glissa lentement jusqu'à la cuisse du jeune homme.

— Détends-toi.

Il n'était pas stupide, et il n'était pas mort non plus. Quand les doigts d'Angie se refermèrent sur lui, un plaisir aigu le traversa comme une lame brûlante. Et avec lui, un terrible sentiment de culpabilité. Ridicule, pensa-t-il aussitôt. Cette femme était belle, dangereuse, le fantasme inavoué de tout homme. Et il n'avait plus dix ans.

Angie le caressa d'une main experte, le sentant durcir contre sa paume. Il serait un amant merveilleux, se dit-elle. Et l'ironie – l'ironie de la situation – était irrésistible.

— Je n'ai jamais eu un flic, murmura-t-elle en mordillant la lèvre de Michael. Tu seras le premier.

Sentant sa gorge se nouer, il secoua la tête, comme pour s'éclaircir les idées. Alors, une vision stupéfiante de clarté se fit jour devant ses yeux : lui et

Emma, assis sur la plage, un après-midi d'hiver. Puis Angie se leva. Elle déboucla sa ceinture et, d'un simple mouvement des épaules, fit tomber sa robe rouge à ses pieds. Dessous, son corps était blanc, luxuriant et nu. Elle caressa ce corps devant lui, adorant chaque courbe avec des gestes d'amant. Avant qu'il eût trouvé la force de se relever, elle s'installa sur lui et, poussant un gémissement, pressa la bouche de Michael contre un sein parfaitement rond.

— Fais-moi des choses, dit-elle dans un souffle. Fais-moi tout ce que tu voudras.

# 24

Les tabloïds s'en donnèrent à cœur joie :

*L'amant flic d'Angie Parks*
*Tous les détails de l'histoire*
*Triangle de passion et de meurtre à Hollywood*

Aucun n'avait manqué de rappeler toutes les connexions avec les McAvoy, afin de rendre l'affaire plus juteuse encore. À New York, Emma passait des heures dans sa chambre noire, essayant d'ignorer les commérages et priant pour que ce ne fût pas vrai.

Cela ne la regardait pas, se disait-elle. Michael n'était qu'un ami – une connaissance, à vrai dire. Rien ne les liait l'un à l'autre, à part ce baiser, sur la plage. Un petit baiser qui ne signifiait rien. Même si... Mais justement, elle n'était pas sûre de comprendre ce qu'elle avait ressenti. C'était sans doute sans importance. Et si Michael était effectivement tombé entre les griffes d'Angie, il fallait le plaindre ; en aucun cas, elle ne pouvait se sentir trahie. Ils menaient leur vie, chacun de son côté ; lui, sur la côte ouest ; elle, sur la côte est. Et justement, à New York, les choses commençaient à bouger vraiment, pour elle.

Emma travaillait pour Runyun. Ce n'était peut-être qu'un petit boulot d'assistante, mais, en quelques semaines, elle avait plus appris qu'en plusieurs années de tâtonnements et d'études. Elle s'améliorait, pensa-t-elle en trempant une épreuve dans le fixateur. Et ce n'était qu'un début.

Professionnellement, elle savait exactement où elle allait. Et si le magazine *Rolling Stone* aimait les photos des Devastation qu'elle avait prises durant les séances d'enregistrement à Londres, elle serait lancée.

Sur le plan personnel, c'était une autre histoire.

L'entrevue avec Jane l'avait profondément choquée et, malgré les paroles rassurantes de Beverly, Emma ne pouvait se débarrasser de sa terrifiante obsession : devenir un jour comme sa mère. Une alcoolique. Une alcoolique minable et rongée par l'amertume.

Comment pouvait-elle échapper à une fatalité qui semblait la cerner de toutes parts ? Sa mère, son grand-père. Son père. Car elle avait beau vouloir s'aveugler, elle ne pouvait nier l'évidence. L'homme qu'elle aimait plus que tout au monde était un esclave de l'alcool, au même titre que la femme qu'elle voulait haïr. Et cela la terrifiait.

Mais il n'était pas bon d'y penser sans cesse, se dit-elle en suspendant son cliché pour le faire sécher. Elle l'étudia un instant, d'un regard critique, avant de retourner vers son agrandisseur.

D'ailleurs, elle avait un autre sujet d'inquiétude : Marianne. Celle-ci ratait des cours pour rejoindre Robert Blackpool dans les restaurants et les bars où il était bon d'être vu. De là, ils se rendaient dans les clubs à la mode. De plus en plus souvent, Marianne rentrait à l'aube, les yeux cernés, avec plein d'histoires à raconter. Mais le pire, c'était les nuits où Blackpool restait au loft, dans le studio de Marianne. Dans le lit de Marianne.

Du fond du cœur, Emma souhaitait le bonheur de son amie. Marianne semblait heureuse. Elle était follement amoureuse, pour la première fois, et d'un homme qui, manifestement, l'adorait. Elle menait la vie brillante et décadente dont elles avaient tant rêvé toutes les deux, quand elles étaient enfermées derrière les murs sévères de Sainte-Catherine.

Et Emma s'en voulait d'être jalouse, critique. Marianne lui manquait, et les mines épanouies de la jeune femme, après une nuit d'amour, l'agaçaient. Alors, elle se jugeait mesquine et méchante. Mais le plus ennuyeux était le malaise qu'elle ressentait en présence de l'heureux amant. Blackpool était beau, excitant et bourré de talent, elle ne pouvait le nier ; surtout à cet instant où elle étudiait les clichés qu'elle avait pris de lui.

Marianne avait insisté pour qu'Emma le photographie. Il s'était comporté en vrai gentleman ; très à l'aise, amusant, flatteur, adoptant l'attitude qui sied, en présence de l'amie de sa maîtresse.

Sa maîtresse. Emma poussa un soupir. C'était peut-être ça, le problème. Depuis plus de dix ans, elle partageait tout avec Marianne ; chaque pensée, chaque désir, chaque rêve. Mais ça, elles ne pouvaient pas le partager, et pour Emma, le bonheur éclatant de son amie était un rappel constant de ce qu'elle-même n'avait encore jamais connu.

De tels sentiments la faisaient rougir de honte. Elle pouvait justifier ceux que Blackpool lui inspirait ; il était trop lisse, trop beau parleur ; il aimait trop les clubs et les femmes. Ses yeux étaient trop sombres, quand ils s'attardaient sur elle ; trop insolents, lorsqu'ils se posaient sur Marianne. Mais la vérité, c'est qu'elle était désespérément jalouse de son amie.

Alors, elle se raisonnait. Peu importait que Blackpool ne lui fût pas sympathique, se disait-elle. Peu importait que Johnno partageât son sentiment en tout point. Ce qui comptait, c'est que Marianne était amoureuse.

Emma alluma la lumière et s'étira. Elle avait passé la majeure partie de la journée dans sa chambre noire et se découvrait un appétit dévorant, tout à coup.

Elle fouillait dans le réfrigérateur à la recherche de quelque chose de plus intéressant que les restes de spaghettis *bolognese* de la veille, lorsqu'elle entendit s'ouvrir la porte de l'ascenseur.

— J'espère que tu as fait le plein de vivres, lança-t-elle. C'est la dèche, ici.

— Désolé.

Emma se retourna brusquement en entendant la voix de Blackpool.

— Oh, j'ai cru que c'était Marianne.

— Eh non. Elle m'a donné une clé.

Il sourit.

— J'aurais fait des courses, si j'avais su que j'allais trouver une femme affamée.

— Marianne est au cours, dit Emma en consultant sa montre. Elle ne devrait pas tarder.

— J'ai tout mon temps.

Il entra dans la cuisine et jeta un coup d'œil par-dessus l'épaule d'Emma qui, aussitôt, fit un pas de côté.

— Pas terrible, en effet, déclara-t-il tranquillement en prenant quand même une des bières que Marianne achetait spécialement pour lui.

Il y avait un ouvre-bouteille incrusté dans un pan de mur et il fit sauter la capsule, avant de se tourner vers Emma, qu'il étudia de pied en cap.

La jeune fille avait rassemblé ses cheveux sur le haut de sa tête pour ne pas être gênée en travaillant. Soudain, sous le regard de Blackpool, elle sentait que son jean était trop serré, son tee-shirt trop lâche. Peu désireuse de se trouver coincée avec lui dans la cuisine, elle fit mine de sortir ; mais il se plaça sur son chemin, et leurs deux corps se touchèrent, une fraction de seconde. C'était un acte délibéré, suggestif et d'autant plus choquant qu'il ne s'était jamais permis, jusqu'alors, un geste aussi déplacé. Comme elle se dégageait brusquement, il rit.

— Je te rends nerveuse, Emma ?

— Non. Vous avez prévu de sortir, ce soir ?

— Oui.

Il arbora ce sourire ravageur qu'Emma détestait tant.

— Tu veux te joindre à nous ?

— Je ne pense pas, non.

La seule fois que Marianne avait réussi à l'entraîner avec eux, Emma avait passé la soirée à les suivre de club en boîte de nuit et à éviter les paparazzi.

— Tu ne sors pas assez, ma jolie.

— J'ai du travail, riposta-t-elle.

— À ce propos, tu as développé les photos de moi ?

— Oui. Elles sont en train de sécher.

— Je peux les voir ?

Haussant légèrement les épaules, Emma le précéda dans la chambre noire. Elle n'avait pas peur de lui, se dit-elle. Et s'il imaginait pouvoir l'ajouter à son tableau de chasse, elle saurait bien le remettre à sa place.

— J'en suis assez contente, dit-elle. J'ai joué la carte du ténébreux, avec une pointe d'arrogance.

— Sexy ?

Son souffle chaud caressait la nuque d'Emma. Elle essaya de contrôler le trouble fugitif qui la traversa.

— Certaines femmes trouvent l'arrogance sexy.

— Pas toi ?

— Non, répondit-elle en désignant les clichés suspendus par des pinces. S'il y a une photo qui te plaît, je peux t'en faire un agrandissement.

Distrait un instant par sa propre image, Blackpool en oublia son flirt. La séance avait eu lieu dans le loft. Il avait joué le jeu sur l'insistance de Marianne, et parce qu'il aimait l'idée de déployer son charme devant Emma. Il avait un penchant pour les toutes jeunes femmes, surtout depuis qu'il avait rompu avec son épouse. Celle-ci avait trente ans, l'esprit tranchant comme une lame de rasoir et une fâcheuse tendance à se transformer en harpie, dès qu'elle le soupçonnait, à raison, de lui être infidèle.

Marianne, au contraire, était vive, amusante, et une maîtresse enthousiaste. Quant à Emma, la jeune et douce Emma, c'était encore autre chose. Il voulait découvrir ce qu'elle dissimulait sous son apparente réserve. Son innocence virginale l'émoustillait. En outre, son père en deviendrait fou, ce qui ajoutait encore du piment à l'entreprise. Mais il écarta ces pensées, un instant, tandis qu'il étudiait les épreuves en noir et blanc.

— Marianne disait que tu étais douée, mais je la soupçonnais de se laisser aveugler par son affection pour toi, murmura-t-il.

— Non, je suis douée.

Il eut un rire profond et rauque qui la fit frémir et elle s'écarta un peu plus de lui. Oh, oui, il était sexy. Mais au-delà des réactions primitives qu'il provoquait en elle, quelque chose la rebutait.

— Tu l'es, ma douce, murmura-t-il en se tournant vers elle. Je dis toujours qu'il faut se méfier de l'eau qui dort.

— Je connais mon travail.

— C'est plus que du travail.

Il s'approcha d'elle et posa une main contre le mur, la bloquant ainsi dans un coin de la chambre noire. La situation présentait un élément de danger auquel il ne pouvait résister.

— La photographie est un art, n'est-ce pas ? Et les artistes sont doués de qualités qui manquent aux autres.

De sa main libre, il ôta une des pinces qui retenaient les cheveux d'Emma. Elle demeurait immobile, nerveuse, effrayée comme un lapin pris dans les phares d'une voiture.

— Les artistes se reconnaissent entre eux, poursuivit-il en tirant une autre pince. Est-ce que tu me reconnais, Emma ?

Elle ne pouvait ni parler, ni bouger. Son cerveau était comme paralysé. Puis, comme elle trouvait la force de secouer la tête, il enfonça une main dans la chevelure blonde qu'il venait de libérer et lui écrasa la bouche de ses lèvres ouvertes et brûlantes.

Emma ne réagit pas immédiatement. Elle devait, à jamais, se reprocher ce moment de stupéfaction et le plaisir torride qu'elle avait ressenti à ce moment-là.

Blackpool se pressa contre elle, ravi par tant d'innocence. Sa langue se glissa dans la bouche entrouverte d'Emma et, comme elle gémissait, comme elle protestait enfin, il remonta ses mains sous le tee-shirt, lui emprisonnant les seins et les pressant dans ses paumes.

— Non !

Mais il rit de nouveau. L'émoi de sa victime avait transformé sa curiosité en un feu dévorant et il la plaqua contre le mur.

— Lâche-moi, cria Emma.

Elle se débattait de toutes ses forces, à présent, ses ongles agrippant le cuir du blouson de Blackpool. Une terreur affreuse s'était emparée de tout son être. Elle ne savait pas qu'elle pleurait, ni que cela excitait son bourreau.

D'un coup sec, Blackpool défit les boutons du jean de la jeune fille et s'apprêtait à faire de même avec le sien, lorsqu'elle réussit à attraper une paire de ciseaux qui traînait sur une étagère à côté d'elle. Elle les prit à deux mains.

— Laisse-moi, dit-elle d'une voix aussi tremblante que les doigts qu'elle avait refermés sur son arme.

— Qu'est-ce que...

Il recula d'un pas, frappé tout à coup par la violence de son regard.

— Tu défends ton honneur ? railla-t-il. Tu étais prête à le jeter pardessus les moulins, il n'y a pas une minute.

Comme il faisait mine de se rapprocher de nouveau, elle brandit les ciseaux d'un air menaçant.

— Sors d'ici. Je t'ordonne de sortir. Et ne t'approche plus jamais de moi, ni de Marianne. Quand je lui dirai...

— Tu ne lui diras rien du tout, répliqua-t-il, souriant malgré sa fureur. Tu ne réussirais qu'à perdre une amie. Elle est amoureuse de moi et elle croira exactement ce que je lui raconterai. Tu te rends compte, séduire ainsi l'amant de sa meilleure amie…

— Tu n'es qu'un salaud ; et un menteur.

— Exact, ma jolie. Et toi, tu es une allumeuse frigide.

Il reprit sa bière et avala une gorgée.

— Moi qui voulais te rendre service. Tu as un problème, chérie, mais rien qu'on ne puisse soigner avec un bon coup. Et crois-moi, je suis un très bon coup. Tu n'as qu'à demander à ta copine.

— Sors d'ici.

— Mais comment le saurais-tu, petite fille effarouchée par l'idée du péché ! Je suis sûr que tu nourris des fantasmes inavouables en nous écoutant, Marianne et moi, quand nous sommes là-haut. Tu es de celles qui aiment qu'on les viole ; c'est tellement mieux, quand on peut hurler son innocence tout en en demandant davantage.

Emma serra les dents.

— Je te préviens, si j'utilise ces ciseaux, je vise directement tes couilles.

Elle eut la satisfaction de le voir pâlir, de rage, certainement, mais aussi de peur. Au même instant, ils entendirent la porte de l'ascenseur.

— Emma ? lança la voix de Marianne. Tu es là ?

Blackpool regarda Emma d'un air goguenard.

— Ici, ma chérie, répondit-il à voix haute. Emma me montrait ses épreuves.

Il pivota sur ses talons et sortit de la chambre noire.

— Je t'attendais, dit-il à Marianne, d'une voix suave.

— Je ne savais pas que tu serais là…

Un silence essoufflé suivit et Emma imagina son amie dans les bras de Blackpool. De la main droite, elle frotta sa bouche, avec dégoût.

— Allons voir ces photos, reprit Marianne.

— Pourquoi faire, puisque tu as l'original ?

— Robert...

La protestation de la jeune femme mourut dans un gémissement étouffé.

— Mais, Emma...

— Ne t'en fais pas pour elle. Elle est occupée. J'ai attendu ce moment toute la journée...

Emma demeura immobile, tandis que leurs murmures montaient le long de l'escalier. Alors, très doucement, elle ferma la porte. Elle ne voulait rien entendre. Elle ne voulait pas imaginer. Ses jambes la portèrent à peine jusqu'au tabouret. Là, elle lâcha les ciseaux, qui s'écrasèrent sur le carrelage.

Il l'avait touchée. Ce monstre l'avait touchée, et, l'espace d'un instant, elle avait voulu qu'il continue. Elle avait désiré qu'il ne lui laisse pas le choix, juste comme il l'en avait accusée. Et pour ça, elle le haïssait, et se haïssait plus encore.

Le téléphone sonna trois fois à côté d'elle avant qu'elle trouve l'énergie de décrocher.

— Oui.

— Emma. Emma, c'est toi ?

— Oui.

Il y eut un grésillement sur la ligne, une hésitation.

— C'est Michael. Michael Kesselring.

Elle regarda devant elle, sans rien voir.

— Oui, Michael.

— Je... Est-ce que ça va ? Quelque chose ne va pas ?

Elle faillit éclater de rire. Un rire tonitruant et amer.

— Non. Pourquoi ça n'irait pas ?

— Je ne sais pas. Tu as une drôle de voix... Je suppose que tu as lu les tabloïds.

— Je les ai lus.

Il poussa un soupir. Le discours qu'il avait préparé avec tant de soin s'était évanoui de son esprit.

— Je voulais t'expliquer...

— Pourquoi ? Ce que tu fais et avec qui tu le fais ne me regarde en aucune façon.

Tout à coup, la colère l'étouffait. Cette colère que la peur l'avait empêchée de ressentir, un moment plus tôt.

— Je ne vois vraiment pas pourquoi je devrais me préoccuper de savoir avec qui tu baises, n'est-ce pas ?

— Oui. Non. Bon Dieu, Emma. Je... je ne voulais pas que tu imagines...

— Quoi ? Tu vas me dire que tu n'as pas couché avec elle ?

— Non, je ne peux pas dire ça.

— Dans ce cas, nous n'avons plus rien à discuter.

— Emma, je ne sais pas comment cette histoire a pris de telles proportions. Il faut que je te parle, mais pas au téléphone. Je peux demander deux jours de congé et prendre l'avion.

— Je ne te verrai pas.

— Emma, pour l'amour du ciel !

— Je ne te verrai pas. Ça ne sert à rien, Michael. Une fois de plus, je te dis que tu es libre de faire ce que tu veux, avec qui tu veux, et avec ma bénédiction, par-dessus le marché. Je veux tirer un trait sur le passé. Un trait définitif. Tu comprends ?

Il y eut un silence interminable, à l'autre bout de la ligne.

— Oui, répondit-il enfin. Je suppose que je comprends... Bonne chance, Emma.

— Merci, Michael. Au revoir.

Elle pleurait de nouveau. C'était la réaction. La réaction à cette scène horrible avec Blackpool. Elle ne souhaitait que du bien à Michael. Vraiment. Oh, maudit soit-il, lui aussi, et tous les hommes de la terre !

Elle verrouilla la porte, alluma la radio et, se laissant glisser sur le sol, pleura toutes les larmes de son corps.

# 25

On aurait dit qu'un ouragan s'était déchaîné sur le loft. Mais Marianne avait toujours été poussée par un souffle violent, se dit Emma en contemplant le désordre ambiant avec un sourire. Il y en avait partout ; des magazines, des sacs à main vides, des vêtements, un seul escarpin noir et une pile de disques étalés sur le sol, comme un jeu de cartes. Emma en choisit un, le posa sur la platine et la voix d'Aretha Franklin s'éleva dans l'appartement.

Elle sourit, se rappelant que Marianne avait écouté ce disque, la veille, en faisant ses valises. Dire qu'elle était partie à Paris. Un an à l'école des Beaux-Arts était une opportunité à laquelle elle n'avait pu résister. Emma était folle de joie pour son amie, mais elle se sentait bien seule, au milieu du grand loft vide.

Enfin, pas pour longtemps. Elle aussi devait préparer ses bagages. Dans deux jours, elle serait à Londres. Elle allait suivre la tournée des Devastation, mais, cette fois, en qualité de photographe officiel. Un titre qu'elle avait mérité. Brian lui avait donné sa chance en lui demandant de réaliser la photo de couverture de l'album *Lost the Sun*, et le portrait du groupe – un cliché qu'elle avait voulu très cru, en noir et blanc – lui avait gagné l'estime générale ; à tel point que Pete avait cessé de parler de népotisme. En fait, c'était lui-même qui l'avait appelée pour l'inviter à couvrir la tournée. Salaire et frais inclus.

Londres, Dublin, Paris, où elle pourrait voir Marianne, Rome, Madrid, Berlin, sans compter les villes entre une capitale et l'autre. En tout, dix semaines à caracoler à travers l'Europe. À son retour, elle réaliserait le projet qu'elle caressait depuis deux ans : ouvrir son propre studio.

Emma ramassa tout ce qui traînait et le porta dans l'atelier de Marianne où la pagaille était plus indescriptible encore. Il y flottait une odeur de térébenthine mêlée aux effluves du parfum Opium, et Emma contempla un instant le désordre des chevalets et des pots de verre encombrés de pinceaux et autres brosses. Oui, son amie allait lui manquer terriblement. Elles avaient tout partagé, les plaisanteries, les crises, les disputes et les larmes. Il n'existait aucun secret entre elles. À l'exception d'un seul, se rappela Emma. Encore aujourd'hui, elle ne pouvait s'empêcher de frissonner en y pensant.

Elle n'avait jamais parlé de la scène avec Blackpool. Ni à Marianne, ni à personne. Et pourtant, elle avait bien failli le faire, surtout la nuit où son amie était rentrée, ivre et persuadée qu'il allait la demander en mariage.

— Regarde ce qu'il m'a donné ! s'était-elle exclamée en lui montrant le diamant en forme de cœur qui pendait à son cou. Il m'a dit qu'il ne voulait pas que je l'oublie, pendant qu'il enregistrerait son nouvel album à Los Angeles.

— C'est très beau, avait murmuré Emma. Quand part-il ?

— Ça y est. Je l'ai conduit à l'aéroport.

Emma avait retenu un soupir de soulagement.

— J'ai passé une demi-heure assise dans le parking, racontait Marianne, à pleurer comme une imbécile, après son départ. C'est idiot. Il va revenir. Oh, Emma, je sais qu'il va me demander de l'épouser. Je le sais.

— L'épouser ? s'était écriée Emma, prise de panique. Mais, Marianne...

— C'est la façon dont il m'a dit au revoir ; son regard, quand il m'a donné le pendentif. J'ai été à deux doigts de le supplier de m'emmener avec lui. Mais je veux qu'il m'appelle. Il va le faire. Je le sais.

Évidemment, rien de tel ne s'était produit.

Marianne était restée assise près du téléphone, chaque soir ; elle rentrait de cours à toute allure, jour après jour, dans l'espoir de trouver un message sur le répondeur. Blackpool ne se manifesta jamais.

Trois semaines plus tard, elle comprit pourquoi. La télévision, puis les tabloïds, se mirent à le montrer partout en compagnie d'une jeune et ravissante choriste brune.

La première réaction de Marianne fut de rire aux éclats. Puis, elle essaya de le joindre. Il ne la rappela jamais. Jusqu'au jour où on lui répondit qu'il prenait des vacances en Crète. Avec la petite brune.

Marianne avait été terrassée, foudroyée. Emma ne l'avait jamais vue dans un tel état. Heureusement, elle avait fini par s'en sortir. Et, après avoir maudit Blackpool en des termes colorés qui avaient réchauffé le cœur d'Emma, la jeune femme avait jeté le diamant par la fenêtre.

Puis, elle s'était tout à fait remise. Elle avait replongé dans son travail avec une fureur et une énergie qu'elle devait sans doute à ce scélérat. L'artiste n'enfante-t-il pas dans la douleur ?

Emma, de son côté, aurait voulu oublier aussi facilement. C'était le passé, se disait-elle encore en redescendant dans sa chambre. Mais son problème, justement, était qu'elle se rappelait toujours tout avec trop de clarté. C'était à la fois une chance et une malédiction que de revoir ce qui lui était arrivé un an, ou vingt ans plus tôt, aussi aisément qu'elle se voyait dans un miroir.

À l'exception d'une nuit dans sa vie, songea-t-elle. Cette nuit-là ne réapparaissait que dans ses rêves.

L'Interphone l'arracha à ses pensées, et elle redescendit l'escalier en se demandant qui pouvait bien venir la voir.

— Oui ? dit-elle en poussant le bouton.

— Emma ? C'est Luke.

— Luke ? Monte !

Ravie, elle attendit devant l'ascenseur, qui s'ouvrit presque aussitôt. Elle serra Luke dans ses bras, un peu surprise de sentir une légère hésitation de sa part.

— Luke, je ne savais pas que tu étais à New York.

Elle se dégagea pour le regarder et dut se forcer pour garder le sourire. Il avait une mine affreuse, le regard creusé, cerné. La dernière fois qu'elle l'avait vu, il s'apprêtait à partir pour Miami. Un nouveau job, une nouvelle vie.

— Je suis arrivé il y a deux jours, dit-il. Tu es plus jolie que jamais.

— Merci, répondit-elle.

Et parce que la main de Luke était si froide dans la sienne, elle la frictionna automatiquement.

— Viens, entre. Tu veux boire quelque chose ?

— Tu as du bourbon ?

Elle haussa un sourcil. Depuis qu'elle le connaissait, elle ne l'avait jamais rien vu avaler de plus fort que du vin blanc.

— Je vais voir, répondit-elle.

Elle attendit qu'il fût installé dans le fauteuil pour aller dans la cuisine. Miami ne lui réussissait pas, se dit-elle en ouvrant les placards. À moins que ce ne soit la rupture avec Johnno. Luke avait l'air d'un cadavre ambulant. Ou comme le survivant d'une catastrophe. Pâle, hagard. Dix-huit mois plus tôt, quand elle l'avait vu avant son départ, Luke était un homme magnifique, beau et musclé.

— Il y a du cognac, lança-t-elle.

— Très bien, répondit-il.

Elle le rejoignit quelques instants plus tard avec son verre, et le Perrier qu'elle s'était versé. Le sourire de

Luke était moins contraint, quand elle s'assit sur le canapé, en face de lui.

— J'ai toujours adoré cet endroit, dit-il. Où est Marianne ?

— À Paris. Ou plutôt, dans un avion à destination de Paris. Elle va y rester un an pour compléter sa formation.

Il hocha la tête et contempla les photos accrochées sur un mur.

— J'ai vu ton étude de Baryshnikov.

— Ce fut l'un des moments les plus excitants de ma vie. J'étais stupéfaite que Runyun me confie cette mission.

— Et la couverture de l'album.

— Attends de voir celle du nouveau, qui doit sortir à la fin de la semaine. Bien sûr, la musique n'est pas mal non plus.

— Comment va Johnno ? demanda Luke, dont les doigts se crispèrent sur son verre.

— Bien. Je crois qu'ils ont réussi à le convaincre de jouer son propre rôle dans un épisode de *Miami Vice*... Ils appellent ça un caméo. Je suis sûr qu'il t'appellera, s'il va en Floride.

Luke but une gorgée de cognac et sentit chaque goutte glisser le long de sa gorge.

— Il n'est pas à New York ?

— Non, il est à Londres. Ils se préparent pour la tournée. Je vais les accompagner. En fait, je prends l'avion après-demain.

— Tu vas le voir ?

— Oui, dans deux jours. Luke, que se passe-t-il ?

Il secoua la tête. Lentement, avec précaution, il posa son verre sur la table basse et prit une enveloppe blanche dans sa poche, avant de la tendre à Emma.

— Tu veux bien lui donner ceci pour moi ?

— Bien sûr.

— Dès que tu le verras.

— Oui.

Sur le point de laisser l'enveloppe à côté d'elle, Emma surprit le regard de Luke.

— Je vais la glisser tout de suite dans mon sac, dit-elle.

Quand elle revint, il se tenait debout devant une fenêtre, son verre vide entre les mains. Soudain, il chancela, et le verre se brisa sur le sol. Emma eut à peine le temps de se précipiter pour rattraper Luke dans ses bras.

— Assieds-toi. Viens. Tu es malade.

Elle s'agenouilla près de lui, caressant ses cheveux, tandis qu'il fermait les yeux.

— Tu as de la fièvre. Je vais appeler un médecin.

— Non.

Il releva la tête, avant de la baisser de nouveau.

— J'ai déjà vu un médecin. J'en ai consulté toute une flopée.

— Tu as besoin de manger, déclara-t-elle fermement. On dirait que tu n'as rien avalé depuis une semaine. Laisse-moi te préparer...

— Emma.

Il lui prit la main. Elle savait. Il le voyait dans son regard, mais elle refusait de l'admettre. Lui aussi s'était entêté, longtemps, dans son refus d'accepter la réalité.

— Je suis en train de mourir, murmura-t-il d'un ton égal, presque paisible. C'est le sida.

— Non ! s'écria Emma. Mon Dieu, non.

— Je suis malade depuis des semaines. Des mois. Je croyais que c'était un rhume, la grippe, une carence en vitamines. Je ne voulais pas aller chez le médecin. Et puis il a bien fallu. Je n'ai pas accepté le premier diagnostic, ni le deuxième, ni le troisième.

Il rit.

— Mais il y a des choses auxquelles on ne peut pas échapper.

— Il existe des traitements, des médicaments. Je l'ai lu.

— Je suis bourré de médicaments. Certains jours, je me sens bien.

— Il y a des cliniques.

— Je refuse de passer le temps qui me reste dans une clinique. J'ai vendu ma maison, alors j'ai un peu d'argent. Je vais louer une suite au Plaza. Aller au théâtre, au cinéma, dans les musées, voir des ballets. Toutes les choses que je n'ai pas eu le temps de faire, ces dernières années.

Il sourit de nouveau et toucha doucement la joue d'Emma.

— Je suis désolé pour le verre.

— Ce n'est pas grave.

— Tu as toujours eu beaucoup de classe, Emma, murmura-t-il. Non, je t'en prie, ne pleure pas.

Sa voix se crispa et il détourna les yeux, ne voulant pas voir les larmes de la jeune femme.

— Je vais ramasser, dit-elle.

Il lui prit la main pour la retenir.

— Non. Reste assise, un moment.

— Luke, tu ne peux pas abandonner la lutte. Chaque jour qui passe apporte une nouvelle chance de…, oh, je sais, ça ressemble à un lieu commun, mais les recherches avancent. Ils finiront par trouver un remède. Il le faut.

Luke ne dit rien. De toute évidence, elle espérait une consolation qu'il n'était pas capable de lui donner. Comment lui expliquer ce qu'il avait ressenti, quand on lui avait communiqué les résultats ? Il n'y avait pas eu seulement la peur et la colère, mais l'humiliation, aussi, et le désespoir. Quand une crise de pneumonie l'avait terrassé, quelques semaines plus tôt, les ambulanciers s'étaient bien gardés de le frôler. Il avait été isolé de tout contact humain, privé de compassion et d'espérance.

Elle était la première à le toucher. À pleurer pour lui. Et il ne pouvait pas lui expliquer.

— Quand tu verras Johnno, ne lui raconte pas de quoi j'ai l'air.

— D'accord.

Cela parut le réconforter. Sa main se détendit dans celle d'Emma.

— Tu te souviens quand j'ai essayé de t'apprendre à cuisiner ?

— Oui. Tu m'avais dit que j'étais un cas désespéré, mais que Marianne, elle, portait l'inaptitude à des sommets jamais atteints.

— Tu as fini par réussir la recette des spaghettis.

— Je continue à les faire, une fois par semaine. Luke, laisse tomber le Plaza et viens t'installer ici.

Comme il secouait la tête, elle insista.

— Ce soir, alors. Juste ce soir. C'est tellement triste, sans Marianne. Je pourrai te montrer comme je réussis bien ta sauce de spaghettis, maintenant.

Il enfouit le visage dans ses mains, et elle éclata en sanglots.


Quand l'avion d'Emma atterrit à Heathrow, il pleuvait. C'était une pluie de printemps, qui la fit penser aux jonquilles. Sa mallette de photographe suspendue à l'épaule, elle retrouva Johnno dans le terminal. Il l'embrassa et glissa un bras autour de ses épaules, avant de l'entraîner vers la sortie.

— Pete s'occupe de faire livrer tes bagages, dit-il.

— Tu me feras penser à lui baiser les pieds.

Une limousine les attendait, avec, à l'intérieur, des Coca-Cola et une provision de chips, qu'on lui destinait spécialement.

— Je me suis dit que tu aurais faim, dit Johnno en lui tendant un paquet ouvert. Comment as-tu supporté le vol ?

— À coup de Dramamine et de prières.

Elle plongea la main dans les chips. Manger à bord d'un avion était un luxe que son estomac ne lui permettait pas.

— Ne t'inquiète pas, renchérit-elle, la bouche pleine. Je suis bien équipée pour la tournée.

— Content de t'avoir à bord.

Ils bavardèrent un instant, de tout et de rien. Puis, Emma tendit la main pour tirer la vitre qui séparait le chauffeur du reste de l'habitacle.

— Je te remercie d'être venu me chercher, dit-elle.

— J'ai pensé que tu avais une raison.

— Oui. Tu as une cigarette ?

Il en sortit deux, une pour elle, une pour lui.

— C'est sérieux ?

Elle tira deux longues bouffées de sa cigarette, avant de répondre.

— Luke est venu me voir, il y a deux jours.

— Il est à New York ?

— Oui. Nous avons dîné ensemble.

— Sympa. Comment va-t-il ?

Emma tira l'enveloppe de son sac.

— Il voulait que je te donne ceci.

Elle détourna la tête, tandis que Johnno lisait en silence. On n'entendait que le ronflement du moteur, le bruit régulier de la pluie et les accords étouffés d'un prélude de Chopin, dans les haut-parleurs. Elle attendit un moment, avant de lever de nouveau les yeux sur Johnno.

Il regardait droit devant lui, la lettre posée sur ses genoux.

— Tu sais ? demanda-t-il d'une voix rauque.

— Oui.

Le cœur chaviré, ne sachant que faire d'autre, elle prit les mains de Johnno dans les siennes.

— Je suis désolée, Johnno. Tellement désolée.

— Il s'inquiète à mon sujet. Il me demande de passer des tests et m'assure qu'il ne dévoilera rien au sujet de notre relation. Seigneur, dans son état, il se préoccupe encore de ma réputation.

— C'est important pour lui.

Johnno avait la gorge à vif, gonflée de larmes, tandis qu'il tirait sur sa cigarette.

— Il a vraiment compté pour moi. Et maintenant, il est en train de mourir. Qu'est-ce que je dois dire ? Merci, mec. Tu es chic d'emporter mon secret dans ta tombe.

— Ne fais pas ça, Johnno. Il a besoin de tout régler à sa manière. Il ne lui reste rien d'autre.

— Oh merde ! Oh, merde et merde !

Le chagrin, la douleur et la fureur faisaient rage, au fond de son cœur. Il ne servait à rien de maudire la maladie, pas plus qu'il n'avait été utile de maudire le destin qui l'avait créé tel qu'il était.

— J'ai déjà passé des tests, il y a six mois. Je suis séronégatif.

Il froissa la lettre dans sa main.

— Pas le moindre petit problème avec mon système immunitaire. Rien.

— Il serait vraiment stupide de ta part de te sentir coupable parce que tu vas bien, dit la jeune femme.

— Mais où est la justice, Emma ?

Il défroissa la missive, la plia soigneusement et la glissa dans sa poche.

— Où est la justice ? répéta-t-il.

— Je ne sais pas, murmura Emma en posant la tête sur son épaule. Quand Darren est mort, j'étais trop jeune pour me poser cette question, mais par la suite, elle m'a hantée, jour après jour. Pourquoi ceux que nous aimons meurent-ils, alors que nous restons en vie ? Les bonnes sœurs disaient que c'était la volonté de Dieu.

— Ça ne suffit pas.

— Non.

Elle hésita à peine. Sans doute avait-elle su, tout le long, qu'elle parlerait.

— Luke est à New York. Il va passer quelques semaines au Plaza. Il ne voulait pas que tu le saches.

Il entoura d'un bras les épaules de la jeune femme et la serra contre lui.

— Merci.

Quand la limousine s'arrêta devant la maison de Brian, à Londres, il l'embrassa.

— Dis à Brian... Dis-lui la vérité. Je serai de retour dans deux jours.

Emma regarda la limousine disparaître dans la brume et la pluie.

## 26

Emma changea d'objectif et s'accroupit au pied de la scène du London Palladium. Comme le groupe Devastation et toute l'équipe qui travaillait autour d'eux venaient de s'octroyer une pause, au milieu des répétitions, la jeune femme en profitait pour photographier les lieux abandonnés, les instruments de musique, les amplis et les câbles. Il y avait des synthétiseurs, des cors et même un piano à queue, et la photographe, en elle, voulait immortaliser ces objets à qui les mains des musiciens donnaient la vie, créant ainsi le miracle de la musique.

La guitare abîmée de Stevie, par exemple, lui faisait penser à ce dernier. La Martin dont il ne s'était pas séparé, depuis vingt ans, était comme lui, douée, et usée.

Il y avait aussi la basse de Johnno, peinte en bleu turquoise. À côté de l'instrument de Stevie, elle paraissait frivole. Comme son maître, elle avait le goût de la provocation et cachait, sous une couche de vernis fantaisiste, une compétence et une intelligence profondes.

La batterie de P. M. arborait le logo du groupe. Elle avait l'air toute simple, à première vue. Mais en s'en approchant, on découvrait les arrangements compliqués de la caisse claire et des cymbales.

Enfin, il y avait la guitare sèche de Brian ; une Gibson faite pour lui, sans la moindre décoration, avec sa sangle noire toute simple. Aucune fioriture. Mais le bois luisait, pâle et blond. Et ses cordes, quand on les pinçait, avaient le don de vous arracher des larmes.

Baissant son appareil photo, Emma caressa le manche de la guitare. Elle sursauta quand la musique s'éleva. Un instant, elle crut avoir réveillé l'instrument en le touchant. Quelle idiote ! Elle tourna la tête. La mélodie montait des coulisses, sur la gauche ; une mélodie aux sonorités magiques, en vérité.

Lentement, elle traversa la scène vers la source sonore.

Un homme était assis en tailleur sur le sol, dans le couloir des loges. Ses longs doigts élégants effleuraient les cordes, tandis qu'il chantonnait pour lui-même, d'une voix chaude et douce. Ses cheveux blonds formaient un rideau qui dissimulait son visage, penché sur la guitare.

Emma s'accroupit discrètement et prit une photo. Le déclic fit lever la tête au musicien.

— Je suis désolée, murmura-t-elle. Je ne voulais pas vous interrompre.

Il posa sur elle des yeux dorés. Son visage un peu pâle allait bien avec sa voix : des traits fins, un air poétique, des cils blonds. Ses lèvres étaient pleines, joliment ciselées, et elles ébauchèrent un sourire qu'Emma jugea timide.

— Quel homme pourrait considérer une apparition comme une interruption ?

Il continua à jouer, machinalement, tout en l'étudiant. Il l'avait déjà aperçue, se souvint-il, mais c'était la première fois qu'il la voyait de près.

— Bonjour, reprit-il. Je suis Drew Latimer.

— Bonjour. Oh, bien sûr, s'exclama Emma. J'aurais dû vous reconnaître. Vous êtes le chanteur de Birdcage Walk. J'aime votre musique.

— Merci. Mais ne me vouvoie pas, ça me rend nerveux.

Il prit la main de la jeune femme et la garda dans la sienne jusqu'à ce qu'elle s'installe à côté de lui.

— La photo, c'est un hobby ou ta profession ?

— Les deux, répondit Emma, le cœur battant à tout rompre. J'espère que vous... que tu ne m'en veux pas de t'avoir surpris, ainsi. Je t'ai entendu jouer et j'ai suivi la musique.

— Au contraire. Si tu veux, dînons ensemble ce soir et tu pourras prendre encore quelques centaines de photos.

Elle rit.

— Même moi, je ne travaille pas autant en mangeant.

— Dans ce cas, n'apporte pas ton appareil.

Elle ne répondit pas tout de suite, tant elle craignait de bredouiller.

— J'ai du boulot.

— Alors, le petit déjeuner ? Le déjeuner ? Une barre chocolatée ?

S'esclaffant, elle se releva.

— Tu aurais à peine assez de temps pour une barre chocolatée. Tu te produis en première partie, demain, n'est-ce pas ?

— Laisse-moi t'inviter au concert et nous irons boire un verre, ensuite.

— J'assiste déjà au concert.

— Hélas, qui dois-je tuer ?

Il se leva à son tour, tenant encore la main d'Emma. C'est qu'il n'avait pas du tout l'intention de la laisser s'éclipser.

— Tu ne vas pas m'abandonner la veille du jour le plus important de ma vie ? J'ai besoin d'encouragements.

— Tout se passera très bien.

Il s'accrocha à elle, quand Emma essaya de se dégager.

— Écoute, cela va te paraître un lieu commun, mais tu es la femme la plus belle que j'aie jamais vue.

— Tu devrais sortir un peu plus, murmura-t-elle, flattée et troublée tout à la fois.

Il eut un sourire lent, dévastateur.

— D'accord. Où veux-tu que nous allions ?

Emma tira de nouveau sur sa main, hésitant entre la panique et le rire. Elle entendait des voix, du mouvement, du côté de la scène. Les musiciens revenaient de leur pause.

— Il faut vraiment que je retourne là-bas, déclara-t-elle.

— Dis-moi au moins ton nom. Un homme a le droit de savoir qui lui a brisé le cœur.

— Emma. Emma McAvoy.

— Oh ! mon Dieu.

Il tressaillit et la lâcha aussitôt.

— Je suis désolé. Je ne savais pas. Seigneur, j'ai l'impression d'être un imbécile fini.

— Pourquoi ?

— Je suis là, comme un idiot, à draguer la fille de Brian McAvoy. Et maladroitement, en plus.

— Je ne t'ai pas trouvé si maladroit, murmura-t-elle.

Elle s'éclaircit la gorge, alors que leurs regards se croisaient de nouveau.

— Il faut vraiment que j'y aille. C'était sympa de faire ta connaissance.

— Emma.

Il marqua une pause, se réjouissant de la voir hésiter.

— Peut-être, au cours des dix semaines à venir, trouveras-tu un peu de temps pour cette barre chocolatée ?

— D'accord, répondit-elle, avant de s'éloigner vers la scène.

Drew Latimer lui fit porter un Milky Way entouré d'un ruban rose et le premier billet doux qu'elle ait jamais reçu. Longtemps après que le messager se fut éloigné, Emma se tint immobile sur le pas de la porte, les yeux fixés sur le petit mot :

*Emma,*
*Je ferai mieux quand nous serons à Paris. Pour l'instant, je tiens à ce que tu n'oublies pas notre rencontre. Quand je chanterai, ce soir, c'est à toi que je penserai.*
*Drew.*

Elle relut le billet une bonne vingtaine de fois, avant d'esquisser un pas de danse dans l'entrée de la maison. Puis, obéissant à une impulsion, elle prit sa veste et sortit en courant.

Ce fut encore Alice qui répondit à son coup de sonnette. Mais cette fois, la gouvernante ne pleura pas. Au contraire.

— Bonjour, Emma.

— Bonjour, Alice, s'écria la jeune femme en l'embrassant sur la joue. Beverly est là ?

— Oui, dans son bureau, à l'étage. Je vais la prévenir.

Emma n'avait pas seulement envie de bondir et de danser, elle aurait voulu chanter aussi. Elle n'avait jamais ressenti une telle euphorie.

— Emma, s'exclama Beverly en dévalant l'escalier, quelques instants plus tard. Je suis tellement heureuse de te voir. Et si vite. Je ne pensais pas que tu aurais le temps de te libérer.

Elle serra Emma dans ses bras.

— J'ai autant de temps que je le désire, s'écria la jeune fille en riant. Oh, maman, n'est-ce pas une journée merveilleuse ?

— Je ne suis pas encore sortie, mais je te crois sur parole.

Beverly la tint à bout de bras et la contempla un instant.

— Tu as l'air d'une chatte qui vient de lécher un pot de crème. Que se passe-t-il ?

— C'est vrai ? s'écria Emma en pressant ses mains contre ses joues. Ça se voit ? Oh, il fallait que je parle à quelqu'un. Papa est je ne sais où, avec Pete et le nouveau manager de la tournée. D'ailleurs, je ne crois pas que cela aurait changé quoi que ce soit, s'il avait été là.

— Non ? Et pourquoi ? demanda Beverly en l'entraînant vers le salon.

— J'ai rencontré quelqu'un, hier.

— Quelqu'un ?

Beverly lui désigna un fauteuil et finit par s'y installer elle-même en voyant qu'Emma continuait à arpenter la pièce.

— Un homme, je présume.

— Oh, oui, un homme merveilleux ! Je sais que je me comporte comme une sotte, mais il est tellement sublime, beau, gentil et drôle.

— L'oiseau rare a-t-il un nom ?

— Drew. Drew Latimer.

— Birdcage Walk.

— Hé, tu te tiens au courant ! s'esclaffa Emma, sans cesser de tourner comme une toupie autour de la pièce.

— Évidemment, répondit Beverly.

Elle fronça les sourcils, un instant, puis se détendit. Emma avait bien le droit de vivre une histoire d'amour avec un musicien, elle aussi. Elle aurait été mal placée pour le lui déconseiller.

— Alors, est-il aussi beau que sur les photos ? demanda-t-elle avec un sourire.

— Mieux encore. On s'est rencontrés par hasard, dans les coulisses. Il était assis par terre, en train de chanter en s'accompagnant à la guitare, comme papa le fait souvent. Et puis on a parlé et il s'est mis à flirter avec moi. Mais le mieux, le plus extraordinaire, c'est qu'il ne me connaissait pas. Il ne savait pas qui j'étais.

— Pourquoi ? Cela change quelque chose ?

— Oui, bien sûr. Il a été attiré par moi, vois-tu, pas par la fille de Brian McAvoy.

Elle s'assit un instant, avant de rebondir sur ses pieds.

— Jusqu'à présent, les garçons qui m'avaient abordée ne s'intéressaient qu'à papa et au fait que je sois sa fille. Mais Drew m'a invitée à dîner avant même de le savoir. Et puis, je lui ai appris qui j'étais et il a eu l'air gêné. Sa réaction était tellement adorable.

— Tu as accepté ?

— Non. J'étais trop énervée. Je crois que j'avais un peu peur, aussi. Et aujourd'hui, il m'a envoyé un petit mot. Et..., oh, maman, je ne sais pas comment je vais attendre jusqu'à ce soir. J'aimerais tellement que tu viennes, pour le voir.

— Tu sais bien que je ne peux pas, Emma.

— Oui, je sais.

Elle poussa un soupir.

— C'est que je ne m'étais jamais sentie aussi... Comment dire ?

— Étourdie.

— Oui, acquiesça Emma, en riant. C'est exactement ça.

Beverly hocha la tête.

— Tu as tout le temps d'apprendre à le connaître. Vas-y doucement, Emma.

— Je suis toujours allée doucement pour tout, dans ma vie, marmonna la jeune fille. Tu as pris ton temps avec papa, toi ?

Beverly sentit saigner la plaie qui ne s'était jamais refermée. Plus de quinze ans avaient passé, et celle-ci demeurait béante, à vif, comme au premier jour.

— Non. Je refusais d'écouter qui que ce soit.

— Tu as écouté ton cœur. Maman...

— Ne parlons pas de Brian, s'il te plaît.

— D'accord. Juste une chose. Papa va en Irlande...
voir Darren, deux fois par an. Le jour de l'anniversaire de Darren et le jour... en décembre. Je voulais
que tu le saches.

— Merci. Mais tu n'es pas venue parler de sujets
tristes.

— Non.

Emma vint s'agenouiller près de Beverly.

— Je suis venue te demander un service d'une
importance vitale. J'ai besoin d'une robe sublime,
pour ce soir. Tu veux venir faire les boutiques avec
moi ?

Beverly eut un rire ravi.

— Je vais chercher ma veste, dit-elle en se levant.


Emma se baladait au milieu de la foule qui commençait à se presser dans la salle. Elle avait finalement opté pour un tailleur-pantalon en stretch noir.
C'était plus confortable qu'une robe.

En dépit de ses appareils photo, elle passait rela-
tivement inaperçue, dans la cohue précédant le
concert. Il y avait des stands de marchandises, à
l'entrée des portes, qui offraient tout un choix de
tee-shirts, sweat-shirts, casquettes, posters et autres
gadgets. Dans les années 1980, le rock'n roll n'était
plus simplement la musique d'une jeunesse rebelle,
mais un moyen assuré de faire d'excellentes affaires.
Emma déambulait au milieu des fans, écoutant les
conversations au cours desquelles son père était dis-
séqué, encensé, adoré par de toutes jeunes filles.
Elle sourit, se rappelant ce jour lointain où elle faisait la queue pour monter en haut de l'Empire State
Building. Elle n'avait pas trois ans, alors, et dix-neuf
ans plus tard, Brian faisait toujours rêver les adolescentes.

Le public lui-même constituait une mosaïque de
couleurs et de styles. Il y en avait pour tous les goûts.

Bon nombre de ces gens étaient de la génération de son père ; des médecins, des dentistes et des chefs d'entreprise qui avaient grandi avec le rock'n roll et partageaient maintenant cet héritage avec leurs enfants.

Ayant pris un nombre suffisant de photos, Emma se dirigea vers les coulisses. Là, la pagaille était à son comble. Il y avait toujours, à la dernière minute, un câble qui manquait ou un ampli en panne, et les techniciens couraient en tous sens. Elle prit plusieurs clichés avant de se diriger vers les loges.

Elle voulait immortaliser le dernier quart d'heure enfiévré qui précédait chaque concert : son père et les autres affalés autour de la loge principale, fumant, plaisantant et avalant des bonbons. Elle souriait, imaginant déjà cette scène rituelle, à laquelle elle avait assisté si souvent, quand soudain elle se trouva nez à nez avec Drew. À croire qu'il l'attendait.

— Bonsoir, dit-il.

— Bonsoir. Je te remercie pour le petit cadeau.

— J'aurais préféré t'envoyer des roses, mais il était trop tard.

Il la regarda de la tête aux pieds.

— Tu es superbe.

— Merci.

Luttant pour discipliner les battements de son cœur, Emma le contempla à son tour. Il était tout habillé de blanc, de la chemise et du pantalon de cuir aux bottes de cow-boy.

— Toi aussi, parvint-elle à articuler, au bout d'un moment. Tu es superbe.

— On espère faire une grosse impression.

Il eut un sourire nerveux.

— Nous sommes tous morts de trac. Don, le bassiste, est dans les chiottes, à côté. Malade comme un chien.

— Papa dit qu'on est meilleur quand on a le trac.

— Dans ce cas, on va casser la baraque.

Il tendit la main et prit celle d'Emma, avec quelque hésitation.

— Tu as réfléchi à mon offre d'aller boire un verre, après le concert ?

— Eh bien, je...

— Je sais que j'insiste un peu, mais...

Drew exhala un long soupir haché.

— Je ne peux pas m'en empêcher. Je t'ai vue et, boum, je me suis dit : « Mon Dieu, c'est elle ! » Je ne m'en tire pas très bien, n'est-ce pas ? Écoute, renchérit-il, serrant toujours la main de la jeune femme entre les siennes, laisse-moi te présenter les choses sous un autre angle : Emma, je t'en supplie, sauve-moi la vie et passe une heure avec moi.

Les lèvres d'Emma se retroussèrent lentement jusqu'à creuser la fossette au coin de sa bouche.

— D'accord.


Elle entendit à peine la musique et les hurlements du public à la fin du concert. Quand son père bondit hors de la scène, dégoulinant de sueur, elle ne douta pas que la plupart des photos qu'elle avait prises, ce soir-là, ne vaudraient pas un clou.

— Bon sang, je crève de faim ! s'écria Brian.

S'essuyant le visage et les cheveux, il se dirigea vers la loge, en l'entraînant avec lui.

— Qu'en dis-tu, Emma ? On attend le reste de ces reliques du rock'n roll et on va tous engloutir une pizza ?

— Eh bien, j'aimerais beaucoup, mais... j'ai des choses à faire.

Elle se dressa vivement sur la pointe des pieds et l'embrassa.

— Vous avez été merveilleux, papa.

— Qu'est-ce que tu crois ? intervint Johnno, jouant des coudes pour les rejoindre. Nous sommes des légendes, ajouta-t-il à voix basse.

Les joues rouges, P. M. arriva à leur hauteur.

— Cette lady Annabelle, vous savez, avec les cheveux...

Il leva les mains de chaque côté de sa tête pour mieux leur décrire le tableau.

— La fille en daim rouge, couverte de diamants ? demanda Emma.

— Je crois, oui. Elle s'est débrouillée pour entrer dans les coulisses.

Le batteur essuya son front couvert de sueur.

— Quand je suis passé devant cette fille, elle... elle...

Il s'éclaircit la gorge, secouant la tête comme s'il avait du mal à le croire.

— Elle a essayé de me molester.

— Doux Jésus, appelons vite la police ! s'exclama Johnno en entourant les épaules de son ami. Les femmes comme ça devraient être enfermées. Je sais que tu dois te sentir humilié, abusé et sali, mon chéri, mais ne t'inquiète pas. Il faut tout raconter à tonton Johnno.

Il entraîna P. M. vers la loge.

— Où t'a-t-elle touché exactement et comment ? N'épargne pas les détails.

Brian les regarda s'éloigner en pouffant de rire.

— P. M. attire toujours les nanas les plus voyantes. Allez comprendre.

Il y avait une note d'affection dans sa voix, et Emma se demanda s'il était conscient d'avoir pardonné à son vieil ami. Puis, elle vit le sourire s'effacer du visage de son père. Stevie se tenait à quelques mètres, l'épaule appuyée contre un mur. Il était très pâle et paraissait avoir dix ans de plus que les autres membres du groupe.

— Allons, mon vieux.

Brian glissa un bras autour de la taille de son ami, le soutenant, supportant son poids.

— Ce qu'il nous faut, c'est une douche et une bonne viande rouge.

— Papa, je peux t'aider ?

Brian secoua la tête brièvement. Ce n'était pas une tâche dont il pourrait se décharger sur sa fille ou sur n'importe qui d'autre.

— Non, répondit-il. Je m'en occupe.

— Je... je te verrai à la maison, murmura Emma.

Mais il avait déjà refermé la porte de la loge. L'esprit un peu perdu, Emma alla retrouver Drew.

Elle s'attendait à ce qu'il l'emmène dans une boîte de nuit pleine de monde, avec de la musique rock assourdissante. Mais il choisit au contraire un petit club de jazz sombre et enfumé, dans le quartier de Soho. Un trio de musiciens se produisait sur un coin de scène nimbé de lumière bleue, et l'ambiance était aussi feutrée que l'éclairage.

— Ça te plaît ? demanda Drew.

Emma se força à garder les mains sur la table pour éviter de les croiser et de les décroiser sur ses genoux.

— Oui, beaucoup, répondit-elle. Je n'étais jamais venue ici.

— C'est sûrement très différent de ce dont tu as l'habitude, mais ailleurs, c'est impossible de parler ou de rester seuls. Je voulais juste être avec toi.

— Je n'ai pas encore eu l'occasion de te féliciter, enchaîna la jeune femme, plus nerveuse que jamais. Bientôt, ce sera votre tour de chercher des artistes pour qu'ils se produisent en première partie de vos concerts.

— Merci. Tu n'imagines pas ce que cela signifie pour moi.

Il posa une main sur celle de la jeune femme, lui caressant les doigts, légèrement.

— Nous étions un peu coincés, sur la première chanson. Mais ça va venir.

— Il y a longtemps que tu joues de la guitare ?

— Depuis l'âge de dix ans. Je peux remercier ton père.

— Ah bon ? Pourquoi ?

— Un de mes cousins était roidi sur une tournée de Devastation, quand j'étais gosse. Il m'a fait un jour entrer pour assister à un concert. Brian McAvoy ! Ce fut une révélation. Dès que j'ai pu économiser assez d'argent, j'ai acheté une guitare d'occasion.

Il sourit. La main d'Emma était fermement logée dans la sienne, à présent.

— Le reste, c'est de l'histoire ancienne.

— Je ne l'ai jamais entendue.

— Jamais je ne l'ai racontée à personne. C'est un peu embarrassant.

— Au contraire, dit la jeune femme en se rapprochant un peu. Ce doit être le genre d'histoire que les fans adorent.

Il la regarda intensément, ses yeux dorés brillant dans la lumière tamisée.

— Je ne pense pas aux fans, à cet instant. Emma...

— Vous voulez boire quelque chose ? demanda une serveuse en s'arrêtant devant leur table.

Emma s'arracha, non sans difficulté, à la contemplation de son compagnon.

— Un Perrier, s'il vous plaît.

Drew arqua un sourcil, mais ne fit aucun commentaire.

— Une Guinness, dit-il.

La serveuse s'éloigna, et il se mit à jouer avec les doigts de sa compagne.

— Parle-moi de toi, Emma. Je veux tout savoir de toi, murmura-t-il en portant sa main à ses lèvres. Tout.

Emma traversa les heures qui suivirent dans une sorte d'état second. Drew semblait s'accrocher à chacune de ses paroles. Et il ne cessait de la toucher ; ses mains, ses cheveux, son bras. Ils ne bougèrent pas de leur petit coin sombre. Quand ils sortirent, à la fin du repas, ils allèrent se promener le long de la Tamise. Il était tard. Beaucoup trop tard. Mais quelle importance ?

— Tu as froid ? demanda Drew en ôtant sa veste pour couvrir les épaules de la jeune femme.

— Non, répondit-elle. Je me sens si bien. C'est toujours quand je reviens à Londres que je m'aperçois à quel point j'aime cette ville.

— J'ai toujours vécu ici.

Il regarda le reflet des étoiles dans l'eau noire. Il voulait voir d'autres rivières, d'autres villes. Mais son heure approchait.

— Tu n'as jamais pensé à revenir t'installer ici ?

— Non. Pas vraiment.

— Un jour, peut-être...

Il s'arrêta, posant doucement ses mains sur les épaules d'Emma.

— Je ne cesse de me demander si tu existes vraiment. Chaque fois que je te regarde, j'ai l'impression de vivre un rêve.

Il l'attira contre lui, l'enveloppant avec une force soudaine, le regard plus brillant que jamais, la voix tremblante.

— Je crains que tu t'évanouisses quand je me réveillerai.

— Je ne vais nulle part, répondit-elle.

Le cœur d'Emma cognait violemment dans sa poitrine, quand il pencha le visage vers le sien. Elle sentit sa bouche, si tendre, si légère. Puis il s'écarta un instant, d'un centimètre à peine, et lentement, sans la quitter des yeux, s'empara de ses lèvres.

C'était bon. Très doux. Acceptant la caresse, Emma se laissa entraîner, tandis qu'il baisait gentiment son visage, avant de reprendre sa bouche.

— Il vaut mieux que je te reconduise chez toi, dit-il enfin d'une voix un peu rauque. Emma, ajouta-t-il en faisant courir ses mains le long des bras de la jeune femme, je veux te revoir. Comme ce soir. Est-ce que tu veux bien ?

Emma posa sa tête sur l'épaule de Drew.

— Je veux bien, répondit-elle.

# 27

Emma passa tout son temps libre avec Drew, durant les semaines qui suivirent. Ils se retrouvaient pour des soupers tardifs en tête à tête, ou de longues promenades sous les étoiles, ou même pour une heure au milieu de l'après-midi. Tous ces moments volés avaient quelque chose d'excitant et d'intense, justement parce qu'ils étaient rares.

À Paris, elle le présenta à Marianne. Celle-ci leur avait donné rendez-vous dans un café du boulevard Saint-Germain où les touristes se mêlaient joyeusement à la population locale. Marianne avait l'air d'une vraie Parisienne, avec son collant fantaisie et sa minijupe. Sa coupe hérisson avait été remplacée par une création beaucoup plus sophistiquée et ses cheveux roux, toujours aussi courts, étaient maintenant soigneusement coiffés vers l'arrière. Sa voix, ainsi que le cri de joie qu'elle poussa en voyant son amie, étaient bien américains, en revanche. Elles se jetèrent dans les bras l'une de l'autre, s'embrassant avec effusion.

— Tu es là. Je n'arrive pas à le croire. J'ai l'impression qu'on s'est quittées depuis des années. Laisse-moi te regarder. Seigneur, tu es superbe. Je te déteste.

Emma pouffa de rire.

— Et toi, tu as tout à fait l'air d'une étudiante française. Très chic et très sensuelle.

— Ici, c'est aussi important que de manger. Tu dois être Drew, ajouta la jeune femme en tendant la main au compagnon de son amie.

— Je suis content de faire ta connaissance, dit-il. Emma m'a beaucoup parlé de toi.

— Oh là, je crains le pire. Assieds-toi quand même. Vous savez, il paraît que Picasso fréquentait ce café. Alors je viens sans arrêt et je m'assois à une table différente. Je sais que si je trouve sa chaise, un jour, j'entrerai en transe. Vous voulez boire quelque chose ?

Emma commanda un café, Drew un apéritif, et Marianne porta son verre de vin à ses lèvres, étudiant, jaugeant l'amoureux de son amie. Si elle avait été versée dans l'art religieux, elle l'aurait représenté sous les traits de saint Jean, avec cet air un peu rêveur et dévoué qu'elle associait à l'apôtre. Ou alors, en faisant un bond de quelques siècles, elle pouvait le comparer à Hamlet. Un jeune prince dont la vie était placée sous le signe de la tragédie. Bien sûr, sans remonter aussi loin dans le temps, elle aurait pu l'utiliser comme modèle pour le jeune Brian McAvoy. Emma voyait-elle la ressemblance ?

— Alors, comment se passe la tournée ? leur demanda-t-elle, quand ils furent servis.

— Les Devastation n'ont jamais été aussi bons, répondit Emma.

Puis, souriant à son ami :

— Et leur première partie est en train de faire sensation.

Drew posa une main sur celle de la jeune femme.

— Ça se passe bien, renchérit-il. Tout a été merveilleux.

— Quelle est la prochaine étape, après Paris ?

— Nice, répondit Drew. Mais je ne suis pas pressé de quitter Paris.

Il jeta un coup d'œil autour de lui.

— C'est comment, la vie ici ?

— Excitant, dit Marianne en riant. Passionnant. J'ai un petit appartement juste au-dessus d'une boulangerie. Croyez-moi, il n'existe rien de plus merveilleux que d'être réveillé, le matin, par un parfum de baguettes et de croissants en train de cuire.

Ils passèrent une heure à bavarder, avant que Drew se lève et se penche sur Emma pour l'embrasser.

— On m'attend pour répéter et je sais que vous avez des tas de choses à vous raconter. Je te verrai ce soir. Toi aussi, Marianne.

— Avec plaisir.

Elle le regarda s'éloigner, ainsi que la moitié des femmes, dans le café.

— C'est tout simplement le plus beau mec que j'aie jamais vu, dit-elle, quand il eut disparu.

— N'est-ce pas ? s'exclama Emma. Qu'en penses-tu ?

— Que veux-tu que j'en pense ? Il est beau, talentueux, intelligent, drôle.

Elle eut un clin d'œil.

— Il te laissera peut-être tomber pour moi.

— Je n'aimerais pas être forcée d'assassiner ma meilleure amie, mais...

— Il n'y a aucun risque. Il n'a d'yeux que pour toi. Je me demande bien pourquoi, d'ailleurs. Tu as les pommettes hautes, des yeux bleus immenses, des mètres de cheveux blonds et pas de hanches. Décidément, certains hommes n'ont aucun goût.

Elle se pencha vers Emma.

— Tu as l'air ridiculement heureuse.

— Je le suis. Marianne, je crois que je suis amoureuse.

— Sans blague ? Je ne l'aurais jamais deviné, s'exclama Marianne avec un grand rire. C'est écrit en grosses lettres sur ton visage. Qu'en pense ton père ?

Emma prit son café et but une gorgée.

— Il respecte son talent de musicien.

— Je faisais référence à l'homme dont sa fille s'est entichée.

— Nous n'en avons pas encore parlé.

Marianne haussa une paire de sourcils étonnés.

— Tu ne lui as pas dit que tu sortais avec Drew ?

— Non.

— Pourquoi ?

— Je crois que je veux garder ça pour moi, encore un peu. Il continue à me considérer comme une enfant.

— Tous les pères réagissent ainsi envers leur fille. Le mien m'appelle deux fois par semaine pour s'assurer que je ne suis pas tombée dans les bras d'un aristocrate français. J'ai beau lui dire qu'il n'en reste presque plus, depuis la Révolution, il ne me croit qu'à moitié.

Devant l'air sérieux d'Emma, elle abandonna son badinage.

— Tu crois qu'il désapprouverait ?

— Je ne sais pas, répondit son amie, avec un haussement d'épaules.

— Emma, si c'est sérieux entre toi et Drew, il finira par l'apprendre, tôt ou tard.

— Oui. J'espère seulement que ce sera le plus tard possible.


Marianne avait raison, et ce qui devait se produire advint, à Rome, un matin qu'Emma goûtait la caresse du soleil, sur la terrasse de sa chambre. Il était tard, mais elle paressait encore en peignoir, étudiant ses dernières épreuves, séparant celles qu'elle réservait à Pete et celles qu'elle voulait garder pour le livre qu'elle projetait de publier.

Elle flottait sur un nuage, tandis qu'elle contemplait une photo de Drew prise au bois de Boulogne. Ce jour-là, pour la première fois, il lui avait dit qu'il l'aimait.

Il l'aimait. Elle avait souvent espéré, rêvé un tel bonheur, mais sans jamais se douter qu'il pût être aussi fort. Maintenant, elle pouvait se laisser aller à faire des projets, à imaginer ce que serait la vie avec Drew. Elle avait tellement envie d'une famille, d'une maison pleine d'enfants. Ils seraient heureux. Qui pouvait comprendre la vie et les problèmes d'un musicien mieux qu'elle, qui avait toujours baigné dans cet univers ? Elle lui offrirait son support et le réconforterait dans les moments de doute. Et il lui rendrait la pareille.

Un coup frappé à la porte la tira de sa rêverie. Elle pensa que c'était Drew qui venait partager le petit déjeuner avec elle, comme il l'avait déjà fait, une ou deux fois. Mais ce fut Brian qu'elle découvrit sur le seuil. Un sourire trembla sur ses lèvres.

— Papa. Je suis surprise de te voir levé avant midi.

— Je suis peut-être un peu trop prévisible, répondit-il.

Un journal coincé sous le bras, il entra dans la chambre et regarda du côté du lit, avant de poser les yeux sur Emma.

— Tu es seule ?

— Oui, répondit-elle, le considérant d'un air perplexe. Pourquoi ? Quelque chose ne va pas ?

— À toi de me le dire.

Il lui tendit le journal d'un geste bref et Emma dut le déplier et le remettre à l'endroit. Mais la photo était limpide : elle était dans les bras de Drew et levait sur lui un regard embué d'amour.

Furieuse, Emma jeta le journal à travers la pièce et sortit sur la terrasse. Elle avait besoin d'air.

— Je les déteste, marmonna-t-elle. Pourquoi ne peuvent-ils pas nous laisser tranquilles ?

— Depuis quand êtes-vous ensemble, Emma ?

— Depuis le début de la tournée.

Brian enfonça ses poings serrés dans ses poches.

— Des semaines ! Ça fait des semaines et tu n'as même pas jugé bon de m'en parler.

— J'ai vingt et un ans, papa. Je n'ai plus besoin de te demander la permission pour fréquenter un homme.

— Tu te cachais, ce n'est pas la même chose. Qu'est-ce qu'il y a exactement, entre vous ?

— Tu veux savoir si on couche ensemble, c'est ça ? Eh bien non, pas encore. Mais cela ne te regarde pas. Ne m'as-tu pas déclaré, il y a quelques années, que ta vie sexuelle ne me concernait pas ?

— Je suis ton père, nom d'un chien !

Il s'entendit crier. Il était son père. Par un miracle qu'il ne s'expliquait pas encore, il était le père d'une femme adulte. Et il n'avait pas la moindre idée de l'attitude à adopter.

— Emma, reprit-il enfin, quand il fut sûr que sa voix était plus calme. Je t'aime et je m'inquiète à ton sujet.

— Il n'y a aucune raison de s'inquiéter. Je sais ce que je fais. Je suis amoureuse de Drew et il est amoureux de moi.

Cette fois, Brian fut réduit au silence. Sans réfléchir, parce qu'il avait besoin de s'occuper, il prit le café qu'Emma avait laissé refroidir et le but d'un trait.

— Tu le connais à peine.

— Il joue de la guitare et il chante pour vivre, remarqua Emma. Tu es mal placé pour le critiquer.

— Mais je suis mieux placé que n'importe qui pour parler des risques du métier et du mal qu'il peut faire à ceux qui s'y frottent. Pour l'amour du ciel, Emma, tu sais comme moi que les artistes ont des vies de fous, qu'ils sont constamment soumis à des pressions, à la tension, sans oublier les problèmes d'ego. Que savons-nous de ce gamin, si ce n'est qu'il a de l'ambition et du talent ? Rien.

— Je sais tout ce que j'ai besoin de savoir.

— Non mais, écoute-toi un peu. Tu parles comme une évaporée. Que cela te plaise ou non, tu ne peux pas faire confiance à un homme simplement parce qu'il a une belle gueule et qu'il déclare t'aimer. Tu as trop d'argent et trop de pouvoir.

— Trop de pouvoir ?

— Personne ne douterait un instant que je sois prêt à faire n'importe quoi pour toi. Quoi que tu demandes.

Il y eut un silence, au cours duquel les paroles de Brian pénétrèrent lentement le cerveau de la jeune femme, amenant des larmes de colère au bord de ses yeux.

— C'est donc cela ? s'écria-t-elle en marchant vers lui. Tu crois que Drew s'intéresse à moi parce que j'ai de l'argent, parce que je pourrais t'influencer pour que tu l'aides dans sa carrière ? Il est tout à fait inconcevable, n'est-ce pas, que lui ou n'importe quel homme puisse tomber amoureux de moi ! Juste moi.

— Bien sûr que non, mais...

— C'est exactement ce que tu penses. Après tout, qui peut me regarder et ne pas te voir ?

Elle se détourna de nouveau.

— Oh, c'est arrivé souvent : « Emma, si nous dînions ensemble, vendredi ? Au fait, tu ne pourrais pas nous obtenir des passes pour entrer dans les coulisses, après le concert de ton père à Chicago ? »

— Ma chérie, je suis désolé, murmura Brian.

Il voulut lui prendre le bras, mais elle se dégagea d'un geste brusque.

— Pourquoi ? Tu ne peux pas empêcher cela. Et j'ai appris à vivre avec, et même à en rire. Mais cette fois, j'ai enfin trouvé la personne qui tient vraiment à moi, qui s'intéresse à ce que je ressens, à ce que je pense ; quelqu'un qui me demande seulement d'être avec lui ; et tu veux tout gâcher.

— Je ne veux rien gâcher. Simplement, j'ai peur qu'on te fasse du mal.

— Tu m'as déjà fait du mal.

Ses yeux étaient secs, quand elle les leva sur lui.

— Laisse-moi tranquille, papa. Et laisse Drew tranquille, aussi. Si tu te mêles de ça, je ne te le pardonnerai jamais.

— Je n'ai pas l'intention de m'en mêler. Je veux t'aider et t'éviter de faire une erreur.

— Ce sera mon erreur. Dieu sait que tu as commis les tiennes. Pendant des années, je t'ai regardé faire ce que tu voulais, avec qui tu voulais. Tu as fui ton bonheur, papa. Je n'ai pas l'intention de rater ma chance.

— Tu sais retourner le couteau dans la plaie, dit-il d'un ton morne. Je ne m'en étais encore jamais aperçu.

Il sortit, la laissant seule dans le soleil de Rome.


Drew glissa un bras autour des épaules d'Emma. Ils se tenaient debout sur une autre terrasse, dans une autre ville. Mais la beauté du Ritz de Madrid ne touchait pas la jeune femme. Seule la présence de Drew parvenait à la réconforter un peu.

— Je ne supporte pas de te voir si triste, Emma, dit-il.

— Non, pas triste. Juste un peu lasse.

— Depuis cette dispute avec ton père, tu n'es plus la même. Cela m'est d'autant plus pénible que j'en suis la cause.

— Tu n'es pas responsable, crois-moi. Il aurait réagi de la même façon avec n'importe qui d'autre. Papa ne peut pas s'empêcher de me surprotéger. C'est en grande partie à cause de... ce qui est arrivé à mon frère.

Il l'embrassa tendrement sur la tempe.

— Ça a dû être terrible, pour lui comme pour toi, mais c'est arrivé il y a si longtemps.

— Certaines choses sont impossibles à oublier, murmura-t-elle en frissonnant, malgré la tiédeur de la nuit. Et c'est parce que je le comprends que j'ai mal. Il a tout fait pour moi, et pas seulement sur le plan matériel.

— Il t'adore. Il suffit de vous regarder pour en être convaincu.

Souriant, il caressa le visage de la jeune femme.

— Je sais exactement ce qu'il ressent.

— Je l'aime aussi. Mais je ne peux pas continuer à vivre de sorte à le rassurer. Il y a longtemps que je le sais.

— Il n'a pas confiance en moi. Je ne peux pas lui en vouloir, dit Drew en haussant les épaules. En moi, il ne voit que le débutant qui essaie de percer.

— Tu n'as pas besoin de moi pour cela.

Emma se serra contre lui.

— Il finira par accepter, Drew. Il a encore du mal à admettre que j'aie grandi et que je puisse être amoureuse. C'est tout.

— En tout cas, si quelqu'un peut l'amadouer, c'est bien toi.

Il prit la jeune femme dans ses bras.

— Je suis content que tu n'aies pas voulu sortir, ce soir.

— Je n'aime pas beaucoup les boîtes de nuit. Cela t'ennuie ?

— De passer la soirée tout seul avec toi ? J'ai l'air d'un fou ?

Il l'embrassa doucement, jouant avec ses lèvres, tandis que des mains il effleurait la pointe de ses seins. Emma le sentit durcir contre elle. Sa bouche devint plus exigeante, plus brûlante, cependant qu'il l'entraînait vers le lit.

— La tournée est presque terminée, murmura-t-il.

— Oui, dit-elle dans un souffle, renversant la tête en arrière.

— Reviendras-tu à Londres, Emma ?

Elle sentit son cœur chavirer. C'était la première fois qu'il faisait allusion à l'avenir.

— Oui, répondit-elle. Je retournerai à Londres.

— Et nous aurons d'autres nuits comme celle-ci.

Il l'embrassait toujours, les mains glissant sur son corps, légères, délicates.

— Des tas de nuits ensemble, poursuivit-il en tirant sur les pans du chemisier de la jeune femme pour caresser sa peau. Jour après jour, je pourrai te montrer combien je tiens à toi, à quel point j'ai envie de toi. Laisse-moi te le prouver, Emma.

— Drew.

Elle gémit son nom, tandis que les lèvres de Drew traçaient une ligne humide le long de sa gorge, jusqu'à la naissance des seins. Soudain, la passion l'enflamma. Maintenant, se dit-elle. Maintenant.

La tension qui faisait vibrer le corps du jeune homme ne lui échappait pas, ni la force brute émanant des muscles de ses épaules et de ses bras. En dépit de sa minceur et de son apparence délicate, il émanait de Drew une énergie qu'Emma trouvait infiniment troublante. Pourtant, lorsque les doigts s'attaquèrent à la fermeture de sa jupe, maladroitement, avec impatience, son beau désir s'évanouit.

— Non.

Elle se maudit, en entendant jaillir le mot de ses lèvres, mais ne put le retenir. Drew l'ignora et reprit possession de sa bouche, avec insistance. Saisie de panique, Emma se débattit.

— Non, Drew, je t'en prie.

Quand enfin, elle réussit à se dégager, elle était au bord des larmes.

— Je suis désolée, murmura-t-elle. Je suis tellement désolée. Je ne peux pas. Pas encore.

Il ne répondit rien. Elle entendait son souffle court, mais ne distinguait pas son visage, dans l'obscurité.

— Excuse-moi, reprit-elle. Je comprendrais que tu m'en veuilles, mais...

— Tu n'as pas envie de moi ? demanda-t-il, sa voix résonnant étrangement dans le noir.

— Mais si, tu sais bien que si.

Elle chercha sa main et la porta à ses lèvres.

— Je crois que j'ai un peu peur, c'est tout. Je ne suis pas assez sûre de moi. Mais je ne veux pas te perdre, Drew. Je t'en prie, donne-moi encore un peu de temps.

Elle sentit qu'il se détendait et étouffa un sanglot de soulagement.

— Tu ne peux pas me perdre, Emma. Ne t'inquiète pas. J'attendrai.

Il l'attira de nouveau contre lui, la caressant d'une main. L'autre était maintenue derrière son dos, le poing serré.

# 28

Emma était ravie de passer l'été à Londres. C'était arrivé bien souvent, durant son enfance, mais la situation était différente, aujourd'hui. Elle n'était plus une petite fille. Elle n'habitait plus chez son père. Et surtout, elle était amoureuse.

Drew n'avait guère apprécié qu'elle refuse de s'installer avec lui, mais elle ne se sentait pas prête à franchir le pas. Elle voulait faire durer l'épisode romantique des débuts et continuer à recevoir les bouquets de fleurs qu'il lui envoyait, ainsi que ces petits messages amusants qu'elle trouvait dans la boîte aux lettres. Elle voulait goûter à fond l'excitation que l'on ressent à se sentir tomber en amour. Et puis, elle avait besoin de temps pour s'assurer qu'elle était bien sortie, enfin, de l'ombre de son père. Elle ne l'en aimait pas moins ; sans doute n'était-ce pas possible. Mais elle voulait ne compter que sur elle-même, et pas seulement dans le domaine professionnel. Enfin, il y avait Beverly.

Durant la majeure partie de sa vie, elle avait été privée d'une mère. Elle essayait maintenant de rattraper le temps perdu. En s'installant dans une des chambres d'ami de Beverly, elle ne cherchait pas à retomber en enfance, mais à reformer un lien. Avant de s'investir totalement dans une nouvelle relation, il lui semblait essentiel de faire la paix avec son passé.

Ensuite, elle avait son travail. La ville qui avait vu grandir son père exerçait comme un charme sur son imagination. Emma passait des heures à se promener dans les rues et les parcs, à la recherche de sujets pour ses photos : une vieille dame qui, chaque jour, revenait nourrir les pigeons de Green Park ; les jeunes gens très chic qui sortaient leurs labradors ou poussaient des landaus sur King's Road ; les punks au look agressif qui hantaient les bars...

Alors, elle resta un mois de plus. Puis un autre. Elle célébra, avec Drew, l'ascension de l'album de Birdcage Walk sur les chartes du magazine *Billboard*. Elle assista, amusée, à la cour empressée que lady Annabelle faisait à un P. M. tout décontenancé. Surtout, elle se décida enfin à soumettre des épreuves et son idée de livre à un éditeur.

Et puis, il y avait les dernières photos de la tournée qu'elle venait de tirer sur papier. Elle avait rendez-vous chez Stevie, ce jour-là, et son père devait les y retrouver pour qu'ils puissent choisir les meilleures après force disputes et discussions.

Le soleil brillait sur la campagne anglaise, quand elle franchit les grilles de la propriété du guitariste. Il avait récemment acheté une vieille bâtisse de l'époque victorienne entourée de plusieurs hectares de verdure. Il s'était même lancé dans le jardinage. La précarité de son état de santé n'était plus un secret pour personne, mais Pete, avec son habileté coutumière, avait réussi à dissimuler les véritables raisons de sa faiblesse à la presse. Tout le temps qu'avait duré la tournée européenne, Emma avait craint que Stevie ne s'effondre brusquement, mais il avait tenu bon. Il écrivait de nouveau et s'apprêtait à participer, avec Brian, à un concert pour une de ces nobles causes auxquelles le père d'Emma n'avait jamais pu refuser son concours.

Brian baignait dans son élément : enfin, le rock se mêlait d'actualité et de politique. En Europe, comme en Amérique, les musiciens joignaient leurs noms et leurs talents pour réunir des fonds et défendre des idéaux de liberté et de démocratie. L'époque n'était plus aux manifestations servant souvent d'exutoire aux participants. La gloire et la philosophie laxiste de Woodstock n'étaient plus qu'un souvenir. Les rockers embrassaient désormais les causes humanitaires si chères au cœur de Brian, et Emma était fière de participer à ces élans de générosité, en les immortalisant sur la pellicule.

Ce fut l'intendante de Stevie qui lui ouvrit la porte, la considérant avec méfiance.

— Bonjour, madame Freemont.

Cette dernière arborait, quelle que soit la saison, un chignon serré, une taille imposante et des robes de lainage sombre. Elle travaillait pour Stevie depuis plus de cinq ans et, tout ce temps, elle avait nettoyé les excès de son patron et détourné les yeux, quand ses fonctions la mettaient en contact avec des objets ou des flacons suspects.

D'aucuns auraient pu croire qu'elle était toute dévouée à son employeur. La réalité était beaucoup plus prosaïque : plus que tout, Mme Freemont était fidèle à l'important salaire que lui versait Stevie, en échange de sa discrétion. Il payait, elle se mêlait de ses propres affaires. Chacun y trouvait son compte.

— Il est quelque part là-haut, marmonna-t-elle. Sans doute couché. Je ne suis pas encore montée à l'étage.

« Vieille chouette », pensa Emma, qui sourit néanmoins d'un air poli.

— C'est bon, dit-elle, il m'attend. Je connais le chemin.

Elle se lança dans le grand escalier de chêne, déboutonnant sa veste en chemin.

— Stevie ! Enfile une tenue décente. J'arrive.

Elle entendit de la musique, de l'autre côté de la porte de sa chambre, et frappa deux coups assez forts.

— Allez, Stevie, debout là-dedans !

Elle frappa de nouveau et, n'obtenant aucune réponse, pria pour qu'il fût seul, avant d'entrer.

— Stevie ?

La chambre était vide, les stores baissés et l'air vicié. Elle fronça les sourcils devant le lit défait, la bouteille de Jack Daniels presque vide sur la table de chevet du XVIIIe siècle. Il avait fait tant de progrès ces dernières semaines ; il n'allait tout de même pas se mettre à l'alcool, maintenant. Ne voyait-il donc pas que son corps, son organisme, étaient déjà usés jusqu'à la moelle ?

Ainsi, il s'était soûlé, la veille, se dit-elle en tirant les stores et en ouvrant les fenêtres. Après quoi il avait dû s'extraire de son lit parce qu'il était malade. À l'heure qu'il était, il devait dormir sur le carrelage de la salle de bains. Et s'il avait attrapé la mort, ce serait bien fait. Elle n'allait certainement pas le plaindre.

Elle poussa la porte contiguë.

Une effroyable odeur de sang et d'urine lui donna un haut-le-cœur, et elle recula, se cognant à la chaîne stéréo dont l'aiguille crissa sur le vinyle. Le brusque silence la frappa comme une gifle et, avec un cri d'alarme, elle se précipita vers le corps étendu sur le sol.

Il était nu, et glacé. Terrifiée, la jeune femme le retourna sur le dos. C'est alors qu'elle aperçut la seringue et le revolver.

— Non ! Mon Dieu, non !

De ses mains tremblantes, elle chercha une blessure, puis le pouls. Elle trouva la première, mais ce n'était que la marque tragique de la seringue, au milieu de toutes les autres, précédemment laissées sur la peau exsangue. Un sanglot s'échappa de sa gorge, quand elle trouva le second, au bout de ses doigts, si faible qu'il était à peine perceptible.

— Stevie, Seigneur, Stevie, qu'as-tu fait ?

Elle courut jusqu'à la porte et se pencha sur la rampe de l'escalier.

— Appelez une ambulance ! hurla-t-elle. Appelez une ambulance, vite !

En retournant dans la salle de bains, elle arracha l'édredon du lit, pour en couvrir le corps de Stevie. Il avait le teint crayeux et sur le front, juste au-dessus du sourcil droit, une profonde entaille. Emma saisit une serviette et la pressa contre la blessure, pour éponger le sang. Lorsqu'elle eut bien couvert le guitariste, elle se mit à le gifler.

— Réveille-toi, Stevie. Réveille-toi, bon Dieu ! Je ne vais pas te laisser mourir comme ça.

Elle le secoua, le gifla encore et s'effondra sur lui, pleurant à gros sanglots.

— Je t'en prie, je t'en prie.

Elle caressa ses cheveux, chercha son pouls, de nouveau ; mais cette fois, elle ne sentit rien.

— Espèce de crétin !

Elle repoussa l'édredon et posa ses deux mains à plat sur la poitrine de Stevie, appuyant de toutes ses forces, une fois, deux fois. Elle lui ouvrit la bouche et souffla dedans, puis de nouveau, pompa sur la poitrine.

— Tu m'entends, Stevie ? Reviens !

Menaçant, plaidant, jurant et priant, elle lutta pour le ramener à la vie, tandis que des images se bousculaient dans son esprit. Stevie, en ange blanc, chantant dans le jardin ; sur scène, le corps chevillé à sa guitare dont il arrachait des sons fiévreux ; des jeux de Scrabble devant la cheminée ; un visage malicieux et une question, toujours la même : « Emma, qui est le meilleur ? »

La sueur coulait de son front, quand elle entendit des bruits de pas dans l'escalier.

— Ici. Dépêchez-vous. Oh, papa !

— Doux Jésus !

Brian s'agenouilla aussitôt près d'elle.

— Je l'ai trouvé... Il était vivant. Et puis, il a arrêté de respirer.

Les muscles de ses bras la faisaient souffrir, mais elle pompait toujours.

— L'ambulance. Elle a appelé l'ambulance ?

— Elle a téléphoné à Pete. Dans sa voiture.

— Nom de Dieu, je lui ai dit d'appeler une ambulance ! Il a besoin d'une ambulance.

Elle leva la tête et son regard croisa celui de Pete.

— Merde, tu ne vois pas qu'il va mourir ? Qu'est-ce que tu attends ?

Il acquiesça en silence. Il n'avait pas du tout l'intention d'appeler une ambulance. Fatalement publique. Au lieu de ça, il alla vite téléphoner à une clinique discrète et très privée.

— Arrête, Emma, dit Brian. Arrête, il respire.

— Je ne peux pas...

Brian la prit dans ses bras.

— Ça y est, ma chérie. Tu as réussi. Il respire.

Étourdie, elle baissa les yeux et vit la poitrine de Stevie se soulever, faiblement, mais régulièrement.

*
*  *

Parfois, il hurlait. D'autres fois, il pleurait. Et tandis que son corps subissait un nouveau sevrage, Stevie apprenait de nouvelles douleurs. De petits lutins malfaisants couraient sous la peau de ses bras couverts d'abcès, lui donnant froid, puis chaud. Il lui arrivait de les voir clairement, avec leurs yeux rouges et leurs bouches voraces, dansant des claquettes sur son corps, avant d'y plonger leurs dents.

Des crises d'hystérie suivaient, au cours desquelles, sa force décuplant, il fallait l'attacher à son lit. Puis, il sombrait dans le silence et l'apathie. Il pouvait alors passer des heures à fixer un point invisible devant lui.

Dans ces moments-là, il se rappelait avoir glissé vers le néant, paisiblement, sans peine. Puis la voix d'Emma, furieuse, affolée, lui ordonnant de revenir. Il était revenu. Et la souffrance l'avait terrassé de nouveau. La paix l'avait quitté.

Il supplia qu'on le laissât repartir. Il promit des sommes d'argent astronomiques pour qu'on lui fournît de la drogue et le moyen d'en finir, et poussa des litanies de jurons en voyant que ses prières n'étaient pas exaucées. Il ne voulait pas retrouver le monde des vivants. Alors, comme il refusait de manger, il fut nourri par intraveineuse.

Ils utilisaient une médication antihypertensive afin de tromper son cerveau en lui faisant croire qu'il n'était pas sevré. À cela, ils mélangeaient un opiacé n'entraînant pas d'accoutumance, afin que son corps se croie privé de drogue. Stevie mourait du besoin de s'échapper grâce à l'héroïne ; il voulait se sentir planer sous l'impulsion de la cocaïne.

Après deux semaines, il se calma. Il devint sournois, aussi. Il les attendait au tournant, les salauds qui l'avaient enfermé ici. Il allait manger ses fruits et ses légumes, sourire et répondre à toutes leurs questions. Il mentirait à la jolie psychiatre. Et il sortirait.

Il rêvait du moment où il se gorgerait les veines de cette glorieuse combinaison d'héroïne et de cocaïne. Toute cette sublime poudre blanche. Il fantasmait, imaginait des montagnes de neige amoncelées sur des plateaux d'argent.

Il rêvait aussi qu'il les tuait, tous, les médecins et les infirmières. Il rêvait qu'il se tuait, aussi. Puis il éclatait en sanglots.

Il avait abîmé son cœur, et son foie, disait-on. Il était anémique. Jamais on ne le traita de junkie : il souffrait d'un penchant à la dépendance. Ah ! Un penchant à la dépendance. Sans blague, Sherlock. Tout ce qu'il demandait, lui, c'était qu'on leur fiche la paix, à lui et à ses penchants. Il était le meilleur guitariste du monde, et cela depuis vingt ans. Il avait quarante-cinq ans et les minettes lui couraient toujours après. Il était riche. Il avait une Lamborghini, une Rolls. Il achetait les motos comme d'autres s'achètent un paquet de chips. Il avait une propriété de dix hectares à la sortie de Londres, une villa à Paris, et une maison dans les collines de San Francisco. Il aurait bien voulu voir ces toubibs sentencieux faire mieux que ça.

Est-ce qu'ils s'étaient jamais tenus sur une scène, avec un public de dix mille personnes en train de hurler pour eux ? Non. Lui, si. Ils étaient jaloux. Voilà pourquoi ils le gardaient ici, loin de ses fans, loin de sa musique et loin de ses drogues.

Et pourquoi le laissait-on seul, aujourd'hui ? Il y avait presque toujours quelqu'un près de lui. Il ne supportait pas de se retrouver en tête à tête avec lui-même.

Puis la porte s'ouvrit, et une vague de soulagement le submergea. C'était Brian.

Jour après jour, visite après visite, ce dernier essayait de ne pas être choqué par l'apparence de son ami. Il ne voulait pas s'attarder sur les cheveux pendants et grisonnants, ni les rides profondes creusées autour des yeux et de la bouche de Stevie. Il ne voulait pas regarder son corps si maigre qu'il paraissait avoir rétréci, comme celui d'un vieil homme.

— Comment ça va ? demanda-t-il.

Stevie sourit. Sa joie de revoir Brian était manifeste.

— Oh, c'est le pied, ici. Tu devrais te joindre à moi.

— Tu aurais de la concurrence pour draguer toutes ces infirmières aux jambes interminables, plaisanta Brian en réprimant un frisson d'effroi.

Il lui tendit une grosse boîte de chocolats. Il n'ignorait pas les fringales de sucreries dont les junkies sont notoirement victimes.

— Tu as l'air presque humain, de nouveau.

— Ouais. Je crois que le véritable nom du Dr Matthew est Frankenstein. Alors, que se passe-t-il dans le vrai monde ?

Ils abordèrent divers sujets, d'un ton malaisé et un peu trop poli, tandis que Stevie engloutissait un chocolat après l'autre.

— Pete n'est pas venu depuis un moment, dit enfin Stevie.

— Il a pas mal de boulot.

— Tu veux dire qu'il est furieux.

— C'est ça. Mais les états d'âme de Pete ne t'ont jamais inquiété, que je sache.

— Non, bien sûr, mentit le guitariste. Mais je ne vois pas ce qui le gêne tellement. Il a encore servi un joli scénario à la presse. C'était quoi, déjà ? Pneumonie virale avec complications dues à l'épuisement ?

— Ça paraissait la meilleure solution.

— Ouais, bien sûr. On ne voudrait pas que le public apprenne que ce vieux Stevie a avalé une saloperie de trop et cherché à se brûler la cervelle.

— Allons, Stevie.

— Hé, pas de problème ! dit celui-ci, en clignant des yeux. Seulement, une attitude comme celle-là me bouffe de l'intérieur, Brian. Il n'a pas envie de voir le junkie. Il me fournissait la dope quand il avait peur que je n'assure pas sur scène, et maintenant, il refuse de me voir.

— Tu ne m'as jamais dit que Pete te fournissait de la drogue.

Stevie baissa les yeux. C'était un petit secret.

— De temps en temps, quand mes sources étaient épuisées. Le spectacle doit continuer, pas vrai ? Alors, il me trouvait un petit quelque chose, sans cesser de secouer la tête d'un air désapprobateur, et quand le spectacle était terminé, il m'enfermait de nouveau dans une de ces cliniques.

— Aucun d'entre nous ne pouvait imaginer que cela prendrait de telles proportions.

— Non, en effet.

Il se mit à tambouriner sur le couvercle de la boîte de chocolats.

— Tu te souviens de Woodstock, Brian ? Seigneur, quelle époque ! Toi et moi, assis dans les bois. On était en plein trip d'acide et on écoutait cette musique fabuleuse. Comment a-t-on atterri jusqu'ici, Brian ?

— Si je le savais, répondit ce dernier. Écoute, Stevie, tu vas te sortir de là. Après tout, tu n'es pas le seul à te nettoyer. Tout le monde suit une cure de désintoxication, de nos jours. C'est le grand truc des années 1980.

— Ça me ressemble bien. Toujours sur la crête de la vague.

Il saisit la main de Brian.

— C'est l'horreur, tu sais. C'est vraiment dur.

— Je sais.

— Tu ne sais rien. Il faudrait que tu sois à ma place, pour savoir. Je vais peut-être y arriver, cette fois, mais j'ai besoin d'aide.

— Tu en auras ici.

— Ouais, ouais. Mais ça ne suffit pas. J'ai besoin de quelque chose, un gramme ou deux de coke, Brian, juste pour m'aider à tenir le coup.

Ce n'était pas la première fois qu'il demandait. Le cœur chaviré, Brian se doutait bien que ce ne serait pas la dernière.

— Je ne peux pas faire ça, Stevie.

— Bon sang, Brian, juste quelques grammes. Tout ce qu'ils me donnent, ici, c'est des médicaments pour nourrissons.

Brian se dégagea et marcha vers la fenêtre. Il ne supportait pas de voir le regard suppliant de son ami.

— Je ne te fournirai pas de drogue, Stevie. D'après les médecins, cela reviendrait à te tirer une balle dans la tête.

— J'ai déjà essayé ça.

Luttant pour ne pas éclater en sanglots, Stevie plongea son visage dans ses mains.

— D'accord, oublie la coke. Tu pourrais m'apporter autre chose. Un peu de Dolophine. C'est une bonne drogue, ça. Si elle était assez bonne pour les nazis, elle l'est forcément pour moi. C'est juste un substitut, merde. Tu l'as déjà fait, alors où est le problème ?

Brian se retourna, prêt à refuser de nouveau, mais son regard tomba sur Emma, debout dans l'encadrement de la porte. Elle était raide comme une statue, tenant un jeu de Scrabble sous le bras. Elle avait l'air d'avoir seize ans avec ses cheveux nattés. Mais ses yeux étaient froids, accusateurs.

— Je dérange ? demanda-t-elle.

— Non, répondit Brian, enfonçant ses mains dans ses poches. Il faut que j'y aille.

— J'aimerais te parler, dit-elle à son père, sans le regarder, tandis qu'elle se dirigeait vers le lit de Stevie. Tu pourrais m'attendre dehors. Je ne serai pas longue. Le médecin dit que Stevie a besoin de repos.

— D'accord.

C'était ridicule. Il se sentait comme un enfant sur le point d'être réprimandé.

— Je te verrai dans un jour ou deux, Stevie.

— OK.

Stevie ne dit rien de plus, mais son visage, tandis qu'il regardait Brian quitter la pièce, n'était qu'une prière muette.

— Je t'ai apporté cela, dit Emma en posant le jeu sur les genoux du guitariste. Je me suis dit que tu pourrais t'entraîner un peu pour essayer de me battre.

— Je te bats toujours.

— C'était vrai quand j'étais gosse, et parce que tu trichais.

Elle s'installa sur le bord de son lit.

— Je ne suis plus une gosse.

Il ne répondit rien. Ses doigts pianotaient maintenant sur la boîte de jeu.

— Alors, tu veux de la drogue, reprit la jeune femme, d'un ton si glacial, si terre à terre, qu'il ne comprit pas tout de suite. C'était quoi, déjà ? Je vais le noter. Je devrais pouvoir m'en procurer en quelques heures.

— Non !

— Comment non ? Tu as bien dit que tu en voulais ? Quel est le nom ?

Elle avait sorti un calepin et un stylo de son sac et le visage de Stevie s'éclaira, plein d'espoir, avant que la honte le fasse rougir.

— Je ne veux pas que tu te mêles de ça.

Elle éclata de rire. Un rire sombre qui lui donna la chair de poule.

— Ne sois pas si naïf, Stevie. Je suis mêlée à tout ça, comme tu dis, depuis l'âge de trois ans. Tu crois vraiment que je ne savais pas ce qui se passait, dans ces soirées ?

Il l'avait cru pourtant. Parce qu'il avait désespérément besoin de le croire. Emma était, avait toujours été leur petit rayon d'innocence, au milieu du bruit et de la folie.

— Je suis fatigué, Emma.

— Fatigué ? Tu as besoin d'un petit remontant ? Un petit flash pour voiler la réalité ? Donne-moi le nom de cette drogue, Stevie. Après tout, je t'ai sauvé la vie. Il me semble juste de t'aider à la perdre.

— Je ne t'ai pas demandé de me sauver la vie ! Tu ne pouvais pas me foutre la paix, Emma ? Pourquoi ne m'as-tu pas laissé tranquille ?

— Une erreur de ma part, riposta-t-elle froidement. Mais on peut faire en sorte de la réparer très vite.

Elle se pencha vers lui, le regard dur.

— Je t'apporterai cette saloperie de drogue moi-même, Stevie. Je te l'enfoncerai même dans les veines, si tu veux. Il n'est pas impossible que je l'essaye aussi, d'ailleurs.

— Non !

— Pourquoi pas ? s'exclama-t-elle, les sourcils arqués. Tu as bien dit à papa que c'était une bonne drogue, non ? Ce qui est bon pour toi l'est forcément pour moi.

— Arrête tes conneries, tu veux. Regarde ce que je me suis fait, cria-t-il en tendant son bras noirci d'escarres.

— Je le vois très bien. Tu es faible, pitoyable et triste.

— Mademoiselle ! intervint une infirmière en entrant dans la chambre. Vous allez devoir...

Emma se tourna, la foudroyant du regard.

— Fichez le camp d'ici, cria-t-elle. Je n'ai pas terminé.

La femme sortit aussitôt, et l'écho de ses pas s'éloigna dans le couloir.

— Laisse-moi seul, murmura Stevie.

— Oh, je vais te laisser seul. Quand j'aurai dit ce que j'ai à dire. Je t'ai trouvé gisant sur le sol, baignant dans ton sang et tes vomissures, à côté du revolver et de la seringue. Tu n'étais pas capable de décider de quelle manière tu voulais te suicider, Stevie ? C'est vraiment trop bête, hein, que je n'aie pas voulu que tu meures. Je t'ai réinsufflé la vie, à même le sol. Je pleurais parce que j'avais peur de ne pas être assez rapide, ou assez habile pour te sauver. Mais quand ils t'ont emmené, tu respirais. Et moi, j'ai pensé que ça comptait.

— Qu'est-ce que tu veux à la fin ? hurla-t-il.

— Je veux que tu réfléchisses à quelqu'un d'autre qu'à ta petite personne, pour une fois. Que crois-tu que j'aurais ressenti, si je t'avais trouvé mort ? Et papa, ça lui aurait fait quoi ? Tu as tout ce qu'un homme peut désirer, mais tu es tellement déterminé à te détruire que tu pourrais en avoir deux fois plus sans que cela change quoi que ce soit.

— Je ne peux pas m'en empêcher.

— Belle excuse ! Elle va très bien avec ce que tu es devenu !

Elle était au bord des larmes, maintenant, mais sa colère lui donna la force de les ravaler.

— Je t'ai toujours aimé, Stevie, d'aussi loin que je me rappelle. Toutes ces années, je t'ai regardé jouer de la guitare, émerveillée de ce que tu étais capable de créer au bout de tes doigts. Et maintenant, tu voudrais me regarder en face et me dire que tu ne peux pas t'empêcher de te tuer à petit feu ? Soit, si c'est ce que tu souhaites, mais n'attends pas des gens qui t'aiment qu'ils restent là à te regarder faire !

Elle pivota sur ses talons et fut arrêtée, sur le seuil, par une petite femme brune.

— Mademoiselle McAvoy ? Je suis le Dr Haynes, la psychiatre de M. Nimmons.

Tout le corps d'Emma était tendu comme un arc.

— Je m'en allais, docteur.

— Oui, je vois. Jolie performance. Je vous recommande une bonne marche et un bain chaud, maintenant.

Passant devant Emma, elle se dirigea vers le lit de son patient.

— Oh, un Scrabble ! C'est un de mes jeux préférés. Vous voulez faire une petite partie, monsieur Nimmons ?

Emma entendit les jetons se fracasser contre le mur, mais ne se retourna pas.

Brian l'attendait dehors, appuyé contre le capot de sa nouvelle Jaguar. Quand il la vit, il tira une dernière bouffée de sa cigarette et jeta le mégot.

— Je pensais que tu allais rester plus longtemps.

— Non, j'en ai fini. Est-ce que j'ai bien entendu, tout à l'heure ? Tu as acheté de la drogue pour Stevie ?

— Pas de la manière dont tu l'entends, Emma. Je ne suis pas un dealer.

— On joue sur les mots, hein ? Est-ce que tu lui as fourni de la drogue ?

— Je lui ai procuré des substituts opiacés pour l'aider à tenir le coup, pendant la tournée, et pour éviter qu'il aille acheter n'importe quoi dans une allée sombre.

— Pour l'aider à tenir le coup pendant la tournée, répéta la jeune femme. Et moi qui trouvais Pete lamentable, avec ses mensonges grossiers à la presse !

— Pete n'est pas responsable.

— Si. Vous l'êtes tous.

— Faudrait-il placer un placard dans le *Billboard* pour annoncer que Stevie est un junkie ?

— Ça vaudrait sans doute mieux. Comment pourra-t-il jamais affronter ce qui l'attend, s'il ne peut même pas admettre ce qu'il est, et si ses amis, ses chers amis continuent à lui donner de la drogue pour qu'il tienne le coup encore un soir, encore un concert ?

— Ce n'est pas ainsi que les choses se passent.

— Ah non ? Ne serais-tu pas plutôt en train de te persuader que tu le fais par amitié ?

Brian s'appuya de nouveau contre sa voiture. Il était las. Il ne voulait que la paix.

— Tu ne sais pas de quoi tu parles, Emma. Et je n'apprécie pas beaucoup d'être chapitré par ma propre fille.

— Je m'en vais.

Elle marcha vers sa voiture. La main sur la poignée de la portière, elle se retourna encore une fois.

— Tu sais, je ne te l'ai jamais dit, mais je suis allée voir Jane, il y a deux ans. Elle est pitoyable, enfoncée jusqu'au cou dans ses besoins. Jusqu'à présent, je ne m'étais jamais aperçue à quel point tu lui ressembles.

Se glissant derrière le volant, elle claqua la portière et fit rugir le moteur. Si ses paroles blessèrent son père, Emma ne le vit pas. Elle s'éloigna sans jeter un seul regard dans son rétroviseur.

# 29

Emma épousa Drew au cours d'une petite cérémonie civile. Il n'y eut pas d'invités et pas d'annonce à la presse. Elle n'avait prévenu personne, même pas Marianne. Après tout, elle avait vingt et un ans, et nul besoin de la permission ou de l'approbation de qui que ce soit.

Ce n'était pas le mariage dont elle avait rêvé ; il manquait les bouillons de dentelle et la soie immaculée, les fleurs, la musique et les larmes d'émotion. Un instant, elle se rappela celui de son père, autrefois ; le visage rayonnant de Beverly, le sourire de Brian, et Stevie, tout en blanc, chantant comme un ange. Le souvenir lui chavira le cœur, mais elle le chassa de sa mémoire. Après tout, elle faisait exactement ce dont elle avait envie. Et tant pis pour les autres. C'était égoïste, peut-être, mais elle avait bien le droit de l'être, pour une fois. D'ailleurs, comment prévenir Marianne ou Beverly sans informer Brian ? Or, elle ne voulait pas que son père fût présent.

Elle leva les yeux vers Drew.

Il lui souriait. Quand il glissa l'anneau à son doigt, elle sentit sa main chaude, assurée ; sa voix, claire et douce, alors qu'il promettait de l'aimer, de l'honorer toujours et de la chérir. Elle avait tellement besoin d'être chérie. Lorsqu'il l'embrassa, elle le crut.

Désormais, ils étaient mari et femme. Elle n'était plus Emma McAvoy, mais Emma McAvoy Latimer.

En épousant Drew Latimer, elle entamait une nouvelle existence.

Peu importait que le jeune marié dût ensuite se rendre directement au studio d'enregistrement. Emma comprenait les exigences du métier mieux que personne. Et puis, elle eut ainsi tout le loisir de préparer la suite d'hôtel pour leur nuit de noces. Tout devait être parfait.

Des heures durant, elle disposa des fleurs dans les vases. Une douzaine de bougies blanches parfumées au jasmin attendaient d'être allumées et le champagne reposait au frais, dans un sceau de cristal. Puis, elle prit un bain interminable et se poudra le corps. Elle brossa ses cheveux jusqu'à les faire crépiter. Et, lentement, elle fit glisser le négligé de soie et de dentelle blanche le long de son corps. La psyché lui renvoya l'image d'une jeune mariée et, fermant les yeux, elle imagina sa première nuit dans les bras de son mari. Ce serait la plus belle de sa vie. Enfin, elle allait connaître les frissons dont elle avait tant rêvé. Drew entrerait. Il la regarderait longuement, du bout de ses yeux dorés, avant de la prendre contre lui. Il serait doux, tendre et patient. Il lui dirait combien il l'aimait, combien il la désirait. Puis, la soulevant contre lui, il la porterait vers le lit.

À 22 heures, elle était anxieuse. Quand sonnèrent 23 heures, l'anxiété devint malaise. À minuit, elle était folle d'inquiétude. Elle appela le studio et s'entendit répondre que Drew était parti depuis des heures. Elle imagina un terrible accident. Dans sa hâte de la rejoindre, il aurait commis une imprudence au volant. Les médecins, la police, personne ne saurait où la contacter. À l'heure qu'il était, Drew se trouvait peut-être allongé dans un lit d'hôpital ; blessé ; la réclamant.

Elle téléphonait fiévreusement à tous les services d'urgence de la ville, quand la clé tourna dans la serrure. Avant qu'il eût le temps de pousser la porte, elle était là, l'ouvrant à la volée et tombant dans ses bras.

— Oh, Drew, j'étais terrifiée !

— Holà ! du calme, du calme.

Il lui pinça les fesses et le cerveau d'Emma enregistra une information qu'il rejeta aussitôt, instinctivement : Drew était ivre. Elle recula d'un pas et le regarda fixement.

— Tu as bu, dit-elle.

— On a fêté ça avec les copains. C'est pas tous les jours qu'un homme se marie, pas vrai ?

— Tu... tu avais dit que tu serais de retour à 10 heures au plus tard.

— Bon sang, Emma, tu ne vas pas déjà te mettre à faire des scènes ?

— Non, mais... j'étais inquiète.

— Eh bien, je suis là, non ?

Il ôta son blouson et le laissa tomber sur le sol. Cela ne lui arrivait pas souvent de boire, mais aujourd'hui, les verres avaient paru se succéder à toute allure.

— Regarde-toi, reprit-il. L'image même de la mariée rougissante. Belle, belle Emma, tout en blanc.

Elle avait rougi, en effet. Elle reconnut le désir dans les yeux de Drew et, sans l'ombre d'une hésitation, retourna se réfugier dans ses bras.

— Je voulais être belle pour toi, dit-elle, le visage levé vers lui.

Il lui fit mal. Sa bouche était féroce et il lui mordit la lèvre inférieure, en même temps qu'il la pressait contre lui.

— Drew.

Elle essaya de se dégager, se revoyant, dans un flash, avec Blackpool, dans la chambre noire.

— Drew, je t'en prie.

— Ne joue pas ce petit jeu avec moi. Pas ce soir.

Il la prit par les cheveux et la força à le regarder.

— Tu m'as fait attendre suffisamment longtemps. C'est fini, les excuses.

— Je ne... je... Drew, est-ce qu'on ne peut pas...

— Tu es ma femme, maintenant. On fait les choses à ma façon.

Il l'entraîna vers le sol, ignorant ses plaintes et ses supplications. Les mains de Drew étaient dures et elles arrachèrent les dentelles du négligé, découvrant un sein qu'il se mit à sucer et pincer violemment. Ce n'était pas normal, se dit Emma. Ce n'était pas normal. Étouffant sous la bouche de Drew et les relents de whisky, elle essaya de se débattre, mais il lui prit les deux mains, les immobilisa au-dessus de sa tête et prit sa virginité en un mouvement brusque.

Elle cria, d'effroi et de douleur. Mais il ne l'écoutait pas. Il plongea en elle, encore et encore, haletant, grognant. Quand enfin il s'abattit sur elle, avant de rouler sur le côté et de s'endormir aussitôt, tout le corps de la jeune femme était secoué de sanglots rauques.

Le lendemain matin, il était plein de remords. Le regard voilé, la voix tremblante, il se maudit et plaida son pardon. L'ivresse était sa seule, sa pitoyable excuse pour expliquer son inqualifiable conduite. Quand il la prit dans ses bras, caressant ses cheveux, lui murmurant toutes sortes de tendres promesses, Emma ne douta pas qu'il fût sincère. C'était comme si un autre homme s'était jeté sur elle, la veille, pour lui démontrer à quel point le sexe pouvait être brutal et cruel. Son mari ne fut que douceur, et à la fin de sa première journée de femme mariée, Emma reposait dans les bras de son époux, contente, rêvant d'un avenir heureux.

Michael entra dans la cuisine en titubant. Il visait les céréales et la cafetière. En fait, son intention était tellement arrêtée qu'il fut choqué de trouver l'évier et le plan de travail totalement encombrés. Il considéra les dégâts d'un air accusateur. Il avait été débordé de travail, toute la semaine, et se demandait pourquoi des tâches aussi triviales que la vaisselle ne s'accomplissaient pas d'elles-mêmes.

Animé du plus pur esprit de sacrifice, il décida de s'atteler à cette corvée avant de s'installer pour prendre son petit déjeuner et lire le journal. Il remplit d'abord la cafetière, puis, sortant un sac-poubelle de cent litres, il y jeta tout ce qui encombrait la cuisine. Il n'y avait là que des récipients en plastique ou en carton : un système qui scandalisait sa mère, mais que Michael jugeait hautement efficace. C'était simple, le lave-vaisselle dont la cuisine du jeune homme était équipée n'avait jamais servi.

Satisfait, il chercha la boîte de céréales dans un placard et la secoua au-dessus d'un bol, avant de noyer les pétales de maïs sous une giclée de café brûlant. Il avait découvert cette délicate combinaison par accident, un matin de réveil difficile : ayant presque entièrement dévoré son petit déjeuner, il s'était aperçu, tout à coup, qu'il avait versé le café sur ses céréales et le lait dans le gobelet. Depuis ce jour-là, Michael s'était dispensé de lait, une fois pour toutes.

Il allait entamer avec bonheur son repas matinal, quand il fut interrompu par un grand bruit, de l'autre côté de la porte grillagée du jardin.

À première vue, il s'agissait d'une masse grise et informe d'environ un mètre cinquante. Puis on remarquait la queue frétillante et la langue rose pendante. Michael ouvrit la porte, aussitôt salué par l'énorme chien.

— N'imagine pas gagner ton pardon en faisant le beau, lui dit Michael.

Conroy, animal sans pedigree, s'assit sur le sol. Il sentait très mauvais, mais ne paraissait nullement gêné par son odeur. Ses poils étaient emmêlés, pleins de nœuds, et Michael se demanda, une fois de plus, où était passée la petite boule de fourrure qu'il avait choisie au milieu d'une nichée d'adorables chiots, à peine deux ans plus tôt. En grandissant, Conroy était devenu d'une laideur impressionnante. Mais ce vilain tour de la nature ne semblait pas non plus déranger le chien.

Avec une sorte de sourire, Conroy leva la patte vers son maître dans un geste qui ne devait rien à la soumission – l'un comme l'autre le savaient.

— Je n'ai pas l'intention de serrer cette patte, affirma Michael. Je ne sais pas où elle a traîné. Tu es retourné voir ta copine, hein ?

Conroy fit glisser son regard vers la gauche. S'il avait pu siffler entre ses dents, il n'eût sans doute pas manqué de le faire.

— N'essaie pas de le nier. Tu as passé tout le week-end à te rouler dans la boue et à baver sur cette chienne bâtarde, sans la moindre considération pour moi.

Se tournant, Michael plongea la tête dans le réfrigérateur.

— Si tu l'engrosses de nouveau, ce sera ton problème, poursuivit-il. Je te l'ai dit des milliers de fois. Pas de sexe sans protection. C'est les années 1980, mon vieux.

Il vida une boîte de boulettes de viande dans une gamelle et s'installa devant ses céréales au café.

Michael aimait sa vie. Pas une semaine ne passait sans qu'il se félicitât d'avoir emménagé dans la banlieue de Los Angeles ; une décision prise brusquement, au terme de sa liaison avec Angie Parks. Cet épisode peu glorieux ne s'était pas révélé instructif uniquement sur le plan sexuel, mais aussi sur un plan personnel : Michael Kesselring savait désormais qu'il était et serait toujours un rejeton de la classe moyenne, heureux de vivre dans une petite maison tranquille avec son carré de pelouse, son chien et son boulot.

Quand le film *Dévastée* était sorti, quelques semaines après qu'Angie l'avait laissé tomber pour un joueur de hockey âgé de vingt ans, Michael était allé le voir, seul, pour s'assurer qu'il n'éprouvait plus la moindre attirance pour l'actrice. En fait d'attirance, il n'avait ressenti que de la gêne ; d'abord en constatant que durant les trois mois qu'avait duré leur liaison torride, Angie Parks avait joué avec lui le rôle qu'elle tenait à l'écran, celui de Jane Palmer ; ensuite, à l'idée, presque insupportable, qu'il avait indirectement couché avec la mère d'Emma.

Il s'était demandé si la jeune femme irait voir le film.

Mais il n'aimait pas penser à Emma.

Il y avait eu d'autres femmes – jamais rien de sérieux. Et puis, il était très occupé par son travail. Il savait maintenant qu'il avait l'étoffe d'un bon flic. Il n'était peut-être pas aussi patient et minutieux que son père, mais il était doué d'instinct et de persévérance. Surtout, il respectait assez la vie humaine pour ne jamais devenir un maniaque de la gâchette.

— Je me suis fait tirer dessus, hier soir, dit-il à son chien, sur le ton de la conversation. Si ce pervers avait mieux visé, tu serais sans toit, à l'heure qu'il est. Ne va pas imaginer qu'il t'aurait recueilli.

Il ouvrit le journal et parcourut la première page. Toujours les mêmes problèmes au Moyen-Orient, les histoires de terrorisme. Puis il y avait les sempiternels commentaires alarmistes au sujet de l'économie. Plusieurs pages plus loin, Michael trouva l'article consacré à l'arrestation de Nick Axelrod, un voyou de deuxième zone qui, après s'être shooté aux amphétamines, avait réglé son compte à sa maîtresse.

— Tiens, c'est écrit là, reprit Michael en mettant le journal sous le nez de Conroy. Je l'ai trouvé dans un appartement du centre-ville, en train de tirer sur les murs et de pousser des cris de fauve.

Apparemment peu intéressé, Conroy grattait ses puces.

— Tu vois, on parle de moi, détective Michael Kesselrung. Ouais, je sais, ces journalistes sont incapables de recopier un nom sans faute. Mais puisque les faits divers ont l'air de t'ennuyer, rends-toi utile et va me chercher mes cigarettes. Allez, hop !

Grognant vaguement, le chien obéit, tandis que Michael tournait la page. Soudain, il se figea. L'espace d'un instant, il lui parut que son cœur s'arrêtait de battre. Il avait les yeux fixés sur une photo, dans la rubrique mondaine.

Emma. Si belle, avec son sourire timide et ses yeux bleus immenses. Elle portait une petite robe sans bretelles et ses cheveux tombaient en cascades sur ses épaules. Des épaules qu'entourait le bras d'un homme. Drew Latimer. Il souriait aussi. Non, plus qu'un sourire, c'était de la jubilation. Son visage était littéralement fendu d'une oreille à l'autre.

Conroy reparut en trottant et posa un paquet de cigarettes entamé sur les genoux de son maître, mais Michael ne réagit pas. Lentement, comme s'il déchiffrait une langue étrangère, il lut les gros titres et l'article qui accompagnaient la photo :

*La princesse du rock, Emma McAvoy, épouse son prince.*
*Au cours d'une cérémonie secrète, il y a deux jours, Emma McAvoy, fille de la rock star Brian McAvoy, et de la romancière Jane Palmer, a épousé Drew Latimer, vingt-six ans, chanteur et guitariste du groupe qui monte, Birdcage Walk. Les jeunes mariés s'étaient rencontrés lors de la tournée européenne des Devastation.*

Michael n'en lut pas davantage. Il ne pouvait pas.
— Mon Dieu, Emma, murmura-t-il.
Et, fermant les yeux, il laissa retomber le journal.

*
* *

Emma était ravie de retrouver New York. Elle allait faire découvrir la ville à Drew et ils passeraient leur premier Noël ensemble dans le loft. Quel bonheur de se sentir enfin libre : plus de Sweeney en résidence, au premier étage.

— J'ai l'impression d'être partie depuis des années ! s'exclama-t-elle en sortant de l'ascenseur. Alors, qu'en penses-tu ?

— C'est grand, répondit Drew. Un peu spartiate, ajouta-t-il, après un instant.

— Attends que je sorte les décorations de Noël. Marianne et moi nous sommes amusées à collectionner des tas de trucs vraiment kitsch.

Elle fouilla son sac à la recherche d'un pourboire pour le chauffeur de taxi qui venait de monter leurs bagages, puis, ôtant son manteau, elle se précipita vers la fenêtre.

— Drew, viens regarder. La vue est meilleure depuis le studio de Marianne, mais j'ai le vertige, là-haut.

— Oui, pas mal, murmura-t-il en la rejoignant.

Il ne voyait qu'une rue sale et encombrée par une circulation démente.

— Emma, pourquoi n'as-tu jamais déménagé dans un endroit un peu plus... chic ?

— Je n'en ai jamais eu envie.

— Eh bien, tout ceci est charmant et sans doute parfait pour deux étudiantes, mais il va falloir revoir la situation. Après tout, nous ne pouvons pas vivre avec Marianne, aussi adorable soit-elle.

— Mais elle ne revient pas avant plusieurs mois. Je ne pensais pas...

— Eh bien, penses-y, maintenant, l'interrompit-il.

Il déposa un baiser sur le sourcil de sa femme, comme pour se faire pardonner son impatience. Décidément, cette petite Emma était bien jolie, mais un peu lente, songea-t-il en lui tapotant la joue.

— D'après ce que j'ai entendu dire, trouver un appartement demande beaucoup de temps et d'argent, à New York. Bon sang, il fait froid, ici.

— Ça n'a pas été chauffé depuis des mois, murmura Emma.

— Oui, bien sûr. Enfin, je suis sûr que nous serons très bien dans ce loft, pendant une quinzaine de jours. Après tout, une lune de miel, même tardive, ne requiert pas autre chose qu'un lit.

Il rit de la voir rougir et la souleva dans ses bras, avant de l'embrasser longuement.

— On a un lit, dis ?

— Oui, répondit Emma en se serrant contre lui. De l'autre côté de la porte, là-bas. Il faut que je mette des draps propres.

— Tu t'occuperas des draps plus tard.

Il l'emporta vers la chambre, tout en tirant sur son chandail. Elle savait que tout irait vite, à présent. Ce ne serait pas aussi violent ni aussi douloureux que le soir de leurs noces, mais rapide et vite expédié. Elle ignorait la manière de demander davantage. Pourtant, au fond de son cœur, elle se disait que l'amour ne pouvait se résumer à cette vague gymnastique dans le noir.

Le matelas était froid dans son dos, mais Drew, quand il entra en elle, bien avant qu'elle fût prête, était brûlant. Elle l'enveloppa de ses bras, s'accrochant à sa chaleur et attendant l'explosion dont elle ne savait que ce qu'elle en avait lu.

Quand ce fut terminé, elle frissonna. De froid. Presque aussitôt, la voix de Drew s'éleva près d'elle, comme un écho à ses pensées.

— Sacré nom de nom, on se croirait dans une glacière !

— Il ne va pas tarder à faire meilleur ; j'ai allumé le chauffage en entrant. J'ai des couvertures, dans la commode.

Elle prit son chandail pour s'en couvrir, mais il le lui ôta des mains.

— J'aime bien te voir nue, Emma. Après tout, tu n'as plus besoin d'être pudique devant moi, n'est-ce pas ?

— Non.

Gênée, elle se leva et marcha vers la commode, tandis que Drew fouillait son blouson qui traînait à ses pieds, à la recherche d'un paquet de cigarettes.

— J'imagine qu'il n'y a rien à manger ici, ni quelque chose à boire, pour éviter la pneumonie.

— Il doit rester du cognac dans la cuisine, répondit-elle.

Elle se rappela la bouteille qu'elle avait ouverte pour Luke. Luke qui était retourné à Miami et luttait pour retenir la vie qui lui échappait. Elle avait déjà partagé tous ses secrets avec Drew, à l'exception de celui qui concernait Johnno, et Luke. Elle posa une paire de draps et des couvertures sur le lit.

— J'avoue que je n'ai pas pensé à la nourriture. Je peux courir au supermarché du coin, ajouta-t-elle, quand elle le vit froncer les sourcils. Faire quelques courses. En attendant, tu n'as qu'à prendre un bain chaud et un cognac. Je nous préparerai à dîner.

— D'accord, acquiesça-t-il, sans que l'idée de l'accompagner ne l'effleure un seul instant. Prends-moi des cigarettes, tu veux ?

— Bien sûr. Je ne serai pas longue.

Dès qu'elle fut partie, Drew se leva. Il enfila son jean et se dirigea vers la cuisine, où il fouilla dans les placards, en quête de la bouteille de cognac. Dire qu'elle avait imaginé l'impressionner avec ce taudis. Cela ressemblait à une grange. Et puis, il n'avait pas du tout l'intention de vivre dans ce quartier pourri. Toute sa vie, il avait attendu de se hisser en haut de l'échelle sociale. Maintenant qu'il était en pleine ascension, il voulait ce qu'il y avait de mieux, dans tous les domaines.

Oh, il avait connu pire. Pas la misère, non. Juste la grisaille écœurante d'une vie moyenne avec sa maison en location, un jardin plein de boue et des jeans rapiécés. Il ne supportait pas d'être issu de la classe ouvrière et vouait une haine féroce à son père, qui les avait maintenus dans cette situation, parce qu'il n'avait jamais eu la moindre petite parcelle d'ambition. Un vieil homme aux épaules courbées ; un mou ; un cancrelat. Pourquoi, sinon, sa femme l'aurait-elle quitté en abandonnant leurs trois enfants ? Elle en avait assez de patauger dans cette existence minable, voilà tout. Drew ne la blâmait pas. Il la détestait. Quant à lui, il était bien parti pour grimper tout en haut.

Levant son verre, il porta un toast muet à l'effigie d'Emma, sur le mur de plâtre. Si sa petite femme naïve et empressée lui donnait le coup de pouce sur lequel il comptait, tout le monde y trouverait son bonheur.

Mais ce serait lui le chef.

Il allait lui passer son caprice, cette fois, et loger ici durant une quinzaine de jours. Ensuite, ils s'installeraient dans un de ces grands appartements avec vue sur Central Park. Vivre à New York cadrait tout à fait avec ses plans. Emma y avait assez de contacts pour les occuper un moment.

Il se dirigea vers la chaîne stéréo et chercha un album : *Complete Devastation*. Une manière de saluer ce bon vieux McAvoy. Après tout, sans lui, il n'y aurait pas eu cette tournée en Europe et Drew n'aurait pas pu attirer Emma dans son piège. Dire qu'elle avait été assez stupide pour le croire, quand il avait prétendu ne pas savoir qui elle était, ou ce qu'elle pouvait faire pour lui.

Secouant la tête, il posa le disque sur la platine et les accents du rock'n roll explosèrent autour de lui.

Non, il n'aurait pas de mal à lui passer un petit caprice de temps en temps. La jeune femme avait beau être nulle au lit – une sévère déception –, elle brûlait de lui plaire. Comme il avait bien su la manipuler, depuis l'instant où il avait posé les yeux sur elle ! Il ne restait plus qu'à attendre de récolter les bénéfices de tant d'ingéniosité. Avant longtemps, elle serait réconciliée avec son père. Celui-ci avait plutôt bien pris la nouvelle de leur mariage. Il s'était même fendu d'un généreux cadeau : un chèque de cinquante mille livres libellé à l'ordre d'Emma, mais déjà déposé sur un compte joint. Les relations entre les deux McAvoy étaient encore un peu tendues, mais cela ne durerait pas. Drew en était certain. Et son statut de gendre de Brian McAvoy ne pouvait pas manquer de lui ouvrir des portes. En attendant, il avait une petite femme naïve et richissime.

Avec un rire, il marcha vers la fenêtre. L'épouse idéale pour un homme ambitieux. Il n'aurait qu'à contrôler son impatience et ses sautes d'humeur, essayer de la rendre heureuse, et tout se passerait comme il l'avait prévu.

# 30

Ils s'installèrent dans un élégant duplex de l'Upper West Side. Drew paraissait tellement heureux qu'Emma décida d'ignorer que leur nouvel appartement se situait au onzième étage. Il lui suffisait de ne pas s'approcher trop des fenêtres. Cette phobie était, du reste, ridicule ; elle s'était tenue au sommet de l'Empire State Building et n'avait ressenti qu'une merveilleuse euphorie. Pourtant, à partir du quatrième étage, toutes les ouvertures vers l'extérieur lui donnaient des vertiges effrayants. Drew avait raison, quand il disait qu'elle devrait apprendre à vivre avec ce handicap. Quoi qu'il en soit, elle aimait les plafonds hauts, la balustrade Art Déco qui courait le long de l'escalier et les niches découpées dans les murs.

Pour se consoler un peu de devoir quitter le loft, Emma demanda à Beverly de venir décorer le nouvel appartement. Et puis, Johnno habitait à deux pas. Il l'accompagnait souvent dans ses pérégrinations chez les antiquaires et dînait chez eux au moins une ou deux fois par semaine. À défaut d'obtenir l'approbation de son père, la jeune femme se réjouissait de voir Johnno et Drew discuter longuement de musique. Ils avaient même décidé d'écrire une chanson ensemble.

Elle se jeta à corps perdu dans la vie domestique, créant un foyer pour la famille qu'il lui tardait tant de fonder. Emma avait été surprise et ravie que Drew exprimât le désir d'avoir des enfants sans attendre. Quelles que fussent les différences de points de vue et de goûts qu'ils s'étaient découvertes, ils partageaient au moins ce rêve.

Emma imaginait le bonheur de sentir pousser la vie en son sein, un petit être qui lui viendrait de Drew et qu'ils promèneraient ensemble, dans le parc, avec ce sourire heureux qu'elle surprenait souvent sur le visage des jeunes parents.

Comme les mois passaient, elle s'exhorta à la patience ; le moment tant espéré finirait par arriver. C'était le stress. Le jour où elle parviendrait à se détendre pendant l'amour, le miracle se produirait.

Avec l'arrivée du printemps, elle prit l'habitude de se promener dans les jardins publics et de photographier les femmes enceintes, les bébés et les petits enfants. Elle passait des heures à les regarder avec envie.

Ses projets d'ouvrir son propre studio ou de travailler sur son livre furent reportés à une date inconnue, même si elle continuait de vendre ses clichés. Elle était heureuse de se consacrer à son foyer, et gardait quelques heures de liberté pour la photo. Elle se mit à collectionner des livres de recettes et à suivre les émissions de cuisine à la télévision, se réjouissant d'entendre Drew la complimenter sur tel ou tel plat ; et comme il semblait s'ennuyer chaque fois qu'elle lui parlait de sa photographie, elle cessa de lui montrer ses épreuves ou de discuter de son travail avec lui.

Il semblait la préférer en femme au foyer, et, durant la première année de leur mariage, Emma se coula dans ce rôle avec bonheur, essayant de ne pas trop penser à sa déception, chaque fois que son corps l'informait qu'elle n'était pas encore enceinte.

Ce fut Runyun qui finit par la secouer de cette routine béate.

Tenant une bouteille de champagne dans une main et un bouquet de tulipes dans l'autre, Emma fit irruption dans l'appartement.

— Drew ? Drew, tu es là ?

Elle posa la bouteille sur la table et alluma la radio.

— Nom d'un chien, tu veux bien arrêter ce tintamarre ? s'écria Drew, apparaissant en haut de l'escalier.

Il portait juste un pantalon de survêtement, et arborait son air des matins difficiles. Au réveil, Drew n'était jamais à prendre avec des pincettes, de toute façon.

— Tu sais bien que j'ai travaillé tard, hier soir. Je ne crois pas que ce soit trop te demander de respecter mon sommeil.

— Je suis désolée.

Emma coupa aussitôt le son de la radio.

— Je te croyais sorti, reprit-elle. Si j'avais su que tu dormais...

— Certaines personnes n'ont pas besoin de se lever à l'aube pour être productives.

Emma serra les dents. Elle ne voulait pas gâcher par une dispute cette journée qui avait si bien commencé.

— Tu veux que je te prépare du café ? demanda-t-elle.

— Tant qu'à faire. Je n'arriverai plus à dormir, maintenant.

Emma porta les fleurs et le champagne dans la cuisine. C'était une pièce tout en bleu et blanc, dans laquelle trônait un ancien vaisselier que la jeune femme avait peint elle-même. Après avoir arrosé le trio de cactus qu'elle avait plantés dans des bols marine, elle entreprit de préparer le petit déjeuner. Elle mit à griller les saucisses préférées de son mari, et moulut le café.

Lorsque Drew entra, quelques instants plus tard, torse nu et le visage ombré d'un début de barbe, les bonnes odeurs suffirent à adoucir son humeur. Il aimait la voir aux fourneaux, en train de cuisiner pour lui. Ça lui rappelait qu'elle lui appartenait, en dépit de son gros compte en banque.

Il se dirigea vers elle et l'embrassa dans le cou.

— Bonjour, dit-il.

— Ce sera prêt dans une minute.

— Bien. Je meurs de faim.

Le sourire de la jeune femme s'effaça, lorsqu'il lui pinça la pointe d'un sein. Elle détestait cette sale habitude, mais il s'était mis à le faire plus fréquemment, depuis qu'elle le lui avait fait remarquer. Pour la taquiner, prétendait-il. « Tu es trop sensible, Emma. Tu n'as aucun sens de l'humour. »

— J'ai une grande nouvelle, reprit-elle en lui tendant une tasse de café fumant. Une merveilleuse nouvelle.

— Tu étais chez le médecin ? s'enquit-il aussitôt.

Il tenait absolument à offrir un petit-fils à Brian McAvoy.

— Non... Oh, non, je ne suis pas enceinte, Drew. Je suis désolée.

Devant le visage déçu de son mari, elle fut submergée, une fois de plus, par le sentiment familier de sa propre insuffisance.

— Je surveille bien le tableau de mes températures, murmura-t-elle en cassant deux œufs dans une poêle.

Drew alluma une cigarette et la contempla à travers le rideau de fumée.

— Bien sûr, dit-il. Tu fais de ton mieux.

Emma se garda bien de lui rappeler qu'un bébé se concevait à deux. La dernière fois qu'ils en avaient discuté, il avait brisé une lampe avant de sortir en claquant la porte ; elle l'avait attendu jusqu'au petit matin, rongée par la peur et le remords.

— Je suis allée voir Runyun, reprit-elle. Tu te souviens, je t'en avais parlé.

— Hein ? Oh, oui. Ce vieil arrogant, le cinglé de l'obturateur.

— Il n'est pas arrogant, rectifia Emma en portant l'assiette de Drew sur la table. Excentrique, maniaque, souvent insupportable, mais pas arrogant. En tout cas, il a décidé d'organiser une exposition de mes photos. Ma propre exposition.

— Ce qui veut dire ? demanda Drew, mordant dans une saucisse.

— Tu sais bien, je pensais qu'il allait m'offrir un job... Eh bien, il s'agissait d'autre chose.

— Tu n'as pas besoin d'argent. Et de toute façon, je t'ai déjà dit que je ne voulais pas te voir travailler avec un vieux vicelard.

— Non, mais... Cela n'a plus d'importance, maintenant. Le fait est qu'il aime ce que je fais. Il va commanditer une expo.

— Tu veux parler d'une de ces réunions de snobs au cours desquelles les gens se promènent en regardant des photos et en déclarant d'un ton précieux : « Quelle profondeur, quelle vision » ?

Emma se raidit. Lentement, elle se leva pour aller mettre les tulipes dans un vase, essayant de se persuader qu'il n'avait pas l'intention de lui faire de la peine.

— C'est une étape importante dans ma carrière, dit-elle après quelques instants. J'attends cela depuis des années. Je pensais que tu le comprendrais.

Dans son dos, Drew leva les yeux au plafond. Maintenant, il allait devoir la cajoler et la consoler.

— Bien sûr que je comprends. Bravo, ma belle. C'est pour quand ?

— Septembre. Il veut me donner assez de temps pour réunir mes meilleures photos.

— J'espère que tu vas inclure des portraits de moi.

Emma se força à sourire, tandis qu'elle posait le vase de fleurs dans un rayon de soleil, sur la table.

— Évidemment. Tu es mon sujet préféré.


Elle était sûre que Drew ne le faisait pas exprès, mais ses perpétuelles exigences ne lui laissaient presque pas de temps pour travailler. Ayant décrété qu'il était temps pour eux de profiter de New York, il insistait désormais pour hanter les boîtes de nuit. Il avait besoin de vacances, alors ils s'envolèrent une semaine pour les Îles Vierges. Il était tout naturel qu'il se liât d'amitié avec tout ce que la ville comptait de jeunes gens riches, et, de ce fait, l'appartement était constamment envahi. Quand ils ne recevaient pas, ils étaient invités à des soirées. Sans compter les premières de Broadway, l'ouverture d'un nouveau club ou les concerts à Central Park. Ils étaient toujours poursuivis par une nuée de paparazzi et leurs photos s'étalaient en première page de tous les tabloïds du pays.

Emma suivait le mouvement, se disant, quand elle se sentait sur le point de craquer, qu'elle vivait là l'existence dont elle avait tant rêvé à Sainte-Catherine. Mais la réalité était beaucoup plus épuisante, et surtout, à la longue, beaucoup plus fastidieuse. On disait que la première année de mariage était la plus difficile ; il fallait faire des efforts, se montrer patient. Si cela ne se passait pas aussi bien qu'elle l'avait espéré, c'était peut-être qu'elle n'essayait pas autant qu'il le fallait.

— Allons, ma puce, c'est la fête ! s'exclama Drew en jetant un bras autour de son épaule. Détends-toi un peu.

— Je suis fatiguée, Drew.

— Tu es toujours fatiguée.

Il l'enlaça et la força à danser avec lui, crispant les doigts dans son dos quand elle tenta de se dégager. La jeune femme avait passé les trois dernières nuits à travailler dans sa chambre noire. L'exposition commençait dans six semaines et elle était de plus en plus nerveuse. Elle était en colère, aussi. En colère parce que son mari se désintéressait totalement de son travail ; en colère parce qu'il lui avait annoncé, deux heures plus tôt, qu'il avait invité quelques amis. Doux euphémisme ! Cent cinquante personnes se pressaient dans l'appartement et la musique hurlait dans les haut-parleurs. Au cours des dernières semaines, ces soirées impromptues s'étaient multipliées. La facture d'alcool avait décuplé. Mais l'argent, et même le temps, n'auraient pas été perdus, si seulement il s'était agi d'amis véritables. Mais c'est à peine si elle connaissait tous ces gens : un ramassis de profiteurs, de groupies et de bons à rien. Quelques jours plus tôt, ces joyeux lurons avaient laissé le chaos, derrière eux. Le sofa était taché de whisky ; on avait écrasé un mégot de cigarette dans un tapis d'Orient et brisé un vase de Baccarat. Sans compter la vaisselle de Limoges qui avait disparu. Et pour couronner le tout, elle avait trouvé un groupe de parfaits inconnus dans la chambre d'ami, celle qu'elle réservait à leur bébé, en train de sniffer de la cocaïne.

Drew avait promis que cela ne se reproduirait pas.

— Tu es juste fâchée parce que Marianne n'est pas venue, reprit celui-ci.

« N'a pas été invitée », corrigea Emma silencieusement.

— Ce n'est pas ça du tout, répondit-elle.

— Depuis qu'elle est rentrée à New York, tu passes plus de temps avec elle, dans ce loft, qu'avec moi.

— Drew, je ne l'ai pas vue depuis près de deux semaines. Comment aurais-je trouvé le temps, entre mon travail et nos sorties incessantes ?

— Tu en trouves toujours pour râler, pourtant.

Cette fois, elle se dégagea brusquement. Furieuse, elle repoussa sa main, alors qu'il essayait de l'attirer contre lui.

— Je vais me coucher.

Elle se fraya un chemin à travers les invités, ignorant les appels des uns et les rires des autres. Drew la rattrapa dans l'escalier, la morsure de ses doigts sur son bras lui indiquant clairement qu'il était aussi furieux qu'elle.

— Lâche-moi, dit-elle dans un souffle. Je ne pense pas que tu veuilles une scène, ici, devant tes amis.

— Très bien. Nous parlerons là-haut.

Il l'entraîna durement jusqu'à l'étage, lui arrachant un gémissement de douleur.

Elle s'attendait à une vraie dispute. En vérité, elle l'appelait de tous ses vœux. Mais, ouvrant la porte de leur chambre, elle se figea sur le seuil.

Ils utilisaient son petit miroir ancien pour séparer la coke. Quatre d'entre eux, penchés sur sa coiffeuse, riant et sniffant la poudre blanche. Les vieux flacons de parfum qu'elle collectionnait avaient été poussés de côté et l'un d'eux s'était brisé sur le sol.

— Sortez ! hurla-t-elle.

Tous levèrent la tête de concert, avant de la dévisager avec des sourires béats. Hors d'elle, Emma se précipita sur l'un d'eux, un homme grand comme une armoire à glace, et le força à se lever.

— Je vous ai dit de sortir. Fichez le camp de ma chambre ! Fichez le camp de ma maison !

— Hé, te fâche pas, on va partager, dit l'un d'eux.

— Sortez, répéta-t-elle en les poussant vers la porte.

Ils obéirent, alors, et en quittant la pièce, la femme qui était avec eux s'arrêta un instant devant Drew pour lui tapoter la joue. Emma claqua la porte sur eux et se tourna vers son mari.

— J'en ai assez ! cria-t-elle. Je ne supporterai pas un autre de ces incidents, Drew. Je veux ces gens hors de chez moi et je refuse qu'ils reviennent.

— Vraiment ? demanda-t-il d'un ton posé.

— Cela t'est donc égal ? C'est notre chambre, pour l'amour du ciel ! Regarde, ils ont même fouillé dans mon armoire.

Folle de rage, elle ramassa une pile de chiffons soyeux.

— Dieu sait ce qu'ils auront volé ou cassé, cette fois. Mais ce n'est pas le pire. Je ne connais même pas ces gens et ils se droguent dans ma chambre. Je ne veux pas de drogue dans ma maison.

Elle ne vit pas la main de Drew reculer avant que la paume s'écrase sur son visage. La force de la gifle la fit tomber. Elle goûta le sang. Étourdie, elle porta une main à ses lèvres.

— Ta maison ?

Il la remit debout, la repoussa durement et, lui arrachant son chemisier, l'envoya contre la table de chevet. Sa chère lampe Tiffany se brisa sur le sol, dans un fracas de verre.

— Petite garce pourrie. C'est ta maison ?

Trop stupéfiée pour se défendre, elle se recroquevilla en le voyant avancer de nouveau. Les décibels couvrirent le cri de la jeune femme, quand il la souleva pour la jeter sur le lit.

— Notre maison. Tu as intérêt à t'en souvenir. C'est chez moi autant que chez toi, ici. Et ne crois pas pouvoir jamais me dire ce que je dois faire. Tu penses pouvoir m'humilier ainsi et t'en tirer ?

— Je ne...

Elle s'interrompit en le voyant lever la main.

— C'est mieux, ricana-t-il. Je te ferai savoir quand je veux entendre tes jérémiades. Tu obtiens toujours ce que tu veux, hein ? Eh bien, ce soir ne fera pas exception. Tu veux rester ici toute seule ? À ton aise !

Il prit le téléphone et arracha la prise, avant de le jeter contre le mur et de sortir en verrouillant la porte derrière lui.

Emma demeura longtemps assise sur le lit. Elle respirait profondément, tout engourdie par les coups qu'elle venait de recevoir. C'était un cauchemar, se dit-elle. Elle en avait eu bien d'autres. Elle se rappela les violences subies durant les trois premières années de sa vie.

Petite garce pourrie.

Était-ce la voix de Jane ou celle de Drew ?

Frissonnante, elle tendit la main. Le petit chien noir de son enfance était assis sur son oreiller et, le serrant contre elle, elle pleura longtemps, jusqu'à ce que le sommeil la terrasse.


Quand il déverrouilla la porte, le lendemain matin, Emma dormait. Debout sur le seuil, Drew l'étudia froidement. Elle avait le visage boursouflé. Il lui faudrait veiller à ce qu'elle ne se montre pas en public pendant quelques jours.

Quel idiot, d'avoir perdu ainsi son sang-froid. C'était satisfaisant, mais stupide. Il fallait dire qu'elle l'avait bien cherché ; toujours à le narguer, à le pousser à bout. Il faisait de son mieux, non ? Et ce n'était pas facile. Un homme aurait aussi bien pu coucher avec un poisson mort. Et elle ne cessait de parler de cette foutue exposition, s'enfermant pendant des heures dans sa chambre noire, au lieu de s'occuper de lui.

Son travail et ses besoins à lui passaient avant tout le reste. Il était temps qu'elle le comprenne.

Le rôle d'une femme était de s'occuper de son mari. C'est pour ça qu'il l'avait épousée. Elle devait l'aider à atteindre le but qu'il s'était fixé. Il avait peut-être bien fait de la tabasser. Elle y réfléchirait à deux fois, avant de le défier de nouveau. Mais maintenant qu'il lui avait démontré qui était le chef, il pouvait se permettre d'être un peu généreux. Gentille petite Emma, songea-t-il. Il ne fallait pas grand-chose pour la manipuler.

— Emma.

Évitant les éclats de verre de la lampe brisée, il s'approcha du lit. Elle ouvrit les yeux et il vit la peur dans son regard.

— Oh ! mon bébé, je suis tellement désolé.

Elle tressaillit, quand il lui caressa les cheveux.

— Je ne sais pas ce qui m'a pris. Je suis devenu fou. Je mérite d'être enfermé.

Elle ne répondit rien. Comme un écho, elle entendait les excuses de sa mère.

— Tu dois me pardonner, Emma. Je t'aime tant. C'est juste que, en te voyant te retourner ainsi contre moi, j'ai perdu la tête. Ce n'était pas ma faute.

Il prit les doigts rigides de la jeune femme et les porta à ses lèvres.

— Je sais que ces gens n'avaient rien à faire dans notre chambre. Mais ce n'était pas ma faute. Je les ai jetés dehors moi-même, improvisa-t-il. C'est la rage. Quand je les ai surpris, ici, j'ai vu rouge. Et voilà que tu t'es retournée contre moi.

Elle se mit à pleurer de nouveau ; les larmes silencieuses glissaient à travers ses paupières serrées.

— Je ne te ferai plus jamais de mal, Emma, je le jure. Je partirai, si tu veux. Tu peux divorcer. Je ne sais pas ce que je ferai sans toi, mais je ne te demanderai pas de rester. Seigneur, tout va tellement mal, en ce moment. L'album ne se vend pas aussi bien que nous l'espérions. Le Grammy nous est passé au-dessus de la tête. Et... J'ai tellement envie que nous ayons un bébé.

Il se mit à sangloter, alors, le visage enfoui dans ses mains. Lentement, elle tendit une main hésitante et toucha son bras. Il manqua éclater de rire et tomba à genoux près du lit.

— Je t'en prie, Emma. Je sais que je n'ai pas d'excuse. Le fait que tu t'en sois prise à moi ne me donnait pas le droit de faire ce que j'ai fait. Pardonne-moi. Donne-moi une autre chance. Je ferai n'importe quoi pour te faire oublier. Emma...

— Ça va, murmura-t-elle. Tout ira bien.

Le visage pressé contre le dessus-de-lit, il sourit.

# 31

Les soirées cessèrent, et Drew redevint l'homme doux et attentionné qu'Emma avait connu, au début. Il finit par la convaincre que cet accès de rage et de violence n'avait été qu'un incident isolé.

Elle l'avait provoqué. Il le lui répétait assez souvent pour réussir à l'en persuader. Elle lui avait reproché une chose dont il n'était pas responsable, au lieu de le défendre et de croire en lui. Et, quand il perdait son sang-froid, de temps en temps, quand elle voyait un éclair de fureur luire dans ses yeux, ses poings se serrer et sa bouche se pincer, il savait toujours trouver le mot et l'excuse prouvant qu'elle l'avait fâché.

Les marques des coups s'estompèrent ; la douleur aussi. Il fit même un effort pour s'intéresser à sa photographie. Bien sûr, il ne perdait pas une occasion de remarquer, fort subtilement, à quel point ce « hobby » portait préjudice à leur mariage, en empêchant la jeune femme de s'occuper de son mari comme elle aurait dû le faire. « C'est une jolie photo, commentait-il. Mais qui a envie de regarder une petite vieille en train de nourrir des pigeons ? » Ou encore : « Dire que tu passes tout ce temps loin de moi uniquement pour produire quelques clichés en noir et blanc de gens qui traînent dans les parcs. » Oh ! il pouvait se contenter d'un sandwich pour dîner, même s'il avait passé six heures à composer.

Surtout, qu'elle ne s'inquiète pas : si son travail était à ce point important pour elle, il pouvait passer une autre soirée tout seul.

Chaque critique était toujours tempérée par un compliment. Elle était tellement mignonne, debout devant la cuisinière, à lui préparer un repas. Rien ne lui faisait plus plaisir que de rentrer et de la trouver à la maison, en train de l'attendre.

Il était peut-être trop autoritaire, en ce qui concernait la manière dont elle s'habillait ou les vêtements qu'elle achetait, mais après tout, elle était sa femme ; elle devait soigner son image autant qu'il soignait la sienne. Il se sentait particulièrement concerné par le choix de sa tenue pour le vernissage. Il la voulait radieuse. Or, chacun savait à quel point les goûts d'Emma, en matière de mode, respiraient la tristesse et l'ennui.

Le fait est qu'elle préférait son fourreau de soie noire au modèle ultracourt et garni de sequins qu'il choisit pour elle. Mais elle était une artiste, maintenant, et devait assumer son rôle. Flattée d'être considérée comme une artiste, Emma se laissa convaincre. Tout comme elle accepta de porter les boucles d'oreilles multicolores qu'il lui avait achetées ; elles étaient clinquantes, mais Drew les avait attachées lui-même aux lobes de ses oreilles.

Quand la limousine s'arrêta devant la petite galerie, Emma était paralysée par le trac. Mais Drew sut encore trouver les mots qui font du bien :

— Allons, ce n'est pas comme si tu allais te produire sur scène devant des milliers de fans en délire. Ce n'est jamais qu'une petite exposition de photos.

Il rit et l'aida à sortir du véhicule.

— Détends-toi, poursuivit-il. Les gens achèteront les clichés de la petite fille de Brian McAvoy, qu'ils les aiment ou non.

Emma s'arrêta sur le trottoir, profondément blessée.

— Ce n'est vraiment pas ce que j'ai besoin d'entendre, à cet instant. Je veux réussir parce que je le mérite.

— Jamais contente, riposta-t-il en lui pinçant le bras. Je fais de mon mieux pour jouer le jeu et t'apporter mon soutien, quels que soient les désagréments que cela entraîne pour moi, et je me fais engueuler.

— Je ne voulais pas...

— Tu ne veux jamais rien. Tu préfères peut-être que je m'en aille.

— Non ! s'écria-t-elle, misérable.

Pourquoi ne disait-elle jamais ce qu'il fallait ? Ce soir, elle tenait moins qu'aucun autre soir à se disputer avec lui.

— Je suis désolée, Drew. Je n'avais pas l'intention d'être agressive. Je suis nerveuse.

— Bon, bon, d'accord.

Ils étaient en retard, comme Runyun l'avait ordonné. Celui-ci voulait que les invités soient déjà là, quand sa petite star ferait son apparition. Son regard d'aigle balayait régulièrement l'entrée et il fonça sur elle, à l'instant où elle franchit le seuil de la porte.

C'était un petit homme râblé, toujours vêtu d'un jean et d'un col roulé noirs. Emma avait d'abord cru qu'il s'agissait d'une excentricité d'artiste ; en vérité, le photographe était coquet et trouvait que le noir l'amincissait. Il avait une grosse tête chauve et d'épais sourcils grisonnants qui chapeautaient des yeux étonnamment verts. Son nez était busqué et sa bouche trop mince, en dépit de la moustache à la Clark Gable. En un mot, Runyun était laid. Ses trois épouses, pourtant, ne l'avaient pas quitté à cause de ce physique peu avenant, mais parce qu'il consacrait plus de temps à son art qu'à ses mariages.

Il accueillit Emma avec un froncement de sourcils.

— Qu'est-ce que c'est que cette tenue ? On dirait une starlette qui veut séduire un producteur. Enfin, tant pis. Mêle-toi un peu à tout ce monde, pendant un moment.

La jeune femme considéra la foule des invités d'un air terrifié.

— Tu ne vas pas me ridiculiser en t'évanouissant, reprit Runyun, d'un ton péremptoire.

— Non, bredouilla-t-elle en se forçant à respirer. Non.

— Bon.

Il n'avait toujours pas salué Drew, qu'il avait détesté au premier coup d'œil.

— La presse est là. Ils ont déjà dévoré la moitié des canapés. Je crois que ton père est coincé quelque part par là.

— Papa ? Il est ici ?

— Oui, répondit Runyun. Et maintenant, va prendre un bain de foule et surtout, aie l'air sûre de toi.

— Je ne pensais pas qu'il viendrait, dit Emma à Drew.

— Évidemment qu'il est venu, répondit celui-ci, ravi, en glissant un bras autour des épaules de sa femme. Il t'aime, Emma. Il n'aurait pas manqué cet événement, si important pour toi. Allons le trouver.

— Je ne...

Le bras qui l'enserrait devint dur comme l'acier.

— Emma, c'est ton père. Ne sois pas arrogante.

Elle se laissa entraîner d'un groupe à l'autre, souriant automatiquement et s'arrêtant pour bavarder, étonnée et émue d'entendre Drew faire son apologie avec enthousiasme. Bien que tardive, l'approbation de son mari la comblait de bonheur. Elle avait eu tort de penser qu'il détestait sa photographie et, acceptant les baisers adorateurs qu'il faisait pleuvoir sur son visage, à intervalles réguliers, elle fit le vœu de lui consacrer plus de temps.

Brian se tenait devant un portrait le représentant avec Johnno. Il était entouré d'un groupe de personnes, et Emma se força à garder le sourire, quand elle arriva à sa hauteur. Il parut hésiter, mais ne put s'empêcher de la toucher, de lui prendre la main. Elle avait l'air si lointaine.

— Emma.

— C'est gentil de ta part d'être venu, murmurat-elle.

— Je suis fier de toi, Emma, dit-il en refermant ses doigts sur ceux de la jeune femme, comme pour renouer le lien qui s'était défait. Tellement fier.

Elle allait parler, mais une explosion de flashs les aveugla.

— Brian, que ressentez-vous, à vous voir ainsi voler la vedette ? demanda une voix, derrière un appareil photo.

— Rien ne saurait me faire plus plaisir, répondit-il, sans cesser de regarder sa fille.

Finalement, il s'obligea à lever les yeux sur Drew.

— Bonsoir, Drew, dit-il.

— Salut, Brian. Elle est fabuleuse, n'est-ce pas ? Je ne sais pas qui, de nous deux, était le plus nerveux, au sujet de cette soirée. J'espère que tu vas rester quelques jours à New York. Tu pourras venir nous voir et dîner à la maison.

— Malheureusement, je prends l'avion pour Los Angeles, demain matin, dit Brian, furieux que l'invitation émanât de Drew et non de sa propre fille.

— Emma.

La jeune femme se retourna, et son sourire figé s'évanouit sous l'effet de la surprise.

— Stevie !

Avec un rire, elle se jeta dans les bras du guitariste.

— Je suis tellement heureuse de te voir, s'écriat-elle en reculant pour mieux le voir. Tu as bonne mine.

Et c'était vrai. Il ne serait plus jamais le beau jeune homme qu'elle avait connu, autrefois, mais il avait repris du poids et les ombres menaçantes ne hantaient plus son regard.

— Je ne savais pas que tu... Personne ne m'a dit que...

— Remise de peine pour bonne conduite, expliqua-t-il en souriant.

Il recula et posa la main sur l'épaule de la femme qui se tenait près de lui.

— Je suis même venu avec mon médecin.

Un instant confuse, Emma reconnut la psychiatre de Stevie, croisée à la clinique.

— Bonsoir, dit-elle.

— Bonsoir, répondit Katherine Hayne. Et toutes mes félicitations pour cette magnifique exposition. J'ai été votre première acheteuse. Le portrait de Stevie avec sa guitare. On dirait qu'il lui fait l'amour. Je n'ai pas pu résister.

— Elle va l'analyser pendant des heures, renchérit Stevie. P. M. est là aussi, tu sais.

Il se pencha à l'oreille d'Emma et baissa la voix.

— Il est venu avec lady Annabelle.

— Pas possible ?

— Je crois qu'ils sont fiancés, mais il joue les cachottiers.

En effet, elle aperçut le batteur, un peu plus loin, rayonnant de bonheur. Il était évident qu'il n'évitait plus lady Annabelle. Au contraire. Quant à cette dernière, plus voyante que jamais avec ses cheveux roux qui se dressaient en vagues hirsutes autour de sa tête, elle était complètement et follement amoureuse. Quelques minutes de conversation suffirent à Emma pour s'en apercevoir, et elle s'en félicita. P. M. le méritait bien.

La galerie était noire de monde et ne désemplissait pas. Emma avait encore du mal à croire que tous ces gens s'intéressent à son travail, et pourtant, les petites pastilles bleues collées sous une bonne douzaine de photos témoignaient du succès de la soirée ; on achetait ses œuvres.

Elle essayait d'échapper à un petit homme prétentieux qui lui parlait de forme et de grain, quand elle aperçut Marianne. Aussitôt, celle-ci fondit sur elle.

— Voilà la star de la soirée ! s'exclama-t-elle en l'enveloppant dans un nuage de Chanel. Tu as réussi, Emma ! Quel chemin parcouru, depuis Sainte-Catherine.

Emma la serra contre elle.

— Et regarde qui j'ai trouvé, renchérit son amie.

— Beverly !

Emma quitta les bras de la première pour se jeter dans ceux de la seconde.

— Je n'étais pas sûre que tu pourrais faire le trajet, s'écria-t-elle, folle de joie.

— Je n'aurais manqué cela pour rien au monde.

— Nous sommes arrivées en même temps et je l'ai reconnue, expliqua Marianne. Nous avons passé un excellent moment à vanter tes talents, tout en nous frayant un passage à travers cette foule. C'est complètement dingue.

Elle prit un des rares canapés qui restaient sur la table.

— Tu sais, cette photo que tu avais prise de moi, dans le loft, avec des chaussettes de rugby. Un homme sublime vient juste de l'acheter. Je vais essayer de le trouver pour voir s'il ne veut pas tenter sa chance avec l'original.

— Je comprends pourquoi tu l'aimes, dit Beverly, quand la jeune femme se fut éloignée. Alors, comment te sens-tu ?

— J'ai l'impression de flotter sur un nuage. En même temps, je suis terrifiée. Ça fait plus d'une heure que je rêve d'aller m'enfermer dans les toilettes pour pleurer un bon coup. Je suis tellement heureuse que tu sois venue.

Au même instant, Emma aperçut son père, à deux mètres d'elles.

— Papa est là. Tu vas lui parler ?

Beverly n'eut qu'à tourner un peu la tête pour le voir. Elle serra son sac dans ses mains. C'était idiot, après toutes ces années. Et pourtant, ce qu'elle avait ressenti pour lui, naguère, était toujours là.

— Bien sûr, répondit-elle d'un ton léger.

Elle ne risquait rien. Il y aurait du monde autour d'eux, du bruit. Et puis, c'était la grande soirée d'Emma. Ils pouvaient au moins partager sa joie.

Brian marcha vers elle. Il ne la toucha pas. Il n'osa pas. Mais il réussit à parler d'un ton aussi naturel que l'était son sourire.

— Je suis content de te voir.

— Moi aussi, répondit-elle, les mains toujours crispées sur son sac.

— Tu as l'air... d'aller bien.

— Oui. Je vais bien. Tout ceci est merveilleux pour Emma, n'est-ce pas ? Tu dois être fier d'elle.

— Oui.

Il avala une longue rasade de whisky.

— Tu veux que je t'apporte quelque chose à boire ?

Que de politesses. Ils se comportaient comme deux étrangers.

— Non, merci. Je vais faire un tour, regarder les photos. J'aimerais bien acheter quelque chose.

Mais d'abord, elle allait se réfugier dans les toilettes pour pleurer un bon coup, elle aussi.

— Je suis vraiment heureuse de t'avoir revu, Brian.

— Beverly...

Brian la regarda et se dit qu'il était fou d'imaginer qu'elle puisse encore tenir à lui.

— Au revoir, ajouta-t-il simplement.

Emma, qui s'était éloignée dès le début de la conversation et les observait à distance, se retint de hurler sa frustration. Ne voyaient-ils donc rien ? Elle ne rêvait pas. Elle était assez douée, quand il s'agissait d'étudier les autres, pour voir ce qu'ils ressentaient. Ils s'aimaient toujours. Et ils avaient toujours peur. Elle respira profondément et se dirigea vers son père. Peut-être, si elle lui parlait...

— Emma, ma chérie.

Johnno la prit par la taille.

— Je m'apprête à faire une sortie discrète.

— Tu ne peux pas partir ! Pas déjà. Beverly est ici.

— Vraiment ? Dans ce cas, je vais aller la trouver et lui demander si elle est enfin prête à s'enfuir avec moi. Mais en attendant, je suis tombé sur quelqu'un sorti tout droit de ton passé.

— Mon passé, s'esclaffa la jeune femme. Je n'ai pas de passé.

— Mais si. Rappelle-toi, par un après-midi d'été sur la plage ; un beau garçon en maillot bleu marine.

Tel un magicien sortant un lapin de son chapeau, il fit un geste ample du bras.

— Michael ?

Comme c'était étrange de le trouver là, superbe et un peu emprunté, dans son complet cravate. Son visage s'était affiné, mais il n'avait pas changé. Les mains fourrées dans ses poches, il avait l'air de quelqu'un qui aurait préféré se trouver n'importe où, pourvu que ce fût ailleurs.

— Je... euh, j'étais à New York, et...

Emma riait, quand elle se jeta dans ses bras. L'espace d'une seconde, Michael crut que son cœur s'était arrêté. Son cerveau, en tout cas, cessa momentanément de fonctionner. Lentement, il sortit les mains de ses poches et les pressa contre le dos de la jeune femme, la serrant un instant contre lui. Elle était si mince, si ferme et si fragile.

— C'est formidable, s'exclama-t-elle. Je n'arrive pas à croire que tu es là.

Des souvenirs se bousculaient dans l'esprit d'Emma. Un après-midi à la plage. Deux après-midi. Ce qu'elle avait ressenti, enfant, puis devenue femme, la frappa brusquement en pleine poitrine, et elle le serra à son tour contre elle, une seconde de trop. Ses yeux étaient humides, quand elle se dégagea.

— Il y a bien longtemps.

— Oui. Quatre ans, à peu près. Tu es splendide.

— Toi aussi. Je ne t'avais encore jamais vu en costume. Tu es à New York pour ton travail ?

— Euh, oui, mentit Michael. J'ai lu un article annonçant ton vernissage.

Ça au moins, c'était vrai. Mais il l'avait lu au petit déjeuner, en Californie. Après quoi, il avait pris trois jours de congé et attrapé le premier avion.

— Alors, qu'en penses-tu ? demanda Emma.

— De l'exposition ? Elle est magnifique. Vraiment. Je n'y connais rien, en photographie, mais j'aime ce que tu fais. Ça, par exemple...

Il désigna le cliché qui représentait deux hommes coiffés de bonnets de laine, serrant des manteaux élimés autour d'eux. Le premier était allongé sur un carton, apparemment endormi. Le deuxième regardait directement dans l'objectif, l'air bourru et fatigué.

— C'est à la fois très puissant et très troublant.

— Tout New York ne se trouve pas sur Madison Avenue, dit Emma.

— Non. Mais il faut beaucoup de talent et de sensibilité pour être capable de montrer tous les aspects d'une même réalité avec équité.

Elle le considéra, surprise. C'était exactement le but qu'elle avait poursuivi, dans ses études de la ville, des Devastation ou des gens pris au hasard, dans la rue.

— Pour quelqu'un qui n'y connaît rien en photographie, tu sais trouver les mots qu'il faut. Quand repars-tu ?

— Demain matin.

— Oh, murmura-t-elle, étonnée de se sentir aussi déçue. J'espérais que tu pourrais rester quelques jours.

— Je n'étais même pas sûr que tu accepterais de me parler.

— C'était il y a longtemps, Michael. Et ma réaction, ce jour-là, n'était pas tant le résultat de ce qui se passait avec toi que celui d'une chose qui venait de m'arriver. Cela n'a plus d'importance, maintenant.

Elle sourit et l'embrassa sur la joue.

— Tu me pardonnes ?

— C'était la question que je voulais te poser.

Souriant toujours, elle lui toucha le visage.

— Emma.

Elle sursauta en entendant la voix de Drew dans son dos. Une vague de remords la submergea, aussi violente que s'il les avait trouvés, elle et Michael, couchés dans le même lit.

— Oh, Drew, tu m'as fait peur. Je te présente Michael Kesselring, un vieil ami. Michael, Drew, mon mari.

Ce dernier prit son épouse par la taille. Il ne tendit pas la main à Michael, se contentant de le saluer d'un bref hochement de tête.

— Il y a ici des gens qui se sont déplacés pour te voir, Emma. Que fais-tu de tes devoirs envers eux ?

— Je suis seul responsable, intervint Michael, qui avait vu le regard de la jeune femme s'éteindre brusquement. On ne s'était pas parlé depuis longtemps. Encore bravo, Emma.

— Merci. Transmets mes amitiés à tes parents.

— Je n'y manquerai pas.

C'était la jalousie, se dit Michael, qui lui donnait envie d'arracher la jeune femme aux bras de son mari et de l'emmener au loin. Mais pourquoi, dans ce cas, éprouvait-il aussi le désir instinctif d'écrabouiller la jolie gueule de Latimer ?

Parce que ce dernier l'avait épousée, conclut-il tristement. Et pas lui.


Drew n'était pas ivre. Il n'avait bu que deux coupes de champagne, tout au long de cette soirée interminable. Il voulait garder la tête froide et les idées claires. Fayoter auprès de Brian McAvoy finirait bien par porter ses fruits. N'importe quel imbécile avait pu constater, ce soir, à quel point Drew Latimer était dévoué à sa femme. Il aurait dû gagner un Oscar pour sa performance.

Et tout ce temps, Emma avait étalé son succès, son éducation de petite fille riche et prétentieuse et ses amis de la haute société. Il avait dû se retenir pour ne pas lui dévisser la tête devant les objectifs des photographes. Le monde aurait su, alors, qui menait réellement la barque.

Mais son petit papa chéri n'aurait pas aimé ça. Pas plus que les producteurs et tous ces types qui s'aplatissaient devant le grand Brian McAvoy. Ils ramperaient bientôt devant Drew Latimer, aussi. Et alors, Emma paierait.

Il avait presque décidé de lui accorder tout de suite ce moment de gloire, quand il l'avait vue se jeter au cou de cet « ami ». Un tel toupet avait ravivé la rage qui couvait en Drew.

Il ne dit presque rien, durant le trajet du retour. Emma ne parut pas s'en offusquer. Elle somnolait à côté de lui. Ou plutôt, elle faisait semblant, songea Drew. Elle avait sûrement un plan pour rejoindre ce Kesselring.

Emma était sur un nuage, quand la limousine s'arrêta devant leur immeuble. S'appuyant sur Drew, elle se laissa guider vers l'ascenseur.

— Je suis tellement fatiguée. J'ai l'impression d'être restée debout toute la nuit, murmura-t-elle avec un petit rire. C'est comme un rêve.

Hélas, la jeune femme se cogna durement à la réalité, à l'instant où ils franchirent le seuil de l'appartement. Drew la frappa si fort qu'elle dévala les deux marches de l'entrée, avant de tomber sur les dalles du living-room. Poussant un gémissement de douleur, elle porta une main à son visage.

— Drew ?

— Salope. Petite salope.

À demi assommée, elle le vit avancer vers elle et d'instinct, essaya de reculer.

— Drew, je t'en prie. Qu'est-ce que j'ai fait ?

Il la prit brutalement par les cheveux, la giflant de nouveau, avant qu'elle ait le temps de crier.

— Tu le sais très bien, espèce de traînée !

Son poing vint s'écraser sur la poitrine de la jeune femme, qui glissa sur le carrelage.

— Toute la soirée, j'ai dû te regarder te pavaner, en faisant mine de m'intéresser à tes photos. Tu crois vraiment que tous ces gens étaient venus les voir ?

Il la souleva par les épaules.

— Tu crois que ces gens étaient là pour toi ? Ils sont venus voir la fille de Brian McAvoy, la femme de Drew Latimer. Toi, tu n'es rien.

Il la jeta au sol.

— Oh ! mon Dieu, gémit-elle, je t'en supplie, ne me frappe pas encore.

— Ne me dis pas ce que je dois faire, hurla-t-il en lui décochant un coup de pied qui manqua les côtes, mais atterrit durement sur une hanche. Tu te crois irrésistible, mais c'est moi que les gens veulent voir. Et c'est moi qui commande, ici. Ne l'oublie jamais.

— Oui.

Elle se recroquevilla en espérant qu'il allait l'abandonner là, jusqu'à ce que la douleur se dissipe.

— Ce Michael, il est venu pour te voir ?

— Michael ?

Elle secoua la tête.

— Non. Non.

— Ne mens pas.

Il la frappa de nouveau, avec le plat de la main, encore et encore.

— Tu avais tout prévu, n'est-ce pas ? « Oh, je suis tellement fatiguée, Drew. » Tu pensais attendre que je sois endormi pour aller le retrouver, hein ?

Elle secoua la tête de nouveau, mais il cogna plus fort encore.

— Admets-le. Admets que tu voulais t'envoyer en l'air avec lui.

— Oui.

— C'est pour ça que tu tenais tellement à porter cette robe de pute.

De très loin, Emma se rappela que Drew avait choisi sa robe. C'était bien lui, n'est-ce pas ? Elle n'était plus sûre de rien.

— Et tu t'es laissé peloter devant tout le monde. Tu le voulais, hein ?

Elle hocha la tête. Elle avait serré Michael contre elle et, l'espace d'un instant, elle avait ressenti quelque chose. Elle ne savait plus quoi. Elle ne savait plus rien.

— Tu ne le reverras pas, c'est compris ?

— Oui.

— Jamais.

— Oui.

— Et tu ne porteras plus cette robe dégoûtante.

Il glissa une main dans le décolleté et tira un coup sec, arrachant le tissu en deux.

— Tu mérites d'être punie.

— Oui.

Son esprit hésitait entre la lucidité et l'inconscience, entre le passé et le présent. Elle avait renversé le parfum de maman. Elle n'avait pas le droit
de toucher aux affaires de maman. Elle était une
vilaine fille et méritait une correction.

— C'est pour ton bien.

Elle ne se remit à hurler que lorsqu'il la poussa
sur le ventre pour la battre à coups de ceinture...
et cessa bien avant qu'il eût terminé.

# 32

Il ne s'excusa pas, cette fois. Ce n'était pas nécessaire. Emma passa dix jours au lit, à se remettre, et
durant tout ce temps, il ne cessa de lui répéter qu'elle
l'avait bien cherché. La jeune femme sentait, confusément, qu'il avait tort, qu'il était fou. Mais il persis-
tait et, à sa manière, étrangement aimante, lui
expliquait qu'il n'avait agi ainsi que dans son intérêt,
à elle.

N'avait-elle pas été égoïste, toutes ces semaines, en
ne pensant qu'à son exposition ? Elle avait envoyé son
mari se coucher seul, nuit après nuit, avant de ridiculiser leur mariage en flirtant ouvertement avec un
autre homme.

Elle l'avait provoqué, et par conséquent, avait
mérité sa colère.

Le téléphone sonna constamment, durant les jours
qui suivirent le vernissage, mais elle n'y répondit
jamais. D'abord, sa bouche était trop enflée, trop douloureuse pour lui permettre de parler. Drew y appli-
qua des glaçons et lui fit boire de la soupe. Il lui
donna des cachets pour calmer la souffrance et l'aider
à dormir. Puis, il lui dit que tous ces gens n'appelaient
pas pour elle, mais pour lui. Il fallait les ignorer ; ils
avaient besoin d'être seuls, de se consacrer à leur
mariage et de faire un bébé.

Elle voulait une famille, non ? Elle voulait être heureuse, désirait qu'on s'occupe d'elle ? Si elle ne s'était

pas tant consacrée à son travail, elle serait déjà enceinte. C'était bien ce qu'elle souhaitait ? Et, tandis qu'il la tourmentait avec ses questions incessantes, Emma, toujours couchée, acquiesçait. Mais cela ne suffisait pas.

La nuit, elle se réveillait maintenant en proie à son vieux cauchemar. Elle était seule. Il faisait nuit. Il y avait de la musique. C'était son rêve, se disait-elle en s'agrippant aux draps. Elle luttait pour se réveiller. Mais, les yeux ouverts, elle entendait encore la chanson et ses paroles étranges, chantées par un homme qui était mort. Elle tâtonnait alors, à la recherche de l'interrupteur. Mais elle avait beau l'actionner, la lumière ne s'allumait pas. Et la musique résonnait de plus en plus fort. Alors, elle pressait ses mains contre ses oreilles en hurlant de toutes ses forces, jusqu'à ce que ça s'arrête.

— Là, Emma, Emma.

Drew était près d'elle. Il lui caressait les cheveux.

— Tu as encore fait ton cauchemar ? Tu devrais en être débarrassée, maintenant, non ?

— La musique.

Elle haletait, s'accrochant à lui. Il était sa planche de salut. Lui seul pouvait l'arracher à l'océan de terreur et de folie qui menaçait de l'engloutir.

— Ce n'était pas un rêve… Je l'ai entendue. La chanson. Je t'ai dit… La chanson qu'on jouait quand Darren a été tué.

— Il n'y a pas de musique, répondait-il en reposant discrètement la télécommande de la chaîne stéréo.

Quelle idée de génie il avait eue ! C'était une bonne leçon. Et un excellent moyen de la garder à sa merci.

— Je l'ai entendue, répétait-elle entre deux sanglots. Et la lumière ne s'allume pas.

— Tu es trop vieille pour avoir peur du noir, disait-il gentiment.

Se baissant, il branchait de nouveau la lampe de chevet et faisait tourner l'interrupteur.

414

— Là. Ça va mieux ?

Elle hochait la tête, le visage enfoui au creux de l'épaule de Drew.

— Merci, murmurait-elle, étouffant de gratitude. Ne me laisse pas seule, Drew. Je t'en prie.

— Je t'ai dit que je prendrais soin de toi, répondait-il sans cesser de lui caresser les cheveux. Je ne te laisserai jamais seule, Emma. Ne t'inquiète pas.

Quand Noël arriva, la jeune femme crut être heureuse, de nouveau. Drew s'occupait de tout, depuis le choix de sa garde-robe et les appels téléphoniques qu'il filtrait soigneusement, jusqu'aux questions d'argent. Pour sa part, elle n'avait qu'à s'occuper de l'appartement et de lui. Le matériel de photo fut enfermé. Cela ne l'intéressait plus. Quand elle pensait à son travail, elle se sentait déprimée.

Elle passa des examens médicaux afin de découvrir ce qui l'empêchait de concevoir un enfant. La presse en fit ses choux gras et elle subit son humiliation en silence, avant de cesser totalement de lire les journaux. Que lui importait ce qui se déroulait dans le vaste monde ? Son univers se limitait aux sept pièces du duplex avec sa vue sur Central Park.

Quand les médecins affirmèrent qu'elle était physiquement apte à être mère, elle suggéra à Drew, non sans hésitation, de passer des tests à son tour. Il la cogna jusqu'à ce qu'elle perde connaissance, et l'enferma deux jours dans sa chambre.

Le cauchemar revenait la hanter régulièrement. Parfois, Drew était là pour la rassurer et l'aider à se calmer. D'autres fois, il la traitait de folle, se plaignait qu'elle l'empêchât de dormir et l'abandonnait seule, tremblante, dans le noir. Il ne prenait même plus la peine de cacher la télécommande ou d'ôter l'album *Abbey Road* de la platine. Emma était trop épuisée pour réagir, de toute façon.

Lentement, presque froidement, elle prit conscience de ce qu'il lui faisait, de ce à quoi il l'avait réduite.

La cour idyllique, durant les dix semaines merveilleuses de la tournée, tout comme l'homme dont elle était tombée amoureuse, n'étaient qu'un fantasme qu'elle avait créé de toutes pièces. Il ne restait rien de son bel amant, chez l'homme qui la retenait virtuellement prisonnière dans leur appartement.

Elle se mit à envisager une fuite. Il la laissait rarement seule plus de quelques heures et l'accompagnait toujours, quand elle sortait. Il fallait qu'elle téléphone à Marianne, à Beverly, ou à son père. Ils l'aideraient. Mais alors, la honte la submergeait ; les doutes qu'il avait si habilement plantés dans son esprit la paralysaient.

Le soir de la cérémonie des American Music Awards, les Birdcage Walk ne décrochèrent pas le prix du meilleur disque de l'année, comme ils l'espéraient, et Drew passa sa rage et sa frustration sur Emma, à coups de ceinture. Elle n'opposa aucune résistance. Ne protesta pas. Tandis qu'il l'assommait à coups de poing, elle se recroquevilla à l'intérieur d'elle-même, comme elle s'était réfugiée, autrefois, sous l'évier de la cuisine. Et elle disparut.

Cependant, emporté par la fureur, Drew commit ce soir-là une grave erreur de jugement. Il lui dit pourquoi il l'avait épousée.

— À quoi sers-tu ? hurlait-il en faisant le tour de la pièce et en brisant tout ce qui lui tombait sous la main. Tu crois vraiment que je voulais me retrouver coincé avec une petite conne frigide et gâtée ? As-tu seulement levé le petit doigt pour m'aider ? Après tout ce que j'ai fait pour toi ! J'ai introduit la romance dans ta vie coincée et inutile ! Je t'ai donné l'impression que tu étais désirée.

Las de casser des objets, il s'approcha d'elle et la prit par ce qui restait de sa robe lacérée.

— Tu as vraiment cru que j'ignorais qui tu étais, ce premier jour ?

Il la secoua, mais elle ne réagit pas, le voyant à peine à travers ses paupières boursouflées.

— Tu aurais dû te voir, bredouillant, rougissant. J'ai bien failli éclater de rire. Et puis je t'ai épousée, nom de Dieu ! Tout ce que j'attendais de toi, c'était que tu m'aides à grimper. Mais as-tu jamais demandé à ton père de faire quelque chose pour moi ? Hein ?

Elle ne répondit rien. Le silence était la seule arme qui lui restait. Alors, dégoûté, Drew la laissa retomber sur le sol.

— Tu as intérêt à réfléchir, maintenant. Tu as intérêt à trouver un moyen de rentabiliser tout le temps que j'ai passé avec toi.

Emma referma les yeux. Elle ne pleura pas. Il était trop tard pour ça. Mais elle se mit à réfléchir.

Son premier espoir de s'échapper lui vint lorsqu'elle apprit le décès de Luke.

— Il était mon ami, Drew.

— C'était une pédale !

Il faisait courir ses doigts sur les touches du piano à queue qu'il venait d'acheter avec l'argent de sa femme, et celle-ci dut lutter pour contrôler le tremblement de sa voix.

— C'était mon ami, répéta-t-elle. Je dois me rendre à l'enterrement.

— Tu ne dois te rendre nulle part, répondit Drew en levant la tête et en lui souriant. Ta place est ici, près de moi ; pas aux funérailles d'un pédé.

Emma sentit un flot de haine la traverser tout entière, mais elle le retint. Elle devait jouer serré, veiller à ce qu'il ne se doute de rien. Et pour cela, elle ne disposait que d'une seule arme.

— Drew, chacun sait qu'il était mon ami et celui de mon père, de Johnno et des autres. Si je n'y vais pas, la presse dira que je l'ai ignoré parce qu'il est mort du sida. Juste au moment où tu prépares ce concert avec papa...

Il continua à pianoter. Si cette crétine ne la bouclait pas, il allait devoir lui rabattre le caquet.

— Je me contrefous des réactions de la presse. Je n'irai pas à l'enterrement d'un pédé.

— Je comprends ce que tu ressens, Drew, poursuivit la jeune femme, ravalant des haut-le-cœur. Tu es un homme tellement… viril. Mais le concert va être télévisé, ici, et en Europe. Et l'argent ira à la recherche contre cette maladie dont Luke vient de mourir.

Elle marqua une pause.

— Je peux y aller avec Johnno et te représenter.

Il leva les yeux du clavier. Son regard était froid. Un regard qu'elle ne connaissait désormais que trop bien.

— Tu as donc tellement envie de t'en aller, ma jolie ?

— Non. Je préférerais que tu viennes avec moi. Nous pourrions descendre dans les Keys, ensuite.

— Merde, Emma. Tu sais bien que j'ai du travail. Décidément, tu ne penses jamais qu'à toi.

— Bien sûr. Je n'ai pas réfléchi. Mais j'aimerais tant qu'on parte ensemble, quelques jours. Juste toi et moi. Je vais appeler Johnno et lui dire que je ne peux pas y aller.

Drew réfléchit un instant. Ce concert était exactement le tremplin qu'il attendait pour percer. Il avait l'intention de laisser tomber Birdcage Walk et de continuer en solo. C'était lui, la star du groupe, et les autres l'empêchaient de décoller. Pour ça, il avait besoin d'un maximum de publicité, partout, à la télé, dans la presse. Si un enterrement pouvait contribuer à faire parler encore de lui, alors soit. D'ailleurs, toute une journée sans Emma lui semblait une perspective réjouissante.

— Tu vas y aller, dit-il finalement.

Emma sentit son cœur se décrocher, mais elle demeura sur ses gardes. Ce n'était pas le moment de commettre une erreur.

— Alors, tu viens ?

— Non. Mais tu devrais être capable de te débrouiller sans moi pendant quelques heures. Surtout si Johnno s'occupe de toi. Veille bien à pleurer abondamment.

Elle portait juste un petit tailleur noir. Comme Drew surveillait chacun de ses mouvements, elle ne pouvait rien emporter d'autre. Au moment de partir, il fouilla même son sac et jusqu'à sa trousse de maquillage.

Il avait, depuis longtemps déjà, saisi son passeport et toutes ses cartes de crédit – « tu es vraiment trop négligente pour ce genre de choses, Emma » – et il s'était chargé des réservations. Un aller-retour. Il lui octroyait quatorze heures de liberté. Son avion quittait l'aéroport à 9 h 15 et un autre devait la ramener à New York, à 22 h 25, le même soir. Il lui avait généreusement alloué une somme de quarante dollars. Emma en avait volé quinze de plus dans la caisse du ménage. Les billets étaient dissimulés dans sa chaussure. Elle les sentait contre ses doigts de pied, et frissonnait de honte et d'excitation.

Elle lui mentait.

Ne me mens jamais, Emma. Je le découvrirai toujours et je te punirai.

Elle ne reviendrait jamais.

N'essaie jamais de me quitter, Emma. Je te retrouverai et il t'en cuira.

Elle prenait la fuite.

Tu ne pourras jamais m'échapper, Emma. Tu m'appartiens. Tu as besoin que je m'occupe de toi, parce que tu ne sais faire que des idioties.

— Emma, nom de Dieu, écoute-moi !

Il lui tira les cheveux, la faisant sursauter.

— Je suis désolée, balbutia-t-elle, au comble de la nervosité.

— Quelle imbécile tu es ! Ça me rend malade. Johnno va arriver d'une minute à l'autre. Que lui diras-tu, quand il te demandera comment ça va ?

— Tout va bien, répondit la jeune femme, récitant son rôle comme un perroquet. Tout est merveilleux. Tu es tellement désolé de n'avoir pu venir. Mais, n'ayant pas connu Luke, tu ne voulais pas t'imposer. Je dois rentrer directement après le service, parce que tu as une petite grippe et que je veux m'occuper de toi.

— Comme une épouse dévouée.

— Oui, une épouse dévouée.

— Bien.

Elle était écœurante, décidément, avec son air de chien battu. Elle n'avait même pas protesté, quand il lui avait collé une trempe, la veille. Il voulait qu'elle s'en aille avec, sur le corps, le souvenir bien frais de la domination de son mari. Bien sûr, il avait fait attention à ne pas la frapper au visage. Il se rattraperait au retour. Histoire de lui rappeler que la place d'une femme est à la maison.

Si son père avait agi ainsi avec sa mère, cette salope ne se serait pas fait la malle en l'abandonnant, lui et ses frères, avec cette demi-portion d'homme.

— Tu es sûre que cette garce de Marianne ne sera pas là ?

— Oui. Johnno a dit qu'elle ne pouvait pas venir.

Encore un mensonge. Pourvu que Johnno ne commette pas de gaffe. Drew avait fait tout son possible pour la séparer de Marianne, et si bien réussi que cette dernière ne téléphonait plus jamais.

— Bon. Je n'aurais pas pu te laisser partir, autrement. Elle a une mauvaise influence sur toi, Emma. C'est une traînée. Elle faisait semblant d'être ton amie pour pouvoir se rapprocher de ton père. Et ensuite, de moi. Je t'ai dit qu'elle m'avait fait des avances, tu te souviens ?

— Oui.

— Ah ! voilà Johnno. Allez, montre-nous ce joli sourire que nous aimons tous.

Emma obéit automatiquement.

— C'est bien. Et n'oublie pas de parler de moi aux reporters ; dis-leur bien ma volonté de lutter contre ce fléau en rassemblant autant d'argent que possible pour en faire don à la recherche.

— Oui, Drew, je n'oublierai pas.

Elle était tellement terrifiée qu'elle craignait de voir ses genoux se dérober. Soudain, elle avait peur de n'être pas à la hauteur. Drew lui avait tellement répété à quel point elle était incapable. Mais déjà, il ouvrait la porte.

— Coucou, ma puce, dit Johnno en la serrant contre lui. Je suis content que tu viennes, tu sais.

— Oui, répondit-elle mollement, regardant son mari par-dessus l'épaule de Johnno.

Durant tout le vol, elle eut des sueurs froides. Drew allait reparaître brusquement. Il avait découvert que les quinze dollars manquaient dans la caisse ; il allait la rattraper et la punir. Il avait lu dans son esprit. Il savait qu'elle ne voulait pas revenir. Sa terreur était si violente qu'elle s'accrocha au bras de Johnno durant la majeure partie du trajet et plus désespérément encore, tandis qu'ils traversaient l'aéroport pour rejoindre la limousine qui les attendait dehors.

— Emma, tu es malade ? s'inquiéta Johnno.

— Non. Juste bouleversée.

Lui-même se débattait dans son chagrin et il ne sut que la serrer contre lui.

— Ça va aller, murmura Emma.

Elle assista au service dans une sorte d'état second, entendant à peine les paroles qui furent prononcées, voyant à peine les larmes versées, dans la chaleur humide de la mi-journée. Dans son cœur, elle espérait que Luke lui pardonnerait de penser si peu à lui, à l'instant de lui dire adieu. Elle se sentait morte, elle-même ; morte aussi, sa capacité à s'émouvoir.

Lorsque les gens commencèrent à s'éloigner de la pierre tombale en marbre rose et blanc, elle se demanda, un instant, si elle aurait la force de mettre son plan à exécution.

Marianne venait de s'arrêter devant Johnno et l'embrassait sur la joue.

— Je regrette qu'il n'ait pas réussi à m'apprendre à cuisiner, dit-elle.

Johnno sourit.

— Tu auras été son seul échec.

Il se tourna vers Emma.

— Le chauffeur va te reconduire à l'aéroport. Je dois retourner à l'appartement de Luke pour m'occuper de certains détails.

Il lui prit la main.

— Ça ira ?

— Oui.

Elle le regarda s'éloigner et leva les yeux sur Marianne, qui la dévisageait avec colère et rancune.

— Je suis étonnée de te trouver là, dit cette dernière.

— Je... voulais venir, murmura Emma.

— Vraiment ? Je croyais que tu n'avais plus le temps pour les vieux amis.

— Marianne...

Elle ne pouvait pas craquer ici. Pas maintenant. Il restait encore des journalistes qui prenaient des photos. Drew les verrait. Il saurait qu'elle avait menti. Elle se mit à jeter des regards paniqués autour d'elle.

— Est-ce que... Je voudrais...

— Ça va ? demanda Marianne en baissant un instant ses lunettes de soleil, pour mieux l'observer. Seigneur, tu as une tête épouvantable.

— Il faut que je te parle, si tu as quelques minutes.

— J'ai toujours eu quelques minutes, rétorqua la jeune femme. Tu ne devais pas rentrer directement ?

Emma secoua la tête. C'était tout de suite. Respirant un grand coup, elle se jeta à l'eau.

— Je ne rentre pas du tout.

— Quoi ?

— Je ne rentre pas à la maison, répéta Emma, qui se mit à trembler. Oh ! Marianne, est-ce qu'on peut aller quelque part ? Je t'en prie.

— Bien sûr, répondit son amie en lui prenant le bras. Où est ta limousine ?

Un moment plus tard, elles entraient dans la suite que Marianne avait réservée à l'hôtel, sur la plage. La jeune femme avait déjà pris possession des lieux en abandonnant des vêtements sur toutes les chaises disponibles, et elle libéra l'un des sièges, avant de faire signe à Emma de s'asseoir. Puis, elle décrocha le téléphone.

— Je veux une bouteille de Grand Marnier, deux cheeseburgers, un panier de frites et un litre de Coca-Cola dans un sceau à glace. Vingt dollars à celui qui m'apporte tout ça dans quinze minutes.

Satisfaite, elle fit voler ses escarpins dans la pièce et s'installa devant Emma.

— Alors, que se passe-t-il ?

— J'ai quitté Drew.

— Oui, j'ai cru comprendre. Mais pourquoi ? Je croyais que c'était le grand bonheur.

— Oh, oui, je suis très heureuse. Il est merveilleux. Il prend si bien soin de…

Sa voix s'éteignit, tandis qu'un profond dégoût d'elle-même l'envahissait tout entière.

— Mon Dieu, parfois, j'en viens presque à le croire.

— Quoi donc ?

— Ce qu'il m'a appris à dire. Marianne, il faut que je parle. Je suis sur le point d'exploser. J'allais tout raconter à Johnno, mais je n'ai pas pu.

Marianne se leva pour aller ouvrir les portes du balcon et laisser entrer une bouffée d'air marin.

— Je t'écoute, dit-elle en revenant s'asseoir. C'est une autre femme ?

— Oh ! Seigneur, murmura Emma. Oh ! mon Dieu.

Elle rit d'abord, mais très vite, les hoquets se transformèrent en sanglots violents et incontrôlables. Marianne vint s'agenouiller près d'elle et prit ses mains entre les siennes.

— Emma, calme-toi. Emma, tu vas te rendre malade. Hé, hé. Nous savons toutes que la plupart des hommes sont des saligauds. Si Drew est infidèle, tu n'as qu'à le plaquer.

— Ce n'est pas une autre femme.

— Un homme ?

Emma secoua la tête.

— Non. Je ne sais pas du tout s'il m'a trompée et cela m'est complètement égal.

— Mais alors... ?

— Parfois, j'ai encore du mal à le croire. Il pouvait être tellement doux, tellement attentionné. Il m'apportait souvent une rose, le matin. Et il chantait pour moi, comme si nous étions seuls au monde, comme si j'étais la seule femme qui existait. Il disait qu'il m'aimait, qu'il ne souhaitait que me rendre heureuse et s'occuper de moi. Et puis, je faisais quelque chose, je ne sais pas quoi, mais... Il me bat, avoua-t-elle dans un souffle.

— Quoi ?

Si Emma lui avait affirmé que Drew déployait des ailes et s'envolait de la terrasse, chaque après-midi, Marianne n'aurait pas été plus abasourdie.

— Il te bat ?

— Parfois, je ne peux pas marcher pendant des jours. C'est encore pire, ces derniers temps. Je crois qu'il veut me tuer.

— Attends une petite seconde, Emma. Regarde-moi. Es-tu en train de me dire que Drew te fait subir des violences physiques ?

— Oui.

Lentement, Marianne s'assit sur ses talons.

— Est-ce qu'il boit ? Il se drogue ?

— Non. Je ne l'ai vu ivre qu'une seule fois, le soir de nos noces. Il ne touche pas à la drogue. Il aime garder la tête froide. Il a besoin de toujours tout contrôler. Et puis, je fais quelque chose de stupide et il devient fou.

— Arrête ! s'exclama Marianne en bondissant sur ses pieds. Tu n'as jamais commis un acte stupide de toute ta vie.

Elle se mit à tourner dans la pièce comme un lion en cage.

— Il y a combien de temps que ça dure, Emma ?

— La première fois, c'était environ deux mois après notre installation dans le nouvel appartement. Ce n'était pas si grave. Il ne m'a frappée qu'une fois. Et il était tellement désolé, après. Il a pleuré.

— Mon cœur se brise pour lui, marmonna son amie.

Comme on frappait à la porte, elle répondit, donna son pourboire au garçon et fit rouler le chariot à l'intérieur. Aussitôt, elle versa du Grand Marnier dans deux verres.

— Bois, ordonna-t-elle. Je sais que tu as horreur de ça, mais nous en avons besoin toutes les deux.

Emma avala une gorgée, se laissant envahir par la douce chaleur de la liqueur.

— Je ne sais pas quoi faire, reprit-elle. J'ai l'impression de ne plus pouvoir prendre la moindre décision toute seule.

— Bon. Je vais réfléchir à ta place, pendant quelques minutes. Première chose : je vote pour que nous émasculions ce salopard.

— Je ne peux pas y retourner, Marianne. Je serais sans doute capable du pire.

— Mais je trouve que tu raisonnes parfaitement bien, moi. Tu peux manger ?

— Non. Pas encore.

Emma ferma les yeux. Elle avait encore besoin de se concentrer pour mesurer l'impact de ce qu'elle venait d'accomplir. Elle s'était échappée. Elle était loin de Drew ; en compagnie de son amie ; sa meilleure, sa plus vieille amie.

— Oh ! Marianne, je suis tellement désolée. Je sais que je ne t'ai jamais rappelée, pendant tous ces mois. Il me l'interdisait. Il m'a même dit que tu avais essayé de le séduire.

— Dans ses rêves. Tu ne l'as pas cru, tout de même ?

— Non, pas vraiment. Mais... parfois, je croyais tout ce qu'il me racontait. C'était plus facile. Le pire, c'est que cela m'aurait été égal.

— Si seulement tu m'avais téléphoné.

— Je ne pouvais pas t'en parler et je craignais, si je te voyais, que tu devines quelque chose.

— Je t'aurais aidée.

Emma ne sut que secouer la tête.

— J'ai tellement honte.

— Honte de quoi, pour l'amour du ciel ?

— Je l'ai laissé me traiter comme il l'a fait. Il ne m'a pas mis un revolver sur la tempe. Il n'avait pas besoin de ça.

— Je n'ai pas de réponse à ces questions, Emma. Ou plutôt, si. Tu devrais appeler la police.

— Non. Surtout pas. Je ne pourrais pas supporter de voir toute l'histoire étalée en première page des journaux. Et personne ne me croirait. Il nierait tout en bloc. Tu ne peux pas imaginer, Marianne. Il est capable de faire avaler n'importe quoi à n'importe qui.

— Bon, bon, oublions les flics et prends un avocat.

— Je... Pas tout de suite. J'ai besoin de quelques jours de repos. Et je veux m'en aller aussi loin que possible.

— D'accord. Nous allons trouver un plan d'action. Mais d'abord, il faut te nourrir. Les idées sont toujours meilleures, quand on a l'estomac plein.

Elle obtint de son amie qu'elle avalât quelques bouchées, avant de lui verser un verre de Coca-Cola. Le sucre et la caféine ne pouvaient pas lui faire de mal.

— On va rester quelques jours à Miami.

— Non. Pas même ce soir. C'est le premier endroit où il va me chercher.

— Londres, alors. Chez Beverly. Elle ne demandera pas mieux que de t'aider.

— Je n'ai pas de passeport. Drew le tient dans un coffre. Je n'ai même plus de permis de conduire. Il l'a déchiré en morceaux.

Elle secoua la tête.

— Marianne, j'ai cinquante-cinq dollars sur moi. J'en ai volé quinze sur l'argent du ménage. Je n'ai plus de cartes de crédit. Il me les a prises, il y a des mois. Je n'ai que mes vêtements sur le dos.

Plutôt que d'attraper le premier objet qui lui tomberait sous la main pour le jeter contre un mur, Marianne se leva et se versa une autre rasade de Grand Marnier. Tout ce temps, elle était restée dans le loft, à ruminer sa rancune, tandis que son amie se débattait dans un enfer.

— Ne t'inquiète pas au sujet de l'argent, dit-elle. Je vais te donner du liquide et téléphoner à la banque pour leur dire de t'autoriser un crédit.

— Tu dois penser que je suis pitoyable.

Marianne sentit les larmes lui monter aux yeux.

— Non. Je pense que tu es la meilleure amie que j'aie jamais eue. Si je pouvais, je le tuerais pour toi.

— Tu ne diras rien à personne. Pas encore.

— Si c'est ce que tu désires, d'accord. Mais je pense que tu devrais parler à ton père.

— Non. Les choses vont assez mal comme ça, entre nous. Tout ce dont j'ai besoin, c'est un peu de temps. Je voulais partir à la montagne, mais je crains de ne pas supporter le silence. J'ai besoin de me perdre dans une grande ville. Je ne cesse de penser à Los Angeles. Et puis, mes cauchemars ont recommencé.

— Au sujet de Darren ?

— Oui. Cela a repris il y a quelques mois. J'ai l'impression que je dois y retourner. En outre, Drew ne pensera jamais que je suis allée me réfugier à Los Angeles.

— Je pars avec toi.

Emma sourit.

— J'espérais que tu m'accompagnerais. Un petit moment, au moins.

# 33

La pièce était sombre et sale. La dernière femme de ménage était partie la semaine précédente, en emportant deux chandeliers en argent. Mais Jane n'avait rien remarqué. Elle ne quittait presque plus sa chambre, sinon pour aller se ravitailler dans la cuisine. Tel un ermite, elle stockait ses drogues, l'alcool et la nourriture dans son antre.

Autrefois lourdement décorée, son alcôve n'était plus que chaos. Les tentures de velours rouge qu'elle affectionnait tant pendaient autour de son lit. Elle les avait arrachées dans un accès de rage, et s'en enveloppait, désormais, chaque fois qu'elle frissonnait de froid. Le papier peint aux motifs pourpres était tout taché. Elle avait pour habitude de jeter des objets à la tête de ses amants : des lampes, des bouteilles, du bric-à-brac. Cela expliquait qu'elle ne les retînt jamais dans son lit plus de deux nuits.

Le dernier, pourtant, un dealer grand et fort comme une montagne, avait toléré ses colères plus longtemps que les autres. Et puis, un jour, il l'avait assommée, et, après avoir volé le gros diamant qu'elle gardait au doigt, il était parti pour des climats plus sereins.

Il lui avait tout de même laissé les drogues. Dans son genre, Hitch avait du cœur.

Depuis, Jane se passait de sexe. Sans mal. Si elle voulait un orgasme, elle n'avait qu'à se planter une aiguille sous la peau pour s'envoler. Elle se moquait bien de ne recevoir ni visites ni coups de téléphone. Sauf durant les brefs intervalles entre deux prises, quand la drogue cessait de faire son effet et que son corps réclamait une nouvelle dose. Alors, elle pleurnichait sur son sort et la colère la reprenait. Plus que tout, elle était rongée par la hargne et le ressentiment.

Le film n'avait pas marché aussi bien que prévu. Il avait été retiré de l'affiche très rapidement, avant d'être lancé sur le marché de la vidéo. En outre, dans son impatience, elle avait refusé d'écouter son agent, qui lui conseillait de discuter les termes du contrat. Maintenant, elle s'en mordait les doigts. Cette affaire ne lui avait rapporté que cent mille livres. Une misère, quand on avait des goûts et des besoins aussi coûteux que Jane Palmer. Son nouveau livre subissait une nouvelle réécriture et elle n'aurait pas un sou d'avance, tant que cet imbécile de nègre n'aurait pas terminé son travail. Quant à sa plus ancienne source de revenus, elle s'était tarie. Aucun chèque de Brian ne lui parvenait plus. C'était rageant. Tant qu'il avait été tenu de la payer, régulièrement, elle s'était réjouie de ce qu'il fût forcé de ne pas l'oublier. Il ne lui restait même plus cette consolation.

Tout de même, il y avait une justice. Brian, pas plus qu'elle, n'avait trouvé le bonheur, en ce bas monde. Et il était bon de penser que si elle-même ne l'avait pas eu, aucune autre femme ne l'avait gardé longtemps.

Encore maintenant, il lui arrivait d'imaginer qu'il revenait et lui demandait pardon. Elle rêvait alors qu'ils roulaient ensemble sur le grand lit de velours rouge, comme autrefois. Entre les mains de Brian, son corps était doux et ferme comme au temps de leur jeunesse. Jane ne se voyait pas autrement. Elle ne voyait pas qu'elle était devenue obèse. Grotesque. Ses seins pendaient sur sa taille, et son ventre ressemblait à une épaisse bouée de chair blanche. Ses bras et ses cuisses, énormes, tremblaient comme de la gelée, au moindre mouvement. Il devenait même si difficile de trouver une veine, à travers toute cette graisse, qu'elle ne se shootait plus. Elle pouvait encore se faire des piqûres intramusculaires : il n'y avait qu'à glisser la seringue sous la peau ; mais il était rare qu'elle se fît un fix. Elle les regrettait, d'ailleurs, comme on pleure un enfant perdu.

Se levant, elle alluma la lampe sur sa table de chevet. Elle n'aimait pas la lumière, mais il fallait bien trouver cette fichue pipe. Le crack la calma un peu. Elle devait réfléchir au moyen de trouver de l'argent, beaucoup d'argent, pour payer son fournisseur. Et puis, elle voulait de jolis vêtements, et des jolis garçons. Elle voulait se rendre à des soirées. Elle voulait qu'on la remarque.

Elle fuma et sourit.

Il existait un moyen. Mais elle devait se montrer très maligne. La drogue lui donnait l'impression d'être furieusement intelligente. Le moment était venu de sortir son as de sa manche.

Fouillant dans les tiroirs de la commode, elle trouva son nécessaire de courrier. C'était un joli papier à lettres aux couleurs de l'arc-en-ciel, avec son nom et son adresse gravés au milieu, en haut. Elle l'admira un instant, tira une autre bouffée de sa pipe et chercha un stylo en marmonnant. C'était juste une petite assurance. Bien sûr, elle déchirerait l'en-tête du papier. Cela devait rester anonyme. Elle n'était pas stupide.

Elle écrivit avec application, la langue serrée entre les dents. À la fin, elle était tellement contente du résultat, qu'elle oublia d'ôter son nom. Il y avait des timbres dans la boîte. Elle en colla trois sur l'enveloppe et les trouva si ravissants, qu'elle en rajouta un quatrième. Puis, hésitant un instant, elle inscrivit l'adresse :

*Kesselring, Détective de Police,*
*Los Angeles, Californie,*
*USA.*

Après réflexion, elle ajouta le mot « urgent » dans un coin, et le souligna.

Jane porta la lettre au rez-de-chaussée, dans l'idée de la dissimuler quelque part. Elle fit un détour par la cuisine et dévora un carton entier de glace à la vanille. Soudain, elle aperçut l'enveloppe qu'elle avait laissée sur la table et se mit à maugréer.

— Quelle idiote, cette femme de ménage ! Même pas capable de poster une lettre. Je vais la virer.

Indignée, elle se traîna jusqu'à la porte d'entrée et glissa la lettre sous la fente, en la poussant vers l'extérieur. Puis elle retourna dans sa chambre et fuma jusqu'à s'oublier elle-même.

Il se passa une semaine, avant qu'elle se rappelle son plan. Il lui semblait avoir écrit une lettre. C'était sa petite assurance. Elle l'avait cachée, mais ne savait plus où. Peu importait. Ce qui était grave, c'est qu'elle n'aurait bientôt plus de nourriture et de drogue. Elle venait de vider sa dernière bouteille de gin.

Jane décrocha le téléphone. Dans quelques heures, elle n'aurait plus jamais à s'inquiéter au sujet de l'avenir.

Son interlocuteur répondit à la troisième sonnerie.

— Bonjour, mon cher. Jane à l'appareil.

— Que voulez-vous ?

— Eh bien, ce n'est pas une façon de s'adresser à une vieille amie !

Il y eut un soupir.

— Je vous ai demandé ce que vous vouliez.

— Juste bavarder, ricana-t-elle, ravie de son petit chantage. Je suis à sec, vous comprenez.

— Ce n'est pas mon problème.

— Oh ! mais si, au contraire. Voyez-vous, quand l'argent vient à manquer, j'ai des réveils de conscience, et dernièrement, je me suis mise à penser à ce qui était arrivé au petit garçon de Brian. C'est le remords, que voulez-vous.

— Vous vous êtes toujours moquée éperdument de ce gosse.

— Comment pouvez-vous dire une chose pareille ? N'oubliez pas que je suis une mère. Et quand je pense à ma petite Emma, mariée maintenant, je ne peux m'empêcher de penser à l'enfant de Brian. Il serait grand, lui aussi, s'il avait vécu.

— Je n'ai pas de temps pour ces histoires.

— Tu as intérêt à le trouver, rétorqua Jane, dont la voix devint cassante. Je me disais que je pourrais bien envoyer un petit mot à ce détective, aux États-Unis. Kesselring, ça doit te dire quelque chose ?

Ah ! on la prenait pour une idiote. Elle saurait bien leur montrer, à tous, de quoi elle était capable. À l'autre bout de la ligne, l'hésitation dura un instant de trop.

— Je ne vois pas ce que vous pourriez lui dire.

— Non ? J'ai pourtant plein d'idées, moi. Il suffirait de peu de chose pour qu'ils sortent le dossier des oubliettes. Deux noms, par exemple. Le tien et…

— Si vous rallumez la mèche, elle va vous exploser en pleine figure. Vous êtes dans le coup autant que nous.

— Oh ! non. Je n'étais pas sur place, moi. Je n'ai jamais levé un doigt sur ce gosse. Alors que vous deux… C'était un meurtre. Même après toutes ces années, c'est toujours un…

— Combien ? l'interrompit son interlocuteur.

Jane eut un sourire triomphant.

— Je crois qu'un million de livres devrait suffire.

— Vous êtes complètement cinglée.

— C'était mon plan ! hurla-t-elle. C'était mon idée et je n'ai jamais reçu le moindre penny. Il est temps de régler nos comptes. Tu es riche. Tu peux te le permettre.

— Il n'y a jamais eu de rançon, dit-il.

— Parce que vous avez merdé. Je n'ai pas reçu un sou de la part de Brian depuis deux ans. Maintenant qu'Emma a grandi, il a cessé de m'entretenir. Tu n'as qu'à considérer cela comme mon capital retraite. Cet argent me maintiendra à flot pendant longtemps et je n'aurai plus à t'ennuyer. Apporte-le demain soir et je n'aurai pas à poster ma petite lettre.

Quelques heures plus tard, Jane ne savait plus si elle avait vraiment passé ce coup de téléphone ou si elle l'avait rêvé. Et la lettre, où l'avait-elle cachée ? Elle reprit sa pipe, espérant que la drogue l'aiderait à réfléchir. Le mieux était encore d'écrire une autre lettre.

Elle s'installa devant son papier aux couleurs de l'arc-en-ciel, écrivit deux lignes et s'endormit.

La sonnette la réveilla. Elle résonnait, résonnait, à travers la maison. Pourquoi cette idiote ne répondait-elle pas ? Haletant et maugréant, Jane se porta jusqu'à l'entrée.

La mémoire lui revint, à l'instant où elle le vit. Il se tenait sur le seuil, le visage fermé, une valise à la main. Oui, elle se souvenait, maintenant.

— Mais entrez donc. Ça fait un bail.

— Je ne suis pas venu faire des mondanités, répliqua-t-il.

Elle avait l'air d'une truie, grasse, sale, avec ses mentons qui ballottaient sous son rire de folle.

— Allons, de vieux amis comme nous. On va boire quelque chose. L'alcool est dans ma chambre. Je règle toutes mes affaires dans mon boudoir.

La main sur le revers de son complet, elle l'invita à la suivre, et il se dit qu'il brûlerait tous ses vêtements, en sortant de cette porcherie.

— Nous pouvons bien régler cette affaire où vous voudrez, dit-il. Du moment qu'on se dépêche.

— Ah ! vous avez toujours été un homme pressé.

Elle s'engagea dans l'escalier, soufflant et sifflant, et il la regarda s'agripper à la rampe. Il n'aurait qu'à la pousser pour qu'elle dévale les marches. On conclu-

rait à l'accident. Il tendit la main. La toucha presque.
Puis se ravisa. Il existait un moyen plus sûr.

— Nous y sommes.

Rouge et suante, Jane se laissa tomber sur le lit,
tandis qu'il demeurait sur le seuil. La puanteur qui
viciait l'air s'insinua à l'intérieur de ses narines, et il
dut lutter contre la nausée. La pièce n'était éclairée
que par une lampe de chevet, et dans la pénombre,
il distinguait des piles de vêtements sales, de la vaisselle, des cartons de nourriture et des bouteilles vides.

— Alors, reprit-elle, oubliant sa proposition de lui
offrir à boire. Que m'avez-vous apporté ?

Il posa la valise près d'elle, composa le code du
cadenas et souleva le couvercle.

— C'est une partie de l'argent. Il est impossible de
rassembler, du jour au lendemain, un million de livres
cash. Mais je vous ai apporté une preuve de ma bonne
foi.

Elle vit le sac, plein de poudre blanche, au-dessus
des liasses de billets, et son cœur se mit à battre follement. Elle tendait déjà la main pour s'en saisir,
quand il déplaça la valise.

— Eh bien, qui est pressée, maintenant ? railla-t-il
en prenant plaisir à la tourmenter.

Il avait déjà eu affaire à des junkies ; il savait comment s'y prendre avec eux.

— C'est de l'héroïne de première qualité, la
meilleure qui soit. Un shoot de cette camelote et vous
irez tout droit au paradis.

Ou en enfer, se dit-il, pour ceux qui croyaient à ces
sornettes.

— C'est à vous, Jane. Mais d'abord, vous devez me
donner quelque chose.

— Quoi ?

— La lettre. Donnez-moi la lettre, quelques jours
supplémentaires pour réunir l'argent, et la chnouf est
à vous.

— La lettre ?

Elle avait tout oublié à ce sujet. Elle n'était plus capable que de regarder fixement le sac de poudre blanche et d'imaginer le bonheur de la sentir rayonner dans ses veines.

— Il n'y a pas de lettre, dit-elle. Je ne l'ai pas écrite.

Puis, se rappelant l'assurance, elle ajouta d'un air finaud :

— Pas encore, en tout cas. Je vais me faire un fix et on parlera.

— Parlez d'abord.

Oh, ce serait un plaisir de la tuer, pensa-t-il en voyant la bave aux commissures de ses lèvres. La mort du garçon avait été un accident tragique, qu'il regrettait sincèrement. Il n'était pas un homme violent, ne l'avait jamais été. Pourtant, il aurait ressenti une véritable satisfaction à étrangler Jane Palmer de ses propres mains.

— J'ai commencé à l'écrire, disait-elle, confuse, en jetant des coups d'œil vers le secrétaire. J'ai commencé, mais je vous attendais. Je ne la finirai pas, si on se met d'accord.

Il ne douta pas qu'elle lui disait la vérité. Elle n'était pas en état de jouer au plus fin avec lui ou avec qui que ce soit d'autre. Il reposa la valise sur le lit.

— D'accord, dit-il. Allez-y.

Elle saisit le sac et, l'espace d'un instant, il crut qu'elle allait le déchirer et gober son contenu comme des bonbons. Mais, bougeant aussi vite que la masse de son corps le lui permettait, elle se mit à chercher son attirail dans des tiroirs.

Il attendit, à la fois épouvanté et fasciné par la procédure. Elle ne faisait plus attention à lui. Elle marmonnait des paroles sans suite. Ses mains tremblaient tellement qu'elle renversa un peu de poudre. Cette fois, elle allait se shooter en beauté, directement dans les veines. Elle remplit la seringue, se léchant les lèvres comme si elle s'apprêtait à déguster un merveilleux dîner, les yeux remplis de larmes. Puis, fermant les paupières, elle s'adossa à la commode et attendit la sensation.

Celle-ci arriva très vite, explosant en elle. Les yeux de Jane se révulsèrent et, le corps ébranlé par une énorme secousse, elle cria, une fois, à cheval sur la vague géante.

Il la regarda mourir et n'y prit aucun plaisir, tout compte fait. C'était un spectacle hideux. Jane Palmer ne manifestait pas, dans la mort, plus de dignité qu'elle n'en avait eue au cours de sa vie. Alors, lui tournant le dos, il sortit des gants de chirurgien de sa poche, les enfila et prit la lettre inachevée qu'il posa dans sa valise. Puis, tout en luttant contre le dégoût, il fouilla la pièce méticuleusement, afin de s'assurer qu'il ne laissait rien derrière lui, qui pût l'incriminer.

Brian grogna quand le téléphone se mit à sonner. Il essaya de s'asseoir dans son lit, mais avec la gueule de bois qu'il avait, il n'y parvint qu'après un effort surhumain. Se couvrant les yeux d'une main, il tâtonna de l'autre pour trouver le combiné.

— Quoi ?

— Brian, c'est P. M.

— Rappelle-moi quand je ne serai pas en train de crever.

— Brian, je suppose que tu n'as pas lu le journal de ce matin.

— Tu as raison. Je lirai plutôt celui de demain matin. Je n'ai pas l'intention de me lever tout de suite.

— Jane est morte, Brian.

— Jane ?

Le cerveau de Brian mit une dizaine de secondes à assimiler l'information.

— Morte ? Elle est morte ? Comment ?

— Overdose. Quelqu'un l'a trouvée, la nuit dernière. Un ex-amant ou un dealer, je ne sais plus trop. Elle était morte depuis deux jours.

— Seigneur.

— J'ai pensé qu'il valait mieux te prévenir, avant que la presse te tombe dessus. Et puis, il faut le dire à Emma, aussi.

— Emma, répéta Brian en se redressant contre la tête de lit. Ouais, je vais l'appeler. Merci de m'avoir averti.

— Pas de problème. À bientôt, Brian.

Il aurait pu lui dire qu'il était désolé, mais il doutait fort que quiconque le soit vraiment.

— À bientôt, P. M.

Brian demeura immobile, un moment, essayant de s'habituer à l'idée. À part Johnno, Jane était la seule personne qu'il connût depuis si longtemps. Il l'avait aimée, jadis, et il l'avait haïe. Mais il ne pouvait l'imaginer morte.

Se levant, il marcha vers la fenêtre. La lumière du soleil l'aveugla, réveillant sauvagement sa migraine. Sans réfléchir, il versa deux doigts de whisky dans un verre et but d'un trait, presque désolé de ne rien ressentir, à part cet affreux mal de tête qui déjà rétrocédait, sous l'effet de l'alcool.

Elle était la première femme avec laquelle il eût couché.

Tournant la tête, il observa la petite brune allongée sous les draps froissés de son lit. Pour elle non plus, il n'avait aucun sentiment. Il veillait toujours à choisir des partenaires qui ne souhaitaient aucun attachement et qui se contenteraient, comme lui, de quelques nuits torrides. Le sexe, oui. L'affection, surtout pas.

Une fois, déjà, il avait commis l'erreur de choisir une femme qui exigeait davantage. Jane. Depuis, elle s'était toujours trouvée sur son chemin, l'empêchant de vivre et de jouir pleinement de ce qu'il avait.

Puis, il y avait eu Beverly. Elle aussi, avait voulu davantage, mais auprès d'elle, il s'était senti pousser des ailes. Bon Dieu, il aurait pu décrocher la lune. Pourtant, à son tour, Beverly l'avait empêché de vivre.

Pas une journée n'avait passé, depuis dix-sept ans, sans qu'il pense à elle.

Jane avait agacé, empoisonné son existence en refusant d'en sortir. Beverly l'avait purement et simplement gâchée en refusant de la partager.

Alors, il lui était resté sa musique, et plus d'argent qu'il n'avait jamais rêvé d'en gagner. Et une succession de femmes qui ne comptaient pas.

Maintenant, Jane était morte.

Il aurait voulu éprouver du regret pour celle qu'il avait connue, autrefois ; cette fille avide et désespérée qui avait juré l'aimer plus que tout au monde. Mais il n'y avait plus aucune émotion en lui. La fille, comme le garçon qu'il était alors, étaient morts depuis longtemps.

Il allait téléphoner à Emma. Il doutait que sa fille ressentît le moindre chagrin. Malgré tout, il préférait être le premier à lui annoncer la nouvelle. Cela fait, il se rendrait en Irlande. Passer quelques jours paisibles, assis dans les hautes herbes vertes. Avec Darren.

# 34

— Ça va aller, tu es sûre ? demanda Marianne à Emma, comme elles marchaient vers la passerelle d'embarquement, à l'aéroport de Los Angeles.

— J'en suis sûre, répondit Emma. Le plus dur est passé, maintenant. Grâce à toi. Je n'y serais jamais arrivée toute seule.

— Mais si. Tu es beaucoup plus forte que tu ne l'imagines. Après tout, c'est toi qui as annulé tes cartes de crédit, soldé tes comptes en banque et demandé au comptable de cacher ton argent.

— Après que tu m'as soufflé de le faire.

— Parce que tu n'avais pas l'esprit à t'occuper de ces problèmes matériels, renchérit Marianne. Il n'était pas question de laisser un seul penny à cette ordure. Et je continue à penser que tu devrais appeler la police.

Emma secoua la tête. Elle commençait tout juste à se réconcilier un peu avec elle-même ; ce n'était pas le moment de mêler la police, la presse et le public à cette histoire.

— Il finira par découvrir où tu es, tôt ou tard, insista son amie.

— Je sais, répondit Emma. Mais plus j'attends, plus je me sens forte et plus je suis sûre que rien de ce qu'il dira ou fera ne pourra me ramener à lui.

— Mais tu promets d'aller chez ton avocat et de lancer la procédure de divorce.

— Dès que ton avion aura décollé.

Marianne changea son grand sac d'épaule. Elle était nerveuse à l'idée de laisser Emma toute seule. Deux semaines avaient passé, depuis l'enterrement de Luke et leur fuite de Miami. C'était à la fois très long et très court.

— Tu sais que je resterais plus longtemps, si je pouvais.

— Je sais, Marianne. Il faut que tu retournes à ta peinture. Je le pense vraiment. Quand un artiste reçoit une commande d'un Kennedy, sa réputation est faite. Va finir ce tableau avant que Caroline ne change d'avis.

Une voix annonça le départ du vol pour New York.

— Tu me téléphoneras tous les jours, reprit Marianne.

— Tous les jours, promit Emma. Quand ce sera fini, je vais sûrement vouloir récupérer la moitié du loft.

— Je l'espère bien. À moins que je ne décide d'épouser ce dentiste de Long Island. Tu sais, celui qui a de grands yeux marron et des mains poilues.

Emma sourit. C'était si facile, avec Marianne.

— Je ne sais pas si je pourrais tomber amoureuse d'un homme qui a les mains poilues, remarque, poursuivait son amie.

— Surtout s'il doit te les fourrer sans arrêt dans la bouche. Marianne, c'est le dernier appel.

— Tu me téléphoneras ?

— Chaque jour, répondit Emma.

Elle n'allait pas pleurer. Elle s'était promis de ne pas pleurer. Et voilà que toutes les deux y allaient de leur larme. La serrant encore une fois dans ses bras, Marianne s'éloigna en courant.

Emma la suivit du regard jusqu'à ce qu'elle eût disparu. Elle était seule, maintenant ; toute seule, pour prendre ses décisions, avoir des opinions, et éventuellement commettre des erreurs. C'était terrifiant. Et, tandis qu'elle retournait vers le terminal, elle ne pouvait s'empêcher de scruter la foule des voyageurs, s'attendant à voir Drew au milieu d'un groupe, d'une famille en partance pour Phœnix ou des hommes d'affaires prêts à décoller pour Chicago. Il aurait son sourire enjôleur, prononcerait son nom et la prendrait par l'épaule, avec cette manière qu'il avait de planter ses doigts d'acier dans la chair, comme s'il voulait atteindre l'os.

— Emma.

Une main se posa sur son épaule et la jeune femme sentit ses genoux se dérober.

— Emma, c'est toi ?

Étourdie par la panique, le visage livide, elle leva les yeux sur Michael. Il disait quelque chose, ses lèvres remuaient, mais elle n'entendait rien à travers le bourdonnement affolant de ses tempes. Le sourire du jeune homme mourut instantanément sur ses lèvres, et il l'attira vers une chaise.

— Ça va mieux ? demanda-t-il, quand elle eut repris son souffle.

— Oui. Oui, ça va.

— Tu manques toujours t'évanouir quand tu croises des amis à l'aéroport ?

Elle parvint à ébaucher l'ombre d'un sourire.

— Une mauvaise habitude que j'ai. Tu m'as fait peur.

— C'est le moins qu'on puisse dire. Tu veux bien attendre quelques minutes ? Mes parents doivent se demander pourquoi je les ai plantés aussi brusquement. Ne bouge pas, d'accord ?

Elle hocha la tête. De toute façon, ses jambes ne l'auraient pas portée. Restée seule, elle prit de profondes inspirations, de sorte qu'au retour de Michael, elle avait recouvré le contrôle d'elle-même.

— Alors, où vas-tu ? demanda-t-elle.

— Moi ? Nulle part. Ma mère doit assister à une sorte de convention et papa l'accompagne. Je les ai conduits parce qu'ils n'aiment pas laisser la voiture à l'aéroport. Tu arrives d'où ?

— Je suis ici depuis deux semaines, environ. Je viens d'accompagner une amie à son avion.

— Tu es là pour affaires ?

— Hmm, oui et non.

Un avion avait atterri quelques minutes plus tôt, et une file de gens débouchait dans le terminal. Luttant contre la panique, Emma les regardait passer. Elle craignait de reconnaître Drew parmi eux.

— Il faut que j'y aille.

— Je vais marcher avec toi, proposa-t-il. Alors, tu es ici avec ton mari ?

— Non, répondit-elle, tandis que son regard balayait toujours les lieux. Il est à New York. Nous... nous sommes séparés.

— Oh !

Le cœur de Michael bondit dans sa poitrine. Puis, il se rappela la réaction de la jeune femme, quand il l'avait surprise, tout à l'heure.

— En bons termes ?

— Je l'espère, murmura-t-elle en frissonnant.

Il l'observa un instant, fronça les sourcils et ravala les questions qui lui brûlaient les lèvres, ne se sentant pas le droit d'être indiscret.

— Combien de temps penses-tu rester en ville ? demanda-t-il.

— Je ne sais pas encore.

— Si on déjeunait ensemble ?

— Je ne peux pas. J'ai un rendez-vous dans une heure.

— Dîne avec moi, dans ce cas.

Elle eut un petit sourire.

— Je ne tiens pas à me faire remarquer ; j'évite les restaurants.

— Que dirais-tu d'un barbecue dans mon jardin ?

— Eh bien, je...

— Tiens, voilà mon adresse.

443

Sans lui laisser le temps de refuser, il gribouilla ses coordonnées au dos d'une carte de visite.

— Tu peux venir vers 19 heures et on fera cuire deux steaks. En toute simplicité.

Emma s'aperçut, à cet instant, à quel point elle appréhendait de se retrouver dans sa suite d'hôtel, avec un dîner sur un plateau roulant et la télévision pour seule compagnie.

— D'accord, dit-elle.

Michael allait lui offrir de la déposer, quand il aperçut une limousine blanche, devant la sortie.

— À 19 heures, répéta-t-il.

Ils échangèrent un sourire avant de se séparer, et Emma prit son tour dans la file des taxis. Distraitement, elle fit tourner la carte de visite dans ses doigts. Et tressaillit.

*Détective M. Kesselring.*

*Homicide.*

Lentement, elle la glissa dans son sac. Bizarre. Elle avait oublié qu'il était flic. Comme son père.


Michael fourra une pile de vieux journaux dans le placard de sa chambre. Il avait déjà rempli deux sacs poubelle. Et dire que tout ce fatras avait été accumulé par un homme et un chien. Plus que tout, il était scandalisé de n'avoir pu trouver, dans une ville comme Los Angeles, une société de services capable de lui faire son ménage, en ce vendredi après-midi.

Il s'attaqua d'abord dans la cuisine avec une bouteille de désinfectant empruntée à la voisine. Quand il eut fini, la maison sentait aussi fort qu'une forêt de pins ; c'était inévitable. Alors seulement, il se déshabilla, et attira son chien dans la douche à l'aide d'un morceau de viande, avant de refermer sur eux le panneau coulissant.

— Prends ton mal en patience, vieux, dit-il, tandis que Conroy frémissait d'indignation.

Après avoir vidé une demi-bouteille de shampooing, chien et maître se retrouvèrent sur le carrelage, enveloppés de serviettes. Michael fouilla le placard de la salle de bains à la recherche de son sèche-cheveux. Il finit par le trouver, en même temps qu'une poêle à frire qu'il avait crue perdue à jamais.

— Tu devrais me remercier, dit Michael, comme Conroy se laissait faire d'un air rancunier. Quand ta copine va te sentir, elle va tomber raide. Tu n'auras plus à t'inquiéter de la voir te préférer ce berger allemand.

Il fallut encore une demi-heure à Michael pour finir de nettoyer la salle de bains, et il regagnait la cuisine, prêt à attaquer la salade, quand il entendit une voiture s'arrêter dans la rue. S'approchant de la fenêtre, il fut étonné de voir Emma descendre d'un taxi. Il avait plutôt imaginé une limousine ou une luxueuse voiture de location.

Une brise légère s'engouffrait dans ses cheveux, et elle les lissa d'un geste de la main, avant de lever les yeux vers la maison. Elle avait maigri. Il avait remarqué cela à l'aéroport. Beaucoup maigri. Et sa façon de se mouvoir avait changé. Oh, c'était à peine perceptible, mais l'œil exercé de Michael ne pouvait manquer de remarquer certains détails : la démarche hésitante, les coups d'œil nerveux qu'on jette pardessus l'épaule. Il avait vu de tels comportements chez les suspects. Et chez les victimes.

Abandonnant son poste d'observation, il ouvrit la porte.

— Alors, tu as trouvé ? lui cria-t-il depuis le seuil.

Elle s'arrêta tout net, porta la main en visière à son front, et l'aperçut à contre-jour.

— Oui, répondit-elle en se détendant progressivement.

Aussitôt, Conroy se précipita au-dehors, avec l'intention arrêtée d'aller bien vite se rouler dans la boue et dans l'herbe pour se débarrasser de cette odeur indigne de shampooing.

— Couché ! ordonna Michael, sans grand espoir d'être écouté.

Mais la voix mélodieuse d'Emma arrêta l'animal dans son élan.

— Oh, tu as un chien, s'exclama-t-elle, ravie.

Elle s'accroupit pour le caresser.

— Tu es un gentil chien, n'est-ce pas ?

Tout disposé à acquiescer, Conroy s'installa sur ses pattes de derrière et se laissa gratter derrière l'oreille.

— Oui, poursuivit Emma. Un gentil chien. Un bien joli chien.

Personne ne l'avait jamais complimenté ainsi, et Conroy lui jeta un regard adorateur, avant de tourner la tête vers Michael.

— Et voilà, tu as gagné, dit celui-ci. Maintenant, il va vouloir que je le flatte régulièrement.

— J'ai toujours rêvé d'avoir un chien.

— Je te donne cinquante dollars si tu emmènes Conroy.

Elle rit et suivit Michael dans la maison.

— C'est sympa, chez toi, dit-elle en tournant dans le living-room, réconfortée par le bruit des griffes de Conroy sur le sol.

Un vaste fauteuil gris tendait les bras d'un air hospitalier, avec ses gros coussins de couleur, et le canapé, long et bas, semblait conçu pour des siestes interminables. Des stores aux lattes de bois verticales laissaient filtrer quelques rayons de soleil.

— Je t'imaginais dans un appartement moderne près de la plage. Oh ! *Les jambes de Marianne !*

Ravie, elle se dirigea vers la photographie encadrée, accrochée au-dessus du canapé.

— Un souvenir de ton vernissage, dit Michael.

— Pourquoi ? s'exclama Emma en haussant les sourcils.

— Pourquoi je l'ai achetée ?

Il réfléchit, les mains dans les poches.

— Elle m'a plu. Si tu attends un discours sur les jeux d'ombre et la qualité du grain, tu vas être déçue. Le fait est que c'est une très belle paire de jambes, photographiée avec beaucoup d'humour.

— J'aime ton opinion bien mieux qu'une discussion sur le grain. Mais tu n'aurais pas dû l'acheter. Runyun avait fixé des prix exorbitants. J'aurais pu au moins t'offrir un cliché.

— Tu m'en as déjà offert un.

Elle se rappela la photo qu'elle avait prise de lui et son père, tant d'années auparavant.

— Je n'étais pas une professionnelle, à l'époque.

— Peut-être, mais une épreuve de la toute jeune Emma McAvoy vaudrait une fortune, si jamais je voulais la vendre. Allons dans la cuisine, enchaîna-t-il. J'étais sur le point de préparer le dîner.

Le chien les suivit et posa sa tête sur les pieds d'Emma, quand elle s'assit à la table. Michael versa du vin blanc dans les deux verres qu'il avait empruntés à la voisine.

— Depuis quand habites-tu ici ? demanda-t-elle.

— Presque quatre ans.

Il avait disposé tous les légumes achetés au supermarché sur le plan de travail et les considérait d'un air vaguement perplexe. Il eut tout de même la présence d'esprit de laver la laitue, avant de saisir le couteau pour la couper en morceaux.

— Que fais-tu ? lui demanda Emma.

— Je prépare la salade.

Surprenant le regard de la jeune femme, il suspendit son geste.

— Tu n'aimes pas ça ?

— Je préfère les glaces, mais je n'ai rien contre la salade.

Elle se leva pour inspecter les légumes. Il y avait là toutes les variétés du jardin potager.

— Il y en a certainement assez pour remplir un grand saladier, remarqua-t-elle.

— J'en fais toujours beaucoup, improvisa-t-il. Conroy adore ça.

— Je vois.

Elle lui prit le couteau des mains et le mit de côté.

— Si tu me laissais m'en occuper, pendant que tu fais cuire les steaks ?

— Tu cuisines ?

— Oui, répondit-elle en riant, avant de déchirer les feuilles de salade. Et toi ?

— Non.

Elle sentait bon les fleurs sauvages et Michael dut se retenir pour ne pas presser les lèvres contre sa gorge délicate. Quand il lui effleura les cheveux, elle leva la tête, le considérant avec circonspection.

— Je ne t'imaginais pas du tout en cordon-bleu, dit-il simplement.

— J'aime bien ça, pourtant.

Il se tenait près d'elle ; assez près pour qu'elle songeât, un instant, à s'en effrayer. Et pourtant, elle n'avait pas peur. Elle ressentait un léger malaise, une gêne ; en aucun cas de la crainte.

— Allons, dit-elle gentiment, comme il restait là, à la regarder. Va allumer le barbecue.

Un moment plus tard, elle portait la salade sur une table de bois ronde, à côté d'un lit de pétunias en piteux état. Un coup d'œil lui apprit que les steaks se portaient bien, alors elle retourna dans la cuisine. Dans un placard, elle découvrit un sac géant d'assiettes en papier. En cherchant un peu mieux, elle dénicha trois bouteilles de bière vides, un tiroir plein de moutarde, de ketchup en sachets et tout un approvisionnement de boîtes de conserve. Elle ouvrit le lave-vaisselle. Voyant que Michael y entassait son linge, elle se demanda s'il y avait, quelque part dans la maison, un panier à linge sale rempli de vaisselle. Finalement, elle trouva ce qu'elle cherchait dans le four à micro-ondes : deux jolies assiettes de porcelaine au bord décoré de boutons de rose, ainsi qu'une paire de fourchettes et de couteaux à viande.

Elle finit de dresser le couvert au moment où Michael déclarait que les steaks étaient cuits.

— Je n'ai pas trouvé de sauce pour la salade, dit-elle.

— De la sauce pour la salade, murmura-t-il.

Il posa le plat de viande sur la table. Maintenant qu'elle était là, souriante, une main sur la tête du chien et l'air parfaitement à sa place dans son jardin, Michael décida qu'il serait vain de prétendre contrôler la situation plus longtemps. S'ils devaient apprendre à se connaître – vraiment, cette fois – autant qu'elle sache, dès le départ, à qui elle avait affaire.

— Veille bien à ce que Conroy ne se laisse pas tenter par les steaks, dit-il, avant de marcher vers la clôture qui séparait son jardin de celui de la voisine.

Il revint quelques instants plus tard avec une bouteille de vinaigrette et une grosse bougie bleue.

— Madame Petrowski te dit bonjour.

Alors, Emma vit une femme pencher la tête par la porte de la maison voisine, et, riant, elle lui fit un petit signe de la main.

— Ce sont ses assiettes aussi ? demanda-t-elle en se tournant vers Michael.

— Oui.

— Elles sont jolies.

— Je voulais faire mieux qu'un hamburger sur la plage, cette fois.

Emma lui passa la salade et changea prudemment de sujet.

— Je suis contente que tu m'aies demandé de venir. Nous n'avons pas eu beaucoup de temps pour parler, à New York. J'aurais aimé te faire visiter la ville.

— La prochaine fois, dit-il, avant d'entamer son steak.

Le crépuscule les trouva assis autour de la table. Emma avait oublié le bonheur tout simple de bavarder de tout et de rien, de rire devant un dîner, à la lueur d'une chandelle vacillante, avec de la musique en fond sonore. Le chien, rassasié après avoir englouti la moitié de la part d'Emma, dormait à ses pieds.

Michael avait vu la jeune femme se détendre peu à peu, comme si ses nerfs, mis à rude épreuve par des mois de cauchemar, se dénouaient devant lui.

Chose étonnante, elle ne parla pas une seule fois de son mariage ou de la séparation. Michael avait des amis dans la même situation, qui semblaient incapables, même longtemps après la rupture, d'aborder un autre sujet de conversation.

Quand la voix de Rosemary Clooney fusa à la radio, Michael se leva et prit la main d'Emma, la forçant gentiment à se lever.

— Les vieux airs sont les meilleurs pour danser, dit-il, comme elle reculait d'un pas.

— Je ne...

— Et Mme Petrowski serait tellement contente.

Doucement, il l'attira vers lui, refermant ses bras sur elle, tout en veillant bien à ne pas l'effaroucher. Emma bougea en mesure, automatiquement. Puis, fermant les yeux, elle fit en sorte de demeurer hermétique à toute émotion. Elle ne voulait rien ressentir, sinon la paix. La brise était tombée, les ombres s'allongeaient et, rouvrant les yeux, elle aperçut le ciel qui rougeoyait à l'ouest.

— En t'attendant, tout à l'heure, j'ai fait un petit calcul : figure-toi que nous nous connaissons depuis environ dix-huit ans, reprit Michael. Dix-huit ans. Et pourtant, je peux compter le nombre de jours que j'ai passés avec toi sur les doigts d'une seule main.

— Tu m'as à peine vue, la première fois que nous nous sommes rencontrés, répondit Emma.

Elle leva la tête pour lui sourire et, l'espace d'un instant, oublia sa nervosité.

— Tu étais trop obnubilé par les Devastation.

— À onze ans, les garçons ne remarquent pas les filles. Ce sens particulier ne se développe que vers la treizième année ; un peu avant, dans certains cas précoces.

S'esclaffant, Emma n'opposa aucune résistance, quand il l'attira plus près de lui.

— Tu ne sais pas ce que tu as perdu, répondit-elle. J'avais le béguin pour toi.

— Vraiment ?

— Absolument. Ton père m'avait raconté comment tu avais sauté du toit avec tes patins à roulettes. Je voulais te demander ce que tu avais ressenti.

— Avant, ou après avoir repris conscience ?

— En vol.

— Je suppose que je suis resté en l'air pendant environ trois secondes. Ce furent les trois meilleures secondes de ma vie.

C'était exactement ce qu'elle avait espéré l'entendre dire.

— Tes parents habitent toujours la même maison ?

— Et comment ! Il n'y aurait pas moyen de les déloger, même à coups d'obusier.

— C'est formidable, murmura-t-elle. Avoir un endroit comme ça, un endroit qu'on identifie comme sa maison pour toujours. Le loft me donnait un tel sentiment.

— Tu vas y retourner, en quittant Los Angeles ?

— Je ne sais pas.

— Il y a des jolies maisons le long de la plage. Je me souviens que tu aimes l'eau.

— Oui.

Le regard de la jeune femme s'était éteint de nouveau et Michael souhaitait désespérément la voir sourire.

— Tu veux toujours apprendre le surf ?

Elle sourit, mais tristement.

— Je n'y ai pas pensé depuis des années.

— Dimanche, je ne travaille pas. Je te donnerai une leçon.

Elle leva les yeux. Il y avait du défi dans les yeux de Michael ; juste assez pour qu'elle eût envie de le relever.

— D'accord.

Il effleura la tempe de la jeune femme d'un baiser si naturel, si léger, qu'elle s'en aperçut à peine.

— Tu sais, quand je t'ai dit tout à l'heure que j'étais désolé, au sujet de toi et de ton mari... J'ai menti.

Emma se dégagea aussitôt, et lui tournant le dos, entreprit de débarrasser la table.

— Je vais t'aider à faire la vaisselle, dit-elle vivement.

Mais Michael se planta devant elle et posa ses mains sur les siennes.

— Cela ne te surprend guère, n'est-ce pas ?

Elle se força à lever les yeux vers lui. Il la dévisageait de son regard direct, avec un rien d'impatience.

— Non, répondit-elle.

Pivotant sur ses talons, elle porta les assiettes à l'intérieur.

Michael la suivit du regard et s'exhorta à la patience. Mieux valait ne pas insister. Elle était vulnérable. Forcément. Son mariage venait de faire naufrage. Elle avait besoin de temps.

— Il se fait tard, dit-elle, quand il la rejoignit dans la cuisine. Il faut que je rentre. Je peux appeler un taxi ?

— Je vais te ramener.

— Ce n'est pas nécessaire. Je peux...

— Emma. J'ai dit que je te ramenais.

Elle tressaillit et parut se livrer une lutte intérieure. Finalement, elle décroisa ses doigts, respira profondément.

— Merci, murmura-t-elle.

— Détends-toi. Si tu n'es pas encore prête à vivre notre merveilleuse histoire d'amour, je peux attendre. Cela ne fait jamais que dix-huit ans.

Emma ne savait pas si elle devait être amusée ou agacée.

— Il faut être deux pour vivre une histoire d'amour, répondit-elle d'un ton léger. Je crains d'être hors circuit.

— Comme je viens de le dire, je peux attendre.

Michael prit ses clés, et, aussitôt, Conroy s'élança en aboyant.

— Il aime bien monter en voiture, expliqua Michael. Tais-toi, Conroy.

— Il ne peut pas venir ? demanda Emma, comme le chien venait se frotter contre elle, la tête basse.

— J'ai un coupé.

— On se serrera.

Conroy suivait la conversation, une oreille dressée.

— C'est bon, lui dit son maître. Tu gagnes, cette fois-ci.

Ravi de sa victoire, l'animal bondit en avant et sa queue frétillante fit tomber le sac de cuir qu'Emma avait posé sur la table. Lorsque Michael se baissa pour le ramasser, le fermoir s'ouvrit et le contenu se renversa. Il s'excusait déjà, lorsqu'il aperçut un 38. Il le souleva et le fit tourner dans sa main, sans qu'Emma eût prononcé une seule parole. C'était une arme exceptionnelle, le meilleur automatique de ce calibre que Smith & Wesson avait à offrir. Il était lourd, luisant comme de la soie ; en aucun cas un revolver de dame. Vérifiant le chargeur, Michael vit qu'il était plein.

— Que fais-tu avec ça ? demanda-t-il.

— J'ai un port d'arme.

— Ce n'est pas la question que je t'ai posée.

Elle s'accroupit pour ramasser son portefeuille, sa brosse et son poudrier.

— Tu oublies que j'habite New York, dit-elle. Beaucoup de femmes se promènent avec un revolver, à Manhattan. Par mesure de prudence.

— Tu l'as donc depuis un moment ?

— Des années.

— C'est intéressant. Vois-tu, ce modèle est sorti il y a six mois. Et vu son état, je dirais que tu ne le trimballes pas dans ton sac depuis plus de deux jours.

Quand elle se redressa, Emma tremblait de tous ses membres.

— Si tu dois m'interroger, commence peut-être par me dire mes droits.

— Arrête de raconter des conneries, Emma. Tu n'as pas acheté cette arme pour effrayer un voleur.

La jeune femme sentit la panique s'insinuer le long de sa colonne vertébrale. Sa gorge devint sèche, tout à coup. Il était en colère, vraiment en colère. Elle le vit à la manière dont son regard gris s'assombrit ; dans la manière dont il bougea, quand il marcha vers elle.

— Ce sont mes affaires, répondit-elle. Si tu comptes toujours me ramener à l'hôtel...

— D'abord, je veux comprendre pourquoi tu te balades avec ce revolver, pourquoi tu m'as menti et pourquoi tu as eu si peur, ce midi, à l'aéroport.

Elle ne dit pas un mot. Elle le regardait simplement, avec des yeux las et résignés. Michael avait vu ce regard chez un chien, une fois. Il n'était encore qu'un gosse et l'animal avait rampé jusqu'à leur pelouse. Sa mère craignait qu'il n'eût la rage, mais quand ils l'avaient emmené chez le vétérinaire, il s'était révélé que la pauvre bête avait été battue. Battue si fort et si souvent qu'il avait fallu l'endormir.

Un flot de rage monta au cerveau de Michael, et il fit un pas vers elle. Emma recula.

— Qu'est-ce qu'il t'a fait ? demanda-t-il.

Elle secoua simplement la tête.

— Emma, pour l'amour du ciel, qu'est-ce qu'il t'a fait ?

— Je... je dois partir.

— Nom de Dieu, Emma !

Il voulut la saisir par les bras, mais elle recula encore, jusqu'au mur. Ses yeux luisaient maintenant de terreur brute.

— Non. Je t'en prie.

— Je ne te toucherai pas, d'accord ?

Il la regarda droit dans les yeux et, parlant d'une voix calme et contrôlée, remit le revolver dans le sac.

— Je ne te ferai pas de mal. Tu n'as pas à avoir peur de moi.

— Non. Je n'ai pas peur, murmura-t-elle, sans pouvoir s'arrêter de trembler.

— C'est de lui que tu as peur ? De Latimer ?

— Je ne veux pas parler de lui.

— Je peux t'aider, Emma.

Elle secoua la tête.

— Non, tu ne peux pas.

— Si. Est-ce qu'il t'a menacée ?

Comme elle ne répondait pas, il avança d'un pas.

— Il t'a frappée ?

— J'ai demandé le divorce. Le reste n'importe pas.

— Au contraire. On pourrait obtenir un mandat d'amener contre lui.

— Non, je ne veux pas. Je veux seulement en finir. Michael, je ne peux pas te parler de ça.

Il garda le silence un moment. Il sentait la terreur la quitter lentement et ne voulait pas l'effrayer de nouveau.

— D'accord, dit-il finalement. Je connais des endroits où tu peux parler avec des personnes qui savent ce que c'est.

Croyait-il qu'il existait une personne au monde qui sût ce que c'était ?

— Je n'ai pas besoin de parler à qui que ce soit, répondit la jeune femme. Je ne tiens pas à ce que la presse s'empare de l'histoire. Cela ne te regarde pas, Michael.

— Tu crois ça ? demanda-t-il d'un ton égal. Tu le crois vraiment ?

Elle ne put soutenir son regard. Elle avait honte, tout d'un coup. Que lui offrait-il, sinon l'aide dont elle avait tant besoin ? Il lui demandait juste d'avoir confiance en lui.

Mais elle avait déjà donné sa confiance, une fois.

— C'est mon problème, répondit-elle enfin. Et je m'en occupe.

Sentant qu'il suffirait d'un rien, maintenant, pour la briser, il recula.

— D'accord. Je voudrais juste que tu y penses. Tu n'es pas forcée de supporter cela toute seule.

— Si. C'est l'unique moyen, pour moi, de retrouver un peu de dignité, dit-elle à voix basse. Si je ne m'en sors pas toute seule, cela voudra dire qu'il m'a tout pris. S'il te plaît, Michael, ramène-moi à l'hôtel. Je suis fatiguée.

# 35

Alors comme ça, cette petite garce croyait pouvoir disparaître dans la nature, pensa Drew. Elle imaginait pouvoir ouvrir la porte et s'enfuir. Elle allait comprendre son erreur, quand il la retrouverait. Car il comptait bien la retrouver.

Il n'aurait jamais dû la quitter du regard ; il avait été fou de lui faire confiance. Les seules femmes auxquelles un homme pouvait se fier étaient les putains. Elles faisaient leur boulot, prenaient leur argent et l'affaire était close. Il y avait un monde entre une putain honnête et une pute. Et c'était à la deuxième catégorie qu'appartenait sa douce et ravissante épouse ; comme sa mère à lui.

Mais ce n'était pas fini. Il allait lui coller une trempe qu'elle n'oublierait jamais. Dire qu'elle avait eu le toupet de le quitter et, pire encore, de transférer son argent et de faire opposition au compte. Quelle humiliation n'avait-il pas sentie, quand un misérable vendeur lui avait repris le manteau de cachemire qu'il s'apprêtait à acheter, en déclarant froidement que sa carte de crédit avait été annulée. Ensuite, l'avocat était venu lui présenter des papiers. Ah ! elle voulait un divorce ! Elle allait crever d'abord.

Il savait déjà qu'elle n'avait pas couru se réfugier chez son père. Heureusement. Drew s'apprêtait enfin à réaliser ses plans de carrière en solo ; ce n'était pas le moment de se mettre à dos quelqu'un d'aussi influent que Brian McAvoy. Mais celui-ci avait téléphoné, pour annoncer la mort de la mère d'Emma. Drew se flattait d'avoir été parfait. Il avait déclaré que la jeune femme était sortie dîner avec deux amies et adopté un ton de circonstance, avant de promettre qu'il transmettrait la triste nouvelle.

Si McAvoy ignorait où se trouvait sa fille, Drew en avait déduit qu'il en était de même pour les autres membres du groupe. Ils étaient tous copains comme cochons. Il y avait bien Beverly, mais il doutait qu'Emma ait pu se rendre à Londres sans que son père l'apprenne aussitôt. À moins qu'ils soient tous en train de se moquer de lui. Si c'était le cas, il saurait bien la faire payer, avec les intérêts. Elle était partie depuis plus de deux semaines et il lui souhaitait de s'être bien éclatée, car chaque heure qui passait venait s'ajouter à l'addition ; et celle-ci allait être salée.

Les épaules courbées pour lutter contre le vent glacial, il traversa la rue, avant de s'engouffrer dans l'immeuble abritant le loft. Il avait pris le métro ; il trouvait cela dégradant, mais plus prudent, compte tenu de la situation. Il était sur le point de faire quelque chose de... déplaisant à Marianne. Déplaisant pour elle, en tout cas. Parce que lui, il allait se régaler.

Emma lui avait menti. Marianne se trouvait à l'enterrement. Il avait vu les photos dans les journaux. Aussi sûr que Dieu avait créé l'enfer, Marianne était dans le coup. Elle saurait où son amie se cachait. Et quand il en aurait fini avec elle, celle-ci n'aurait qu'une hâte : avouer.

Il se servit des clés qu'il avait prises à Emma, plusieurs mois auparavant. À l'intérieur, il composa le code pour débloquer l'ascenseur, regarda les portes se refermer sur lui et frotta son poing contre sa paume ouverte. Pourvu qu'elle soit encore couchée.

Le loft était silencieux. Il traversa la grande pièce à pas feutrés, avant de monter l'escalier. Le lit était vide ; les draps froissés, mais frais. Sa déception fut si grande qu'il la compensa en saccageant méticuleusement l'appartement. Une heure durant, il déchira des vêtements, brisa des verres et éventra des coussins avec un couteau qu'il avait pris dans la cuisine. Il pensa ensuite aux tableaux, qui se trouvaient dans le studio. Tandis qu'il descendait l'escalier, le téléphone sonna. Il sursauta, puis se figea. Il respirait fortement et la sueur coulait dans ses yeux. À la quatrième sonnerie, le répondeur se déclencha.

— Marianne.

Emma ! Drew dévala les marches. Dans sa fureur, il faillit décrocher le combiné, mais se retint à la dernière seconde.

— Tu es sûrement au lit, ou dans la peinture jusqu'aux coudes, alors essaie de me rappeler plus tard. De préférence ce matin. L'après-midi, je serai à la plage. Mes progrès au surf sont assez nets, je dois dire. J'arrive à tenir plus de dix secondes, maintenant. Ne sois pas jalouse, mais on vient d'annoncer trente-deux degrés sur Los Angeles. À plus tard.

Los Angeles... Se tournant lentement, Drew fixa le portrait d'Emma, accroché sur le mur de plâtre.


Quand le téléphone sonna, une heure plus tard, Emma était sur le seuil de la porte. Elle referma le battant, poussa le verrou et répondit.

— Salut, dit Marianne d'une voix languide.

— Salut. Tu viens de te lever ? Il doit être près de midi, à New York.

— Je ne suis pas encore levée, répondit la jeune femme en se blottissant dans les oreillers. Je suis couchée. Dans le lit du dentiste.

— Tu te fais couronner une dent ?

— Disons qu'il a des talents qui s'étendent au-delà de la seule hygiène dentaire. Et toi, comment vas-tu ?

— Bien. Vraiment.

— Contente de l'entendre. Michael va à la plage avec toi ?

— Non, il travaille.

Marianne fronça le bout du nez. Si elle ne pouvait pas veiller elle-même sur Emma, elle comptait sur le flic pour le faire à sa place. Dans la pièce voisine, la douche chantait à grands jets d'eau, et elle s'étira paresseusement, regrettant que son nouvel amant ne revienne pas se coucher, au lieu de l'abandonner pour aller combattre la plaque dentaire.

— Mauvaises dents ou malhonnêtes gens, je suppose qu'un homme doit faire ce qu'il a à faire, déclara-t-elle. Je pense te retrouver à Los Angeles dans une quinzaine de jours.

— Pour prendre mon pouls ?

— Absolument. Et pour rencontrer enfin ce Michael que tu gardes jalousement pour toi, depuis tant d'années. Amuse-toi bien sur ta planche de surf, Emma. Je t'appellerai demain.


Michael aimait le terrain. La paperasse, les heures au téléphone ou les planques dans les voitures, c'était inévitable, mais, selon lui, beaucoup moins intéressant que l'action dans la rue.

Il avait essuyé bien des sarcasmes, au cours des premières années. Le fils du capitaine. Certains le taquinaient avec bonhomie, d'autres pas ; mais il avait su leur faire un pied de nez. Il avait travaillé dur pour mériter son badge.

Debout, près de la machine à café, il vola un beignet sur un bureau et feuilleta le journal qu'un confrère avait laissé traîner. Il lut d'abord les bandes dessinées. Après la nuit qu'il venait de passer, il avait besoin de rire. Puis, il chercha la rubrique des sports, tournant les pages d'une main et se versant un café de l'autre.

*Jane Palmer succombe à une overdose.*

*Jane Palmer, quarante-six ans, amour de jeunesse de Brian McAvoy, à qui elle avait donné une fille, Emma, a été trouvée morte dans sa maison de Londres, apparemment victime d'une overdose de drogues. Le corps a été découvert par Stanley Hitchman, tard dans l'après-midi de dimanche.*

Michael parcourut le reste de l'article, qui ne relatait que les faits bruts, même si la thèse du suicide était effleurée. Poussant un juron, il jeta le journal sur le bureau, prit son blouson au vol et fit signe à McCarthy.

— J'ai besoin d'une heure. Un truc à faire.

Son équipier posa la main sur la bouche du combiné qu'il tenait contre l'oreille.

— On a trois punks en garde à vue.

— Ouais, ils attendront. Une heure.

\*

\* \*

Il la trouva sur la plage. Elle n'était revenue dans sa vie que depuis quelques jours, mais il connaissait ses habitudes. Chaque jour, elle venait là, au même endroit. Pas pour faire du surf. C'était juste une excuse. Elle venait s'asseoir au soleil et regarder la mer, ou lire à l'ombre de la petite cabane peinte en bleu et blanc. Surtout, elle venait pour guérir.

Elle s'installait toujours à l'écart des autres. Elle ne cherchait pas la compagnie, mais l'activité et le monde, qui semblaient la rassurer. Elle portait un petit maillot une pièce tout simple, dont l'extrême modestie attirait les regards. Mais nul n'osait l'approcher.

Pour Michael, c'était comme si elle s'était retranchée derrière un mur de glace impénétrable. Parce qu'elle avait confiance en lui, il pouvait s'approcher plus près que la plupart des gens, mais elle avait construit une deuxième ligne de défense qui maintenait tout le monde à distance, même ses amis.

— Emma, dit-il en arrivant à sa hauteur.

La jeune femme sursauta, laissa tomber son livre sur ses genoux et, le reconnaissant, oublia sa panique. Elle pouvait ainsi passer de la peur à la sérénité, en un clin d'œil.

— Michael, je ne pensais pas te voir aujourd'hui. Tu fais l'école buissonnière ?

— Non. Je n'ai qu'un petit moment.

Il s'assit près d'elle, à l'ombre.

— Tu as lu le journal ?

— Non.

Elle évitait délibérément les nouvelles de la presse et de la télévision. Les problèmes du monde, comme les gens qui le peuplaient, étaient de l'autre côté de son mur de glace.

— Qu'y a-t-il ? demanda-t-elle, pressentant un malheur.

Comme il lui prenait la main, elle fut prise d'une folle angoisse

— C'est papa ?

— Non, répondit-il, se maudissant de n'avoir pas été plus direct. C'est Jane Palmer. Elle est morte, Emma.

Elle le regarda comme s'il parlait une langue étrangère.

— Morte ? répéta-t-elle enfin. Comment ?

— Il semble que ce soit une overdose.

— Je vois.

Elle ôta ses mains de celles de Michael et contempla la mer. L'eau était vert pâle, près du rivage, puis elle devenait plus foncée, toujours plus intense, jusqu'à l'horizon où elle brillait d'un bleu profond. La jeune femme souhaita se trouver loin, là-bas, à l'écart de tout. Flotter, complètement seule.

— Je suppose que je devrais ressentir quelque chose, murmura-t-elle comme à elle-même.

— Tu ne peux pas ressentir ce qui n'existe pas.

— Non. Je ne l'ai jamais aimée, même quand j'étais enfant. J'en avais honte, autrefois. Je suis désolée qu'elle soit morte, mais c'est un sentiment très vague, comme lorsqu'on lit les détails d'un accident mortel dans le journal.

— Alors, ça suffit.

Il prit la natte de la jeune femme et la fit glisser dans sa main, comme il avait pris l'habitude de le faire.

— Écoute, je dois retourner bosser, mais je devrais avoir terminé vers 19 heures. Que dirais-tu de prendre la voiture et d'aller se promener le long de la côte ? Toi, moi et Conroy.

— D'accord.

Quand il se leva, elle lui toucha la main, du bout des doigts. Un contact fugace. Puis, elle se replongea dans la contemplation de la mer.


Drew arriva au Beverly Wilshire peu après 15 heures. Il s'était rendu directement à cet hôtel, à la fois content et écœuré qu'Emma fût aussi prévisible. C'était le Connaught à Londres, le Ritz à Paris, Little Dix Bay aux îles Vierges et toujours le Beverly Wilshire, à Los Angeles.

Il pénétra dans le hall d'entrée, d'un air tranquille et assuré. La chance était de son côté : la réceptionniste était jeune et jolie.

— Bonjour, dit-il en arborant son fameux sourire.

— Oh ! bonjour, monsieur Latimer, dit la jeune femme, après une seconde d'hésitation.

Il lui fit un clin d'œil complice.

— Gardons cela entre nous, vous voulez ? Je devais rejoindre ma femme, ici, mais je crains d'avoir oublié le numéro de sa chambre.

— Madame Latimer est chez nous ?

— Oui. Vous allez la trouver pour moi, n'est-ce pas ?

— Bien sûr.

Elle fit courir ses doigts sur le clavier d'ordinateur.

— Nous n'avons personne au nom de Latimer.

— Non ? Elle s'est peut-être inscrite sous celui de McAvoy.

Les touches cliquetèrent de nouveau.

— Je suis désolée, monsieur Latimer. Nous n'avons pas de McAvoy.

Drew se retint de prendre cette idiote par la gorge et de serrer. Non sans effort, il parvint à afficher un air perplexe.

— C'est étrange. Je suis sûr de ne pas m'être trompé d'hôtel. Emma ne descendrait qu'au Wilshire.

Il réfléchit à toute vitesse, passant en revue les diverses possibilités. Soudain, il sourit.

— Ah ! évidemment. Comment puis-je être aussi bête ? Elle est arrivée avec une amie ; elle a dû garder la chambre sous le nom de Marianne Carter. Vous savez ce que c'est, quand on essaie de s'échapper quelques jours. Il y a de fortes chances pour qu'elle soit au troisième étage. Emma souffre du vertige.

— Oui, voilà. Suite 305.

— À la bonne heure. Je ne voudrais pas avoir perdu ma femme.

Il attendit la clé, luttant pour garder son calme et son air affable.

— Merci beaucoup pour votre aide.

— Je vous en prie, monsieur Latimer.

La suite était vide, et c'était très bien ainsi. Posant son sac dans un coin, il en tira un petit magnétophone et une ceinture de cuir souple. Puis, après avoir soigneusement tiré les rideaux pour masquer les fenêtres, il alluma une cigarette et s'installa pour attendre.

— Kesselring.

Un jeune détective ouvrit la porte de la pièce où Michael et McCarthy étaient en train de cuisiner un suspect.

— On vous demande au téléphone.

— Je suis occupé, Drummond. Prends le message.

— C'est ce que j'ai voulu faire, mais elle a insisté. Il paraît que c'est urgent.

Michael eut un geste d'impatience, avant de songer qu'il s'agissait peut-être d'Emma.

— Je reviens tout de suite, dit-il à son coéquipier.

Quelques secondes plus tard, perché sur un coin de son bureau, il prenait le téléphone.

— Kesselring.

— Michael ? C'est Marianne Carter, à l'appareil. Je suis une amie d'Emma.

— Oui.

— Écoutez, je suis à New York. Je viens juste de rentrer au loft et je... Quelqu'un l'a saccagé.

Il frotta ses yeux brûlants de fatigue.

— Je crois qu'il serait plus sage d'appeler la police locale. Je ne peux pas me rendre là-bas avant quelques heures.

— Je me contrefiche du loft, riposta Marianne, qui n'était pas d'humeur à essuyer des sarcasmes. C'est pour Emma que je suis inquiète.

— Quel rapport avec elle ?

— L'appartement a été littéralement saccagé. Tout est brisé, arraché, éventré. C'est Drew. Je suis sûre que c'est lui. Il devait avoir la clé d'Emma. Je ne sais pas ce qu'elle vous a raconté, mais il est violent. Très violent. Et je...

— OK. Calmez-vous. Sortez de là tout de suite, courez chez un voisin, dans un lieu public, où vous voulez, et appelez la police.

— Il n'est pas ici ! s'écria Marianne, maudissant son incapacité à se faire comprendre. Je crois qu'il sait où elle est, Michael. Elle m'a laissé un message, ce matin. S'il était là quand elle a téléphoné, ou s'il

465

a interrogé mon répondeur, il sait où elle est. J'ai essayé de la joindre, mais elle ne répond pas.

— Je m'en occupe. Sortez du loft et appelez les flics.

Il raccrocha sans attendre la réponse.

— Kesselring, si tu as fini de bavarder avec ta copine…, marmonna son coéquipier.

— Magne-toi, l'interrompit Michael en se précipitant vers la sortie.

— Qu'est-ce que…

— Je te dis de te dépêcher ! répéta Michael.

Il démarrait déjà, quand McCarthy bondit dans la voiture.

# 36

Il était près de 16 heures lorsque Emma entra dans l'aire de réception du Beverly Wilshire. Elle venait de prendre une décision : elle allait téléphoner à son père. Il avait dû apprendre la mort de Jane et avait sans doute cherché à la joindre. Le moment était venu de lui dire qu'elle avait quitté Drew. Et puis, pour une fois, c'était elle qui allait se servir de la presse ; quand la séparation serait rendue publique, elle parviendrait à s'arracher à cet état d'hébétude dans lequel elle était plongée depuis plusieurs mois. Elle cesserait peut-être d'avoir peur.

Ayant longé le couloir en direction de sa chambre, elle fourragea dans son sac, à la recherche de sa clé. Ses doigts effleurèrent le métal du revolver. Il fallait également qu'elle cesse de l'emporter partout avec elle ; qu'elle perde l'habitude de regarder constamment par-dessus son épaule.

Elle ouvrit la porte de la suite et fronça aussitôt les sourcils. Les rideaux étaient tirés et la pièce plongée dans l'obscurité. Emma maudit silencieusement la femme de ménage. Elle avait horreur du noir. Se forçant à avancer, elle laissa la porte se refermer derrière elle et marcha vers la lampe.

Alors, la musique commença. Cette mélodie familière qui hantait ses rêves. Emma se figea, les doigts sur l'interrupteur. Quand la voix de Lennon s'éleva, de l'autre côté de la pièce, une lumière s'alluma.

Poussant un gémissement, Emma recula d'un pas. L'espace d'un instant, un visage flotta dans son esprit, flou, mais presque reconnaissable... Puis, elle vit Drew.

— Bonjour, ma petite Emma. Je t'ai manqué ?

Elle émergea de sa transe et courut vers la porte. Il fut plus rapide. Comme toujours. D'un revers de main, il l'envoya valser sur le côté et le sac vola à travers la chambre. Souriant toujours, il poussa le verrou et mit la chaîne.

— Nous ne voudrions pas être dérangés, n'est-ce pas ?

Sa voix, plaisante, douce, fit frissonner la jeune femme.

— Comment m'as-tu trouvée ?

— Oh ! disons simplement que nous sommes attachés, toi et moi, par un lien indestructible. Ne t'avais-je pas dit que je te retrouverais, où que tu ailles ?

Lennon chantait toujours. Le cauchemar recommençait. Du moins voulait-elle croire à un cauchemar. Elle allait se réveiller, en sueur, et ce serait terminé.

— Devine ce que j'ai reçu, Emma ? Une demande de divorce. Vraiment, ce n'est pas très gentil. Moi qui me ronge les sangs à ton sujet, depuis deux semaines. Tu aurais pu être kidnappée.

Il sourit.

— Ou tuée, comme ton pauvre petit frère. Mais tu n'aimes pas que je parle de lui, n'est-ce pas ? La musique te bouleverse, aussi. Tu veux que je l'arrête ?

— Oui.

Cette chanson l'empêchait de réfléchir. Si le silence revenait, elle saurait mieux quoi faire.

— D'accord, dit Drew.

Il fit un pas vers le magnétophone, puis se ravisa.

— Non, je crois que nous allons garder la musique. Tu dois apprendre à affronter les problèmes, Emma. Je te l'ai déjà dit, n'est-ce pas ?

468

— C'est ce que je fais, répondit-elle en claquant des dents.

— Bien. C'est très bien. Maintenant, tu vas commencer par appeler ton avocat et lui annoncer que tu as changé d'avis.

— Non. Je ne retournerai pas avec toi, murmura-t-elle à voix basse, de plus en plus tétanisée.

— Bien sûr que si. Tu m'appartiens, Emma. Tu as eu ta petite escapade et maintenant il est temps de rentrer à la maison. N'aggrave pas encore ta situation.

Comme elle secouait la tête, il poussa un long soupir et sa main cingla l'air, avant de s'écraser sur le visage d'Emma. La jeune femme alla cogner une table, faisant voler une lampe, qui tomba sur le sol dans un fracas de verre brisé. Quand, la bouche en sang, Emma le vit approcher, elle se mit à hurler, mais il lui donna un coup de pied dans l'estomac, lui coupant le souffle. Puis, il la frappa, lentement, méthodiquement.

Cette fois, elle se défendit, lui envoya un uppercut qui le surprit suffisamment pour donner à Emma le temps de se dégager. Elle entendit cogner à la porte et parvint à se relever ; mais il la rattrapa de nouveau.

— Ah, tu veux la bagarre ?

Il enfonça ses ongles dans la chair d'Emma, lui déchirant ses vêtements. Plus elle se débattait, plus il devenait enragé.

Emma entendit une voix plaider, supplier et promettre, sans réaliser que c'était la sienne. Elle sentait à peine les coups, cependant qu'il continuait à frapper. Il avait tout oublié, sinon son besoin de la faire payer.

— Tu croyais pouvoir me laisser tomber, espèce de salope ? Tu croyais que je te laisserais détruire tout ce pourquoi j'ai travaillé ? Je te tuerai d'abord.

Le corps d'Emma n'était plus qu'une masse douloureuse. Drew n'était jamais allé aussi loin dans l'horreur. Elle vit ses yeux, de loin, à travers les larmes. Il haletait. Son regard était celui d'un fou furieux et elle sut alors qu'il avait franchi une ligne quelconque. Cette fois, il ne se contenterait pas de la battre. Il allait cogner jusqu'à ce qu'elle soit morte.

Avec un gémissement, elle agrippa un pied de chaise, essayant de se redresser ; mais ses doigts ensanglantés glissèrent sur le bois. C'est alors que la ceinture siffla dans l'air et lui mordit la chair. Les sanglots d'Emma devinrent des hurlements, tandis qu'il la traînait à travers le sol. Et il continuait de frapper, encore et encore.

Soudain, elle entendit une voix l'appeler, crier son nom. Puis il y eut un bruit de bois qui craque ; son corps qui se brisait en deux ? Elle était sur le ventre, maintenant, et, lorsque la ceinture lui déchira le dos, elle jeta les bras en avant, dans un geste aveugle. Sa main toucha un métal froid. Sans rien voir, Emma referma les doigts sur l'arme, avant de se retourner. Drew levait encore la ceinture.

Le revolver tressaillit dans la main d'Emma.

Michael abattit la porte juste à temps pour voir Drew tituber en arrière, une expression de surprise sur le visage. Chancelant, celui-ci leva de nouveau la ceinture. Mais Emma tirait déjà, encore et encore. Elle continua à presser la détente, longtemps après qu'elle eut usé toutes ses balles ; longtemps après que Drew fut tombé à ses pieds. Elle continuait à tirer en l'air.

— Seigneur, dit McCarthy.

— Veille à ce que personne n'entre, dit Michael.

Il se dirigea vers Emma, ôtant son blouson pour l'en envelopper. Les vêtements de la jeune femme étaient déchirés et imbibés de sang. Elle ne bougea pas, persistant seulement à appuyer sur la détente. Quand il essaya de lui prendre le revolver, il s'aperçut que sa main était crispée dessus.

— Emma, ma chérie, tout va bien, maintenant. C'est fini.

Doucement, il caressa ses cheveux. Elle avait le visage en sang, les paupières enflées, un œil à demi fermé.

— Donne-moi le revolver, maintenant, murmura-t-il, la gorge serrée. Tu n'en as plus besoin.

Il se déplaça un peu, afin qu'elle pût le voir et, ramassant un morceau de son chemisier déchiré, il épongea le sang.

— C'est Michael. Tu m'entends, Emma ? Tout va bien, maintenant.

Elle fut soudain prise de hoquets nerveux, tandis que son corps tremblait de manière incontrôlable. Il l'entoura de ses bras et se mit à la bercer. La main de la jeune femme était inerte, quand il lui prit son arme. Elle laissait échapper de longs gémissements rauques, comme ceux d'un animal blessé.

— L'ambulance arrive, déclara McCarthy.

Après un examen superficiel du corps de Drew, il vint s'accroupir près de son coéquipier.

— Il l'a bien arrangée, hein ?

Sans cesser de bercer la jeune femme, Michael tourna la tête et regarda longuement Drew Latimer.

— Dommage qu'on ne puisse mourir qu'une fois.

— Ouais.

McCarthy secoua la tête en se redressant.

— Ce salopard tient encore la ceinture.


Brian contemplait les nuages, qui couraient dans le ciel, au-dessus de la tombe de Darren. En venant s'asseoir dans les herbes tendres, il espérait chaque fois trouver enfin la paix. Son vœu n'avait jamais été exaucé, mais il continuait de revenir.

Il avait laissé les fleurs sauvages pousser autour de la tombe, et envahir le rectangle sous lequel son fils reposait. Il n'aimait pas voir la petite plaque de marbre où l'on avait simplement gravé un nom et deux dates, à moins de trois ans d'écart.

Ses parents étaient enterrés tout près, et depuis le cimetière, il voyait les champs labourés, avec les espaces de terre brune entre deux carrés de verdure. Ici et là, des vaches broutaient. Il était tôt. Les matins, en Irlande, représentaient les meilleurs moments pour s'asseoir et rêver. Dans la lumière douce et perlée, le silence était presque parfait.

Quand Beverly l'aperçut, elle se figea brusquement. Elle ne savait pas qu'il serait là. Toutes ces années, elle avait fait en sorte de ne pas venir sans s'assurer d'abord que Brian se trouvait bien ailleurs.

Sur le point de faire demi-tour, elle remarqua la manière dont il était assis, ses mains reposant légèrement sur ses genoux, le regard tourné vers les collines vertes. Il avait l'air si seul.

Ils étaient, tous les deux, beaucoup trop seuls.

Elle approcha doucement. Brian ne l'entendit pas, mais lorsque l'ombre de Beverly tomba sur lui, il leva la tête. Elle ne dit rien, posa simplement son bouquet de lilas près de la plaque de marbre. Avec un soupir, elle s'agenouilla.

Ils écoutèrent le murmure du vent dans l'herbe.

— Tu veux que je parte ? demanda-t-il.

— Non.

D'un geste tendre, elle caressa les fleurs qui recouvraient son fils.

— Il était merveilleux, n'est-ce pas ?

— Oui.

Brian sentit les larmes lui monter aux yeux et lutta de toutes ses forces pour les ravaler.

— Il te ressemblait, murmura-t-il.

— Il avait pris ce qu'il y a de mieux en chacun de nous.

Elle s'assit sur ses talons et leva les yeux vers les collines luxuriantes. Elles avaient si peu changé, durant toutes ces années. La vie continuait. C'était la leçon la plus difficile qu'elle ait apprise.

— Il était si plein de vie, reprit-elle. Il avait ton sourire, Brian. Le tien et celui d'Emma.

— Il était gai et heureux. C'est toujours ce que je me dis, quand je pense à lui.

— Ma plus grande peur était de l'oublier, de voir son visage et sa mémoire s'effacer avec le temps. Mais je me souviens de tout. Je me rappelle sa façon de rire. Je n'ai jamais entendu un son plus joli. Je l'aimais trop, Brian.

— On ne peut pas aimer trop.

— Si, on peut.

Elle se tut, un moment. Quelque part, une vache meugla, et elle sourit.

— Tu crois que tout se perd ? Que tout ce qu'il était, tout ce qu'il aurait pu devenir, s'est évanoui quand il est mort ?

— Non.

Il la regarda.

— Non, je ne le crois pas.

— Moi, je l'ai cru. C'est peut-être pour cette raison que je me suis égarée si longtemps. Ça faisait trop mal, de penser que toute cette beauté, toute cette joie, n'avaient pu exister que durant si peu de temps. Et puis, un jour, j'ai compris que ce n'était pas vrai. Il est toujours vivant dans mon cœur. Et dans le tien.

— Parfois, je voudrais oublier, je fais tout ce que je peux pour oublier. Il n'existe pas d'enfer plus grand que celui de survivre à son propre enfant.

— Non. Rien n'est plus douloureux. Mais nous l'avons eu pendant deux ans, Brian. C'est ce dont je veux me souvenir. Tu étais un père merveilleux.

Elle prit les mains de son mari qui, aussitôt, s'agrippa à ses doigts.

— Je suis désolée de n'avoir pas pu partager cette souffrance avec toi, de la même façon que j'avais partagé les joies. J'ai été égoïste avec la douleur, comme si le fait de la tenir contre moi pouvait la rendre mienne. Mais elle est à nous, tout comme il était à nous.

Brian ne dit rien. Les larmes lui serraient la gorge. Sans un mot, Beverly se tourna vers lui et ils demeurèrent ainsi, un long moment, main dans la main.

— Je n'aurais jamais dû te quitter, murmura-t-il.

— Nous nous sommes quittés mutuellement.

— Pourquoi ?

Il la serra plus fort contre lui.

— Pourquoi ?

— J'y ai pensé tant de fois. Je crois que nous ne pouvions pas supporter d'être heureux. Il nous semblait, du moins me semblait-il à moi, qu'en étant heureux après son départ, nous le déshonorerions. J'avais tort.

— Beverly.

Il enfouit le visage dans ses cheveux.

— Ne t'en va pas. Je t'en prie, ne t'en va pas.

— Non, répondit-elle avec douceur. Je ne partirai pas.

Ils retournèrent vers la ferme, se tenant toujours par la main. Le soleil brillait à travers les fenêtres, quand ils montèrent à l'étage. Ils se déshabillèrent lentement, s'arrêtant pour échanger de longs baisers et de tendres caresses.

Il n'était plus le jeune homme qui l'avait aimée, jadis. Tout comme elle n'était plus la même femme. Ils étaient plus patients, sachant tous deux combien chaque moment est précieux, quand on a perdu tant d'années. Et pourtant, comme s'ils avaient le pouvoir d'effacer le temps, leurs corps se reconnurent. Brian pressa ses lèvres contre la gorge de Beverly, respirant son odeur avec une émotion presque insupportable. Et elle glissa sa main dans les cheveux blonds du seul homme qu'elle eût jamais véritablement aimé, avec un soupir de désir et de bien-être. Les yeux fermés, elle fit courir ses mains le long du corps familier, retrouvant chaque forme, chaque angle. La passion, libérée, coula en eux comme un vin délicieux, et Beverly s'ouvrit pour l'accueillir. Quand ils s'unirent, elle sanglota et, joignant leurs lèvres, ils mêlèrent leurs larmes.

Plus tard, la tête nichée au creux de l'épaule de Brian, elle s'émerveilla que tout fût aussi simple, aussi évident. Près de vingt ans s'étaient écoulés. Elle avait passé la moitié de sa vie séparée de lui, et pourtant, ils étaient là, le corps moite après l'amour ; contre sa paume, elle sentait battre le cœur de Brian.

— C'est tellement pareil à ce que c'était, dit-il, faisant écho aux pensées de Beverly. Et en même temps, si différent.

— Je ne voulais pas que cela arrive. Si tu savais comme je me suis forcée pour rester loin de toi.

Elle se redressa sur un coude et le regarda.

— Je ne voulais plus jamais aimer aussi fort.

— Cela n'a jamais été parfait comme avec toi. Ne me demande pas de te laisser repartir. Je crois que je ne survivrais pas, cette fois.

Beverly caressa les cheveux blonds que striaient maintenant quelques mèches grises.

— J'ai toujours eu l'impression que tu n'avais pas vraiment besoin de moi, en tout cas pas autant que j'avais besoin de toi.

— Tu te trompais.

— Oui, je sais.

Elle baissa la tête pour l'embrasser.

— Nous avons perdu beaucoup de temps, Brian. J'aimerais que tu rentres à la maison.

Ils passèrent la nuit dans le vieux lit, parlant, faisant l'amour. Très tard, le téléphone sonna.

— Allô, répondit Brian.

— Brian McAvoy ?

— Oui.

— Michael Kesselring, à l'appareil. Je vous ai cherché partout.

— Kesselring ? Que se passe-t-il ?

Brian sentit Beverly se crisper à côté de lui et regretta aussitôt d'avoir prononcé le nom de son interlocuteur.

— C'est Emma, répondit celui-ci.

— Emma ? s'exclama-t-il en se redressant dans le lit, la bouche sèche comme la cendre. Il lui est arrivé quelque chose ?

Michael savait, d'expérience, qu'il valait mieux tout dire très vite, mais il avait du mal à prononcer les mots.

— Elle est à l'hôpital, ici, à Los Angeles. Elle...

— Elle a eu un accident ?

— Non. Elle a été battue assez grièvement. Je vous expliquerai quand vous serez là.

— Battue ? Emma a été battue ? Je ne comprends pas.

— Les médecins s'occupent d'elle. Ils m'ont assuré qu'elle allait se remettre, mais elle va avoir besoin de vous.

— Nous arrivons aussi tôt que possible.

Beverly, déjà debout, enfilait ses vêtements.

— Que se passe-t-il ?

— Je ne sais pas. Elle est à l'hôpital, à Los Angeles.

Il poussa un juron, tandis qu'il essayait nerveusement de boutonner sa chemise.

— Attends, dit Beverly en finissant à sa place. Ça va aller, Brian. Emma est beaucoup plus forte qu'elle n'en a l'air.

Il parvint seulement à hocher la tête en la serrant un instant contre lui.

# 37

Il faisait sombre. Elle avait mal ; une souffrance diffuse envahissait tout son corps, comme un océan chaud et rouge qui l'attirait vers le fond, l'éloignant de l'air et de la lumière. Emma essaya de se débattre, de remonter à la surface ou de s'enfoncer plus profondément dans l'inconscience, mais sans y parvenir. Elle pouvait encore accepter la douleur. Mais pas le noir ; pas le silence.

Elle essaya de bouger et fut prise de panique. Était-elle debout, assise ou allongée ? Elle ne sentait plus ses bras ni ses jambes ; juste la douleur. Elle essaya aussi de parler, d'appeler quelqu'un, n'importe qui. Dans son esprit, elle hurla, mais personne ne répondit.

Elle savait qu'elle avait été blessée. Elle se rappelait trop bien la manière dont Drew l'avait regardée. Il l'attendait. Il était encore là, caché dans le noir.

Peut-être était-elle morte.

Soudain, une bouffée de colère la submergea, plus forte que la souffrance. Elle ne voulait pas mourir. Gémissant de frustration, elle tenta encore de bouger et sentit une main lui caresser les cheveux. Un vent de panique la secoua tout entière.

— Repose-toi, Emma. Tout va bien, maintenant. Tu dois te reposer, dit une voix qui n'était pas celle de Drew.

Ce n'était pas sa façon de la toucher, non plus.

— Tu ne risques plus rien. Je te le promets.

Michael. Elle voulut dire son nom, le remercier de ne pas la laisser seule dans le noir. Puis une vague rouge l'emporta de nouveau.

Presque toute la nuit, elle flotta entre conscience et inconscience. Les médecins avaient déclaré qu'elle dormirait, mais elle luttait contre les sédatifs. C'était la peur. Michael sentait la terreur d'Emma, chaque fois qu'elle refaisait surface. Alors il lui parlait, répétant les mêmes mots, heure après heure. Sa voix, ou les paroles qu'il prononçait, semblaient la calmer. Alors il demeurait à son chevet en lui tenant la main.

Elle n'allait pas mourir. Elle allait souffrir, beaucoup, dans son corps et dans son esprit, mais elle vivrait. L'étendue du traumatisme ne pourrait être évaluée que plus tard. En attendant, Michael avait tout le loisir de regretter.

Il aurait dû insister. S'il avait su s'y prendre et employer les bons mots, au bon moment, il aurait pu la convaincre de lui parler ; il aurait dû deviner la gravité de la situation. Il était flic, nom d'un chien ! Il savait comment faire parler un témoin récalcitrant.

Mais il n'avait pas fait son boulot. Il s'était laissé influencer par ses sentiments, et à présent, Emma gisait sur un lit d'hôpital.

Il ne quitta le chevet de la jeune femme qu'une seule fois, lorsque Marianne et Johnno arrivèrent de New York.

— Que s'est-il passé ? demanda ce dernier.

— Latimer. Il a réussi à s'introduire dans la chambre d'Emma, à l'hôtel.

— Mon Dieu, murmura Marianne. C'est grave ?

— Assez. Il lui a brisé trois côtes et disloqué une épaule. Elle a des lésions internes, je ne sais combien de contusions, de lacérations. Et son visage... Les médecins ne pensent pas qu'il faudra recourir à la chirurgie.

Les mâchoires crispées, Johnno regardait fixement la porte fermée de la chambre d'Emma.

— Où est ce salopard ?

— Mort.

— Bien. On veut la voir.

Michael hocha la tête. Il avait déjà utilisé son badge pour obtenir l'autorisation de demeurer au chevet de la jeune femme.

— Allez-y, dit-il. Je m'occupe des infirmières.

Il alla boire un café en les attendant, sans cesser de se repasser le film des événements. Cinq minutes, se répétait-il pour la énième fois. S'il avait abattu cette porte cinq minutes plus tôt, tout aurait été différent.

Quand ils reparurent, au bout d'un moment, Marianne avait les yeux rouges. Elle s'effondra sur une chaise.

— Je n'aurais jamais dû la laisser seule, dit-elle.

— Ce n'est pas ta faute, déclara Johnno.

— Non, ce n'est pas ma faute. Mais je n'aurais jamais dû la laisser seule.

Johnno poussa un soupir et se tourna vers Michael.

— Marianne m'a donné un aperçu de la situation, dans l'avion. Vous savez, je suppose, que Latimer brutalisait Emma depuis plus d'un an.

— Je ne connais pas les détails. Je prendrai la déposition d'Emma dès qu'elle sera en état d'en faire une.

— Une déposition ? demanda Marianne. Pourquoi ?

— C'est la procédure habituelle.

— Vous la prendrez vous-même, j'espère ? intervint Johnno.

— Oui

Marianne l'étudiait en silence. Contrairement à ce qu'Emma lui avait dit de Michael Kesselring, il ressemblait exactement à l'idée qu'elle se faisait d'un policier. Il avait l'air tendu, épuisé, et des cernes profonds ourlaient ses yeux gris ; malgré tout, il donnait l'impression d'être un homme sur lequel on pouvait compter.

— C'est vous qui avez tué Drew ? demanda-t-elle.

Michael croisa son regard. Plus que tout au monde, il aurait voulu pouvoir répondre par l'affirmative.

— Non. Je suis arrivé trop tard.

— Qui l'a tué, alors ?

— Emma.

— Seigneur, murmura Johnno.

— Écoutez, je n'aime pas la savoir seule, reprit Michael. Je vais retourner auprès d'elle. Vous devriez peut-être descendre à l'hôtel et vous reposer.

— Nous restons, dit Marianne en prenant la main de Johnno. Nous nous relayerons à son chevet.

Michael hocha la tête, avant de repartir vers la chambre d'Emma.

Elle revint à elle aux premières lueurs de l'aube. La lumière, même faible, la libéra du cauchemar. Elle savait qu'elle avait encore rêvé. Elle entendait l'écho de la musique dans ses oreilles.

Elle essaya de secouer sa torpeur, agacée de se sentir aussi molle. Et puis, elle ne parvenait à ouvrir qu'un œil. Elle leva une main, découvrit le pansement et se rappela.

Une bouffée de panique lui emplit les poumons, l'étouffant presque. Elle tourna la tête et vit Michael. Il était assis dans un fauteuil à côté du lit, le menton sur la poitrine. Sa main couvrait la sienne, et elle n'eut qu'à remuer les doigts pour qu'il émergeât brusquement de son demi-sommeil.

— Hé.

Il sourit en portant les doigts de la jeune femme à ses lèvres. Sa voix était rauque de fatigue.

— Bonjour.

— Combien... Combien de temps... ?

— Tu as dormi une nuit entière, c'est tout. Tu as mal ?

Oui, elle avait mal. Mais elle secoua la tête. La souffrance lui permettait de croire qu'elle était en vie.

— C'est arrivé, n'est-ce pas ? Tout est arrivé ?

— C'est fini, murmura-t-il en gardant la main d'Emma contre sa joue. Je vais aller chercher l'infirmière. Elle voulait que je la prévienne, dès que tu te serais réveillée.

— Michael, je l'ai tué ?

Il la regarda un instant. Son visage était bandé. Elle avait été brutalisée, battue, mais il sentait confusément qu'elle n'était pas vaincue.

— Oui, répondit-il enfin. Toute ma vie, je m'en voudrai de t'avoir laissée me devancer.

Elle hocha la tête.

— Je ne sais pas quoi ressentir. Il n'y a plus rien, ni chagrin, ni soulagement, ni regret. C'est comme si j'étais vide.

Michael savait tout cela ; il savait ce qu'on éprouve à tenir une arme dans sa main, à viser et à tirer sur un autre être humain. Dans l'exercice du devoir. En état de légitime défense. Quelle que soit l'urgence, aussi vitale que soit la cause, cela vous hantait pour toujours.

— Tu as fait la seule chose que tu pouvais faire, dit-il. C'est tout ce que tu as besoin de te rappeler.

Michael alla prévenir l'infirmière et retourna dans la salle d'attente, où Marianne somnolait sur l'épaule de Johnno.

— Elle est réveillée, dit-il.

— Réveillée ? s'exclama Marianne. Comment va-t-elle ?

— Ça a l'air d'aller. Elle se souvient de ce qui s'est passé. L'infirmière est avec elle et le médecin ne va pas tarder. Vous devriez être autorisés à la voir bientôt.

Soudain, une photo d'Emma apparut sur l'écran de la télévision, suspendue au plafond, dans un coin de la pièce. Ils se turent pour écouter le compte rendu

481

du présentateur. Puis, il y eut une rapide interview de la réceptionniste de l'hôtel et la déclaration d'un homme d'âge moyen. Michael se souvenait de l'avoir repoussé, avant de se jeter sur la porte.

— Je sais seulement qu'il y avait un bruit d'enfer, disait-il avec animation. Elle n'arrêtait pas de crier, de le supplier d'arrêter. Ça avait l'air d'être sérieux, alors je me suis mis à cogner sur la porte. J'étais dans la chambre voisine. Et puis les flics sont arrivés. L'un d'eux a défoncé la porte. J'ai eu à peine le temps de jeter un coup d'œil, mais j'ai vu une femme allongée par terre, en sang. Elle avait un revolver et elle a tiré. Elle a continué à tirer jusqu'à ce qu'il n'y ait plus de balles.

Michael se dirigea vers le téléphone en jurant.

Sur l'écran, on voyait maintenant l'extérieur de l'hôpital et un reporter, le visage grave, déclarant que les médecins ne s'étaient pas encore prononcés sur l'état d'Emma McAvoy Latimer.

— Écoute, lança Michael dans le combiné du téléphone. Je m'en contrefiche. Tu les tiens à distance. Et je veux un type en uniforme devant sa porte vingt-quatre heures sur vingt-quatre. Je ferai moi-même une déclaration à la presse, cet après-midi.

— Vous ne pourrez pas les arrêter, dit Johnno, comme Michael raccrochait brutalement.

— Mais je peux les retenir un moment.

Johnno se leva. Il était inutile d'expliquer à Michael que Emma connaissait le prix de la célébrité ; qu'elle l'avait payé toute sa vie.

— Marianne, va la voir, dit-il. J'emmène notre ami prendre un petit déjeuner.

— Je ne veux pas…, commença Michael.

— Mais si, vous voulez, l'interrompit Johnno. Ce n'est pas tous les jours que vous avez la chance de manger des œufs brouillés en compagnie d'une légende vivante. Allez, Marianne. Dis à Emma que je viens la voir très vite.

Il attendit que la jeune femme se fût éloignée pour se tourner de nouveau vers Michael.

— La première fois que j'ai vu Emma, elle avait à peine trois ans. Elle se cachait sous l'évier de la cuisine, dans l'appartement dégoûtant de Jane. Elle avait déjà pris bien des coups. Elle s'en est sortie. Cette fois aussi, elle va s'en sortir.

— J'aurais dû demander un mandat d'amener, dit Michael. J'aurais dû la pousser et obtenir un mandat.

— Depuis quand êtes-vous amoureux d'elle ?

Michael ne répondit pas tout de suite. Puis, il poussa un long soupir agité.

— Depuis presque toujours.

Il marcha vers la fenêtre et l'ouvrit pour laisser entrer un peu d'air frais.

— Cinq minutes. Si j'étais arrivé cinq minutes plus tôt, c'est moi qui l'aurais tué. J'étais prêt à tirer, quand j'ai défoncé la porte. J'aurais dû le descendre pour elle. C'est comme ça que les choses auraient dû se passer.

— Ah, l'orgueil masculin...

Michael se retourna, mais Johnno ne se départit pas de son petit sourire sarcastique.

— Je crois savoir ce que vous ressentez, mais je ne suis pas d'accord. Je suis content qu'Emma ait crevé cette ordure elle-même. Il y a une justice là-dedans. J'aurais simplement préféré qu'elle le fasse avant qu'il ne la mette dans cet état. Allons.

Johnno lui tapota l'épaule.

— Vous avez besoin de manger un morceau.

Trop fatigué pour discuter, Michael se laissa entraîner. Ils arrivaient devant l'ascenseur, lorsque les portes d'acier s'ouvrirent sur Brian et Beverly.

— Où est-elle ? demanda le premier.

— La chambre au bout du couloir. Attends, dit Johnno en lui prenant le bras. Marianne est avec elle. Tu as besoin de te calmer, d'abord. Elle a eu assez d'émotions comme ça.

— Johnno a raison, Brian, intervint Beverly. Et puis, nous ne savons toujours pas ce qui s'est passé. Vous pouvez nous expliquer ? ajouta-t-elle à l'adresse de Michael. Nous voyageons depuis votre coup de téléphone.

— Drew Latimer a trouvé Emma à son hôtel, hier.

— Comment ça « trouvé » ? demanda Brian. Ils n'étaient pas ensemble ?

— Elle avait pris la fuite et se cachait, pendant qu'elle déclenchait la procédure de divorce.

— Le divorce ?

Brian secoua la tête, comme pour chasser la fatigue et l'angoisse qui le tenaillaient, depuis des heures.

— J'ai parlé avec elle il y a quelques semaines à peine. Elle n'a fait aucune allusion à un divorce.

— Elle ne pouvait rien dire. Elle avait peur. Latimer la battait. C'était ainsi depuis le début de leur mariage.

— Mais, c'est complètement dingue. Il est fou d'elle. Je l'ai vu.

— Ouais, s'exclama Michael, incapable de retenir sa fureur plus longtemps. Il a été un époux très aimant. Un vrai prince charmant. C'est pourquoi elle était terrifiée. C'est pourquoi elle est allongée dans un lit d'hôpital, le visage défoncé et les côtes brisées. Ce malade l'aimait tant qu'il a bien failli la tuer.

Brian demeura bouche bée.

— C'est lui qui l'a mise là ?

— Oui.

— Où est-il ? gronda Brian en attrapant Michael par le plastron de sa chemise.

— Il est mort.

— Du calme, Brian, intervint Johnno. Ce n'est pas en perdant la boule que tu vas aider Emma.

— Je veux la voir.

Il attira Beverly contre lui.

— Nous voulons la voir ; tout de suite.

Ils arrivèrent devant la porte de la chambre à l'instant où Marianne l'ouvrait.

— Mon Dieu, mon bébé, murmura Brian en marchant vers le lit, sans lâcher la main de Beverly.

Emma les regarda. Elle leva une main vers sa joue meurtrie, puis l'autre. Elle ne voulait pas qu'il la voie comme ça. Doucement, Brian lui écarta les doigts.

— Emma.

Il se pencha et déposa un baiser sur son front.

— Je suis désolé. Tellement désolé.

Elle laissa jaillir ses larmes, alors, bredouillant ses propres excuses et ses explications.

— Je ne comprends pas comment c'est arrivé, conclut-elle finalement, épuisée. Ni pourquoi. Je voulais avoir quelqu'un qui m'aime, juste moi. Je voulais une famille, et je pensais...

Un long soupir lui échappa.

— Je pensais qu'il était comme toi.

Brian dut faire un effort surhumain pour ne pas poser la tête sur la poitrine de sa fille et sangloter. La gorge douloureuse, il porta la main d'Emma à ses lèvres.

— Tu ne dois plus t'inquiéter à ce sujet. Tu ne dois même plus y penser. Personne ne te fera plus jamais de mal. Je le jure.

— Tu es en sécurité, à présent, et c'est le plus important, renchérit Beverly. C'est tout ce qui compte pour nous.

— Je l'ai tué, murmura Emma. Ils vous ont dit que je l'ai tué ?

Beverly et Brian échangèrent un regard choqué.

— C'est... c'est fini, maintenant, dit ce dernier d'une voix rauque.

— Je n'ai pas voulu t'écouter, reprit Emma. J'étais fâchée, blessée que tu puisses penser qu'il visait la gloire, à travers moi.

— Tais-toi, je t'en prie.

— Mais tu avais raison. Il n'a jamais voulu de moi. Il ne m'a jamais aimée. Et quand il a compris que je ne lui servirais à rien pour obtenir ce qu'il voulait, il a commencé à me haïr.

— Je ne veux plus que tu y penses, insista Brian. Tu dois te reposer et guérir.

Il avait raison, se dit la jeune femme. Elle était beaucoup trop fatiguée pour réfléchir.

— Je suis contente que tu sois là, papa. Je regrette tellement de t'avoir repoussé, pendant tout ce temps.

— Nous avions tort tous les deux.

Il lui sourit.

— Mais nous avons la vie devant nous.

— Nous voudrions que tu reviennes à la maison, quand tu iras mieux, dit Beverly en touchant doucement la joue de Brian. Avec nous.

— Avec vous deux ?

— Oui, répondit Brian. Nous avons beaucoup de temps à rattraper. Tous les trois.

Emma les contempla avec émotion.

— Je ne pensais pas, en me réveillant ce matin, que j'aurais un jour une nouvelle raison d'être heureuse. Mais je le suis pour vous. Quant au reste, il faudra que je réfléchisse.

— Rien ne presse.

Beverly se pencha et l'embrassa sur la joue.

— Et maintenant, nous allons te laisser dormir.

*
*  *

Il était midi, quand McCarthy trouva Michael dans la salle d'attente.

— Bon sang, Kesselring, tu as l'intention de t'installer ici ?

— Tu veux du café ?

— Non, merci. Si c'est pour te ressembler… Tiens, dit-il en posant un sac sur une chaise. Des vêtements propres et quelques affaires de toilette. J'ai donné à manger à ton chien.

— Merci.

— Ouais. Comment va-t-elle ?

— Elle souffre.

— Dwier veut une déposition, déclara McCarthy, sur le ton sarcastique qu'il prenait pour évoquer leur supérieur.

— Je m'en occupe.

— Il sait que tu es un... ami de la victime. Il veut que je m'en charge.

— J'ai dit que je m'en occupais, répéta Michael en versant un sachet de sucre en poudre dans son café. Tu as amené un sténographe ?

— Oui. Il attend.

— Je vais voir si Emma est prête.

Il avala le café et jeta le gobelet.

— Au fait, et la presse ? reprit-il.

— Ils veulent une déclaration avant 14 heures.

Michael consulta sa montre et prit une quinzaine de minutes pour se changer. Puis, il retourna dans la chambre d'Emma. P. M. et Stevie étaient auprès d'elle, cette fois. Comme les autres, ils semblaient fatigués par le voyage et choqués par ce qui venait de se passer. Mais P. M. fit sourire Emma.

— Il va être papa, dit-elle.

— Toutes mes félicitations.

— Merci.

P. M. se leva. Au moment de prendre l'avion à Londres, avec Stevie, ils avaient vu le journal à l'aéroport. Ils avaient à peine pu échanger deux mots pendant le voyage, et ne savaient pas davantage quoi dire à Emma.

— Je vais y aller, murmura-t-il en l'embrassant.

Il marqua une pause et l'embrassa de nouveau.

— Je reviendrai te voir ce soir.

— Merci pour les fleurs, dit-elle en désignant un bouquet de violettes sur la tablette, près du lit. Elles sont très jolies.

P. M. sourit vaguement, la contempla encore un instant, le cœur chaviré, et sortit.

— Ce n'est pas facile pour lui, murmura Emma. Comme pour les autres.

Elle se tut un instant.

— Le pire, ce sont leurs yeux, quand ils entrent. Je ne dois pas être jolie à regarder.

— C'est la première fois que je te vois aller à la pêche au compliment, dit Michael en s'asseyant près d'elle. Bon. Il faut que tu te reposes à présent. Ce va-et-vient est épuisant pour toi.

— Je n'ai pas très envie d'être seule. Tu es resté avec moi toute la nuit, n'est-ce pas ?

Elle lui tendit la main.

— Je t'entendais me parler et je savais que j'étais encore vivante. Je voulais te remercier.

— Je t'aime, Emma.

Il posa son front sur leurs mains jointes. Elle ne répondit rien, tandis qu'il essayait de reprendre le contrôle de ses émotions mises à vif par les dernières heures.

— Ce n'est ni le moment ni l'endroit, murmura-t-il.

Poussant un soupir, il se leva et se mit à arpenter la pièce.

— Je suppose qu'il te faudra y penser, maintenant que je l'ai dit. Enfin, si tu te sens d'attaque, nous aimerions recueillir ta déposition.

Emma le regardait faire les cent pas dans la chambre. Que pouvait-elle dire ? Elle était incapable de ressentir quoi que ce soit. Si les choses avaient été différentes, lui aurait-elle fait confiance ? Qu'importe. Les choses n'étaient pas différentes.

— Quelle est la procédure ? demanda-t-elle.

— Tu peux me parler. Ou si tu préfères, je fais venir une femme policier.

— Non. J'aime mieux que ce soit toi.

— Un sténographe attend dans le couloir.

— D'accord. Finissons-en.

Elle ne leva pas les yeux sur lui une seule fois. Elle avait beau ne plus rien sentir, la honte était toujours vivace. Elle lui dit tout. Elle espérait, en racontant sa peur et son humiliation, qu'elle en serait enfin débarrassée. Mais quand elle se tut, en dépit de la fatigue, rien n'avait changé.

D'un regard, Michael congédia le sténographe. Il ne pouvait pas dire un mot. Il n'osait pas.

— C'est tout ce qu'il te faut ? demanda la jeune femme.

Il hocha la tête. Il fallait qu'il sorte très vite.

— Nous allons faire taper ta déposition, dit-il. Tu pourras la relire quand tu voudras, et signer. Je reviendrai te voir plus tard.

Quittant enfin la chambre, il se dirigea vers l'ascenseur. McCarthy l'arrêta.

— Dwier veut que tu rentres au poste dès que possible. La presse piaffe d'impatience.

— La presse peut aller se faire foutre. J'ai besoin de marcher.


À Londres, Robert Blackpool lut le compte rendu du journal. Il trouvait cela hilarant. Les histoires de meurtre et de passion étaient toujours les meilleures. Ils avaient même réussi à prendre deux photos. Elles étaient floues, le grain était mauvais, mais cela suffisait à donner un aperçu satisfaisant de la situation : Emma transportée vers l'ambulance, le visage en bouillie. Blackpool n'en finissait pas de ricaner.

Il n'avait jamais oublié la manière dont elle avait rejeté ses avances. Dommage que Latimer ne l'ait pas battue à mort. Mais il y avait d'autres moyens de se venger.

Décrochant le téléphone, il appela le *Times*.

Pete était livide, quand il lut l'article, le lendemain. Robert Blackpool disait son profond chagrin, à la perte d'un jeune artiste aussi talentueux que Latimer et racontait un incident qui l'avait opposé à Emma. D'après lui, elle avait fait preuve d'une jalousie féroce, à l'époque où il entretenait une liaison avec sa colocataire. Comme elle ne réussissait pas à le séduire, elle avait essayé de l'attaquer avec une paire de ciseaux.

Les gros titres ne faisaient pas dans la dentelle :
*Le besoin d'amour pousse Emma à la violence.*

Désormais, l'opinion était divisée. Certains défendaient la thèse de la légitime défense, d'autres soutenaient celle de la mégère qui aurait tué son époux dans un accès de jalousie et de rage.


Pete décrocha son téléphone.

— Espèce de cinglé !

— Ah ! bonjour à toi, s'esclaffa Blackpool, qui s'attendait à cette réaction.

— Qu'est-ce qui te prend d'étaler une histoire pareille ? J'ai assez de soucis comme ça.

— Ce ne sont pas mes problèmes, mon vieux. Si tu veux mon avis, la petite Emma a eu ce qu'elle méritait.

— Je ne te demande pas ton avis. Tu vas te rétracter.

— Pourquoi ? Un peu de publicité ne peut pas me faire de mal. Tu es le premier à dire que la presse fait vendre des disques.

— Et maintenant, je te somme de te rétracter.

— Ou alors ?

— Je n'aime pas proférer des menaces, Robert. Prends-moi simplement au mot, si je te dis que déterrer les vilains secrets ne profite jamais à personne.

Il y eut une longue pause à l'autre bout du fil.

— Je lui devais un chien de ma chienne.

— Peut-être. Ça ne me regarde pas. Tes ventes ont baissé, ces deux dernières années, Robert. Les maisons de disques sont notoirement versatiles. Tu ne voudrais pas être forcé de trouver un nouvel imprésario, à ce point de ta carrière, si ?

— On se connaît depuis longtemps, Pete. Je doute que, l'un comme l'autre, nous souhaitions briser une vieille amitié.

— Rappelle-toi ce que je te dis. Continue à faire des histoires et je te laisse tomber comme une vieille chaussette.

— Tu as besoin de moi autant que j'ai besoin de toi.

— Oh ! ça m'étonnerait, dit Pete en souriant dans le combiné du téléphone. Ça m'étonnerait beaucoup.

# 38

Michael faisait les cent pas dans le couloir.

— Ça ne me plaît pas.

— J'en suis désolée, mais ma décision est prise, déclara Emma.

— Rien ne t'oblige à donner une conférence de presse le jour même de ta sortie d'hôpital.

— Non, mais la déclaration officielle est le meilleur moyen de se débarrasser des reporters. Sinon, ils ne me lâcheront pas. Crois-moi, je sais de quoi je parle.

— Si tu t'inquiètes au sujet de la rumeur inepte lancée par Blackpool, elle est déjà retombée. Il s'est fait plus de mal qu'il ne t'en a fait.

— Je me moque bien de Blackpool. En revanche, je pense à ma famille et à ce qu'ils ont dû subir, durant les dernières semaines. Et je veux dire ce que j'ai sur le cœur. L'enquête de la police a conclu à la légitime défense. Je sais, en mon âme et conscience, que je n'avais pas d'autre choix que celui de tirer. Aucun doute ne doit subsister, Michael.

— La presse est de ton côté à quatre-vingt-dix-neuf pour cent.

— Et le petit un pour cent restant fait tache.

Michael parut se laisser fléchir, car il lui toucha doucement la joue.

— T'es-tu jamais demandé pourquoi la vie se met parfois à faire n'importe quoi ?

— Oui.

Emma sourit.

— Je commence à croire que Dieu est en réalité un homme. Tu m'accompagnes ?

— Bien sûr.

La presse attendait dans la salle de conférences ; les appareils photo, les caméras et les micros étaient prêts, et les flashs crépitèrent dès l'instant où la jeune femme monta sur l'estrade. Des murmures s'élevèrent. Son extrême pâleur faisait ressortir les hématomes sur son visage et, bien que désenflé, l'œil gauche demeurait auréolé d'une palette de couleurs jaunes et mauves qui s'étendait de la pommette à la racine des cheveux.

Le silence se fit instantanément, quand Emma se mit à parler.

Elle n'énonça que les faits ; ce qu'elle ressentait ne regardait qu'elle. La déclaration était brève ; huit minutes à peine. Elle l'avait composée avec l'aide de Pete. Tout le long, elle ignora les caméras et les visages qui la scrutaient. Puis, sa lecture terminée, elle s'éloigna du micro. Il avait été établi, à l'avance, qu'elle ne répondrait à aucune question, mais elles fusèrent, malgré tout.

Emma s'en allait déjà, la main sur le bras de Michael, lorsqu'une voix pénétra jusqu'au fond de son âme.

— S'il vous a traitée ainsi durant tous ces mois, pourquoi êtes-vous restée ?

Elle se retourna. Le brouhaha des questions continuait, mais elle n'entendait que celle-là.

— Pourquoi suis-je restée ?

Le silence retomba brusquement.

— Pourquoi ? répéta-t-elle, consciente que c'était là un point vital.

Elle hésita, oubliant de ne pas regarder les visages, de ne pas les voir.

— Je ne sais pas, reprit-elle. Si l'on m'avait dit, il y a deux ans, que je me laisserais brutaliser ainsi, j'aurais été furieuse. Je ne peux pas croire que j'aie choisi d'être une victime.

Elle jeta un regard bref et désespéré à Michael.

— Et pourtant, je suis restée. Il m'a battue, il m'a humiliée, mais je suis restée. Parfois, je me voyais m'en aller, prendre l'ascenseur, sortir dans la rue, et m'éloigner pour toujours. Mais je ne l'ai pas fait. Je suis restée parce que j'avais peur, et je suis partie pour la même raison. Alors, cela n'a aucun sens. Cela n'a aucun sens, conclut-elle, avant de poursuivre son chemin.

Cette fois, elle ignora les questions.

— Tu t'en es bien tirée, lui dit Michael. Nous allons sortir par ce côté. McCarthy nous attend avec une voiture.

Ils roulèrent jusqu'à la maison que le père d'Emma avait louée sur la plage, à Malibu. La jeune femme ne prononça pas une seule parole. Une question subsistait dans son esprit « Pourquoi es-tu restée ? »

Elle aimait bien s'asseoir sur la terrasse de bois, le matin, et regarder la mer et le vol des mouettes. Souvent, elle allait marcher le long de la plage. Les marques extérieures de son épreuve avaient presque entièrement disparu, à l'exception de petites douleurs chroniques au niveau des côtes, et d'une légère cicatrice sous la mâchoire. Elle aurait pu recourir à la chirurgie esthétique pour s'en débarrasser, mais elle préférait la garder. Pour mémoire.

Les cauchemars étaient un autre legs de ces mois d'horreur. Ils l'assaillaient régulièrement et constituaient désormais un montage dans lequel l'enfance se mêlait au passé proche. Parfois, c'était la petite fille, qui longeait le couloir sombre ; d'autres fois, elle avait grandi. La chanson de Lennon était toujours présente, et il lui arrivait d'entendre la voix de Darren, avant qu'elle soit couverte par celle de Drew. Mais toujours, elle s'immobilisait devant la porte, femme ou enfant, terrifiée à l'idée de l'ouvrir. Puis, comme elle posait la main sur la poignée, tournait et poussait le battant, elle se réveillait, en proie à des sueurs froides.

Les journées, en revanche, étaient calmes. Il y avait la brise marine, le parfum des fleurs que Beverly avait plantées un peu partout. Et, toujours, de la musique.

Elle avait eu le bonheur de voir son père et Beverly repartir de zéro. C'était le meilleur des baumes sur ses blessures encore à vif. Le rire était revenu dans la maison. Beverly se livrait à des expériences culinaires, tandis que Brian grattait sa guitare. Et la nuit, la jeune femme, dans son lit, les imaginait ensemble. C'était comme s'ils ne s'étaient jamais séparés. Il leur avait été si simple, une fois le premier pas franchi, de combler un fossé de vingt ans. Alors, Emma avait envie de sangloter ; parce qu'elle ne serait plus jamais une enfant et n'avait pas le pouvoir de réparer les erreurs commises.

Beverly et Brian attendirent six mois pour rentrer à Londres, bien qu'ils fussent tous deux anxieux de retrouver leur véritable foyer.

Emma devait encore trouver le sien. Marianne lui manquait, mais pas New York. La ville lui rappelait trop ce qu'elle avait vécu avec Drew. Elle y retournerait, un jour. Mais jamais plus elle n'y habiterait.

Elle préférait contempler les rouleaux du Pacifique et sentir la caresse du soleil sur son visage. Et puis, elle serait seule, à New York. Ici, elle l'était rarement.

Johnno était venu deux fois, passer une semaine. Pour son anniversaire, il lui avait offert une broche représentant un phénix en or qui jaillissait d'une flamme en rubis. Elle la portait souvent, espérant avoir bientôt, de nouveau, le courage de déployer ses ailes.

P. M. épousa lady Annabelle, et ils firent un détour par Los Angeles, avant de s'envoler pour une île des

Caraïbes. En les voyant ensemble, Emma sentit presque se restaurer sa foi dans le mariage. Lady Annabelle couvrait son mari d'attentions et P. M. était manifestement le plus heureux des hommes.

À présent, ils avaient la visite de Stevie, arrivé la veille en compagnie de Katherine Haynes.

— Bonjour.

Emma tourna la tête et vit cette dernière qui s'approchait justement d'elle, avec deux tasses de café.

— Je vous ai vue, dehors, et j'ai pensé que vous aimeriez en boire un peu.

— Merci, répondit Emma. C'est une belle matinée, n'est-ce pas ?

— Sublime, acquiesça Katherine en s'installant sur une chaise à côté de la jeune femme. Sommes-nous les seules à être levées ?

— Oui.

— Je suis toujours agitée, après un long voyage. Vous devez trouver des tas de choses à photographier, ici.

Emma n'avait pas touché son appareil photo depuis plus d'un an, et ne doutait pas que Katherine en fût avertie.

— C'est un bel endroit, répondit-elle d'un ton vague.

— Ça doit vous changer de New York.

— Oui.

— Vous préférez que je m'en aille ?

— Non, je suis désolée.

Les doigts d'Emma pianotèrent sur la tasse en porcelaine.

— Je ne voulais pas être impolie.

— Mais je vous mets mal à l'aise.

— Votre profession me met à l'aise.

Katherine étendit ses jambes devant elle.

— Je suis ici en amie, et non en qualité de médecin.

Elle marqua une pause et contempla l'horizon.

— Mais je ne serais pas une bonne amie, ni un bon médecin, si je n'essayais pas de vous aider.

— Je vais bien.

— Vous avez l'air d'aller bien. Mais toutes les blessures ne sont pas visibles à l'œil nu, n'est-ce pas ?

Emma tourna les yeux vers elle et la considéra un instant, calmement, presque froidement.

— Peut-être pas, mais on dit que le temps se charge de ces choses.

— Si c'était vrai, il ne me resterait plus qu'à trouver une autre profession. Vos parents s'inquiètent à votre sujet, Emma.

— Ce n'est pas nécessaire.

— Ils vous aiment.

— Drew est mort, dit Emma. Il ne peut plus me faire de mal.

— Il ne peut plus vous brutaliser, acquiesça Katherine. Mais il peut encore vous faire du mal.

Emma se tut et sirota son café, le regard perdu du côté des vagues.

— Vous êtes trop polie pour m'envoyer au diable, reprit Katherine.

— J'y songe.

La psychiatre eut un petit rire.

— Un jour, je vous dirai toutes les horreurs que Stevie m'a jetées au visage. Je doute que vous puissiez jamais rivaliser avec lui.

— Vous l'aimez ?

— Oui.

— Vous allez l'épouser ?

La question parut désarçonner la jeune femme, qui haussa simplement les épaules.

— Reposez-moi la question dans six mois. Beverly m'a appris que vous voyez quelqu'un du nom de Michael.

— C'est un ami.

Je t'aime, Emma.

— Un ami, répéta Emma en posant son café sur la table.

— Un policier, n'est-ce pas ? Le fils de l'homme qui a enquêté sur le meurtre de votre frère.

Comme Emma ne répondait rien, Katherine continua sur sa lancée :

— C'est étrange comme la vie paraît tourner en rond. Parfois, il me semble que nous sommes de petits chiots qui essaient de se mordre la queue. Je sortais juste d'un divorce éprouvant, quand j'ai rencontré Stevie. Mon ego était au dixième sous-sol et mon opinion des hommes... Disons que je trouvais certaines variétés de limaces plus attirantes. J'ai détesté Stevie au premier regard. C'était personnel. Sur le plan professionnel, j'étais déterminée à l'aider et à m'en débarrasser. Et vous voyez...

Emma reprit son café et but quelques gorgées tièdes.

— Avez-vous eu l'impression d'avoir échoué ?

— Dans mon mariage ? répondit Katherine, qui attendait cette question. Oui. Et le fait est que j'avais échoué. Mais les gens se trompent sans arrêt. Le plus difficile n'est même pas de l'admettre, mais de l'accepter.

— J'ai échoué avec Drew et je l'accepte. C'est ce que vous vouliez entendre ?

— Non. Je ne veux rien vous faire dire, si vous n'en éprouvez pas le besoin.

— C'est vis-à-vis de moi que j'ai échoué.

Emma se leva brusquement, reposant la tasse de café sur la table.

— Vis-à-vis de moi. C'est ça, la bonne réponse ?

— À votre avis ?

Étouffant un juron, Emma se retourna vers la balustrade.

— Je ne veux pas jouer ce petit jeu. Si j'avais voulu les conseils d'un psychiatre, j'aurais pu en voir des douzaines.

— Vous savez, vous m'avez beaucoup impressionnée, la première fois que je vous ai vue. Vous vous apprêtiez à quitter la chambre de Stevie, après lui avoir dit ses quatre vérités, comme je mourais moi-même d'envie de le faire. Lui non plus, il ne voulait pas qu'on l'aide.

— Je ne suis pas Stevie.

— Non, en effet.

Katherine se leva à son tour. Elle n'était pas aussi grande qu'Emma, mais sa voix, devenue tranchante, imposait une réelle autorité.

— Voulez-vous que je vous cite les statistiques concernant les femmes battues, chaque année ? Je crois que cela s'élève à une personne toutes les dix-huit secondes, dans ce pays. Cela vous surprend ? dit-elle, comme Emma la regardait fixement. Vous préfériez peut-être vous croire le seul membre d'un club exclusif ? Savez-vous également combien de ces femmes restent avec leur bourreau ? Ce n'est pas toujours parce qu'elles n'ont pas d'amis vers qui se tourner, ou parce qu'elles sont pauvres ou sans éducation. Elles ont peur, leur amour-propre a été piétiné ; elles ont honte, elles sont confuses. Pour une femme qui trouve de l'aide, il y en a une douzaine qui s'enfoncent dans leur cauchemar. Vous êtes vivante, Emma, mais vous n'avez pas survécu au vôtre. Pas encore.

— Non, rétorqua Emma en faisant volte-face.

Ses yeux étaient humides de larmes, mais ils luisaient aussi de fureur.

— Je dois vivre avec chaque jour. Croyez-vous que parler et trouver des excuses m'aidera ? Qu'importent les raisons pour lesquelles c'est arrivé. C'est arrivé, un point c'est tout. Je vais me promener.

Elle dévala les marches menant à la plage et s'éloigna vers le bord de l'eau.

Katherine était patiente. Durant deux jours, elle ne dit rien et ne fit pas la moindre référence à leur conversation. Elle attendait, tandis qu'Emma gardait une distance polie. Puis, elle décida de tenter une nouvelle fois sa chance, un matin qu'elle entendit Emma descendre au rez-de-chaussée, avant l'aube. Elle la trouva dans la cuisine, assise au comptoir du petit déjeuner, regardant fixement par la fenêtre.

— J'avais envie d'un thé, dit la psychiatre d'un ton naturel en se dirigeant vers la cuisinière. Cela me fait toujours du bien, quand je me réveille aussi tôt.

Elle remarqua les larmes qui séchaient sur les joues d'Emma, mais se garda bien de poser la moindre question. Tandis qu'elle sortait deux tasses et deux soucoupes d'un placard, elle poursuivit :

— J'admire votre mère, et cette manière qu'elle a de créer une véritable atmosphère avec quelques petites touches, ici et là. Moi, j'ai toujours l'impression, en entrant dans ma cuisine, de me trouver chez quelqu'un d'autre.

Elle puisa une mesure de thé, et la mit en vrac dans une théière.

— Stevie m'a emmenée aux Studios Universal, hier après-midi. Vous y êtes déjà allée ? J'ai pu voir de près les requins du film *Les Dents de la mer*, renchérit-elle sans attendre la réponse d'Emma, et je me suis vraiment demandé comment ce film avait pu me terrifier à ce point. C'est bien la preuve que tout n'est qu'une question d'image et d'illusion.

Lentement, elle versa l'eau brûlante sur les feuilles brunes.

— Et puis, le petit train est passé devant la maison de Norman Bates, vous savez, *Psychose*. Elle est exactement comme dans le film, le côté terrifiant en moins. À croire qu'il suffit d'ôter une chose de son contexte, même une chose effrayante, pour qu'elle perde tout son pouvoir. Et on ne voit plus qu'une maison un peu étrange et un poisson mécanique.

— La vie n'est pas comme les films.

— Non, mais j'ai toujours pensé qu'il existait d'intéressants parallèles entre les deux. Vous prenez du lait ?

— Non. Non, merci.

Emma garda le silence, pendant que Katherine versait le thé. Puis, les mots jaillirent de ses lèvres, sans qu'elle pût les retenir.

— Parfois, il me semble que ma vie avec Drew est un film et que je peux la regarder défiler avec détachement. Et puis, des matins comme celui-ci, je me réveille avant qu'il fasse jour, en me croyant à New York, dans l'appartement, avec Drew qui dort à côté de moi. Je peux presque l'entendre respirer. Alors, tout le reste, ces derniers mois, devient le film. Croyez-vous que je sois folle ?

— Non, vous êtes une femme qui a vécu une terrible épreuve.

— Mais il est parti. Je sais qu'il est parti. Pourquoi devrais-je encore avoir peur ?

— C'est le cas ?

Emma ne pouvait empêcher ses mains de bouger constamment. Elle poussait un verre de vin oublié la veille au soir, le sucrier, prenait un fruit dans la corbeille, le reposait.

— Il avait l'habitude de me jouer des tours, pour me tourmenter. Après que je lui ai tout raconté, au sujet de Darren, il avait pris l'habitude de se lever, une fois que je dormais. Il mettait cette chanson, celle que j'ai entendue, la nuit du meurtre de Darren. Puis il m'appelait, chuchotant mon nom jusqu'à ce que je me réveille. J'essayais toujours d'allumer la lumière, mais il avait débranché la lampe. Alors je restais assise sur le lit, criant pour que ça s'arrête. Quand je me mettais à hurler, il revenait. Il me disait que c'était un rêve. Maintenant, quand je fais mon cauchemar, je reste allongée dans mon lit, terrifiée à l'idée qu'il va ouvrir la porte et me dire que c'était un rêve.

— Vous avez fait ce cauchemar, cette nuit ?

— Oui.

— Vous pouvez me le raconter ?

— C'est toujours plus ou moins le même. C'est la nuit où Darren a été tué. Je me réveille, comme ce soir-là. Le couloir est sombre, et j'ai peur. Sur fond de musique, j'entends Darren pleurer. Parfois, je vais jusqu'à la porte et Drew est là. D'autres fois, c'est quelqu'un d'autre, mais je ne sais pas qui.

— Vous voulez le savoir ?

— Maintenant que je suis réveillée et en sécurité, oui. Mais pas pendant le rêve. J'ai l'impression que je mourrai, s'il me touche.

— Vous vous sentez menacée par cet homme ?

— Oui.

— Comment savez-vous qu'il s'agit d'un homme ?

— Je… Je ne sais pas. Mais j'en suis sûre.

— Vous sentez-vous menacée par les hommes, Emma, à cause de ce que Drew vous a fait ?

— Avec papa, ou Stevie, je suis rassurée. Je n'ai jamais eu peur de Johnno, ou de P. M. Je ne pourrais pas.

— Et Michael ?

Emma porta le thé à ses lèvres. Il avait refroidi.

— Je ne crains pas qu'il me fasse du mal.

— De quoi avez-vous peur, dans ce cas ?

— De ne pas pouvoir…

Elle s'interrompit et secoua la tête.

— Ceci n'a rien à voir avec Michael. C'est moi.

— Il est naturel que vous craigniez une relation physique, alors que votre dernière expérience ne vous a apporté que douleur et humiliation, Emma. Intellectuellement, vous savez que ce n'est pas la raison d'être ou le résultat normal de l'intimité avec un homme, mais l'intellect et les émotions suivent des chemins très différents.

Emma sourit presque.

— Vous voulez dire que mes cauchemars seraient le résultat d'un refoulement sexuel.

— Freud tirerait cette conclusion, répondit Katherine. Mais je suis convaincue qu'il était lui-même à moitié dérangé. J'essaie simplement d'explorer toutes les possibilités.

— Je crois que nous pouvons laisser Michael en dehors de ça. Il ne m'a jamais demandé de coucher avec lui.

Elle avait dit « coucher avec lui », pas « faire l'amour », nota Katherine. C'était un point sur lequel elle reviendrait plus tard.

— Vous voudriez qu'il vous le demande ?

Cette fois, Emma sourit vraiment. L'aube était là, et avec elle, la lumière du matin qui chassait les démons de la nuit.

— J'ai souvent soupçonné les psychiatres d'être de simples potiniers.

— D'accord, oublions cette question. Puis-je faire une suggestion ?

— Oui.

— Prenez votre appareil photo et allez vous promener. Drew vous a dépossédée de bien des choses. Pourquoi ne pas vous prouver à vous-même qu'il n'a pas tout pris ?

Emma ne savait pas trop pourquoi elle avait suivi le conseil de Katherine. Il n'y avait rien, autour d'elle, qu'elle eût envie de photographier. Les gens avaient toujours été son sujet favori, mais elle s'en était éloignée depuis trop longtemps. Malgré tout, elle prit du plaisir à sentir le boîtier dans sa main et à jouer avec les objectifs.

Elle passa la matinée à se concentrer sur des palmiers et des immeubles. Les clichés ne gagneraient aucun prix, mais les mécanismes de la photographie la détendaient. À midi, elle avait usé deux rouleaux de pellicule et se demandait pourquoi elle s'était privée si longtemps de cette activité qu'elle aimait tant.

À un moment, elle dirigea sa voiture vers la maison de Michael. C'était un bel après-midi de dimanche, trop beau pour qu'elle le passe seule. Et puis, elle n'avait pas photographié Michael depuis ce premier cliché, pris tant d'années plus tôt. Conroy aussi ferait un sujet intéressant. Autant d'excuses faciles, qu'elle accepta comme des évidences.

La voiture de Michael était là, mais celui-ci ne répondait pas à son coup de sonnette. Seul le chien aboyait ; elle l'entendait gratter, de l'autre côté de la porte. Finalement, la voix de Michael résonna, de l'intérieur, marmonnant un vague juron à l'encontre de l'animal, et Emma sourit.

Quand il apparut sur le seuil, elle sut instantanément qu'elle l'avait tiré du lit. Vêtu d'un jean enfilé à la hâte, il avait l'air froissé de celui que l'on vient d'arracher à un sommeil profond. Il passa une main sur son visage et dans ses cheveux.

— Emma ?

— Je suis désolé, Michael. J'aurais dû appeler.

Il cligna des yeux, aveuglé par le soleil.

— Quelque chose ne va pas ?

— Non. Écoute, je vais m'en aller. Je me promenais juste.

— Non, entre.

Il prit la main de la jeune femme tout en jetant un regard par-dessus sa propre épaule.

— Merde.

— Michael, vraiment, le moment est mal choisi. Je peux juste…

Elle s'arrêta sur le seuil et regarda autour d'elle.

— Oh là, tu as été cambriolé ?

— Non.

Trop groggy pour se soucier des apparences, il lui prit le bras et l'entraîna vers la cuisine. Le chien aboyait toujours, faisant des bonds autour d'eux.

— Tu as dû recevoir des amis, décida-t-elle, un peu vexée qu'il ne l'eût pas invitée.

— Non, répondit-il. Pourvu qu'il y ait du café.

Il se mit à claquer les portes des placards, jusqu'à ce qu'Emma remarque une boîte de Maxwell House dans l'évier, à côté d'un paquet de chips.

— Tu veux que je...

— Non, répondit-il. Je peux faire du café. Conroy, si tu ne la fermes pas, je vais te nouer la langue autour du cou.

Il posa les chips sur le sol pour occuper le chien.

— Quelle heure est-il ?

— Midi et demi.

Michael regardait la cuiller en plastique qui lui servait à mesurer le café en fronçant les sourcils, comme s'il ne savait qu'en faire. Instinctivement, Emma leva son appareil et prit une photo.

— Désolée, dit-elle, quand il la foudroya du regard. C'est un réflexe.

Sans faire de commentaire, il se tourna pour fourrager un instant dans un placard. Il avait l'impression d'avoir mangé de la craie ; un orchestre de jazz résonnait dans sa tête et, plus grave que tout, il était à court de céréales.

— Michael...

Emma s'avança avec circonspection, non parce qu'elle était intimidée, mais parce qu'elle craignait d'éclater de rire.

— Veux-tu que je te prépare quelque chose à manger ?

— Il n'y a rien.

— Assieds-toi, dit-elle en le poussant vers une chaise. Nous allons commencer par le café. Où sont les tasses ?

— Dans la cuisine.

— Bon.

Elle finit par trouver de grands gobelets en carton et versa le breuvage, qui était aussi épais que de la boue. Il l'avala d'un trait et, la caféine faisant son effet, commença à la voir un peu mieux. Elle était sublime ; vraiment sublime, dans son pantalon fluide bleu ciel et un petit chemisier à manches courtes. Ses cheveux flottaient sur ses épaules. C'était ainsi qu'il les préférait ; il pouvait alors imaginer y glisser ses

doigts. Mais, pourquoi avait-elle la tête dans le réfrigérateur ?

— Qu'est-ce que tu fabriques ? demanda-t-il.

— Je cherche de quoi composer un petit déjeuner.
Tu as un œuf. Comment le veux-tu ?

— Cuit.

— Il y a une poêle, quelque part ?

— Je crois. Pourquoi ?

— Pour rien.

Elle finit par la trouver et lui improvisa un sandwich avec un œuf au plat et un morceau de fromage
déniché, entre deux denrées périmées, dans le réfrigérateur. Pour elle, Emma choisit un *ginger ale* qui
avait perdu une partie de ses bulles, et s'installa en
face de lui.

— Michael, je ne veux pas me mêler de ce qui ne
me regarde pas, mais depuis combien de temps vis-
tu ainsi ?

— J'ai acheté la maison il y a quatre ans, environ.

— Et tu es toujours vivant. Tu es un homme résis-
tant.

— Je sais : il faudrait que je fasse nettoyer.

— Tu comptes louer des bulldozers ?

— C'est dur de se faire insulter quand on mange.

Il la regarda prendre une photo de Conroy, qui
s'était rendormi, une patte posée en travers du paquet
de chips.

— Il ne signera jamais une décharge, remarqua-t-il.

Emma lui sourit.

— Tu te sens mieux ?

— Presque humain.

— Je me baladais ; j'ai décidé qu'il était temps de
me remettre à travailler et j'ai pensé que tu aimerais
peut-être m'accompagner, pendant quelques heures.

Elle se sentait timide, tout à coup. C'était différent,
maintenant qu'il était tout à fait réveillé.

— Je sais que tu as été très occupé, ces derniers
temps.

— À combattre le crime, seul contre tous. Conroy, espèce de fainéant, va chercher.

Le chien ouvrit un œil et poussa un soupir presque humain, tandis qu'il se traînait hors de la pièce.

— Tu m'évitais depuis des semaines, Emma.

La jeune femme allait nier, mais elle se ravisa.

— C'est vrai. Je suis désolée. Tu as été un bon ami et…

— Si tu repars sur ces histoires d'amitié et de gratitude, tu vas vraiment me mettre en colère, l'interrompit-il en prenant une cigarette dans le paquet que Conroy venait de déposer sur ses genoux.

— Je n'en parlerai plus.

— Bien.

Il se leva pour laisser sortir le chien et se mit à ouvrir des tiroirs, à la recherche d'un briquet ou d'allumettes. Cela faisait six mois qu'il attendait ce moment. Six mois qu'il espérait voir Emma venir frapper à sa porte. Et maintenant qu'elle était là, il ne pouvait contenir sa fureur.

— Pourquoi es-tu venue ? demanda-t-il.

— Je te l'ai dit.

— Tu voulais un peu de compagnie pendant que tu prenais des photos, et tu as pensé à ce bon vieux Michael.

Emma posa la bouteille de *ginger ale* sur la table et se leva, très raide.

— De toute évidence, j'ai eu tort. Je suis désolée de t'avoir dérangé.

— J'entre et je sors, murmura-t-il. C'est une mauvaise habitude que tu as là, Emma.

— Je ne suis pas venue pour me disputer avec toi.

— Eh bien, c'est dommage ! Il y a un moment, déjà, que cette discussion aurait dû avoir lieu.

Il fit un pas vers elle et elle recula instinctivement, ce qui acheva de le mettre hors de lui.

— Je ne suis pas Latimer, nom de Dieu ! J'en ai par-dessus la tête de te voir penser à lui, chaque fois que je m'approche de toi. Si nous devons nous battre, allons-y, mais ce sera toi et moi, et personne d'autre.

— Je ne veux pas me battre !

Avant de comprendre ce qu'elle faisait, Emma saisit la bouteille de *ginger ale* et la jeta. Le verre explosa dans l'évier, tandis qu'elle regardait la mousse se réduire, stupéfaite de son geste.

— Tu en veux une autre ? demanda-t-il.

— Il faut que je m'en aille.

Elle voulut prendre son appareil photo, mais il posa la main sur son bras.

— Pas cette fois-ci, dit-il d'une voix vibrante de frustration. Tu ne t'en iras pas sans avoir entendu ce que j'ai à te dire.

— Michael...

— Tais-toi. J'ai envie de toi depuis des années. Le jour où je t'ai raccompagnée chez toi, après t'avoir repêchée dans l'eau, j'avais un tel béguin pour toi que je voyais à peine clair. Je n'avais pas dix-sept ans et pourtant, je n'ai pensé qu'à toi, pendant des semaines. Chaque jour, je hantais cette plage, espérant que tu allais revenir.

— Je ne pouvais pas, dit-elle.

— J'ai fini par m'en remettre. Je pensais t'avoir oubliée et puis tu es revenue. J'étais là, bien tranquille, à tondre la pelouse, et d'un seul coup, tu étais devant moi. Je pouvais à peine respirer. Merde, je n'étais plus un gamin et ce n'était pas un simple béguin.

— Tu me connaissais à peine, murmura Emma, envahie subitement par une myriade de sensations troublantes.

Il la regarda droit dans les yeux.

— Tu sais très bien que cela ne se résume pas à cela. Quand je t'ai embrassée, sur la plage, la seule fois où je t'ai embrassée, il s'est passé quelque chose. Je ne l'ai jamais oublié. Je n'ai jamais pu. Et puis tu es repartie de nouveau.

— Il le fallait.

— Peut-être. Ce n'était pas encore le moment. C'est ce que je me suis dit. Bon sang, je me répète la même chose depuis des années.

Il marcha vers elle, la sentit trembler quand il la prit par les bras, mais il ne la lâcha pas. Cette fois, il ne la lâcherait plus.

— Quand est-ce que ce sera le moment, Emma ?

— Que veux-tu que je te dise ?

— Tu le sais très bien.

— Je ne peux pas.

— Tu ne veux pas, corrigea-t-il. À cause de lui. Merde, à la fin ! Tu m'as brisé le cœur, quand tu l'as épousé, et j'ai dû vivre avec. On dirait que j'ai passé la majeure partie de ma vie à essayer de t'oublier. J'aurais peut-être fini par réussir, mais tu reviens toujours.

— Je... Je ne le fais pas exprès.

Michael continuait de fixer sur elle son regard intense, et elle sentit le souffle lui manquer.

— J'ai pensé que cette fois-ci, ce serait différent, reprit-il. J'allais faire en sorte que ce soit différent. Et puis... Quand j'ai découvert ce qu'il t'avait fait subir, j'ai cru devenir fou. Tous ces mois, j'ai eu peur de te toucher. Je me disais qu'il te fallait du temps. Du temps pour te remettre. Ça suffit, maintenant.

Il l'attira contre lui et s'empara de ses lèvres.

# 39

C'était différent de tout ce à quoi elle s'attendait. Elle était prisonnière des bras de Michael ; prise au piège de sa bouche, brûlante sur la sienne. Elle avait cru qu'elle serait révoltée, ou terrifiée, si un homme la serrait de nouveau contre lui. Mais ce qu'elle ressentait n'avait rien à voir avec le dégoût ou la peur ; c'était une émotion si vive, si forte que la tête lui tourna : un courant de plaisir la transperça comme un fer de lance, et elle éprouva du désir.

Elle ne voulait pas s'y abandonner. Elle ne voulait plus jamais perdre le contrôle d'elle-même au profit de quelqu'un d'autre. Mais, avant qu'elle se fût débattue, Michael s'écarta.

Il ne dit rien. Il la regardait simplement. Les yeux écarquillés, le souffle court, Emma se tenait immobile devant lui. Oui, elle était prise au piège, songea-t-elle. Mais le plus important, le plus inattendu, c'était de vivre ces sensations dont elle avait, depuis longtemps, fait son deuil.

— Je ne veux pas que tu aies peur de moi, dit Michael.

La colère en lui s'était évanouie pour laisser place au seul besoin. Ce serait son choix, à elle. Emma le comprenait tout à coup. Si elle était prisonnière, c'était uniquement de ses propres désirs, ses propres rêves.

— Je n'ai pas peur, répondit-elle.

Les mains de Michael remontèrent jusqu'à son visage et, de nouveau, il posa les lèvres sur les siennes. Cette fois, le baiser était tendre et doux. Emma se détendit, en même temps que son pouls s'accélérait. Oui, c'était son choix. Un choix qu'elle avait mis trop longtemps à faire.

Michael sentit la transformation s'opérer lentement, tandis que le corps de la jeune femme fondait contre le sien. Lui-même tremblait de tous ses membres, et, lorsqu'elle glissa les bras autour de son cou, cherchant sa bouche, il la souleva contre lui et la porta vers sa chambre.

Les stores étaient baissés, si bien que le soleil ne pénétrait dans la pièce qu'adouci, tamisé par les lattes de bois.

Emma essaya de ne pas se raidir, quand il la posa sur le lit. Tout irait vite, maintenant. Elle voulait qu'il continue à l'embrasser et à la serrer contre lui. Mais elle savait bien qu'il n'en serait rien. Elle croyait savoir…

Michael s'allongea près d'elle. Il ne roula pas sur elle en tirant sur ses vêtements. De nouveau, sa bouche effleura la sienne, autant pour la séduire que pour la rassurer. Elle paraissait si fragile.

Avec un petit gémissement de plaisir, il taquina ses lèvres de la langue, très doucement. Confuse, Emma attendait qu'il prenne et il continuait à donner.

Ses mains glissèrent sur elle, lui arrachant des frissons. Mais elle n'avait pas peur. Comment aurait-elle pu ? Il n'était que générosité et compassion. Le plaisir la parcourut tout entière, si profond qu'elle s'accrocha à Michael. Pour la première fois de sa vie, elle éprouvait le désir ; le désir du corps d'un homme ; ce désir qu'elle s'était crue incapable de ressentir. Elle ancra ses mains dans les cheveux de son compagnon, attirant de nouveau sa bouche sur la sienne, afin de se perdre dans ces baisers brûlants.

Puis, il se dégagea, lui arrachant un soupir de protestation.

— Je veux te regarder, dit-il. Il y a si longtemps que j'en ai envie.

Elle ne sut que le fixer, émerveillée, tandis qu'il brossait doucement ses longues mèches blondes entre ses doigts, admirant la manière dont elles retombaient sur l'oreiller. Sans la quitter des yeux, il défit les boutons de son chemisier. Plus il voyait la confusion sur son visage, plus il éprouvait le besoin de redoubler de tendresse.

Elle leva une main pour se couvrir, mais il la prit et baisa ses doigts, avant de poser les lèvres sur son sein. Un grognement rauque lui échappa. Sa poitrine était petite et ferme. Et si douce. Sa peau s'enflammait à la moindre caresse et il entendait son souffle rapide. Elle se cambra vers lui pour l'aider à la débarrasser de son chemisier.

La bouche de Michael était partout, et Emma frissonnait sous la chaleur vivante de ses lèvres. Elle sursauta, quand il mordilla son cou, ses épaules, en proie à une sorte de délire. Lentement, il fit glisser le long de ses jambes le pantalon qu'elle portait encore, suivant le chemin de ses mains avec ses lèvres.

Oh oui, elle désirait. Pour la première fois. Jusqu'alors, elle n'avait fait qu'en rêver. Le corps d'Emma était couvert de sueur ; il tremblait d'un besoin violent et primaire et Michael continuait à caresser et embrasser, au point que la jeune femme s'agrippait aux draps.

La chaleur était insupportable et pourtant, elle voulait davantage. Soudain, comme les doigts de Michael s'aventuraient en haut de ses cuisses, le corps d'Emma fut pris de convulsions. Elle ne pouvait plus respirer. Un grondement fantastique lui emplit la tête, avant de la parcourir tout entière. À la fois triomphante et terrifiée, elle arqua son corps à la rencontre de la jouissance, avant de retomber sur le lit, pantelante.

— Mon Dieu, tu es si douce.

Lui-même pouvait à peine respirer, tandis qu'il scellait de nouveau leurs lèvres en un baiser délirant. Les frissons de la jeune femme n'avaient pas encore cessé qu'il l'emportait de nouveau vers des sommets de sensations. Elle voulait hurler son nom, mais ne put que le chuchoter.

— Michael.

Dans sa fièvre, elle poussa un cri et jeta la main de côté, envoyant un objet s'écraser sur le sol.

— Dis-le-moi.

Il voulait l'entendre. Il était tendu comme un arc, la pression le rendait fou, mais il se retenait encore.

— Regarde-moi et dis-le-moi.

Elle ouvrit les yeux et se reconnut dans le regard gris penché au-dessus d'elle.

— Viens, dit-elle. J'ai envie de toi.

Tendant les mains, elle attira sa bouche sur la sienne et poussa un cri, quand il entra en elle.


Elle dormit une heure, épuisée, en travers du lit. Michael était resté longtemps à la contempler, caressant ses cheveux et se demandant comment la garder dans sa vie. Il avait beau l'aimer depuis des années, rien ne l'avait préparé au bonheur inouï de devenir son amant. Il l'avait imaginé. Des millions de fois. Mais il n'avait pu alors la comparer qu'aux femmes qu'il connaissait.

Il n'y avait personne comme Emma.

S'il devait supplier, il supplierait. S'il devait se battre, il se battrait. Mais il ne la perdrait pas de nouveau.

Quand elle se réveilla, il était parti. Elle demeura allongée sur le ventre, essayant de s'habituer à ce qui venait d'arriver. Était-il possible qu'elle eût ressenti toutes ces choses, fait toutes ces choses, sans un moment de regret ou d'hésitation ? Encore ce matin, elle était convaincue de ne plus jamais vouloir qu'on la touche. Et pourtant, aujourd'hui, elle avait été caressée, aimée véritablement, pour la première fois.

Le sourire aux lèvres, elle roula sur le dos, envisageant de se lever et de s'habiller pour aller le retrouver. C'est alors que la porte s'ouvrit.

— Ah, tu es réveillée.

Michael entra en portant un pack de Coca-Cola et une boîte de poulet frit.

— J'ai pensé que tu aurais peut-être faim.

Il avait enfilé un tee-shirt sur son jean, mais il était pieds nus. Sans lui donner le temps de répondre, il se pencha sur elle et l'embrassa jusqu'à lui faire tourner la tête.

— Nous allons faire un petit pique-nique.

— Un pique-nique ? répéta Emma. Où ça ?

— Ici même, répondit-il en posant la boîte de poulet au milieu des draps. Comme ça, les voisins ne seront pas choqués parce que tu es nue.

Elle rit.

— Je pourrais m'habiller.

Il s'installa en face d'elle et la regarda longuement.

— Je préférerais vraiment que tu n'en fasses rien.

Souriant, il décapsula une bouteille de Coca-Cola. Puis, il alluma la radio, sur la table de chevet, et défit le couvercle du récipient de plastique, avant d'y piocher une cuisse.

— Tu n'as pas faim ?

Elle le regarda dévorer avec enthousiasme et passa une main dans ses cheveux.

— Je ne peux pas manger toute nue.

— Bien sûr que si.

Il lui tendit le pilon. Emma se redressa sur un coude, prit une bouchée, et rit de nouveau.

— Non, vraiment, je ne peux pas.

Michael laissa tomber son poulet dans la boîte et se débarrassa de son tee-shirt, avant de le passer au-dessus de la tête de la jeune femme.

— C'est mieux ?

— Beaucoup mieux, répondit-elle en glissant ses mains dans les manches, troublée de sentir l'odeur de Michael sur sa peau. Je n'avais encore jamais pique-niqué au lit.

— C'est le même principe que sur une couverture à la plage. On mange, on écoute de la musique, et ensuite, je fais l'amour avec toi. De cette façon, on évite le sable.

Elle prit la bouteille qu'il lui présentait et but une longue rasade.

— Je ne sais pas comment tout cela est arrivé.

— Ce n'est pas grave. Je me ferai un plaisir de rejouer toute la scène rien que pour toi.

— Est-ce que c'était...

Elle s'interrompit, toute rougissante.

— Tu n'allais pas me demander si c'était bien pour moi, si ?

— Non.

Il la regardait, le visage fendu d'un large sourire.

— Enfin, en quelque sorte, reprit-elle, avant de reprendre une bouchée de poulet. Peu importe.

Michael était heureux. Avec elle, avec lui-même, avec le monde entier. Il fit courir un doigt le long du bras nu d'Emma.

— Tu veux une échelle de un à dix ?

— Arrête, Michael.

— J'aime autant, parce que, vois-tu, tu as fait exploser tous les barèmes.

Elle rougit de plus belle.

— Je n'avais jamais connu ça, avant, murmura-t-elle. Je n'avais jamais... Je ne pensais pas que je pouvais...

Elle s'interrompit, prit une profonde inspiration et se lança :

— Je croyais que j'étais frigide.

Michael se retint de rire, puis il vit l'expression sérieuse de son visage. Encore Latimer, se dit-il avec fureur.

— Eh bien, tu te trompais, s'écria-t-il avec juste la bonne dose de désinvolture.

Relevant la tête, Emma sourit.

— Si j'avais suivi mon instinct, le jour où tu m'as embrassée, sur la plage, je l'aurais découvert il y a bien longtemps.

— Si tu le suivais, maintenant ?

Elle hésita. Se redressant sur les genoux, elle noua ses bras autour du cou de Michael et l'embrassa. Celui-ci jeta sa cuisse de poulet par-dessus son épaule et ils roulèrent sur le lit en riant.


— Reste cette nuit.

Le soleil avait largement entamé sa descente, quand elle se leva pour s'habiller.

— Pas ce soir. J'ai besoin de réfléchir.

— Je craignais le moment où tu recommencerais à réfléchir.

Il l'attira contre lui.

— Je t'aime, Emma. Si tu réfléchissais à ça ?

Elle ferma les yeux.

— J'ai besoin que tu me croies, insista Michael.

— Je veux te croire, lui dit-elle. C'est de mon jugement à moi que je me méfie. Il n'y a pas si longtemps, j'ai cru que Drew m'aimait et que je l'aimais. J'avais tort dans les deux cas.

— Nom de Dieu, Emma !

Il marcha vers la fenêtre et releva le store. Le crépuscule pénétra dans la chambre.

— Je ne fais pas de comparaison, murmura-t-elle.

— Ah non ?

— Non.

Il ne pouvait pas comprendre la distance qu'elle avait déjà parcourue, pour pouvoir s'approcher de lui et poser ainsi la joue contre son dos.

— C'est de moi que je me méfie. Mes problèmes n'ont pas commencé avec Drew. Je dois être sûre de ce que je veux, avant de me lancer dans quoi que ce soit.

— Je ne me contenterai pas d'une journée avec toi, Emma.

Elle poussa un soupir contre l'épaule de son amant.

— Papa et Beverly doivent bientôt rentrer à Londres.

Il se retourna brusquement, le regard brillant de colère.

— Si tu penses t'en aller avec eux, tu te trompes.

— Ne joue pas à m'intimider, Michael. J'ai dépassé ce stade.

Elle marqua une pause.

— J'envisage de garder la maison sur la plage. Ils ont besoin de reprendre leur vie et je dois, de mon côté, décider ce que je compte faire avec la mienne.

C'est au moment de prononcer ces paroles qu'elle venait de prendre conscience de leur bien-fondé.

— Tu me demandes de m'éloigner ?

— Ne va pas trop loin.

Elle l'entoura de ses bras.

— Je ne veux pas te perdre. De cela, au moins, je suis certaine. Mais je ne sais pas encore que faire avec ce qui vient de nous arriver. Peut-on laisser les choses comme elles sont, encore un moment ?

— Soit. Mais comprends bien, Emma, que je n'attendrai pas indéfiniment.

— Moi non plus.

# 40

Michael raccrocha brutalement, furieux contre le monde entier. Il avait besoin d'un témoin pour faire tomber un malfrat qui leur donnait du fil à retordre depuis des mois, mais le seul qui pût les aider était mort de trouille. En attendant qu'il se décide, l'affaire traînait en longueur.

— Hé, Kesselring, tu n'as pas donné tes dix dollars pour notre petite sauterie de Noël, dit un policier en passant devant son bureau.

Michael grinça des dents. La prochaine fois qu'il entendrait le mot « Noël », il descendrait quelqu'un, de préférence le Père Noël en personne.

— McCarthy m'en doit vingt, grommela-t-il. Tu n'as qu'à les lui demander.

— Toujours d'une humeur de chien parce que ta copine va passer les fêtes à Londres ? intervint McCarthy en entendant parler de lui. Détends-toi, Kesselring. Le monde est plein de blondes.

— Va te faire voir.

McCarthy posa une main délicate sur son cœur.

— Ce doit être l'amour.

L'ignorant, Michael étudia une enveloppe de papier bulle qui venait d'atterrir sur son bureau, avec le reste du courrier. Remarquant le cachet de la poste, il fronça les sourcils. Elle avait été envoyée de Londres, justement, et portait le tampon d'un cabinet juridique. Qui pouvait bien lui écrire d'Angleterre, au moment précis où il vouait le pays entier aux gémonies pour lui avoir enlevé Emma pour deux semaines ? À l'intérieur, il trouva une lettre d'explication et une enveloppe aux couleurs de l'arc-en-ciel. Au dos, étaient gravés une adresse et le nom de Jane Palmer.

Il avait beau ne pas être superstitieux, il hésita un instant avant de l'ouvrir, pensant à des messages d'outre-tombe. Enfin, il la décacheta et lut le contenu. Moins de cinq minutes plus tard, il se tenait dans le bureau de son père, qui lisait à son tour le message.

*Cher Détective Kesselring,*

*Vous étiez chargé de l'enquête sur la mort du fils de Brian McAvoy. Je suis sûre que vous n'avez pas oublié cette affaire. Moi aussi, je m'en souviens. Si vous êtes toujours intéressé, vous devriez venir me voir à Londres. Je sais tout. C'était mon idée, mais ils ont tout raté. Si vous êtes prêt à payer certaines informations, nous pouvons nous entendre.*

*Sincèrement vôtre,*

*Jane Palmer.*

— Qu'en penses-tu ? demanda Michael.

— Peut-être savait-elle quelque chose, répondit Lou en ajustant ses lunettes, avant de relire la lettre. Elle était à des milliers de kilomètres, la nuit du meurtre, mais...

Il s'était toujours demandé...

— Le premier cachet de la poste a été apposé quelques jours avant la découverte du corps. D'après les avocats, la lettre s'est perdue à cause de l'adresse incomplète, avant de revenir à l'expéditeur. On a retrouvé l'enveloppe parmi les papiers de Jane Palmer. Plus de huit mois, marmonna Michael en secouant la tête.

— Même si elle nous était parvenue sous huit jours, je doute que cela ait changé quelque chose. Elle était déjà morte, de toute façon.

— Si elle savait vraiment qui a tué le gosse, on lui a peut-être réglé son compte. Quelqu'un qui aurait ignoré l'existence de cette lettre. Je veux voir les rapports, parler au flic qui s'est occupé de l'enquête, là-bas.

Lou tourna la feuille de papier dans sa main. Il était inutile de rappeler à Michael que la missive lui était adressée, à lui.

— C'est la première piste que nous ayons depuis près de vingt ans, murmura-t-il, tandis que lui revenait le visage d'un petit garçon.

Il leva la tête et regarda son fils.

— Tu vas te rendre à Londres.


Emma travailla la pâte des cookies à pleines mains, avant de l'aplatir avec le rouleau. Elle avait toujours adoré Noël, mais ne l'avait pas passé avec sa famille depuis son enfance. La cuisine sentait bon la cannelle et le sucre brun, et Beverly mesurait les ingrédients pour le pudding traditionnel. Dehors, il neigeait.

Pourtant, la jeune femme avait le cœur ailleurs, à quelque neuf mille kilomètres : avec Michael. Sans s'en apercevoir, elle poussa un soupir, et Beverly leva les yeux vers elle en souriant.

— Il te manque à ce point ?

Emma sursauta, rougissant un instant d'être aussi transparente.

— Je ne l'aurais pas cru, dit-elle, sans chercher à nier. C'est idiot. Deux semaines, ce n'est pas bien long.

Elle venait de disposer sur une plaque une partie des cookies découpés à l'emporte-pièce ; elle la glissa dans le four, avant de régler le minuteur.

— D'ailleurs, il était bon que je m'éloigne un peu. Je ne veux pas m'investir trop vite.

— Katherine dit que tu fais des progrès remarquables.

— Je le crois, en effet. Je lui suis vraiment reconnaissante d'être restée avec moi, ces deux derniers mois. Je ne lui en ai pas toujours su gré, admit-elle avec un petit sourire. En fait, parler m'a beaucoup aidée.

— Tes rêves continuent à te tourmenter ?

— Moins souvent. Et puis je me suis remise sérieusement au travail. Le livre commence à prendre forme. C'est fou, quand on y pense. L'année dernière, Noël fut un cauchemar. Cette année, c'est presque parfait.

Elle leva les yeux en entendant s'ouvrir la porte de la cuisine et lâcha l'emporte-pièce, qui tomba sur le sol avec fracas.

— Michael ?

— On m'a dit d'entrer ici directement.

Elle ne réfléchit pas. À quoi bon ? Avec un cri de joie, elle courut se jeter dans ses bras et l'embrassa.

— Je ne peux pas croire que tu es là !

Elle se dégagea avec un éclat de rire, et se mit à l'épousseter.

— Je t'ai mis de la farine partout.

— Il y a plein d'occupations qui m'attendent ailleurs, dit Beverly en s'essuyant les mains à un torchon.

— Tu m'avais dit que tu ne pouvais pas venir, reprit Emma.

— Il y a eu un changement de programme.

Beverly sortie, Michael l'attira de nouveau contre lui. Il voulait retrouver le goût de ses lèvres.

— Joyeux Noël, murmura-t-il.

— Combien de temps peux-tu rester ?

— Deux jours.

Il jeta un coup d'œil vers la cuisinière.

— C'est quoi, ce bruit ?

— Oh ! mes cookies ! s'écria-t-elle en se précipitant vers le four pour en sortir la plaque. Je pensais à toi, en les faisant. Je me désolais que tu sois aussi loin.

Elle le regarda par-dessus son épaule.

— Si tu veux, je repartirai avec toi.

— Tu sais bien que je le veux, répondit-il en prenant la natte de la jeune femme dans sa main. Mais je comprends aussi que tu aies besoin de passer du temps avec ta famille. J'attendrai ton retour.

— Je t'aime, murmura-t-elle.

Les mots avaient jailli de son cœur et de ses lèvres avec une telle spontanéité qu'Emma en fut la première stupéfaite.

— Répète ça, dit-il.

Il la contemplait avec une telle intensité qu'elle se tourna vers lui et prit son visage entre les mains.

— Je t'aime, Michael. Je suis désolée d'avoir mis autant de temps à l'admettre.

Sans rien dire, il la serra contre lui. L'espace d'un moment, tout ce qu'il désirait au monde fut dans le cercle de ses bras.

— Je le savais, quand je t'ai vu à mon vernissage, à New York. Dès que tu es apparu, je l'ai su, poursuivit-elle en enfouissant son visage dans le cou de son amant. J'avais peur. On dirait que j'ai passé la majeure partie de ma vie à avoir peur. Et puis, tu as poussé la porte, là, et tout est devenu évident.

— Tu ne vas plus pouvoir te débarrasser de moi, désormais.

— Tant mieux.

Elle leva la tête vers lui.

— Tu veux goûter un de mes cookies ?


Il inventa des excuses. Michael n'aimait pas mentir à Emma, mais il préférait ne pas parler encore de l'affaire qui l'avait amené à Londres. Son collègue britannique était poli et l'accès aux archives aussi compliqué qu'en Amérique. Au bout de deux heures, on lui dit qu'il devrait revenir le lendemain pour examiner les dossiers.

Autant de temps qu'il mit à profit pour visiter la capitale anglaise. Emma, ravie, l'entraîna de la tour de Londres à Piccadilly, sans oublier la relève de la garde devant Buckingham Palace. Bien qu'il se fût laissé aisément convaincre de rester chez les McAvoy, Michael avait conservé sa chambre d'hôtel, et les deux amants y passèrent un doux moment, après leur tour effréné de la ville.

Le dossier concernant la mort de Jane Palmer n'apporta aucun élément nouveau. L'enquête de routine avait conclu à la mort par inadvertance. La balistique avait découvert, outre les empreintes de Jane, celles de son ancienne femme de ménage et du dealer qui avait trouvé le corps, mais les deux avaient fourni des alibis indestructibles. Les voisins ne se gênèrent pas pour exprimer tout le mal qu'ils pensaient de la morte ; cela dit, ils n'avaient rien remarqué, la nuit du décès.

Michael étudia les photos de la chambre. Même lui s'étonna qu'on pût vivre dans une telle saleté.

— C'était une vraie porcherie, commenta l'inspecteur Carlson, qui s'était chargé de l'affaire. Je n'avais jamais rien vu de pareil. Sans parler de la puanteur. La femme avait cuit dans son jus pendant deux jours.

— Pas d'autres empreintes que les siennes sur la seringue ?

— Non. Elle s'est piquée elle-même. On a envisagé le suicide, mais l'hypothèse ne tenait pas la route. Nous avons conclu que dans sa hâte à se shooter, elle avait oublié de couper l'héroïne.

— Comment se l'est-elle procurée ? Par l'intermédiaire de ce type, Hitch ?

L'inspecteur fit la moue.

— Non. C'est une petite pointure. Il n'a pas les contacts qu'il faut pour revendre de la pure comme ça.

— Qui, alors ?

— Cela n'a pas été établi de façon certaine. Elle a pu l'acheter elle-même. Elle était assez connue, à une époque ; elle avait des relations.

— Vous avez vu la lettre qu'elle a envoyée à notre département ?

— C'est pourquoi nous sommes prêts à rouvrir le dossier. Si vraiment nous avons là un meurtre lié à un assassinat perpétré dans votre pays, vous aurez notre entière coopération. Cela remonte à près de vingt ans, mais personne n'a oublié ce qui est arrivé au petit Darren McAvoy.

Non, personne n'avait oublié, se dit Michael, assis dans le bureau de Brian, qui déchiffrait à son tour la lettre de son ancienne maîtresse.

Un feu crépitait joyeusement dans la cheminée et de vastes fauteuils étaient disposés devant l'âtre. On voyait partout des récompenses et des disques d'or ou de platine, les uns alignés sur des étagères, les autres suspendus aux murs. Il y avait aussi dans la pièce quelques cartons témoignant de l'installation récente de Brian dans la maison.

Michael attendit qu'il relève la tête pour parler :

— J'en ai discuté avec mon père et il nous a semblé que vous deviez être mis au courant.

Bouleversé, Brian chercha une cigarette.

— Vous pensez que c'est une piste sérieuse ?

— Oui.

Trouvant enfin une boîte d'allumettes, Brian en fit craquer une. Il y avait une bouteille de whisky irlandais, dans le dernier tiroir de son bureau. Encore scellée. Brian tenait là une bonne occasion de se mettre à l'épreuve. Depuis qu'il avait cessé de boire, six semaines et trois jours plus tôt, il n'avait jamais eu autant envie de se servir un verre.

— Je croyais savoir de quoi elle était capable, murmura-t-il. Je ne comprends pas. Si elle était vraiment mêlée... Pourquoi aurait-elle voulu lui faire du mal à lui ?

Il enfouit son visage dans ses mains.

— C'est moi qu'elle visait. C'est moi qu'elle voulait faire souffrir.

— Nous continuons à croire qu'il s'agissait d'un accident, dit Michael. Logiquement, le kidnapping et la rançon que vous auriez payée étaient les seuls mobiles.

— Je lui donnais déjà de l'argent pour Emma.

Il se frotta le visage avec ses mains, avant de les laisser retomber sur son bureau.

— Elle aurait tué la petite, elle lui aurait tordu le cou sous mes yeux ; elle en était capable, dans un accès de rage. Mais de là à fomenter une chose pareille... Je ne peux pas le croire.

— On l'a aidée.

Brian se leva et se mit à faire le tour de la pièce. Celle-ci était pleine de preuves tangibles de son succès, des preuves que sa musique était importante. Il y avait des douzaines de photos de lui avec les Devastation, hier et aujourd'hui, ou en compagnie d'autres chanteurs, des célébrités, des politiciens auxquels il avait apporté son soutien. Au milieu des clichés, un portrait encadré représentait Emma et son fils disparu, assis au bord d'une petite rivière et riant dans la lumière du soleil. Ces deux vies, aussi, il les avait créées.

Les vingt dernières années s'évanouirent brusquement et il se revit ce jour-là, dans l'herbe, écoutant les rires de ses enfants.

— Je croyais avoir laissé tout cela derrière moi, dit-il, avant de se détourner de la photo. Beverly ne doit rien savoir, pour l'instant. Je lui parlerai quand je jugerai le moment opportun.

— Comme vous voudrez. Je tenais juste à vous prévenir que je vais rouvrir le dossier.

— Êtes-vous aussi tenace que votre père ?

— Je voudrais le croire.

— Et Emma ? Devra-t-elle encore subir toutes sortes d'interrogatoires ?

— Je ferai tout ce qui sera en mon pouvoir pour la ménager.

À défaut de whisky, Brian décapsula une bouteille de *ginger ale*. Il en proposa à Michael, mais celui-ci refusa d'un signe de tête.

— Beverly pense que vous êtes amoureux d'elle.

— Je le suis. Je veux l'épouser, dès qu'elle sera prête.

Brian avala une longue rasade. Une soif inextinguible lui asséchait la gorge.

— Je ne voulais pas qu'elle s'acoquine avec Latimer. Pour toutes les mauvaises raisons. Je me suis bien souvent demandé ce qui serait arrivé, si je ne m'étais pas opposé aussi ouvertement à leur relation. Aurait-elle attendu ?

— Latimer s'intéressait à vous et à ce que vous pouviez faire pour lui. Je ne m'intéresse qu'à Emma. Depuis toujours.

En soupirant, Brian retourna s'asseoir.

— Elle a toujours représenté la partie la plus belle et la plus constante de ma vie. Quelque chose que j'ai fait sans y penser et qui s'est révélé absolument parfait.

Il considéra Michael avec l'ombre d'un sourire.

— Vous m'avez rendu terriblement nerveux, le jour où Emma vous a ramené dans cette monstrueuse baraque de P. M., à Beverly Hills. Je vous ai regardé et j'ai pensé : « Ce garçon va me prendre Emma. » C'est sûrement le sang irlandais. Il semble que nous soyons tous ivrognes, poètes ou prophètes. J'aurai été les trois.

— Je peux la rendre heureuse.

— En tout cas, je saurai vous le rappeler.

Il reprit la lettre de Jane.

— J'ai beau vouloir de toutes mes forces que vous découvriez qui a tué mon fils, j'attache plus d'importance encore au bonheur d'Emma.

— Papa, P. M. et Annabelle sont là avec le bébé. Oh, pardon, dit Emma, qui venait d'ouvrir la porte à la volée. Je ne savais pas que tu étais là, Michael.

— Quand je suis rentré, tu étais déjà partie faire des courses, répondit celui-ci, qui se leva aussitôt, et, prenant la lettre des mains de Brian, la glissa naturellement dans sa poche.

— Que se passe-t-il ?

— Rien, répondit Brian.

Il fit le tour du bureau pour aller l'embrasser.

— Je mettais un peu Michael sur le gril. Il paraît qu'il a des idées, en ce qui concerne ma fille.

Elle sourit, prête à le croire, avant de surprendre son regard.

— Papa, qu'y a-t-il ?

— Je viens de te le dire, répondit Brian, essayant de l'entraîner hors de la pièce.

Mais Emma se tourna vers Michael.

— Je ne veux pas qu'on me mente.

— C'est vrai que j'ai des idées, en ce qui concerne sa fille, renchérit celui-ci.

— Me laisseras-tu voir la lettre qui est dans ta poche ?

— Oui, mais je préférerais le faire plus tard.

— Papa, tu veux bien nous laisser seuls, un moment.

— Emma...

— S'il te plaît.

À contrecœur, Brian sortit et referma la porte derrière lui.

— J'ai confiance en toi, Michael, reprit la jeune femme. Si tu me dis que papa et toi n'avez parlé de rien d'autre que de notre relation, je te croirai.

Michael hésita. Il voulait mentir. Il en fut incapable.

— Non, ce n'est pas tout ce dont nous avons parlé. Assieds-toi, Emma.

Elle obéit, craignant le pire. Sans un mot, Michael sortit la lettre de sa poche.

Emma se sentit soudain glacée en voyant le nom sur l'enveloppe. Un message d'outre-tombe, se dit-elle. Le dos très droit, elle parcourut la missive.

Michael l'observait. Elle ressemblait beaucoup à son père, dans les expressions de son visage, dans la manière dont la peine envahissait son regard, dans la dignité silencieuse avec laquelle elle accusait le choc. Lentement, elle replia la lettre et la lui rendit.

— C'est pour ça que tu es venu ?

— Oui.

— Je pensais que tu ne pouvais pas rester loin de moi, murmura-t-elle d'un ton blessé.

— Je ne peux pas, en effet.

Elle baissa la tête de nouveau.

— Tu crois ce qu'elle avance ?

— Il ne m'appartient pas d'en juger, répondit-il avec prudence. C'est une piste et je la suis.

— Moi, j'y crois, poursuivit Emma, qui revoyait le visage amer de Jane, au seuil de sa maison. Elle ne pensait qu'à faire du mal à papa. Elle voulait qu'il souffre. Je me rappelle encore les regards qu'elle lui lançait, le jour où il m'a emmenée. Je n'étais qu'un bébé et pourtant, je m'en souviens.

Elle secoua la tête, respirant péniblement.

— Comment peut-on à la fois aimer et haïr une personne à ce point ? Comment peut-on se servir de ses sentiments et les déformer au point de prendre part au meurtre d'un petit garçon ? Plus de vingt ans ont passé et elle continue à le harceler de sa hargne.

Michael s'accroupit auprès d'elle.

— C'est possible, mais elle a peut-être initié un processus qui va nous aider à découvrir qui l'a tué, et pourquoi.

528

— Je le sais, moi, murmura Emma en fermant les yeux. C'est enfoui quelque part au fond de moi, mais je le sais. Et cette fois, je vais tout faire pour que cela remonte à la surface.

Elle entendit la musique. Elle était dans le couloir sombre et elle serrait Charlie contre sa poitrine. Darren pleurait. Elle voulait retourner se coucher, dans son petit lit, près de sa lampe Mickey, mais elle avait promis de s'occuper de son petit frère.

Elle fit un pas en avant, mais son pied ne toucha pas le sol. C'était comme si elle flottait sur un nuage sombre. Elle entendait siffler les choses, autour de ses oreilles. Ces choses qui dévoraient les vilaines petites filles, comme lui avait dit sa maman.

Dans quelle direction aller ? Il faisait noir et il y avait des bruits de tous côtés. Et cette musique qui ne s'arrêtait pas. Elle marcha vers les cris de son frère, essayant de se faire aussi petite que possible afin que personne ne la voie.

La main sur la poignée, elle la tourna doucement. Poussa la porte.

Des mains la happèrent, lui tordant les bras.

— Je t'avais dit de ne pas t'en aller, Emma.

Les doigts autour de sa gorge, Drew serrait.

— Je t'avais dit que je te trouverais.

— Emma ! cria Michael, l'attirant contre lui. Emma, réveille-toi, c'est un cauchemar.

Elle ne pouvait pas respirer. Elle avait beau savoir où elle se trouvait, qui l'enlaçait, il lui semblait sentir encore les mains de Drew autour de son cou.

— La lumière, gémit-elle. S'il te plaît, allume la lumière.

— D'accord. Attends.

Il parvint à atteindre l'interrupteur de la lampe, sans pour autant lâcher sa compagne.

— Là. Et maintenant, regarde-moi, Emma. C'était un rêve, dit-il. Tu es avec moi.

Elle tressaillait encore. Son visage était blanc comme le marbre et brillant de sueur.

— Ça va, murmura-t-elle.

— Je vais te chercher un peu d'eau.

Emma le vit disparaître dans la salle de bains contiguë et remonta ses genoux contre sa poitrine. Elle était à l'hôtel, avec Michael. Elle avait souhaité passer une nuit seule avec lui, avant qu'il reparte pour les États-Unis.

— Tiens, dit-il en lui tendant un verre.

Il la regarda boire. Il était presque aussi secoué qu'elle. Emma avait paru étouffer dans son sommeil, haletant, suffoquant, comme pour libérer l'air qui était coincé dans sa gorge.

— Je suis désolée, dit-elle enfin.

— Ça t'arrive souvent ?

— Trop souvent.

— C'est pour cela que tu ne voulais jamais passer la nuit avec moi, jusqu'ici ?

Elle haussa les épaules, fixant son verre d'un air misérable.

Michael la contempla un instant, avant de s'installer dans le lit et de l'attirer contre lui.

— Raconte, dit-il simplement.

Quand elle eut terminé, il continua à regarder droit devant lui. Elle était calme, à présent. Il le sentait à sa façon de respirer. Quant à lui, il était tendu comme un arc.

— La lettre a dû tout déclencher, reprit-elle. Longtemps, j'ai prié pour que les cauchemars cessent. Maintenant, je veux voir. Je veux franchir cette porte et voir derrière.

Il pressa ses lèvres contre la tempe de la jeune femme.

— Tu as confiance en moi ?

— Oui, répondit-elle en se blottissant plus près de lui.

— Je te promets de faire tout mon possible pour découvrir qui est responsable de la mort de ton frère.

— C'est arrivé il y a si longtemps.

— J'ai quelques idées. Nous verrons bien où elles mènent.

Elle se sentait bien, nichée au creux de ses bras. Si seulement ils pouvaient ne plus jamais bouger.

— Je sais que j'avais promis de revenir très vite, mais je dois rester ici quelque temps, Michael. J'ai besoin de parler à Katherine.

Il ne répondit pas tout de suite, essayant de s'habituer à l'idée qu'il allait devoir, encore, se séparer d'elle.

— Pendant que tu seras ici, réfléchis à nous. Décide si tu te sens à même d'épouser un flic.

Il plongea son regard dans celui de la jeune femme.

— Penses-y très fort, d'accord ?

— Oui.

Elle noua les bras autour de son cou.

— Fais-moi l'amour, Michael.


Le club était bruyant, encombré de jeunes corps serrés, qui dans des jeans étroits, qui dans des mini-jupes. Les décibels hurlaient et l'alcool était coupé d'eau. Des couples côte à côte devaient hurler pour s'entendre parler ; les drogues et l'argent s'échangeaient aussi aisément que des numéros de téléphone.

Ce n'était pas le genre d'endroit qu'il affectionnait, mais il était venu, malgré tout. Il se glissa à une petite table, dans un coin et commanda un scotch.

— T'aurais pu trouver un endroit un peu plus approprié.

Son compagnon sourit et avala une rasade de whisky, avant d'allumer une cigarette à l'aide d'un briquet en or gravé à ses initiales.

— Quel meilleur endroit pour évoquer des secrets qu'en public ? Alors, il semblerait que Jane t'ait pris de vitesse.

— Si tu fais allusion à la lettre, je suis au courant.

— Tu es au courant, mais tu n'as pas jugé bon de m'en parler ?

— En effet.

— Tu ferais pourtant bien de ne pas oublier que ce qui te concerne me concerne tout autant.

— Cette lettre n'implique que Jane, et en aucun cas toi ou moi. Comme elle est morte, je ne vois vraiment pas où est le problème.

Il attendit que la serveuse ait apporté son verre.

— Il y a autre chose qui pourrait bien se révéler plus urgent. Emma fait des rêves troublants.

L'homme rit et souffla de la fumée entre ses dents.

— Les rêves d'Emma ne me dérangent pas.

— Ils devraient, pourtant ; ils nous concernent, tous les deux, bien plus que les gribouillis de Jane. Elle est en thérapie avec la psychiatre qui s'est occupée de Stevie Nimmons.

Il but une gorgée de son scotch et ne le jugea même pas digne d'arroser des plantes.

— Il semble qu'elle commence à se rappeler certaines choses.

Le visage de son interlocuteur changea. Il y eut la peur, d'abord, puis une bouffée de colère.

— Tu aurais dû me laisser la tuer, il y a des années.

— Ce n'était pas nécessaire, à l'époque. Mais cela pourrait bien le devenir, aujourd'hui.

— Je n'ai pas l'intention de me salir les mains, mon vieux. Occupe-toi d'elle.

— Je me suis occupé de Jane. Pour l'instant, je crois qu'il suffit de surveiller Emma. Si la situation évolue, ce sera à toi de voir.

— D'accord. Je ne le ferai pas parce que tu me l'ordonnes, mais parce que j'ai une dette envers elle.

— Monsieur Blackpool, vous voulez bien me signer un autographe ?

Celui-ci posa son briquet et sourit à la jolie rousse, qui venait de se pencher vers lui.

— Mais avec plaisir.

# 41

À travers la fenêtre du salon, Emma regardait fondre les dernières neiges du mois de janvier.

— Michael veut que je l'épouse, dit-elle.

— Qu'en pensez-vous ? demanda Katherine, haussant à peine un sourcil.

Emma faillit sourire en entendant cette question que la psychiatre devait poser à tous ses patients, à un moment ou à un autre.

— Oh, des tas de choses, répondit-elle. Je ne suis pas vraiment surprise. Je savais qu'il attendait, depuis longtemps, le moment de me demander en mariage. Quand je suis avec lui, je me prends à croire que ça pourrait marcher. Une maison, une famille. C'est ce dont j'ai toujours rêvé.

— Vous l'aimez ?

— Oh, oui, dit Emma sans l'ombre d'une hésitation.

— Mais vous ne croyez pas au mariage.

— Pas pour tout le monde. Cela ne m'a pas réussi.

— Michael peut-il être comparé à Drew ? Quels seraient les points communs ?

Emma réfléchit un instant.

— L'un comme l'autre sont des hommes séduisants et déterminés.

— Autre chose ?

Emma se mit à arpenter la pièce. La maison était vide et silencieuse. Comme chaque jour, à 15 heures, on l'avait laissée seule avec Katherine.

— Non, répondit-elle enfin. Avant même de m'apercevoir que Drew était violent, je n'aurais pas pu les comparer. Il ignorait la compassion et ne pouvait se concentrer sur plus d'une personne à la fois. La loyauté lui était totalement étrangère. Il pouvait être très intelligent, très romantique, mais incapable de générosité. Il exigeait toujours d'être payé de retour.

— Et Michael ?

— Michael est tout le contraire. Il est attentif aux autres, à son travail, sa famille. La loyauté fait partie de lui, au même titre que la couleur de ses yeux. J'étais persuadée que je ne coucherais plus jamais avec un homme. Mais quand nous avons fait l'amour, la première fois, j'ai ressenti des choses que je ne me croyais pas capable d'éprouver.

— Quand vous faites référence à Drew, vous dites : « coucher avec un homme ». Avec Michael, vous parlez de faire l'amour.

— Vraiment ?

Emma marqua une pause et sourit à Katherine. Un instant, elle entendit la voix de Johnno, venue de très loin ; c'était un jour, en Martinique : « Quand il y a des sentiments, on pourrait presque dire que c'est sacré. »

— Pas besoin de diplôme pour déchiffrer cela, n'est-ce pas ?

— Non, acquiesça Katherine qui s'adossa au canapé d'un air content. Vous sentez-vous à l'aise, physiquement, avec Michael ?

— Non. Mais c'est une gêne merveilleuse.

— Excitant ?

— Oui. Mais je n'ai pas été capable de... prendre l'initiative.

— Vous le voudriez ?

— Je ne sais pas. J'aimerais lui montrer que... Je crois que j'ai peur de ne pas bien faire.

— Dans quel sens ?

Emma haussa les épaules et se tourna de nouveau vers la fenêtre. Elle se sentait idiote, ridicule.

— Je n'arrive pas à oublier ce que Drew me répétait sans cesse : que j'étais nulle, lamentable au lit, murmura-t-elle, furieuse qu'il eût encore le pouvoir de contrôler une partie de sa vie.

— Avez-vous pensé que si vous étiez incapable, comme il le disait, c'était à cause de votre partenaire et des circonstances ?

— Oui. Là-haut, répondit Emma en touchant son front. Je sais que je ne suis pas froide. Je peux ressentir la passion, le désir. Mais je crains, en allant vers Michael, de gâcher quelque chose.

Elle se tut un instant.

— Et puis, il y a les cauchemars. J'ai presque aussi peur de Drew que lorsqu'il était vivant. Si je parvenais à l'extirper de mes rêves, à effacer son visage et sa voix de mon subconscient, je pourrais franchir ce pas avec Michael.

— C'est ce que vous voulez ?

— Évidemment. Vous croyez que je veux continuer à être punie ?

— Punie pour quoi ?

— Pour n'avoir pas fait ce qu'il souhaitait, aussi vite qu'il l'exigeait, répondit la jeune femme d'un ton agité. Pour ne pas porter la robe qu'il fallait, pour être amoureuse de Michael. Il savait, il avait deviné mes sentiments pour Michael.

Elle se mit à faire les cent pas à travers la pièce.

— Quand il nous a vus ensemble, au vernissage, il a tout compris. Alors il m'a battue. Il m'a fait jurer que plus jamais je ne reverrais Michael. Et il a continué à me battre. Il savait que je ne tiendrais pas ma promesse.

— Une promesse prononcée sous la menace n'a aucune valeur.

— J'ai quand même essayé de la tenir, mais je n'ai pas pu, répliqua Emma, balayant la logique de la psychiatre d'un revers de main. Alors il m'a punie.

Elle se laissa tomber dans un fauteuil.

— J'ai menti, poursuivit-elle, comme se parlant à elle-même. J'ai menti à Drew, et à moi-même.

Katherine se pencha en avant, mais sa voix demeura neutre, aisée.

— Pourquoi, à votre avis, Drew se trouve-t-il dans les rêves ayant un rapport avec Darren ?

— J'ai menti aussi, à cette époque, murmura Emma. Je n'ai pas tenu ma promesse. Je n'ai pas su protéger Darren. Nous l'avons perdu. Beverly et papa se sont séparés. J'avais juré que je veillerais toujours sur lui. Qu'il ne lui arriverait rien. Mais j'ai rompu ma promesse. Personne ne m'a jamais punie. Personne ne m'a jamais fait le moindre reproche.

— Mais vous vous êtes punie vous-même. Vous vous êtes reproché ce qui était arrivé.

— Si je ne m'étais pas enfuie... Il m'appelait, vous comprenez ?

L'espace d'une seconde, elle entendit les cris de Darren, se vit courir dans le couloir sombre.

— Il avait si peur, mais je ne suis pas retournée vers lui. En sachant qu'ils allaient lui faire du mal, je suis partie. Et il est mort. J'aurais dû rester.

— Auriez-vous pu l'aider ?

— Je me suis enfuie parce que j'ai eu peur pour moi-même.

— Vous étiez une enfant, Emma.

— Et alors ? J'avais fait une promesse. On ne rompt pas les promesses faites à ceux qu'on aime, aussi difficiles soient-elles. J'en ai fait une à Drew et je suis restée parce que...

— Parce que... ?

— Parce que je méritais d'être punie.

Emma ferma les yeux, horrifiée par l'implication de ce qu'elle venait de dire.

— Mon Dieu, serais-je restée tout ce temps parce que je voulais être punie d'avoir perdu Darren ?

L'espace d'un court instant, Katherine jubila intérieurement. Cette fois, elles avaient fait un véritable bond en avant.

— Je crois en effet que c'est une partie de l'explication, déclara-t-elle posément. Vous m'avez dit, une fois, que Drew vous rappelait Brian. Vous vous reprochiez la mort de Darren, et dans l'esprit d'un enfant, la culpabilité engendre la punition.

— J'ignorais que Drew était violent, quand je l'ai épousé.

— Vous étiez attirée par ce que vous voyiez à la surface. Un beau jeune homme doté d'une belle voix. Romantique, charmeur. Vous l'avez choisi parce que vous imaginiez qu'il était tendre et affectueux.

— J'avais tort.

— Oui, vous aviez tort au sujet de Drew. Il vous a déçue, vous et beaucoup d'autres. Parce qu'il était séduisant, apparemment aimant, vous avez fini par vous convaincre que vous méritiez ce qu'il vous faisait subir. Il s'est servi de votre vulnérabilité ; il l'a exploitée. Vous n'avez pas demandé à être battue, Emma. Et vous n'étiez pas responsable de sa folie. Tout comme vous n'étiez pas responsable de la mort de votre frère.

Elle marqua une pause.

— Lorsque vous aurez accepté cela, complètement, je crois que vous vous souviendrez du reste. Et une fois que vous vous serez rappelé ce qui s'est passé, cette nuit-là, les cauchemars disparaîtront.

— Je vais me souvenir, murmura Emma. Et cette fois, je ne m'enfuirai pas.


Le loft avait à peine changé. Marianne y avait ajouté quelques touches bizarres et personnelles, comme cet énorme palmier encore décoré pour Noël, bien que le mois de janvier fût largement entamé. Les tableaux de la jeune femme couvraient la plupart des murs : des paysages, des marines et des natures mortes. Le studio sentait la peinture, la térébenthine et le parfum.

Emma était assise sur un tabouret, et son large sweat-shirt lui tombait sur l'épaule.

— Tu es tendue, se plaignit Marianne en faisant glisser son crayon sur un carnet de croquis.

— C'est toujours ce que tu dis, quand tu me dessines.

— Non, tu es vraiment tendue, aujourd'hui, répondit la jeune femme en coinçant son crayon dans la masse de ses cheveux roux, qu'elle portait longs, à présent. C'est le fait de te retrouver à New York ? insista-t-elle en étudiant son amie.

— Je ne sais pas. Peut-être.

Mais à Londres aussi, Emma était crispée. Cela durait depuis quelques jours ; elle avait l'impression tenace d'être suivie, observée, surveillée.

— Tu veux qu'on arrête ? demanda Marianne.

Tout en posant la question, elle avait repris son crayon et son travail. Depuis toujours, elle rêvait de capturer le regard doux et hanté d'Emma.

— On pourrait aller faire du shopping chez Bloomingdales, ou un tour chez Elizabeth Arden. Il y a des semaines que je n'ai pas eu un soin du visage.

— Je voulais te féliciter pour ta mine, justement. Qu'est-ce que c'est ? Les vitamines, la macrobiotique, le sexe ? Tu es radieuse.

— Je crois que c'est l'amour.

— Le dentiste ?

— Qui ? Oh, non. Parler d'hygiène dentaire a fini par détruire notre relation. Il s'appelle Ross. Je l'ai rencontré il y a six mois, environ.

— Six mois ! s'exclama Emma. Et tu ne m'en as jamais parlé.

— J'avais peur que ça porte malheur, répondit Marianne, avec un petit haussement d'épaules.

Elle changea de page et commença une nouvelle esquisse.

— Tourne-toi un peu, tu veux ? La tête aussi. Là, comme ça.

— C'est sérieux ?

Emma jeta un coup d'œil par la fenêtre, se forçant à respirer lentement. Poussés par un vent glacé, des gens marchaient rapidement dans la rue. Il y avait un homme qui fumait une cigarette, à l'entrée d'une épicerie. Elle aurait juré qu'il la regardait fixement.

— Quoi ? demanda-t-elle en entendant la voix de son amie.

— Je dis que ça pourrait l'être. J'aimerais bien, en tout cas. Le problème, c'est qu'il est sénateur.

— Sénateur ? Un vrai ?

— Élu de l'État de Virginie, confirma Marianne. Tu m'imagines en épouse de politicien ?

— Oui, répondit Emma avec un sourire. Très bien.

— Thé et protocole, murmura Marianne, fronçant le bout de son nez. Je ne suis pas sûre que ce soit mon truc. Qu'est-ce que tu regardes ?

— Oh, rien... Il y a un type, debout, dans la rue.

— Sans blague. En plein New York. Voilà qui est surprenant. Emma, tu es crispée, de nouveau.

— Désolée, murmura la jeune femme en se forçant à détourner les yeux. Je deviens paranoïaque. Alors, quand vais-je rencontrer ton sénateur ?

— Il est à Washington. Si tu n'étais pas aussi pressée de retourner à Los Angeles, tu aurais pu venir avec moi, le week-end prochain. Emma, qu'est-ce qui te fascine tant, dehors ?

— Ce type. J'ai l'impression qu'il me fixe.

— Ce n'est pas de la paranoïa, c'est de la vanité.

Marianne se leva et marcha jusqu'à la fenêtre.

— C'est sûrement un revendeur de drogue, déclara-t-elle en s'éloignant de nouveau. Mais parlons plutôt de tes amours. Quand cesseras-tu de faire poireauter ce pauvre Michael et son chien ?

— Je veux prendre mon temps.

— Tu prends ton temps avec Michael depuis que tu as treize ans. Ça fait quel effet d'avoir un amoureux transi à ses pieds depuis plus de dix ans ?

— Tu exagères.

— Non. En fait, je suis surprise qu'il soit resté à Los Angeles, quand tu lui as annoncé que tu faisais escale ici pendant quelques jours.

— Il veut m'épouser.

— Incroyable. Qui aurait pu prévoir une chose pareille ?

— Moi, en tout cas, j'avais soigneusement évité d'y penser, jusqu'à maintenant.

— C'est parce que tu as chassé de ton vocabulaire un certain mot commençant par un « M ». Que vas-tu faire ?

— À quel sujet ?

— Les deux « M ». Mariage et Michael.

— Je ne sais pas, répondit Emma, fascinée par la fenêtre.

L'homme était toujours là, attendant patiemment.

— Nom d'un chien !

— Quoi ?

— Comment n'ai-je pas compris plus tôt ? Papa a encore embauché un garde du corps. Tu étais au courant ? demanda-t-elle en considérant son amie d'un air soupçonneux.

— Non. Brian ne m'a rien dit du tout.

Marianne retourna près de la fenêtre.

— Écoute, ce type se tient là, d'accord, mais la rue est à tout le monde. Pourquoi faudrait-il, forcément, qu'il soit là pour toi ?

— Crois-moi, j'ai vécu la majeure partie de ma vie avec des gardes du corps ; quand je suis surveillée, je le sais.

Soudain, elle bondit de son tabouret, marcha vers la fenêtre et l'ouvrit à la volée.

— Hé !

Son cri la surprit autant que l'homme, dans la rue.

— Allez appeler votre patron et dites-lui que je suis assez grande pour me débrouiller toute seule. Si je vous trouve encore là dans cinq minutes, j'appelle les flics.

— Tu te sens mieux ? murmura Marianne.

— Beaucoup mieux.

— Je ne suis pas sûre qu'il t'ait entendue, d'en bas.

— Il en a entendu suffisamment, répliqua Emma avec un hochement de tête satisfait. Il s'en va.

Elle referma la fenêtre.

— Allons faire un tour chez Elizabeth Arden.


Michael étudia l'imprimé. Il lui avait fallu des jours pour vérifier toutes les listes. Durant les dernières semaines, il s'était investi dans l'affaire du meurtre de Darren McAvoy avec la même rage et la même détermination que son père, vingt ans plus tôt. Il avait lu chaque ligne de chaque dossier, étudié chaque photographie, chaque interrogatoire, chaque entretien réalisé durant la première enquête. Il se remémora sa visite de la maison des McAvoy avec Emma, notant les descriptions qu'elle y avait faites ce jour-là.

D'après l'investigation méticuleuse de son père et les souvenirs d'Emma, il put recréer en esprit la nuit de la mort de Darren.

De la musique en fond sonore. Il imaginait les Beatles, les Stones, Joplin, les Doors.

Toutes sortes de drogues qu'on se partageait joyeusement.

Des conversations. On parlait boulot, on potinait. Il y avait des rires et des discussions politiques passionnées. Le Viêtnam, Nixon, l'émancipation de la femme.

Des gens allaient et venaient. Certains étaient invités, d'autres se pointaient simplement, sans qu'on leur pose la moindre question. « Peace and Love » et vie en communauté étaient à l'ordre du jour. Les cartons imprimés, c'était bon pour l'establishment. Soit. Mais pour un flic des années 1990, tout cela était surtout très frustrant.

Il avait la liste des personnes présentes, telle qu'elle avait été dressée par son père autrefois. Cette liste, sans doute incomplète, constituait malgré tout un point de départ. Suivant une vague intuition, Michael passa des jours à vérifier les activités de chaque personne figurant au nombre des invités, la nuit de la mort de Jane Palmer. Seize d'entre elles se trouvaient à Londres, parmi lesquelles les quatre membres du groupe Devastation, leur imprésario et Beverly McAvoy. Bien décidé à ne négliger aucune piste, même la plus improbable, Michael contrôla tous les alibis, sans aucune exception.

Il avait maintenant douze noms. S'il existait réellement un lien entre les deux meurtres, à vingt ans d'intervalle, il était là, sur cette liste.

— J'ai du pain sur la planche, dit Michael en se penchant sur l'épaule de son père, tandis que ce dernier étudiait l'imprimé. Je veux creuser plus profondément encore, trouver tout ce qui peut relier ces douze personnes à Jane Palmer.

— Je vois les noms des McAvoy. Tu ne crois pas qu'ils ont tué leur fils, tout de même ?

— Non. Mais tout converge sur eux.

Il tira un dossier et l'ouvrit. Il avait dessiné une sorte d'arbre généalogique, au sommet duquel se trouvaient les noms de Beverly, Brian et Jane.

— Je les ai tous passés en revue, dit-il. Prends Johnno, par exemple. Le plus vieil ami de Brian. Ils écrivent toutes leurs musiques ensemble Ils ont fondé ensemble le groupe Devastation, et Johnno est demeuré l'ami de Beverly, durant tout le temps où elle était séparée de Brian. C'était également le seul à connaître Jane depuis si longtemps.

— Le motif ?

— L'argent ou la vengeance. C'est l'un ou l'autre, de toute façon. Les deux s'appliquent parfaitement à Jane Palmer, mais semblent moins convaincants, en ce qui concerne tous les autres. Il y a Blackpool, aussi, poursuivit Michael en faisant glisser son doigt sur le papier. C'était plutôt un crampon à l'époque où Darren a été tué. Il n'a percé que plusieurs mois plus tard, quand il a enregistré une chanson que Brian et Johnno avaient écrite. Et Pete Page est devenu son imprésario.

De l'index, il suivit les lignes rattachant Blackpool à Brian, Johnno, Pete et Emma.

— Aucun lien avec Jane Palmer ? demanda Lou.

— Je n'ai encore rien trouvé.

Hochant la tête, Lou se renversa dans son fauteuil.

— Même moi, je reconnais certains noms sur cette liste.

— Les plus grands du rock'n roll, acquiesça Michael. Évidemment, si l'on considère que l'argent était le mobile du kidnapping, la plupart de ces gens n'ont rien à faire dans cette histoire. C'est là que Jane Palmer intervient. Si l'idée était la sienne, elle a pu utiliser le chantage, le sexe, la drogue, ou n'importe quel autre moyen de pression pour forcer quelqu'un à s'en prendre à Brian, à travers Darren. Elle avait déjà essayé une fois, avec Emma, et n'avait obtenu que de l'argent. Elle voulait davantage. Après la fille, elle s'attaquait au fils de Brian.

Il se mit à arpenter le bureau, réfléchissant à haute voix.

— Si elle avait pu s'introduire dans la maison, ce soir-là, elle l'aurait fait elle-même. Mais elle était *persona non grata* chez les McAvoy. Alors elle a trouvé quelqu'un d'autre, s'est débrouillée pour le persuader, et a obtenu ce qu'elle voulait.

— À t'entendre, on dirait que tu la comprends très bien.

Michael pensa un instant à sa courte et destructrice liaison avec Angie Parks.

— Oui, je crois comprendre comment elle fonctionnait. Si on accepte l'hypothèse selon laquelle le kidnapping était son idée, il nous reste à trouver la connexion. Elle a utilisé une des personnes qui se trouvent sur cette liste.

— Ils étaient deux dans la nursery, cette nuit-là.

— Et l'un d'eux était un familier de la maison. Il connaissait les quartiers privés des McAvoy, ainsi que les gosses et leurs habitudes. Il s'agit donc d'un proche, à la fois de Jane et de Brian.

— Tu oublies quelque chose, Michael.

Lou marqua une pause et étudia son fils.

— Si tu inscrivais ton nom sur cette page, combien de lignes convergeraient sur toi ? Rien ne pervertit plus une enquête qu'un engagement trop personnel.

— C'est aussi la meilleure des motivations, rétorqua Michael. Je n'ai jamais oublié le jour où Emma est venue te voir à la maison. Elle voulait te parler parce qu'elle avait confiance en toi. Tu n'avais jamais vu son frère, mais elle savait que tu te sentais suffisamment concerné par cette histoire pour vouloir encore trouver le coupable.

Lou baissa les yeux, considérant les papiers étalés sur son bureau.

— Cela remonte à vingt ans et je n'ai jamais pu découvrir la vérité.

— De quelle couleur étaient les yeux de Darren McAvoy ?

— Verts, répondit Lou. Comme ceux de sa mère.

Michael eut un mince sourire.

— Tu n'as jamais cessé d'essayer. Je dois aller chercher Emma à l'aéroport. Tu peux garder tout ça ? Je ne veux pas qu'elle tombe dessus.

— Bien sûr, répondit Lou, qui avait la ferme intention de relire chaque ligne du rapport de son fils.

Celui-ci se retourna sur le pas de la porte.

— Tu es devenu un superflic, dit Lou.

— Je n'ai eu qu'à suivre ton exemple.

# 42

Emma avait pris une décision, dans l'avion. Sa relation avec Michael évoluait trop vite. Elle voulait, avant tout, se consacrer à son travail. Son livre était sur le point d'être publié et elle allait enfin ouvrir son propre studio, peut-être même organiser une nouvelle exposition. Le reste devait passer au second plan. Que savait-elle véritablement de ses sentiments, de toute façon ? Il était si facile, parfois, de prendre la gratitude et l'amitié pour de l'amour. Pour elle comme pour Michael, il était préférable de faire marche arrière, en tout cas pour le moment.

Elle le vit à l'instant où elle franchit les portes vitrées du terminal. Aussitôt, toutes les résolutions qu'elle avait prises pendant le trajet s'évanouirent brusquement. À peine eut-elle le temps de dire son nom que déjà Michael la soulevait dans ses bras. Il l'embrassa longuement, en silence, oublieux des autres passagers qui, amusés ou agacés, devaient les contourner pour pouvoir passer.

— Bonjour, dit enfin Emma, quand elle put respirer de nouveau.

— Bonjour, répondit-il, avant de l'embrasser de nouveau. C'est bon de te voir.

— Tu n'attends pas depuis trop longtemps, j'espère.

— Ça fait un peu plus de onze ans, maintenant.

Il traversa le terminal.

— Tu ne vas pas me reposer à terre ? demanda Emma.

— Je ne crois pas. Comment s'est passé ton vol ?

— Bien.

Elle rit et déposa un baiser sur sa joue.

— Michael, tu ne peux pas me porter à travers tout l'aéroport.

— Aucune loi ne l'interdit. J'ai vérifié. Tu veux prendre tes bagages tout de suite ?

Emma lui rendit son sourire et s'installa confortablement dans ses bras.

— Pas particulièrement.


Deux heures plus tard, ils étaient dans le lit de la jeune femme, partageant un bol de crème glacée. À l'extérieur, une pluie fine et serrée commençait à battre les carreaux des fenêtres.

— C'est avec toi que j'ai pris l'habitude des repas au lit, dit Emma en lui offrant une cuillerée de glace. Marianne et moi introduisions bien des barres chocolatées dans notre chambre, à Sainte-Catherine, pour les grignoter après l'extinction des lumières, mais la décadence s'arrêtait là.

— Je croyais que les filles faisaient plutôt entrer des garçons dans leurs chambres, quand tout était éteint.

— Non. Juste du chocolat. Les garçons, nous ne pouvions qu'en rêver. C'était notre principal sujet de conversation, avec le sexe, et nous enviions férocement toutes celles qui prétendaient « l'avoir fait ».

Elle sourit.

— C'est encore mieux que ce que j'imaginais.

Michael tendit les doigts vers les cheveux de la jeune femme et joua avec une mèche blonde.

— Si tu me laissais m'installer avec toi, on pourrait s'entraîner beaucoup plus souvent.

Il la regardait. Il attendait une réponse. Et elle ne savait quoi dire.

— Je n'ai pas encore décidé si j'allais garder cette maison ou en chercher une autre, dit-elle, esquivant la question. J'ai besoin d'espace pour installer un studio et une chambre noire.

— Ici, à Los Angeles ?

— Oui. Je voudrais essayer de commencer ici.

— Bien.

Elle posa le bol de crème glacée sur la table de chevet ; le moment était venu de mettre les points sur les *i*.

— Je vais devoir me consacrer à la préparation d'une nouvelle exposition. J'ai quelques contacts, et si je pouvais faire coïncider cela avec la sortie du livre...

— Quel livre ?

Elle lissa le drap du plat de la main et prit une profonde inspiration.

— Mon livre. Je l'ai vendu il y a dix-huit mois. Des photos de Devastation que j'ai prises au fil des années, depuis mon enfance jusqu'à la dernière tournée. Sa publication a été retardée deux fois à cause de... à cause de ce qui s'est passé. Mais il doit paraître dans six mois environ.

— Pourquoi ne m'en as-tu pas parlé ? s'exclama Michael.

Sans lui laisser le temps de répondre, il prit le visage de la jeune femme entre ses mains et l'embrassa.

— Et nous n'avons même pas de champagne pour célébrer l'événement. Oh ! D'abord, tu dois me promettre quelque chose.

Emma, qui avait commencé à se détendre, se raidit aussitôt.

— Quoi ?

— D'organiser une de tes premières séances de signature dans une librairie de ma mère. Elle me tuera, sinon.

C'était tout ? songea Emma en le regardant fixement. Pas d'exigences, pas de questions, pas de critiques.

— Je... L'éditeur veut que je fasse une tournée de promotion. Je devrais me déplacer beaucoup pendant plusieurs semaines.

— Est-ce que je te verrai à la télévision ?

— Je... je ne sais pas. Ils sont en train de tout planifier. J'ai promis de me mettre à leur entière disposition.

Ce fut le ton de sa voix qui alerta Michael.

— À quoi joues-tu, Emma ? À me faire passer un test ? Tu t'attends à me voir piquer une crise parce que tu m'annonces que tu as une vie ?

— Peut-être.

— Navré de te décevoir.

Il fit mine de se lever, mais elle posa une main sur son bras.

— Je suis désolée, Michael. Je sais que je ne devrais pas comparer, mais je ne peux pas m'en empêcher.

— Fais un effort, rétorqua-t-il froidement.

— Bon sang, Michael, il est le seul point de comparaison que j'aie. Je n'ai jamais vécu ou couché avec un autre homme. Tu voudrais me voir prétendre que cette partie de ma vie n'a jamais existé, que je ne me suis pas laissé abuser, maltraiter ? Il faudrait que j'oublie, que je continue comme si de rien n'était, afin de te permettre de prendre soin de moi. Chaque homme qui a compté dans ma vie a voulu me protéger, parce que je suis trop faible ou trop stupide pour faire les bons choix.

— Attends...

— Toute ma vie, j'ai été poussée dans l'ombre sous prétexte que c'était pour mon bien, poursuivit Emma, qui se mit à arpenter la pièce. Mon père voulait que j'oublie tout, au sujet de Darren. Lui, qui me donnait ce conseil, se détruisait peu à peu, et je ne devais pas non plus m'inquiéter pour lui. Et puis, Drew est arrivé, décrétant qu'il allait s'occuper de tout. J'étais trop naïve pour contrôler mes finances, choisir mes amis ou exercer un métier. Et j'avais tellement l'habitude d'être dirigée, que j'ai suivi. Et maintenant, il faudrait que j'efface tout et que je me fasse toute petite pour te permettre de me prendre en charge à ton tour.

— Crois-tu que je suis avec toi pour ça ?

Elle se tourna vers lui.

— Ce n'est pas le cas ?

Il souffla la fumée de la cigarette qu'il venait d'allumer avant de l'écraser aussitôt dans un cendrier.

— Peut-être, en partie. Il est difficile d'aimer quelqu'un et de ne pas ressentir le besoin de le protéger. Mais revenons un peu en arrière. Je ne veux pas que tu oublies ce qui s'est passé entre toi et Latimer. Je souhaite que tu l'assimiles assez pour recommencer à vivre, mais certainement pas que tu oublies.

— Je ne pourrais pas. Et je ne le veux pas.

— Moi non plus.

Il se leva et marcha vers elle.

— Je me rappellerai toujours ce qu'il t'a fait. Et parfois, je regretterai même qu'il ne soit pas vivant, pour pouvoir l'abattre moi-même. Mais je me souviendrai aussi que tu t'en es sortie. Tu as survécu. Faible ? ajouta-t-il en faisant glisser son index le long de la petite cicatrice, sous la mâchoire de la jeune femme. Tu crois vraiment que je te trouve faible ? J'étais là, ce jour-là, Emma. J'ai tout vu. Tu ne t'es pas laissé faire, Emma.

— Non. Et plus jamais je ne permettrai qu'on contrôle ma vie.

— Je ne suis pas ton père, rétorqua-t-il avec fureur en l'attrapant par les épaules. Et je ne suis pas Latimer. Je ne veux pas contrôler ta vie. Je veux juste en faire partie.

— Et moi, je ne sais pas ce que je veux, Michael. Je ne cesse de revenir vers toi, et cela m'effraie. Je ne veux pas avoir besoin de toi à ce point.

— Nom d'un chien, Emma…

La sonnerie du téléphone l'interrompit et il poussa un juron.

— C'est pour toi, dit-elle en lui tendant le combiné.

— Ouais !

Il écouta un instant.

— Où ça… ? J'y serai dans vingt minutes, conclut-il, avant de raccrocher.

Aussitôt, il prit son jean et l'enfila.

— Je dois y aller.

Emma hocha simplement la tête. Il y avait eu mort d'homme. Elle le devinait à l'expression du visage de Michael.

— Nous n'avons pas terminé, Emma.

— Non.

— Je serai de retour dès que possible.

Suivant son instinct, elle alla vers lui et jeta les bras autour de son cou.

— À plus tard, murmura-t-elle.

Quand il fut parti, Emma regarda un instant le vent et la pluie balayer l'atmosphère, au-dehors. Elle distinguait à peine l'océan, à travers la brume, mais elle entendait le grondement des vagues. Elle alluma un feu dans la cheminée et, tout en regardant crépiter les flammes, téléphona à l'aéroport pour demander la livraison de ses bagages.

Elle s'avisa soudain que, pour la première fois, elle était seule dans la maison. Cette maison où elle envisageait de s'installer pour de bon. Elle se fit du thé et, la tasse à la main, marcha d'une pièce à l'autre. Si elle l'achetait, il lui faudrait effectuer quelques transformations. Il y avait assez de place pour installer un studio et une chambre noire. L'étage était composé de trois grandes chambres au plafond très haut, et d'autant de salles de bains. C'était beaucoup, mais il lui plaisait d'avoir tout cet espace. Oui, elle se sentait bien, ici.

Elle allait appeler l'agent immobilier, quand le téléphone sonna. C'était son père.

— Je voulais juste m'assurer que tu étais bien arrivée, dit Brian.

— Sans problème. Et toi, ça va ?

— C'est un peu la folie, en ce moment. On enregistre. Mais on va s'arrêter un peu, le temps d'une escale à Los Angeles.

— Papa, je t'ai dit que j'allais bien. Il n'est vraiment pas nécessaire que tu fasses tout ce chemin.

— J'ai envie de te voir. Et puis, on a été nominés pour trois Grammy.

— Oh, toutes mes félicitations.

— Nous avons décidé de nous rendre tous ensemble à la cérémonie : la bande au grand complet. Tu viendras avec nous, n'est-ce pas ?

— Bien sûr.

— J'ai pensé que tu aurais peut-être envie d'inviter Michael. Pete s'occupe d'obtenir les places.

— Je lui demanderai de m'en envoyer.

— Bon. On arrive à la fin de la semaine, pour les répétitions. Au fait, les organisateurs de la cérémonie ont demandé à Pete si tu accepterais de faire partie des présentateurs. Qu'en dis-tu ?

— Je ne sais pas.

— J'en serais si heureux, Emma. Imagine-toi en train d'annoncer que Johnno et moi avons gagné le Grammy de la meilleure chanson de l'année !

La jeune femme sourit.

— Et si ce n'est pas le cas, je pourrai toujours dire vos noms, de toute façon.

— À la bonne heure. Je savais que je pouvais compter sur ma fille. Prends bien soin de toi, d'accord ?

— Justement, je voulais te parler de ça. Je ne veux pas du garde du corps, papa.

— Quel garde du corps ?

— Celui que tu as embauché, avant que je quitte Londres.

— Je n'ai embauché personne, Emma.

— Écoute...

Elle s'interrompit. Brian lui avait bien souvent caché des choses, mais jamais il ne lui avait menti.

— Tu n'as pas engagé un type pour me suivre et me protéger ?

— Non. Il ne m'est pas venu à l'idée que tu pourrais en avoir besoin. Quelqu'un t'ennuie ? Je peux interrompre les séances d'enregistrement et venir plus tôt si…

— Non, l'interrompit-elle en soupirant. Personne ne m'ennuie. Marianne avait raison, je me fais des idées. Je n'ai pas encore l'habitude de me déplacer comme bon me semble.

Et pour prouver qu'elle contrôlait ses décisions, elle enchaîna :

— Dis à Pete que je serai ravie d'être présentatrice aux Grammy.

— Super. Quelqu'un te contactera pour la répétition. Et réserve-nous une soirée. Beverly et moi voulons vous emmener dîner au restaurant, Michael et toi.

— Je lui en parlerai. Il… Papa, demanda-t-elle subitement, pourquoi es-tu aussi à l'aise, avec Michael ?

— Il est solide comme un roc. Et il t'aime autant que moi. Il te rendra heureuse. C'est ce que j'ai toujours souhaité.

— Je sais. Je t'aime, papa. À bientôt.

Peut-être n'était-ce pas plus compliqué que cela, se dit-elle en raccrochant. Elle aimait un homme, qui l'aimait en retour. Jamais elle n'avait mis en cause ses sentiments ou ceux de Michael. C'était d'elle-même qu'elle doutait, et de sa capacité à rendre ce qu'on lui donnait.

Enfilant un imperméable, elle sortit dans la pluie. Elle pouvait au moins préparer un dîner chaud pour le retour de Michael.

Elle prit plaisir à pousser le chariot dans les allées du supermarché et à choisir ceci ou cela. Quand elle ressortit, elle avait trois sacs pleins de provisions. Trempée, elle se glissa derrière le volant. Il n'était que 15 heures, mais elle dut allumer ses phares pour percer la grisaille qui, telle une chape de plomb, pesait sur la ville.

La route était quasiment déserte. Les gens se terraient chez eux ou au bureau, attendant sagement la fin de la tempête. Ce fut sans doute à cause de cela qu'elle remarqua la voiture derrière elle. Celle-ci la suivait à chaque virage qu'elle prenait, tout en gardant une distance prudente. Emma alluma la radio et décida de ne pas y penser. Encore une crise de paranoïa, se dit-elle.

Mais son regard ne cessait de revenir vers le rétroviseur où les deux phares se réfléchissaient, toujours à quelques mètres derrière. Elle accéléra, un peu plus que la prudence ne l'autorisait, sur la chaussée mouillée. L'automobile accéléra à son tour. Elle ralentit et le suiveur fit de même. Les mâchoires crispées, elle bifurqua brusquement sur la gauche. L'arrière de sa voiture chassa, et elle lutta pour reprendre le contrôle du véhicule, cependant que dans son dos, la mystérieuse automobile empruntait le virage à son tour, avant de déraper et de glisser en travers de la route.

Emma écrasa le champignon en direction de sa maison, priant pour que ces quelques minutes de répit lui suffisent à semer son poursuivant.

Elle bondit hors de la voiture, dès qu'elle fut devant chez elle, laissant les provisions dans le coffre. Elle voulait courir se réfugier au plus vite. C'est alors qu'une main se posa sur son bras, lui arrachant un cri de terreur.

— Hé, mademoiselle ! s'écria un jeune homme, qui sursauta et bondit en arrière.

— Que voulez-vous ?

— C'est chez vous ? demanda l'inconnu, le visage à demi dissimulé par une casquette de base-ball.

— Pourquoi ? rétorqua la jeune femme en refermant le poing sur ses clés, prête à se battre.

— J'ai trois valises, vol American Airlines numéro 457 en provenance de New York, à livrer chez Emma McAvoy.

Ses bagages ! Emma manqua éclater de rire.

— Je suis désolée. Vous m'avez fait peur, expliqua-t-elle. Vous étiez derrière moi, quand j'ai quitté le parking du supermarché, et je me suis fait mon cinéma.

— J'attends ici depuis dix minutes, corrigea l'homme en lui présentant une écritoire à pince. Vous voulez signer en bas ?

— Mais...

Elle regarda par-dessus son épaule et vit une voiture rouler lentement vers la maison. Tandis que le conducteur les dépassait, elle ne distingua pas le visage noyé de pluie, derrière le volant.

— Je suis désolée, reprit-elle. Vous voulez bien attendre une seconde, le temps que je porte mes provisions chez moi ?

— Écoutez, j'ai d'autres clients à livrer...

Elle tira un billet de vingt dollars de son porte-monnaie et le lui fourra dans la main.

— S'il vous plaît.

Sans plus tarder, elle retourna vers sa voiture pour y prendre les sacs. Une fois à l'abri dans la maison, elle vérifia toutes les serrures. Avec le feu, les lumières et la chaleur, elle finit par se dire qu'elle avait tout imaginé ; et une vingtaine de minutes plus tard, la voiture n'ayant toujours pas réapparu, elle en fut presque convaincue.

La cuisine la détendit. Elle aimait les odeurs qu'elle créait, avec la musique de fond qui emplissait doucement l'atmosphère. Les heures passant, la grisaille s'obscurcit encore. Il n'y eut pas de crépuscule. Juste la pluie qui continuait de tomber. Emma s'apprêtait à monter à l'étage pour défaire ses bagages, lorsqu'un bruit de voiture freinant devant sa porte réveilla sa panique. Elle se figea au pied de l'escalier, le regard fixé sur la nuit, à travers la baie vitrée. Elle n'avait pas pris conscience, jusqu'alors, à quel point elle était exposée, avec toutes les lumières allumées. Elle entendit une portière claquer, des pas se rapprocher du portail d'entrée, et courut vers le téléphone, saisissant au passage le tisonnier, devant la cheminée. Le coup frappé à la porte la fit sursauter.

Elle était seule et il le savait, se dit-elle, au comble de l'affolement. Elle décrocha le téléphone. Il fallait appeler police secours. Et en attendant, elle se défendrait.

— Emma ! Je suis en train de me noyer.

— Michael ?

Le combiné du téléphone lui glissa des mains, tomba sur le sol. Elle lâcha également le tisonnier, et se précipita vers la porte. Les doigts tremblants, elle se battit avec les verrous et l'entendit jurer, de l'autre côté de la cloison. Lorsque enfin elle réussit à lui ouvrir, elle se jeta dans ses bras en riant.

— Désolé, je ne saisis pas la plaisanterie.

— Non, excuse-moi. C'est juste que...

Elle se dégagea et surprit alors, dans son regard, une lueur qu'elle n'y avait jamais vue auparavant : du désespoir à l'état pur.

— Laisse-moi t'aider, dit-elle aussitôt. Tu es trempé.

Elle l'aida à se débarrasser de son blouson.

— J'ai fait du thé et il doit y avoir du whisky quelque part, reprit-elle en l'entraînant vers la cheminée.

Elle s'éloigna vers la cuisine. Quand elle revint, quelques instants plus tard, il n'avait pas bougé. Il se tenait simplement là, les yeux fixés sur les flammes.

— C'est un thé irlandais, déclara-t-elle en lui tendant une chope.

— Merci.

Il but une gorgée, fit la grimace, et avala tout.

— Tu devrais ôter ces vêtements mouillés, ajouta-t-elle.

— Dans un instant.

Elle allait insister, mais se ravisa et monta à l'étage. À son retour, elle lui prit simplement la main.

— Viens, je te fais couler un bain.

Il n'eut même pas la force de résister.

— Avec de la mousse ?

— Tout ce que tu voudras, répondit-elle en l'entraînant vers l'escalier. Détends-toi. Je vais te chercher encore du thé.

Michael ôta sa chemise et la laissa tomber sur le carrelage.

— J'aimerais mieux juste du whisky. Deux doigts. Sans glace.

Emma hésita, un instant à peine. Elle devait cesser de chercher des fantômes dans les bouteilles, aussi. Toute personne qui désirait boire de l'alcool ne cherchait pas forcément à se soûler.

Elle redescendit au rez-de-chaussée. Quand elle revint dans la chambre, l'eau avait cessé de couler. Emma s'arrêta sur le seuil, gênée, et finit par poser le verre sur la table de chevet. Puis elle s'assit au bord du lit, les mains sagement croisées sur ses genoux. Michael était son amant et pourtant, elle ne concevait pas d'entrer dans la salle de bains alors qu'il s'y trouvait. Il lui restait encore tant d'étapes à franchir.

Il sortit bientôt, une serviette attachée sur les reins, le visage tendu.

— J'ai préparé le dîner, dit-elle.

Il hocha la tête et prit le verre de whisky. Il se sentait incapable d'avaler la moindre bouchée.

— Vas-y. Je te rejoindrai.

— Je peux attendre, répondit-elle.

Elle aurait voulu marcher vers lui, prendre sa main, détendre son front plissé. Mais il était si lointain. Alors, se levant doucement, elle se rendit dans la salle de bains, où elle entreprit de ramasser les vêtements qu'il avait abandonnés sur le sol. Soudain, la voix de Michael résonna derrière elle, tremblante de colère.

— Tu n'as pas à faire ça. Je n'ai pas besoin d'une mère.

— Je voulais juste...

— Latimer voulait être servi. Ce n'est pas mon style, Emma.

— Très bien, répliqua-t-elle, sentant la moutarde lui monter au nez. Ramasse tes affaires toi-même, dans ce cas. Tout le monde n'apprécie pas de vivre dans une porcherie.

Il lui arracha sa chemise des mains et la jeta dans la baignoire. Avant même de comprendre ce qu'elle faisait, Emma recula d'un pas, ce qui acheva de le mettre hors de lui.

— Ne me regarde pas comme ça, hurla-t-il, furieux contre elle, contre lui-même et contre le monde entier. Ne me regarde jamais de cette façon. Je peux avoir envie de m'engueuler avec toi sans te coller mon poing sur la figure.

— Je n'ai pas peur que tu me frappes ! cria-t-elle à son tour. Je ne serai plus jamais la victime de qui que ce soit. Si tu veux faire la tête, vas-y, ne te gêne pas. Si tu veux te disputer, très bien. Mais je veux savoir à quel sujet. Si tu te comportes ainsi parce que je refuse de faire ce que tu veux, ou de dire ce que tu as envie d'entendre, tant pis. Ce n'est pas en criant que tu me feras changer d'avis.

Il leva la main, alors qu'elle s'apprêtait à quitter la pièce. Il ne voulait pas lui bloquer le chemin ; juste lui demander d'attendre. La différence était assez subtile pour que la jeune femme crût à un nouveau sursaut de colère. Elle s'arrêta pourtant.

— Ça n'a rien à voir avec toi, dit-il calmement. Rien du tout. Je te demande pardon. Je n'aurais pas dû revenir, ce soir.

Il baissa les yeux sur ses vêtements mouillés.

— Écoute, peut-on les mettre dans le séchoir, histoire que je puisse me rhabiller et partir d'ici ?

C'était là du nouveau, dans sa voix, dans ses yeux. Pas seulement la colère, mais un désespoir, noir et profond.

— Qu'y a-t-il, Michael ?

— Je t'ai dit que cela n'avait rien à voir avec toi.

— Asseyons-nous.

— Fiche-moi la paix, Emma, cria-t-il en retournant vers la chambre.

— Oh, je vois. Tu veux faire partie de ma vie, mais moi, je n'ai pas le droit de faire partie de la tienne.

— Pas cette partie-là.

— Tu ne peux pas te découper en morceaux et les séparer les uns des autres, Michael.

Elle s'approcha de lui et toucha doucement son bras. Jusqu'à cet instant, elle n'avait pas compris à quel point elle l'aimait. Elle découvrait tout à coup que le besoin de l'autre est réciproque, comme l'amour. Et elle n'était pas seule à le ressentir.

— Parle-moi, reprit-elle avec douceur. Je t'en prie.

— C'étaient des gosses, murmura-t-il. Il est entré dans la cour de l'école pendant la récréation et il a disjoncté.

Michael dut s'asseoir. Il voyait encore le massacre. Il savait que cette vision le hanterait toute sa vie.

Emma s'installa près de lui, sur le lit, massant doucement ses épaules pour essayer de libérer la tension qui nouait chacun de ses muscles.

— Je ne comprends pas, dit-elle.

— Moi non plus. On a découvert qui il était : un malade mental qui a passé la majeure partie de sa vie dans divers hôpitaux psychiatriques. Gamin, il fréquentait cette école, avant qu'on l'enferme pour la première fois.

— De qui parles-tu ?

— Un cinglé. Un pauvre type malade avec un automatique entre les mains.

— Mon Dieu, murmura la jeune femme, le cœur dans la gorge.

— Il a roulé jusqu'à l'école. Il a marché jusqu'à la cour de récréation. Les gosses jouaient au ballon. Il ne pleuvait pas encore. Il a ouvert le feu. Six enfants sont morts. Vingt sont hospitalisés. Ils ne s'en sortiront pas tous.

— Oh, Michael.

— Et puis il est sorti. On l'a retrouvé deux rues plus loin, assis sur un banc, dans le parc. Il était là, assis tranquillement sous la pluie, en train de bouffer un sandwich. Il n'a même pas essayé de s'enfuir en nous voyant arriver. Il a pris son revolver, l'a fourré dans sa bouche et s'est fait sauter la cervelle. On ne saura jamais pourquoi.

Emma le serra plus fort contre lui. Il n'existait pas de mots pour apaiser une telle souffrance.

— Nous sommes censés jouer un rôle et faire la différence, merde ! poursuivit-il. C'est à cela qu'on sert. Six gamins sont morts et que fait-on ? On n'a rien pu empêcher et on ne peut rien réparer. Et il faudrait s'éloigner en maudissant la fatalité.

— Mais tu ne t'éloignes pas, Michael. C'est là que tu joues un rôle et que tu fais la différence. Aujourd'hui, tu n'aurais rien pu empêcher, mais demain, tu préviendras le pire. Parce que c'est ton métier et la voie que tu as choisie.

— Je comprends maintenant pourquoi mon père s'enfermait parfois, en rentrant à la maison. Je l'entendais parler avec ma mère pendant des heures, après que je m'étais couché. On ne s'habitue jamais.

— Tu peux me parler à moi.

Il la serra contre lui. Elle était si chaleureuse, si douce.

— J'ai besoin de toi, Emma. Je ne voulais pas revenir ici, après ça, mais j'avais besoin de m'accrocher à quelque chose.

— Cette fois, accroche-toi à moi.

Elle leva les lèvres vers les siennes, et la réponse de Michael fut si violente, qu'elle n'essaya plus de le réconforter. S'il avait besoin de brûler son désespoir au feu de la passion, elle était là pour lui.

Elle prit l'initiative comme jamais elle ne s'en serait crue capable, l'attirant avec elle sur le lit, laissant ses mains et sa bouche l'exciter. C'était toujours lui qui l'aimait, jusqu'alors, tendrement, patiemment. Il n'y avait pas de place pour cela, maintenant. Si la passion de Michael était sombre et tourmentée, elle saurait l'égaler. Si son désir était urgent, elle y répondrait de la même manière.

Cette fois, c'était son tour de chasser les démons de son amant.

Elle roula avec lui, sur lui, écarta la serviette pour prendre contrôle de son corps, sentant, avec une joie ineffable, la chaleur et la tension grandir en lui. Elle ne ressentait plus ni hésitation, ni crainte, ni même le moindre doute. Elle découvrait l'étendue extraordinaire de son pouvoir. « Laisse-moi t'aimer, disait-elle avec ses yeux, esquivant les caresses de Michael pour mieux prodiguer les siennes. Laisse-moi te montrer. »

D'un coup de reins, il se souleva vers elle. Éperdu de désir, il se mit à lutter avec les boutons de son chemisier, comme s'il brûlait de la voir, de la toucher.

Emma lui mordit l'épaule, tandis qu'il lui arrachait ses vêtements. Cette violence-là, elle pouvait la comprendre. C'était sauvage, farouche, sans être brutal. Et la tempête qui l'agitait, lui, la secouait avec la même force. Égale. Interchangeable. Elle découvrait soudain que l'amour et le sexe pouvaient se mêler divinement. Comment aurait-elle pu deviner que toute sa vie, elle avait attendu d'être désirée ainsi ? Désespérément, exclusivement. Toute sa vie, elle avait rêvé de ressentir ce même abandon fébrile.

Il n'était plus tendre du tout et cette fureur la comblait. Il ne se contrôlait plus. Les doigts enfoncés dans ses hanches, il ne la traitait pas comme une poupée de porcelaine qu'il fallait protéger et défendre, mais comme la femme à laquelle il voulait tout prendre et tout donner.

Elle roula sur lui, cambrée, triomphante, avant de le prendre en elle. La première vague de jouissance la secoua tout entière, mais sans émousser son désir. Mêlant ses doigts à ceux de Michael, elle imposa un rythme effréné à leurs ébats, et même lorsqu'elle le sentit exploser en elle, elle continua à le pousser toujours plus loin, à exiger davantage. Elle écrasa les lèvres sur les siennes, insatiable, avant de les faire glisser le long de sa gorge, où battait son pouls. Il murmura des paroles incohérentes auxquelles elle ne sut répondre que par un gémissement, tandis qu'elle le sentait durcir de nouveau, en elle.

Au bord de la folie, il la dévora de baisers brûlants et profonds. Puis, elle se trouva écrasée sous son corps qui plongeait au plus profond d'elle, comme une fournaise.

Longue comme une liane, elle s'enroula autour de lui. Michael ouvrit les yeux pour la contempler. Soudain, il vit son regard se voiler, ses lèvres frémir. Un courant de plaisir le traversa tout entier, tandis qu'elle tremblait entre ses bras. Puis il aperçut sur les lèvres d'Emma le plus lent, le plus beau des sourires ; avant d'être emporté, à son tour, par la passion.

# 43

Une semaine avait passé, depuis qu'Emma était revenue dans la maison qui donnait sur la plage – depuis que Michael et Conroy s'étaient officieusement installés avec elle. Pour la jeune femme, c'était une sorte d'essai, la répétition générale d'un avenir qu'elle commençait à envisager avec sérénité. Vivre avec Michael, partager son lit et son temps avec lui ne lui donnait pas l'impression d'être prise au piège. Au contraire, elle se sentait, enfin, normale et heureuse.

Si seulement elle pouvait se débarrasser de l'impression tenace d'être suivie. La plupart du temps, elle l'ignorait, se disant qu'il s'agissait juste d'un photographe armé d'un zoom puissant, à la recherche du cliché exclusif sur lequel il bâtirait sa réputation. Que lui importait ? Ils ne pouvaient pas la toucher, ni elle, ni ce qu'elle était en train de construire avec Michael.

Mais elle fermait soigneusement les portes et gardait Conroy près d'elle, chaque fois qu'elle était seule. Et elle avait beau se dire qu'il n'y avait personne, excepté ses fantômes personnels, elle continuait à surveiller, à attendre.

C'était ridicule, se dit-elle, comme elle rejoignait sa voiture, un après-midi, les bras chargés de paquets.

Elle venait d'écumer les boutiques luxueuses de Rodeo Drive, à la recherche d'une robe pour la soirée des Grammy, et, loin d'y prendre plaisir, elle n'avait cessé de jeter des coups d'œil par-dessus son épaule.

À croire qu'elle souffrait subitement du complexe de persécution ! Si Katherine savait, elle hausserait ses sourcils de psychiatre et ne manquerait pas de claquer la langue d'un air intéressé. Pauvre Emma, elle avait encore perdu la boule ; elle croyait être suivie et se demandait si on avait visité sa maison, durant son absence. Et ce bruit bizarre, dans le téléphone ; aucun doute, sa ligne était sur écoute. Bientôt, elle regarderait sous le lit, avant de se coucher, et se retrouverait en psychothérapie jusqu'à la fin de ses jours.

Normal : elle était à Los Angeles, là où tout un chacun se doit d'avoir son entraîneur personnel et son psychanalyste. Elle n'allait pas tarder à s'inquiéter au sujet de sa polarité ou à se prendre pour la réincarnation d'un moine bouddhiste du XVIIe siècle.

Au moins, elle se faisait rire, songea-t-elle en garant sa voiture dans le parking de l'auditorium où allait avoir lieu la répétition pour la cérémonie des Grammy.

Elle prit sa mallette de photographe dans le coffre et, se tournant, se heurta à Blackpool.

— Oh, mais c'est cette chère petite Emma ! Bonjour, ma jolie.

La jeune femme essaya simplement de le contourner, furieuse qu'il eût encore le pouvoir de la faire grincer des dents. Mais il lui bloqua le passage et la coinça contre la voiture, avec la même aisance qu'autrefois, quand il l'avait poussée dans un coin de sa chambre noire, à New York.

Il lui toucha la joue, un sourire aux lèvres.

— C'est comme ça qu'on traite les vieux amis ?

— Laisse-moi passer.

— Il va falloir revoir tes manières, dit-il en tirant brusquement sur la natte d'Emma. Les petites filles qui grandissent avec du fric finissent toujours par devenir des garces trop gâtées. Ton mari n'a donc pas eu le temps de te faire la leçon, avant que tu le descendes ?

Emma se mit à trembler, mais ce n'était pas de peur. Elle frémissait de rage. Une rage sourde et violente.

— Espèce de salopard. Lâche-moi immédiatement.

— Il faut qu'on bavarde, tous les deux, dit-il, la tenant toujours par les cheveux. On va faire un petit tour en voiture.

Comme il essayait de l'entraîner derrière lui, Emma prit son élan et, visant le milieu du corps, le frappa de toutes ses forces avec sa mallette. Aussitôt, il se plia en deux et elle recula, se heurtant aussitôt à quelqu'un. Sans réfléchir, Emma fit volte-face et son poing frôla le visage de Stevie.

— Hé, ne me frappe pas ! s'exclama ce dernier. Je suis juste un pauvre junkie en convalescence, venu jouer de la guitare.

Il lui serra doucement le bras, en un geste rassurant.

— Y a-t-il un problème, ici ?

Haussant les épaules, elle jeta un coup d'œil en direction de Blackpool. Il avait repris son souffle et s'était redressé, les poings serrés. Une vague de triomphe envahit Emma. Elle s'était débrouillée toute seule ; et fort bien, en vérité.

— Non, répondit-elle d'un air satisfait. Aucun problème.

— Que s'est-il passé ? demanda Stevie, comme ils s'éloignaient en direction du théâtre.

— Laisse tomber, ce type est juste un voyou.

— Et toi, une véritable amazone. J'ai traversé le parking au pas de course, prêt à jouer les chevaliers en armure. Mais tu m'as volé ma minute de gloire.

Emma rit et l'embrassa affectueusement.

— Tu l'aurais aplati comme une crêpe, dit-elle.

— Pas sûr. Il est costaud. J'aime autant que tu lui aies réglé son compte toi-même. Je n'aurais pas voulu passer à la télé avec un œil au beurre noir.

— Tu aurais été irrésistible, répondit-elle en glissant un bras sous celui de Stevie. Inutile d'en parler à papa, d'accord ?

— Mmm, Brian est très fort, quand il s'agit de faire jouer ses poings. J'adorerais le voir à l'œuvre avec Blackpool.

— Moi aussi, murmura Emma. Mais attends tout de même la fin de la cérémonie.

— Je n'ai jamais rien pu refuser à un joli minois.

— Je sais. À ce propos, as-tu convaincu Katherine de t'épouser ?

— Elle commence à faiblir.

Ils entendaient maintenant résonner les accents d'un rock endiablé, à l'intérieur du théâtre.

— Elle est à Londres. Il paraît qu'elle ne peut pas abandonner ses patients. Je crois surtout qu'elle est restée à l'écart pour voir si j'étais capable de me tirer tout seul de cette épreuve.

— Et tu peux ? demanda Emma en s'arrêtant.

— C'est drôle, toutes ces années, je me suis drogué parce que je voulais me sentir bien. Je voulais oublier certaines choses, aussi, ajouta-t-il, pensant à Sylvie. Mais plus que tout, je voulais me sentir bien. Ça ne marchait pas et pourtant je continuais à me droguer. Ces deux dernières années, j'ai commencé à comprendre à quoi peut ressembler la vie, quand on la regarde en face.

Il eut un haussement d'épaules gêné et rit.

— On dirait un message pour une campagne de salubrité publique.

— Pas du tout. Tu parles comme un homme qui a trouvé le bonheur.

Stevie sourit. Oui, il était heureux. Mieux encore : il avait enfin commencé à croire qu'il méritait de l'être.

— Je suis toujours le meilleur, déclara-t-il, comme ils se dirigeaient vers la scène. La différence c'est que je peux en profiter, aujourd'hui.

Emma aperçut son père, donnant une interview dans les coulisses. Lui aussi, était heureux. Tout près de là, Johnno se moquait de P. M., qui montrait des photos de son bébé à tous les techniciens qu'il pouvait coincer.

À quelques mètres, un groupe finissait de répéter. Ils étaient jeunes, remarqua Emma. Six visages lisses auréolés de masses de cheveux, et qui espéraient être consacrés « meilleur nouveau groupe » de l'année. Leur nervosité était palpable, et Emma remarqua, non sans fierté, les regards déférents qu'ils jetaient en direction de son père.

Elle imaginait leurs interrogations : dureraient-ils aussi longtemps que les Devastation ? Marqueraient-ils leur époque d'une empreinte aussi profonde ?

— Tu as raison, dit-elle à Stevie. Tu es le meilleur. Vous l'êtes tous les quatre.

Elle ne pensa plus à Blackpool. Elle oublia de regarder par-dessus son épaule. Durant des heures, elle prit des photos, parla musique et rit d'anciennes plaisanteries mille fois répétées et entendues. Elle n'éprouva aucune difficulté à faire son entrée sur scène, à marcher jusqu'au podium et à réciter son petit texte, face à la salle presque vide. Puis, elle s'installa sur un siège, sirotant un Coca-Cola tiède, tandis que des musiciens répétaient de vieux airs de Chuck Berry.

Seul P. M. s'éclipsa rapidement, anxieux de retrouver sa femme et son bébé.

— Il vieillit, décréta Johnno en se laissant tomber dans un fauteuil à côté d'Emma. Sacré nom de nom, on vieillit tous, ajouta-t-il en regardant un chanteur de dix-sept ans qui était déjà une star reconnue. Et bientôt, tu nous assèneras le coup fatal en faisant de nous des grands-pères.

— Ne t'inquiète pas, rétorqua Emma, on poussera ton fauteuil roulant jusqu'au micro.

— Tu es une affreuse mégère, Emma.

— J'ai été à bonne école, répondit-elle dans un éclat de rire, en glissant son bras autour des épaules de Johnno. Allons, réfléchis : qui, sur cette scène, aujourd'hui, peut se vanter d'avoir traversé deux décennies d'enfer et de rock'n roll ? Tu es pratiquement un monument.

— Une horrible mégère, confirma-t-il d'un air faussement vexé.

— Allons, Johnno, s'exclama la jeune femme. Tu n'es pas vraiment inquiet au sujet de ton âge.

— Tiens ! On verra comment tu te sens, le jour où tu approcheras de la cinquantaine.

— Jagger est plus vieux.

— Maigre consolation, marmonna Johnno avec un haussement d'épaules.

— Tu es plus beau que lui.

Il réfléchit un instant.

— Ça, c'est vrai.

— Et je n'ai jamais eu le béguin pour lui.

Le visage de Johnno se fendit d'un large sourire.

— Tu n'as jamais pu m'oublier, hein ?

— Jamais, répondit Emma le plus sérieusement du monde, avant de pouffer de rire.

Soudain, elle bondit sur ses pieds et fit une photo.

— Un dernier cliché avant de partir, dit-elle en changeant d'angle pour en prendre une autre. Je l'appellerai « Symbole du rock ».

Elle rit de l'entendre proférer un chapelet d'insultes colorées et rangea son appareil dans sa mallette.

— Veux-tu que je te dise ce que représente le rock'n roll pour quelqu'un qui ne se produit pas sur scène, mais l'observe de près ? C'est un défi, un poing levé à la face du temps qui passe. C'est une voix qui crie souvent des questions parce que les réponses ne cessent de changer.

Elle leva les yeux vers son père, qui venait de les rejoindre et suivait le discours d'Emma, debout derrière Johnno. Elle lui sourit.

— Les jeunes écoutent le rock parce qu'ils cherchent un moyen d'exprimer leur colère ou leur joie, leur confusion et leurs rêves. Et une fois de temps en temps, quelqu'un s'élève au-dessus de la foule, qui les comprend vraiment et possède le don de transférer ces émotions dans sa musique.

Son regard se posa sur Brian, avant de revenir vers Johnno.

— Je me rappelle vous avoir vus sur scène, tous les quatre, quand j'avais trois ans. Je ne connaissais rien à l'harmonie ou au rythme. Tout ce que j'ai vu, c'était de la magie. Je la ressens encore, cette magie, Johnno, chaque fois que vous vous produisez ensemble.

Ce dernier lui prit la main.

— Je savais bien qu'on te gardait avec nous pour une bonne raison, murmura-t-il d'un ton ému. Fais la bise à tes vieux.

Elle sourit et posa ses lèvres sur celles de Johnno, puis de Brian.

— À demain, dit-elle. Vous allez leur en mettre plein les oreilles.

La nuit tombait, quand elle se dirigea vers sa voiture. Il avait plu, de nouveau, dans l'après-midi. La chaussée brillait et l'air était frais, chargé d'humidité. Elle n'avait pas envie de rentrer dans une maison vide. Michael travaillait tard, une fois de plus.

Elle mit le contact et alluma la radio, poussant le volume à fond, comme elle aimait à le faire lorsqu'elle roulait au hasard. Elle allait conduire sans but, pendant une heure ou deux, regarder les maisons à la lueur des lampadaires et voir si ses tours de roues la conduiraient vers la plage, vers les collines ou du côté des canyons.

Détendue, elle prit une vitesse de croisière, écoutant la musique. Elle ne regarda pas dans son rétroviseur. Pas plus qu'elle ne remarqua la voiture qui s'engagea derrière elle.

Michael était planté devant le tableau noir, dans la salle de conférences ; il étudiait ses listes. Il venait d'établir une nouvelle connexion. C'était un travail lent, frustrant, mais chaque nouveau maillon le rapprochait du bout de la chaîne.

Jane Palmer avait connu beaucoup d'hommes. Les retrouver tous prendrait toute une vie. Mais quelle satisfaction formidable d'en découvrir enfin un qui figurait sur la liste !

Elle avait utilisé l'argent de Brian pour quitter son taudis et s'installer dans un appartement beaucoup plus confortable, à Chelsea. C'était là qu'elle avait habité entre 1968 et 1971, avant d'acheter la maison sur King's Road. Et durant la majeure partie de l'année 1970, elle avait hébergé un chanteur qui essayait de percer en se produisant dans des pubs. Un dénommé Blackpool.

Ainsi, pendant que les McAvoy vivaient dans les collines d'Hollywood, Jane Palmer fricotait avec Blackpool. Le même Blackpool qui se trouvait chez les McAvoy, en cette soirée fatidique de décembre. N'était-il pas étrange que Jane n'ait jamais parlé de lui dans son livre ? Elle avait jeté en pâture au public tous les noms susceptibles de satisfaire la curiosité avide des masses, à une exception près : Blackpool. Ce dernier, pourtant, était devenu une star confirmée, au moment de la publication du livre. Alors, pourquoi n'était-il pas mentionné une seule fois ? Parce que ni l'un ni l'autre ne souhaitaient rappeler leur liaison, conclut Michael.

McCarthy passa la tête dans l'entrebâillement de la porte.

— Bon sang, Kesselring, tu es encore en train de t'amuser avec cette histoire ? J'ai faim, moi.

— Robert Blackpool était l'amant à demeure de Jane Palmer de juin 1970 à février 1971.

— Allons bon, il ne te reste plus qu'à invoquer les foudres de Dieu !

Michael fourra un dossier entre les mains de son coéquipier.

— J'ai besoin d'un rapport complet sur Blackpool.

— Et moi, j'ai besoin de viande rouge.

— Tu manges trop, répondit Michael en retournant vers la salle de police.

— Et toi, cette affaire a anéanti ton sens de l'humour. Blackpool est une star. Bon sang, il fait des pubs pour la bière ! Et tu veux le mêler à une tragédie vieille de vingt ans ?

— Peut-être pas, mais il ne me reste plus que huit noms, rétorqua Michael en s'installant derrière son bureau. Quelqu'un m'a piqué mon Pepsi.

— Je vais appeler les flics. Michael, sans blague, tu pousses le bouchon un peu trop loin, cette fois.

— Tu t'inquiètes pour moi, Mac ?

— Je suis ton partenaire. Ouais, je m'inquiète pour toi, et pour moi aussi, par la même occasion. Si on se retrouve dans un mauvais coup alors que tu es sous tension, tu seras incapable de me couvrir.

Michael avait allumé une cigarette. Il considéra son collègue à travers un voile de fumée.

— Je connais mon boulot, déclara-t-il d'un ton dangereusement calme.

— Et moi, je suis ton ami et je prétends que si tu ne lèves pas le pied, au moins pendant quelques heures, ça ne profitera à personne, surtout pas à ta fiancée.

— Je touche au but, murmura Michael. Je le sais. Je le sens. J'ai l'impression que c'est arrivé hier et que je remonte la piste, pas à pas.

— Comme ton vieux

— Ouais.

Avec un soupir, Michael se frotta le visage.

— Je deviens cinglé.

— Tu satures, c'est tout. Prends deux heures. Tu as besoin de te changer les idées. Crois-moi, tu n'y verras que plus clair.

Michael contempla fixement les papiers qui couvraient sa table.

— Je t'invite à bouffer et tu m'aides à écumer le passé de Blackpool.


Emma arrêta la voiture et regarda en direction de la maison, à travers la brume du soir. Elle ne savait pas comment elle était arrivée jusque-là. Un besoin inconscient, peut-être. Ou bien le hasard. Elle se rappela le jour où elle y était revenue, en compagnie de Michael. Il faisait alors un temps superbe.

Ce soir, des lumières brillaient à travers les fenêtres et elle se demanda qui habitait la maison, à présent. Un enfant dormait-il dans la chambre qu'elle avait occupée, jadis, ou dans celle de Darren ? Elle l'espérait sincèrement. Elle voulait croire que la vie était plus forte que la tragédie. Des rires avaient retenti dans cette demeure ; des rires de vrai bonheur. Elle voulait penser qu'ils résonnaient de nouveau entre ces murs.

Elle se rappela les paroles de Johnno, un moment plus tôt, et son angoisse de vieillir. La plupart du temps, elle voyait encore les quatre musiciens à travers ses yeux d'enfant, et non comme des hommes qui avaient vécu près d'un quart de siècle avec, pour compagnons parfois encombrants et toujours inséparables, la célébrité et l'ambition, le succès et les échecs.

Ils avaient tous changé. Elle, plus encore. Elle ne se considérait plus comme l'ombre du quatuor emblématique qui avait dominé sa vie. Et si elle était plus forte, aujourd'hui, c'était à cause de la lutte qu'elle avait dû livrer pour s'accepter enfin comme un être humain à part entière.

Elle contempla encore un instant la maison nichée sur la colline et souhaita de tout son cœur être visitée par son rêve, la nuit prochaine. Cette fois, elle ouvrirait la porte et elle verrait.

Libérant le frein à main, elle ramena la voiture sur la route étroite. Aussitôt, un reflet de phares embrasa son rétroviseur, si fort qu'elle en fut aveuglée. Instinctivement, elle porta une main devant son visage pour se protéger de l'éblouissement.

Encore un chauffard qui avait trop bu, se dit-elle en cherchant un endroit sur le bas-côté pour se ranger, afin de le laisser passer. Lorsque celui-ci l'emboutit brutalement par-derrière, elle se sentit chasser dangereusement vers le parapet. Ses pneus crissèrent sur la chaussée mouillée, cependant qu'elle luttait pour redresser la voiture. Le cœur cognant dans sa poitrine, elle glissa le long du virage suivant, avant que les phares l'aveuglent de nouveau. L'impact du deuxième choc la projeta contre la sangle de sa ceinture de sécurité.

Cette fois, elle n'avait plus le temps de penser. Son pare-chocs arrière heurta le garde-fou, tandis que, devant elle, se profilait l'ombre menaçante d'un arbre. Elle eut à peine le temps de donner un coup de volant vers la droite, évitant ainsi l'obstacle, avant de manœuvrer dans la courbe, tout en freinant par à-coups, afin de réduire sa vitesse. Derrière elle, l'automobiliste avait ralenti.

Il revint à la charge. Un instant, elle vit le véhicule et en imprima l'image dans son esprit, avant que les phares ne se réfléchissent de nouveau dans son rétroviseur. Prête pour ce nouvel impact, elle ne put cependant s'empêcher de crier.

Ce n'était pas un chauffard. Il n'était pas soûl. La réalité était plus terrifiante encore : quelqu'un essayait de la tuer. Cette fois, elle n'était pas le jouet de son imagination. Il ne s'agissait pas d'un quelconque résidu de traumatismes anciens. Cela se passait pour de bon. Elle voyait les phares ; elle entendait le frottement du métal et le crissement de ses pneus luttant pour adhérer au pavé.

La voiture la rattrapa sur la gauche et se mit à la tamponner, encore et encore, cherchant manifestement à la pousser par-delà la corniche. Elle s'entendit hurler, tandis qu'elle se jetait dans le virage suivant.

Elle ne pourrait pas le semer, songea-t-elle en réfléchissant à toute vitesse. Il avait une voiture plus rapide, plus puissante que la sienne. Et le chasseur avait toujours l'avantage sur sa proie. La route qui serpentait à travers les collines ne lui laissait pas assez de place pour manœuvrer. Elle ne pouvait que tomber dans le vide.

Il la rattrapait déjà. Voyant la forme de l'automobile se rapprocher de plus en plus, elle secoua la tête. D'un instant à l'autre, il allait la projeter dans le néant.

Désespérée, elle donna un brusque coup de volant sur la gauche, prenant l'offensive. Cette attaque parut surprendre son adversaire, mais ne donna guère plus d'un instant de répit à la jeune femme. Déjà, elle le voyait revenir à la charge. C'est alors qu'une voiture arriva dans la direction opposée.

Tentant le tout pour le tout, elle écrasa la pédale d'accélération. En face d'elle, l'autre voiture freina et fit une embardée en klaxonnant. Emma vit le véhicule derrière elle déraper sur la droite, à une vitesse folle.

Elle prit le virage suivant, seule dans la nuit. Puis elle entendit l'accident. Les craquements de la tôle se mêlèrent à ses propres cris, tandis qu'elle fonçait sur la route, en direction des lumières de Los Angeles.

McCarthy avait eu raison. Non seulement Michael se sentait mieux, après un bon repas et une coupure d'une heure, mais il avait l'esprit plus clair. Utilisant ses contacts et ceux de son père, il venait d'appeler un des partenaires de Lou au poker, un homme qui travaillait à l'Immigration, puis le FBI, le service du Motor Vehicle Administration et maintenant, l'inspecteur Carlson à Londres.

Nul ne semblait apprécier d'être dérangé aussi tard, mais, l'estomac plein, Michael n'avait aucun mal à user de son charme.

— Je suis désolé de vous déranger, inspecteur... Oh, mon Dieu, j'ai complètement oublié le décalage horaire. Je suis *vraiment* désolé. Oui, eh bien, j'ai besoin d'informations sur Robert Blackpool. Oui, lui-même. Je veux savoir qui il était, avant 1970. Avec cela, je devrais être capable de reconstituer le puzzle.

Il allait également contacter Pete Page, se dit-il, avant d'enchaîner :

— Tout ce que vous pourrez trouver me sera peut-être utile. Je ne sais pas encore si j'ai une piste, mais vous serez le premier à...

Soudain, Emma fit irruption dans le bureau, l'air hagard, un filet de sang coulant sur sa tempe. La jeune femme se laissa tomber dans le fauteuil, en face de lui.

— Quelqu'un essaie de me tuer.

Il raccrocha brusquement, sans un mot d'explication pour l'inspecteur Carlson.

— Que s'est-il passé ?

Déjà, il était près d'elle et prenait son visage entre ses mains.

— Sur la route, dans les collines... une voiture... a essayé de me pousser dans le vide.

— Tu es blessée ? demanda-t-il en palpant les membres de la jeune femme, à la recherche de fractures.

Emma entendit d'autres voix. On s'était rassemblé autour d'elle. Un téléphone sonnait, sonnait, sonnait. Elle vit les lumières tournoyer au-dessus d'elle, puis la pièce tout entière, cependant qu'elle glissait de sa chaise.

On avait posé un linge mouillé contre son front. C'était frais. Elle gémit doucement en y portant sa main.

— Tout va bien, lui dit Michael. Tu t'es juste évanouie quelques minutes. Bois ça. C'est de l'eau.

Elle avala une gorgée, abandonnant sa tête contre le bras solide de Michael. Son odeur la rassurait, et elle se sentit en sécurité de nouveau. Tout irait bien, maintenant.

— Je veux m'asseoir.

— D'accord. Vas-y doucement.

Elle regarda autour d'elle. Un bureau. Elle se rappela les lettres peintes sur la porte vitrée : Homicide. C'était sans doute le bureau du capitaine Kesselring. Derrière Michael, elle aperçut un autre homme, mince, le crâne un peu dégarni. Elle l'avait déjà vu à l'hôpital, alors qu'elle se remettait des blessures infligées par Drew.

— Je suis McCarthy, déclara ce dernier. Le partenaire de Michael.

— Oui, je me souviens de vous, murmura-t-elle.

McCarthy hocha la tête. Elle avait peut-être été commotionnée, mais elle était lucide.

— Emma, reprit Michael, que s'est-il passé ?

— J'ai cru que c'était mon imagination. Que quelqu'un me suivait.

— Qui ?

— Je ne sais pas. Avant de quitter Londres, je... j'ai eu l'impression d'être surveillée.

Elle leva les yeux vers le visage de McCarthy, s'attendant à y trouver une expression dubitative ou amusée. Mais il l'écoutait, assis sur un coin du bureau.

— J'en étais presque convaincue. Ce sont des choses qu'on sent, quand on a passé tant d'années avec des gardes du corps. Je ne peux pas l'expliquer.

— Tu n'as pas besoin de te justifier, dit Michael. Continue.

Elle le regarda, le cœur dans la gorge. Il était sincère. Elle n'aurait jamais à se justifier, avec Michael. Alors, elle lui raconta tout : le type à New York, qui semblait surveiller le loft. Son père qui l'avait assurée n'avoir pas engagé un nouveau garde du corps. Enfin, la voiture qui l'avait suivie à la sortie du supermarché, le soir de son retour à Los Angeles.

— Tu ne m'as jamais parlé de ça, répliqua Michael.

— Je pensais le faire et puis… Tu étais bouleversé, quand tu es rentré, et j'ai plus ou moins oublié. Je n'aimais pas trop l'idée que j'étais peut-être en train de perdre la tête. J'avais l'impression que la maison avait été visitée en mon absence, que le téléphone faisait un drôle de bruit, comme s'il était sur écoute. Des réactions typiques de paranoïaque.

— Ne sois pas stupide, Emma.

Elle retint un sourire. Il ne lui permettait jamais de s'apitoyer trop longtemps sur son sort.

— Je ne peux pas prouver que c'était lié à ce qui s'est passé, ce soir, mais j'en ai la conviction profonde.

— Qu'est-il arrivé, exactement ?

Là encore, elle n'omit rien.

— Je ne me suis pas arrêtée, conclut-elle. Je ne sais pas si quelqu'un a été blessé, si l'autre voiture a été accidentée. Je n'y ai même pas pensé, jusqu'à mon arrivée ici. Je roulais.

— Tu as bien fait. Va examiner sa voiture, dit-il à McCarthy. Emma, est-ce que tu as pu voir le conducteur ?

— Non. Mais j'ai essayé de noter le plus de détails possibles concernant la voiture. Elle était foncée, bleue ou noire, je ne sais pas exactement. Je n'y connais rien en marques, mais c'était un gros modèle. Peut-être une Cadillac, ou une Lincoln, avec des plaques de Los Angeles. J'ai vu les lettres : MBE. Je n'ai pas réussi à distinguer les chiffres, en revanche.

— C'est déjà excellent.

Il l'embrassa.

— Je vais te faire conduire à l'hôpital.

— Je n'ai pas besoin d'aller à l'hôpital.

Il toucha doucement la tempe de la jeune femme.

— Tu as une bosse de la taille d'un œuf.

— Je ne l'ai même pas sentie. Michael, je ne veux pas aller à l'hôpital. J'ai eu ma dose pour toute une vie.

— D'accord, dit-il en se penchant pour l'embrasser de nouveau.

McCarthy revint à cet instant.

— Vous devez être une sacrée conductrice, mademoiselle McAvoy.

— Emma, rectifia-t-elle. La peur m'a donné du talent.

— Mike, j'ai besoin de toi, une minute.

— Ne bouge pas, dit ce dernier, s'adressant à la jeune femme. Je reviens tout de suite.

Il sortit et referma la porte sur lui.

— Alors ? demanda-t-il.

— Je ne sais pas comment elle a fait pour s'en sortir indemne. La voiture a l'air d'avoir concouru au Demolition Derby. J'ai demandé à un des gars de téléphoner aux hôpitaux. Ils viennent juste d'admettre un type en urgence. Accident de voiture dans les collines. Ils ont dû découper une Cadillac toute neuve pour en sortir le conducteur. Blackpool, ajouta-t-il. Il est dans le coma.

## 44

— Tu es sûre de te sentir d'attaque ? demanda Johnno, comme Emma le rejoignait au bas de l'escalier.

— Je n'en ai pas l'air ?

Elle pivota lentement sur elle-même en prenant des poses de mannequin. Sa robe bleu nuit brillait de mille sequins, découvrant ses épaules et épousant ses courbes élégantes. Aussi fine et souple qu'une liane, Emma avait ramené ses cheveux sur le haut de la tête en un chignon torsadé, et épinglé le phénix offert par Johnno au revers de sa veste argentée.

Celui-ci sourit en touchant doucement la bosse qu'elle avait camouflée sous une couche de maquillage.

— Tu as passé un sale moment, il y a deux jours.

— Mais c'est fini. Blackpool ne peut pas me faire de mal depuis son lit d'hôpital. Michael a beau le croire mêlé au meurtre de Darren, ce qui est bien possible, nous ne serons sûrs de rien, tant qu'il ne sera pas sorti du coma ; si jamais il en sort. J'ai essayé de l'imaginer dans la chambre de Darren, cette nuit-là, mais je n'arrive pas à me rappeler.

— Il y avait quelqu'un d'autre avec lui.

— N'est-ce pas la raison pour laquelle j'ai l'immense privilège d'être escortée à la soirée des Grammy par l'homme le plus séduisant de la ville ?

Johnno sourit de plus belle.

— Je doute fort de pouvoir remplacer Michael.

— Tu n'as pas besoin de le remplacer. Et puis, il nous rejoindra, s'il le peut. Prêt ?

— Autant que possible, répondit Johnno en lui donnant le bras.

— Allons, ne joue pas les timides avec moi. Je sais combien tu aimes être sous les feux des projecteurs.

Rien n'était plus vrai. Pourtant, Johnno ne parvenait pas à se débarrasser d'un certain sentiment d'inquiétude.

— Je croyais connaître ce salopard, dit-il en s'installant sur la banquette de cuir de la limousine. Je ne l'appréciais pas particulièrement, mais j'étais sûr de l'avoir cerné. Quand je pense que Brian et moi lui avons écrit son premier succès !

— Allons, il ne sert à rien de te culpabiliser.

— S'il est réellement mêlé à...

Il s'interrompit, secoua la tête et tira une cigarette d'un boîtier en or.

— En tout cas, les tabloïds ont de quoi s'occuper pendant des années.

— On ne peut pas l'empêcher, répondit Emma. Tout finira par se savoir. Le rôle de Jane, celui de Blackpool. Il va falloir s'habituer à vivre avec cette idée.

— C'est dur pour Brian de traverser la même épreuve une deuxième fois.

— Il est plus fort, maintenant. Nous le sommes tous.

Johnno prit la main de la jeune femme pour la porter à ses lèvres.

— Tu sais, si jamais tu quittais Michael, je crois que je pourrais considérer l'éventualité de changer de... style.

Elle rit et décrocha le téléphone, qui s'était mis à sonner.

— Oui, Michael.

Johnno vit le visage de la jeune femme s'éclairer d'un sourire lumineux.

— Eh bien, je suis en train de réfléchir à la demande en mariage d'un homme incroyablement séduisant. Non. Johnno.

Elle posa la main sur la bouche du combiné.

— Michael tient à te prévenir qu'il a d'excellents amis au département des véhicules à moteur, et qu'il peut transformer ta vie en un cauchemar permanent.

— Je prendrai le bus, décréta Johnno.

— Oui, reprit Emma. Le rendez-vous au théâtre est à 16 heures.

— Je suis désolé de ne pas pouvoir être avec toi, dit Michael en jetant un coup d'œil vers le couloir qui menait au service de réanimation. Si la situation évolue, je te rejoindrai.

— Ne t'inquiète pas pour moi, Michael.

— Facile à dire. Je suis en train de louper l'occasion de me promener en limousine et de me frotter aux célébrités de la musique. Si tu m'épousais, je pourrais au moins le faire une fois par semaine.

— D'accord, répondit Emma.

— Quoi, d'accord ?

Michael venait juste d'apercevoir le médecin qui se dirigeait vers lui.

— Je t'épouse.

Il glissa une main dans ses cheveux et changea l'écouteur d'oreille.

— Pardon ?

Emma eut un sourire béat.

— La ligne serait-elle mauvaise ?

— Non, je... Mince, ne quitte pas.

Il posa la paume de sa main en travers du combiné, et se tourna vers le médecin qui lui parlait.

— Il faut que j'y aille, Emma. Il est en train de sortir du coma. Écoute, n'oublie pas ce dont on parlait, OK ?

— Je n'oublierai pas.

Elle raccrocha à l'instant où Johnno faisait sauter le bouchon d'une bouteille de champagne.

— Est-ce que je serai invité, cette fois ? demanda ce dernier.

— Hein ? Oh, oui. Oui, bien sûr.

Un peu étourdie, Emma regarda fixement la coupe qu'il lui tendait.

— C'était tellement facile.

— Ça l'est toujours, quand la décision est la bonne.

Sincèrement ému, Johnno trinqua avec elle.

— À Michael, l'homme le plus veinard que je connaisse.

— Ça va marcher, cette fois. J'en suis sûre.

*
* *

Au pied du lit de Blackpool, Michael étudiait l'homme qui avait essayé de tuer Emma. Mal lui en avait pris. Son visage était détruit ; si jamais il s'en sortait, il faudrait une série d'interventions chirurgicales pour le reconstruire. Mais les médecins n'étaient guère optimistes quant à ses chances de survie ; ses blessures internes étaient trop graves.

Michael se moquait éperdument de savoir s'il allait vivre ou crever. Il voulait juste cinq minutes avec lui.

Il avait reçu un premier rapport sur Blackpool, encore incomplet, mais très révélateur. L'homme qui émergeait à cet instant du coma était né Terrance Peters. Adolescent, il avait accumulé les larcins, avant de se spécialiser dans les délits d'agression, généralement sur les femmes, et dans la revente de drogues. Puis, ayant changé de nom, il avait embrassé la carrière de chanteur et tenté de se faire connaître en se produisant dans les clubs. Londres l'avait englouti, et, bien que soupçonné de cambriolages à plusieurs reprises, il avait toujours réussi à s'en tirer sans être inquiété. Sa chance avait tourné le jour où il avait rencontré Jane Palmer.

— Il n'est pas en état de parler, dit le Dr West.

— Je serai bref.

— Je ne peux pas vous laisser seul avec lui.

— Aucun problème. On a toujours besoin d'un témoin.

Michael s'approcha du blessé.

— Blackpool.

Celui-ci battit des paupières, avant de les refermer.

— Blackpool, je veux vous parler de Darren McAvoy

L'interpellé se força à rouvrir les yeux. Il eut une grimace, sous l'effet d'une douleur fulgurante.

— Vous êtes flic ?

— Oui.

— Allez vous faire foutre. Je suis blessé.

— Je vous apporterai une carte de convalescence. Vous avez fait une mauvaise chute, mon vieux. Votre vie ne tient qu'à un fil.

— Je veux un toubib.

— Je suis le Dr West, monsieur Blackpool. Vous êtes…

— Ôtez ce salopard de ma vue.

L'ignorant, Michael se pencha plus près.

— C'est le moment ou jamais de libérer ta conscience.

— Je n'ai pas de conscience, marmonna Blackpool, essayant de produire un rire qui s'étrangla dans sa gorge.

— Dans ce cas, tu auras peut-être envie de couler quelqu'un avec toi. On sait le rôle que tu as joué dans le kidnapping du gosse.

— Elle s'est rappelé ?

Comme Michael ne répondait rien, il ferma les yeux.

— Évidemment, il a fallu que cette garce se souvienne de moi et pas de lui. C'était censé être un boulot facile, d'après ce qu'il m'avait dit. On enlevait le môme et on récupérait la rançon. Il ne voulait même pas du fric. Et quand ça a foiré, il est parti et m'a demandé de tout nettoyer. Comme ce type, dans la cuisine, qui commandait des pizzas. Je n'avais qu'à l'expédier dans l'au-delà, rester cool, et obtenir tout ce que je voulais.

— Qui ? demanda Michael. Qui était avec toi ?

— Il m'a donné dix mille livres. On ne néglige pas une jolie somme pareille, même si c'était loin du million qu'on voulait demander en échange du gosse. Je n'avais qu'à attendre peinard et le laisser s'occuper de tout. Le môme était mort et la gamine ne se rappelait rien. Elle était traumatisée, disait-il. Personne ne saurait jamais rien, et il s'occuperait de me propulser au sommet. Il suffisait que je m'accroche aux basques de McAvoy.

Il rit et lutta pour reprendre son souffle.

— Vous allez devoir le laisser, maintenant, détective, intervint le médecin.

Michael l'écarta d'un geste de la main.

— C'était qui, nom de Dieu ? Son nom. Qui a tout organisé ?

Blackpool rouvrit les yeux. Ils étaient rouges, mais luisaient d'une lueur maligne.

— Allez tous au diable.

— Tu vas mourir à cause de ça, dit Michael entre ses dents. Dans ce lit, ou empoisonné par des gaz toxiques, en toute légalité.

— Vous le ferez tomber ?

— Personnellement.

Souriant, Blackpool referma les yeux.

— C'était Page. Pete Page. Dites-lui que je le verrai en enfer.

Emma regarda les machinistes installer les portes coulissantes, au fond de la scène. Dans quelques heures, elle franchirait l'une d'elles et marcherait vers le micro.

— J'ai le trac, dit-elle à Beverly. C'est idiot. Je n'ai qu'à lire trois phrases sur un prompteur, ouvrir une enveloppe et tendre la récompense au gagnant.

— De préférence ton père, Brian. Allons dans la loge. Ils sont trop occupés pour l'utiliser.

— Tu ne veux pas rejoindre ton fauteuil ? Ça va bientôt commencer.

— Pas tout de suite, répondit Beverly en ouvrant une porte. Oh, pardon, Annabelle.

Emma se maudit de n'avoir pas apporté son appareil photo. Lady Annabelle, moulée dans un fourreau rose vif dégoulinant de paillettes, était en train de retirer une couche sale à son bébé. Le tableau était unique.

— Pas de problème, répondit celle-ci en soulevant le jeune Samuel Ferguson dans ses bras. Je me suis réfugiée ici pour lui donner à manger et le changer. Il faut qu'il assiste au triomphe de son papa.

Emma regarda les yeux mi-clos du bébé.

— À mon avis, il ne tiendra pas la route.

— Il a juste besoin d'une petite sieste, répondit Annabelle en le posant sur le canapé. Ça vous ennuierait beaucoup de le garder quelques minutes ? Je dois voir P. M.

— Tu plaisantes ? Ce sera avec plaisir, murmura Beverly.

— Je n'en ai pas pour longtemps.

Annabelle hésita sur le seuil.

— Vous êtes sûres ? S'il se réveille...

— Nous saurons le distraire, promit Beverly.

Sur un dernier regard, Annabelle referma doucement la porte.

— Qui aurait pu imaginer lady Annabelle dans ce rôle de mère dévouée ? dit Emma.

— La maternité transforme une femme, répondit Beverly, qui s'installa sur l'accoudoir du canapé pour regarder dormir le petit Samuel. Je voulais te parler, justement.

Elle marqua une pause.

— Je ne sais pas ce que tu vas en penser, mais... Brian et moi allons avoir un autre bébé.

Emma la fixa, bouche bée.

— Un bébé ?

— Je sais. Nous avons été surpris aussi, même si nous essayions plus ou moins. C'est un peu fou, après tout ce temps. J'ai presque quarante-deux ans.

— Un bébé, répéta Emma.

— Pas pour remplacer Darren, enchaîna Beverly vivement. Rien ne peut le remplacer. Et cela ne veut pas dire que nous ne t'aimons pas autant qu'il est possible d'aimer son enfant, mais…

— Un bébé, s'exclama encore Emma en serrant Beverly dans ses bras. Oh ! je suis si heureuse. Pour vous. Pour moi. Pour nous tous. Quand ?

— La fin de l'été, murmura Beverly, les larmes aux yeux. Nous craignions que tu ne le prennes mal.

— Pourquoi ?

— Cela réveille des souvenirs. Je ne pensais pas moi-même que je voudrais un autre enfant, mais, Emma, je veux celui-ci. Je le veux tellement fort. Seulement… je sais combien tu aimais Darren.

— Nous l'aimions tous.

Comme elle l'avait fait autrefois, Emma posa la main sur le ventre de Beverly.

— Et lui aussi, je l'aime déjà. Oh ! Beverly, c'est merveilleux.

Au même instant, les lumières s'éteignirent brusquement, et Emma sentit sa vieille terreur la paralyser ; cherchant dans l'obscurité les mains de Beverly, elle s'y accrocha.

— Tout va bien, dit celle-ci. C'est sûrement une coupure de courant. Ils vont la réparer très vite. Je suis là.

— Oui, répondit Emma.

Elle allait vaincre cette peur insupportable du noir.

— Je vais voir ce qui se passe, reprit-elle bravement.

— Je t'accompagne.

— Non.

Emma fit un pas vers la porte. Soudain, elle entendit le bébé bouger. Elle frémit. Il n'y avait pas de monstres. Elle n'avait pas peur du noir.

Elle trouva la poignée de la porte, mais au lieu d'en être soulagée, elle fut saisie d'une folle angoisse. Elle se voyait ouvrir et regarder de l'autre côté. Le bébé pleurait. Étourdie, elle se demanda si elle entendait l'enfant derrière elle, ou dans son esprit. Les accords d'une chanson résonnaient, une vieille chanson qu'elle reconnaissait entre toutes.

Ce n'était pas un rêve, se dit la jeune femme. Elle était éveillée. N'avait-elle pas attendu, presque toute sa vie, de voir qui se trouvait derrière la porte ?

Les doigts tremblants et raides, elle l'ouvrit, dans la réalité, comme dans sa mémoire. Et elle sut.

— Mon Dieu.

— Emma, s'écria Beverly, qui avait pris le bébé dans ses bras pour le rassurer. Qu'y a-t-il ?

— C'était Pete.

— Quoi ? Pete est dans le couloir ?

— Il était dans la chambre de Darren.

— Quoi ? Que dis-tu ? demanda Beverly d'une voix blanche.

— Il se trouvait dans la chambre de Darren, cette nuit-là. Quand j'ai ouvert la porte, il s'est tourné et il m'a regardée. À côté de lui, quelqu'un tenait Darren. Il le faisait pleurer. Je ne connaissais pas l'autre. Pete m'a souri, mais il était en colère. J'ai couru. Le bébé pleurait.

— C'est Samuel, murmura Beverly. Pas Darren. Emma, viens t'asseoir.

— C'était Pete, gémit Emma. Je l'ai vu.

— J'espérais que tu ne te le rappellerais jamais, dit Pete, dont l'ombre se profila sur le seuil.

Il tenait une lampe torche dans une main et un revolver dans l'autre.

— Je ne comprends rien, s'exclama Beverly, serrant le bébé contre elle. Que se passe-t-il ?

— Emma est épuisée, répondit-il d'une voix étrangement calme. Allons, il vaut mieux que tu viennes avec moi.

Pas encore, songea la jeune femme. Cela n'arriverait pas une deuxième fois. Sans réfléchir, elle se jeta sur lui. La torche tomba sur le sol, envoyant un jet de lumière sur les murs et le plafond.

— Cours ! cria-t-elle à Beverly, tout en luttant pour échapper à Pete. Prends le bébé et cours. Trouve quelqu'un. Il va le tuer.

Elle hurla, donnant des coups de pied et de poing, tandis que Pete se penchait pour l'immobiliser.

— Ne le laisse pas tuer un autre bébé. Va chercher papa.

Le petit Samuel vagissant dans ses bras, Beverly s'enfuit en direction de la scène, où régnait le plus grand désordre.

— C'est trop tard, dit Emma, comme Pete la remettait debout. Ils vont te prendre. Ils seront là dans une seconde.

Déjà, des lampes brillaient dans le noir. On entendait des cris et des bruits de pas. En désespoir de cause, Pete entraîna la jeune femme dans la direction opposée. Emma cessa de se débattre quand elle sentit le métal froid du revolver contre sa mâchoire.

— Ils savent que c'est toi, reprit-elle.

— Elle ne m'a pas vu, marmonna-t-il en la poussant dans un escalier. Il faisait noir. Elle ne peut pas en être sûre.

— Elle sait. Tout le monde sait, maintenant. Ils arrivent, Pete. C'est fini.

Non. Ça ne pouvait pas être fini. Il avait travaillé trop dur. Il avait tout prévu, tout planifié avec trop de soin.

— C'est moi qui décide quand c'est terminé. Je sais quoi faire. Je peux tout arranger.

Ils étaient arrivés au-dessus de la scène. À leurs pieds, Emma voyait les lumières et l'extrême confusion qui régnait partout ; faisant mine de trébucher, elle dégrafa le phénix épinglé à sa veste et l'abandonna sur le sol.

— Si tu cries, je te tue, menaça Pete en la relevant.

Il avait besoin de réfléchir. Soudain, il aperçut un monte-charge et poussa la jeune femme à l'intérieur. Il lui fallait juste un peu de temps.

Tout aurait dû se passer vite et bien. Profitant de l'obscurité et de la panique générale, il aurait trouvé Emma et l'aurait forcée à avaler les pilules. C'était facile.

Mais rien ne s'était déroulé comme prévu.

Exactement comme la première fois.

— Pourquoi ? demanda Emma qui, prise de vertige, se laissa glisser au sol. Pourquoi as-tu fait ça à Darren ?

Pete transpirait. La sueur glissait sur sa poitrine, tachant sa chemise de lin.

— Il ne devait rien lui arriver. Il ne devait rien arriver à personne. C'était juste un coup de publicité.

— Quoi ?

— Ta mère m'avait donné l'idée.

Pete baissa les yeux sur Emma. Elle ne lui causerait pas de problème. Elle était blanche comme un linge. Depuis toujours, elle se sentait mal dans les avions, les ascenseurs. Elle ne supportait pas l'altitude. Il jeta un coup d'œil vers les boutons de commande du monte-charge. Comment n'y avait-il pas pensé plus tôt ? La première partie de la cérémonie avait dû commencer. Le spectacle continuait. L'illusion était à l'ordre du jour et, tandis que des millions de spectateurs regardaient l'industrie du disque s'agiter et échanger des congratulations, quelques gardes devaient chercher Emma dans les coulisses. Le mieux était de monter là-haut, où il aurait le temps de réfléchir et de mettre au point un nouveau plan.

Il poussa le bouton du dernier étage.

— Qu'est-ce que tu racontes ? insista Emma, comme l'engin se mettait en branle.

— Jane. Elle était toujours en train de m'empoisonner pour soutirer plus d'argent à Brian, menaçant d'aller voir la presse pour lui raconter telle ou telle histoire. Au début, elle m'inquiétait, et puis, je me suis aperçu que toute publicité te concernant entraînait un boum dans les ventes de disques.

Le monte-charge venait de s'arrêter, et il entraîna Emma vers un autre escalier. Elle avait le cœur soulevé par la nausée, et son corps tout entier était secoué de sueurs froides. Un bras glissé autour de son cou, Pete ouvrit une porte et la poussa sur le toit du théâtre. Le vent gifla le visage de la jeune femme, s'engouffra dans ses cheveux défaits et lui éclaircit l'esprit.

Le soleil brillait encore et elle se demanda fugitivement comment il pouvait faire jour, alors qu'elle était, depuis si longtemps, dans l'obscurité.

— On parlait de Darren, dit-elle en le regardant droit dans les yeux, cependant qu'elle reculait lentement. J'ai besoin de savoir. Pourquoi étais-tu dans la chambre, cette nuit-là ?

Pete hésita à peine. Il pouvait se permettre de lui répondre. Un instant, il avait presque perdu le contrôle de lui-même et de la situation. Mais tout allait mieux, maintenant. Il était sûr de trouver un moyen de se tirer de ce mauvais pas.

— Les choses avaient commencé à se compliquer. Le groupe traversait une mauvaise passe. Il n'y avait plus la même cohésion qu'au début. Ils avaient besoin d'être secoués. Jane est venue me voir avec Blackpool. Elle voulait que j'en fasse une star, plus grande encore que Brian. Elle s'est soûlée, ce soir-là.

Il eut un geste de la main.

— Bref, elle m'a offert une solution : le kidnapping de Darren. La presse s'emparerait de l'histoire, et cela engendrerait des tonnes de sympathie et plus de ventes encore. Le groupe se serrerait autour de Brian, retrouverait son unité. Blackpool et Jane gardant l'argent, tout le monde serait content.

Emma le regarda fixement. Elle avait complètement oublié son vertige ou le revolver.

— Es-tu en train de me dire que mon frère a été tué pour augmenter la vente de disques ?

— Ce fut un accident. Blackpool ne savait pas s'y prendre avec le bébé. Tu es arrivée... Un malheureux concours de circonstances.

— Un malheureux conc...

Son hurlement de révolte et de rage se perdit dans le ciel, tandis qu'elle se jetait sur lui.

# 45

Michael fit irruption au milieu de la panique ambiante. C'était la folie, dans les coulisses de l'auditorium. Dans la salle, on entendait les applaudissements du public, accueillant le nom d'un autre gagnant.

— Où est-elle ? demanda-t-il.

— Il l'a prise, dit Beverly, qui s'accrochait au bras de Brian. Il avait un revolver. Elle l'a retenu pour me permettre de partir avec le bébé et d'aller chercher de l'aide. C'était Pete, conclut-elle, encore sous le choc.

— Il ne s'est pas passé plus de quelques minutes, renchérit Brian. Les types de la sécurité sont après lui.

— Bloque toutes les sorties du bâtiment, cria Michael à l'attention de McCarthy. Et demande des renforts. Il faut fouiller chaque étage. Par où sont-ils partis ?

Dégainant son arme, il emprunta le couloir qui menait aux loges et montra son badge à un garde en uniforme.

— Cet étage est cerné, déclara celui-ci. Il n'est pas allé vers la scène, avec ou sans elle. Nous pensons qu'il est monté.

Le dos au mur, Michael grimpa les marches. Il entendait la musique, derrière lui, résonner comme un écho au fur et à mesure qu'il s'en éloignait. Arrivant sur la première plate-forme, il balaya l'espace avec son arme, avant de se retourner brusquement en entendant du bruit dans l'escalier. Les quatre inséparables l'avaient suivi.

— Redescendez, ordonna-t-il.

— Pas question, dit Brian. Elle est à nous, aussi.

Michael ne discuta pas. Il n'avait pas le temps. Il venait d'apercevoir la broche en forme de phénix, par terre.

— C'est à Emma ? demanda-t-il.

— Elle la portait ce soir, répondit Johnno. C'est moi qui la lui ai donnée.

Michael glissa la broche dans sa poche en regardant le monte-charge. Emma leur indiquait la piste à suivre.

— Bouclez toutes les issues, lança-t-il à l'adresse des gardes de la sécurité. Et continuez à fouiller chaque étage.

Il poussa le bouton du monte-charge et vit, au-dessus de la porte métallique, les numéros décroître depuis le dernier étage.

— Dites à McCarthy qu'il l'a emmenée tout là-haut.

— On vous suit, reprit Brian.

— C'est l'affaire de la police.

— C'est une affaire personnelle, rectifia le père d'Emma. Et depuis toujours. S'il touche un seul de ses cheveux, je le tuerai de mes propres mains.

Michael embrassa les quatre hommes du regard.

— Il vous faudra, chacun, prendre votre tour.


Pete repoussa Emma et lutta pour reprendre son souffle.

— Ça n'arrangera rien, Emma. Je ne veux pas te faire plus de mal que je n'y suis forcé.

— C'était un bébé, cria-t-elle. Tu lui as acheté un gobelet en argent pour sa naissance. Le jour de son premier anniversaire, tu avais loué un poney.

— Je l'aimais beaucoup.

— Tu l'as assassiné.

— Je n'ai jamais levé la main sur lui. Blackpool a été trop violent, il a paniqué. Je ne voulais pas ça.

— Non, tu voulais juste l'utiliser, et te servir ensuite de l'angoisse et de la peur de mon père. Oh, je sais bien ce que tu as imaginé : le fils de Brian McAvoy enlevé dans son berceau. La star du rock paie une rançon de roi pour qu'on lui rende son fils. Des gros titres, avec des photos et des flashs spéciaux aux infos de 23 heures ; des tas de journalistes agglutinés devant la maison, attendant une déclaration des parents terrifiés. Et une autre encore, quand l'enfant serait revenu dans les bras de ses parents. Mais on ne l'a jamais revu vivant, n'est-ce pas ?

— Ce qui est arrivé était tragique.

— Ne me parle pas de tragédie.

Trop bouleversée pour avoir peur, elle se détourna. Le revolver était pointé sur elle, mais elle n'en avait cure. Elle se rappelait tout et se sentait vide, brusquement. Le pire était de penser que ce malheur insupportable s'était produit pour rien.

— Tu étais à son enterrement, comme nous, les yeux baissés, le visage grave, et pendant tout ce temps, les choses se déroulaient exactement comme tu l'avais voulu. Un bébé était mort, mais tu avais toute la publicité dont tu pouvais rêver, n'est-ce pas ? Tes foutus disques se sont vendus par millions !

— J'ai consacré au groupe près de la moitié de ma vie, rétorqua Pete en respirant profondément pour se calmer. Je les ai modelés, façonnés ; j'ai conclu leurs contrats, je les ai écoutés, et j'ai résolu leurs problèmes. Qui, à ton avis, veillait à ce que les maisons de disques n'empochent pas les royalties qui leur revenaient ? Qui s'est battu pour qu'ils grimpent jusqu'au sommet ?

— Tu crois qu'ils avaient besoin de toi ? s'exclama Emma. Tu crois vraiment que tu comptais pour quelque chose ?

— C'est moi qui les ai faits.

— Non, ce sont eux qui t'ont fait !

Il mit la main dans sa poche.

— Quoi qu'il en soit, ce qui va se passer ce soir contribuera à perpétuer la légende. Brian et Johnno sont les favoris pour « la meilleure chanson de l'année », et, avec un peu de chance, le groupe va ramasser deux autres récompenses pour « le meilleur album » et « le meilleur groupe de rock ». Je m'étais dit que ce serait une bonne idée, si tu leur donnais le Grammy. La fille de Brian, veuve tragique de Drew Latimer. Les tragédies font vendre, ajouta-t-il avec un haussement d'épaules. Mais nous en aurons une autre, ce soir.

Il lui tendit deux pilules.

— Avale ça. Elles sont très fortes. Ça facilitera les choses.

Elle baissa les yeux vers la paume ouverte, avant de fixer le visage de Pete.

— Je n'ai pas l'intention de te faciliter les choses.

— Très bien, dit-il en les rempochant.

Il prit la jeune femme par les bras et la poussa vers le bord du toit.

— C'est une longue chute, Emma. Avant que tu aies atteint le sol, je serai en route pour les coulisses.

Son plan était arrêté, maintenant. Il avait recouvré son calme.

— Voici ma version : quand les lumières se sont éteintes, je me suis précipité pour voir si tu allais bien, mais tu as piqué une crise d'hystérie. Je t'ai poursuivie jusqu'ici, inquiet ; hélas, je suis arrivé trop tard pour te sauver. Après toutes ces années, tu continuais à te reprocher la mort de ton frère. Finalement, tu ne l'as plus supporté et tu t'es suicidée.

Il la força à se tourner vers le vide.

— Personne ne sait, à part toi. Et personne d'autre ne saura jamais.

Emma s'accrocha à lui, essayant désespérément de s'éloigner du bord et, un instant surpris par la force de la jeune femme, il perdit l'équilibre. Mais il se rétablit aussitôt, la ceintura et la souleva du sol.

Se sentant perdre pied, elle hurla et se jeta contre lui de tout son poids. Elle vit le ciel et la terre basculer autour d'elle.

Quand Michael enfonça la porte en courant, il eut juste le temps de voir Pete et Emma engagés dans une lutte à mort. Puis, comme Pete levait son revolver, Michael n'hésita pas : il tira.

Le garde-fou arrêta Emma à la taille, lui coupant le souffle, mais Pete avait basculé de l'autre côté. Les mains accrochées aux siennes l'entraînaient vers le vide, et elle commençait de perdre l'équilibre. Pete était à présent au-dessous d'elle, les yeux écarquillés sur un regard terrifié. Lentement, les doigts qui lui encerclaient les poignets glissèrent, avant de la libérer. Et soudain, ce fut la chute, horrible, interminable. L'espace d'une seconde, elle fut près de le suivre dans le néant. Mais déjà, des bras la saisissaient, la tiraient en arrière. Ses pieds décollèrent du sol, de nouveau, mais cette fois, elle était pressée contre un corps dur et chaud ; on la serrait à l'étouffer, tandis qu'une voix répétait son prénom, encore et encore.

— Michael, murmura-t-elle en se laissant aller contre lui. Ne me lâche pas.

— Non.

— Je me suis rappelé.

Elle se mit à sangloter. À travers ses larmes, elle vit son père qui se tenait près d'elle.

— Papa, je me suis rappelé.

Et elle lui tendit les bras.

Emma regardait le feu crépiter dans la cheminée. Stevie l'avait allumé et se tenait près de l'âtre, les mains dans les poches. Ils étaient tous revenus avec elle ; son père, P. M. et sa famille, Johnno. Beverly avait déjà fait des litres de thé.

Aucun d'eux ne parlait, mais elle sentait le choc se muer peu à peu en un sentiment d'incrédulité. Certaines questions demeureraient sans réponse ; il leur faudrait, à jamais, vivre avec le poids des erreurs commises et des regrets qu'on n'efface pas. Mais ils avaient survécu, songea la jeune femme. En dépit du sort qui s'était acharné contre eux, individuellement et en groupe, ils avaient triomphé.

Elle sortit sur la terrasse pour rejoindre Brian, debout face à la mer. Il allait souffrir. C'était dans sa nature d'enfouir les problèmes au fond de son cœur et de les ruminer, qu'il s'agisse de ses malheurs ou de ceux du monde. Puis, il les exorciserait dans un air de guitare ou de synthétiseur, qu'il enrichirait avec des flûtes et des violons.

Elle posa la tête sur l'épaule de son père.

— Il était des nôtres, murmura-t-il, au bout d'un moment. Il était avec nous depuis le début.

— Je sais.

— Je ne comprends pas. Pourquoi ? Pourquoi a-t-il fait une chose pareille ?

Les bras autour de sa taille, Emma se serra contre lui, écoutant les vagues se briser sur la plage. Comment lui dire ? S'il connaissait les raisons absurdes de cette tragédie, jamais plus il ne pourrait composer ou jouer de la musique.

— Je ne sais pas, répondit-elle. Nous pourrions nous poser la question toute notre vie, sans que cela change quoi que ce soit. Papa, ajouta-t-elle en se dégageant un peu pour le regarder, nous devons mettre cette histoire de côté. Il ne s'agit pas d'oublier, mais de l'écarter.

— On repart de zéro ?

— Surtout pas. Je ne voudrais pas revivre tout ça. Maintenant que je sais enfin qui je suis, je n'ai plus de raisons d'avoir peur ni de me poser sans cesse des questions. Et je peux cesser de me culpabiliser, parce que cette fois, je n'ai pas pris la fuite.

— Tu n'as jamais rien eu à te reprocher.

— Ni moi, ni personne d'autre. Viens, retournons à l'intérieur.

Elle l'attira vers les lumières de la maison et, dans le silence complet, se dirigea vers le téléviseur.

— Je veux les entendre dire vos noms.

— Hé, c'est notre tour, les gars ! s'exclama Johnno.

Il posa une main sur l'épaule de Brian, tandis qu'on annonçait les artistes nommés pour « la meilleure chanson de l'année ».

Emma retint son souffle, avant de le relâcher dans un rire, en entendant les noms de Brian McAvoy et Johnno Donovan.

— Bravo, s'écria-t-elle, les bras tendus vers les deux hommes. Oh ! j'aurais tellement voulu vous présenter la récompense.

— L'année prochaine, dit Johnno en l'embrassant très fort.

Elle serra les doigts de Brian dans les siens.

— Promis ? demanda-t-elle. C'est très important, tu sais. Il ne faut pas que ce qui s'est passé gâche un moment si merveilleux.

— Non, répondit Brian en donnant une bourrade affectueuse à son plus vieil ami. Pas mal pour un couple de rockers vieillissants, hein ?

— Je te prie de surveiller le choix de tes adjectifs, répliqua Johnno avec un clin d'œil pour Emma. Jagger est plus vieux que nous.

Il haussa les sourcils quand on frappa à la porte.

— Ah ! voilà notre flic énamouré.

— Tais-toi, Johnno, s'écria Emma qui se précipitait déjà vers la porte.

Conroy bondissait comme un fou autour d'elle.

— Michael.

— Je suis désolé d'avoir été aussi long, dit ce dernier en prenant le collier de son chien pour calmer ses ardeurs. Ça va ?

— Bien sûr. On s'apprêtait à fêter la victoire de papa et de Johnno : ils ont gagné le Grammy de « la meilleure chanson de l'année ».

— Non, on s'en allait, intervint Beverly.

Prenant son sac, elle fit signe aux autres de la suivre. Et sans laisser à Emma le temps de protester, elle l'attira contre elle.

— Le temps est une chose trop précieuse pour le gaspiller, murmura-t-elle.

Puis elle glissa ses bras autour de Michael.

— Merci, dit-elle doucement. Et bienvenue dans notre chaos.

Ils sortirent l'un après l'autre, tandis que Conroy, apaisé, faisait le tour de la pièce, avant d'aller s'endormir dans un coin.

— C'est un sacré groupe, décréta Michael, quand la porte se fut refermée. Sans vouloir faire de jeu de mots.

— Oui. Tu ne vois pas d'inconvénient à ce que nous dînions avec eux, demain soir ?

— Non.

Il se moquait bien de demain. Il ne pensait qu'à ce soir. Il voulait la regarder, la toucher, la sentir.

— Viens là, dit-il en lui tendant les bras.

Elle s'y réfugia et il les referma sur elle, la serrant à l'étouffer. Il avait cru s'être un peu calmé, durant les dernières heures. Mais tout à coup, il mesurait l'étendue du drame qu'ils avaient frôlé. Il avait failli la perdre.

— N'y pense plus, Michael, murmura Emma qui sentait monter la rage en lui. C'est fini. C'est vraiment terminé, cette fois.

Il prit possession de ses lèvres, presque violemment, comme s'il voulait se convaincre qu'elle était bien là, en sécurité, avec lui.

— S'il t'avait...

— Il n'a pas, l'interrompit-elle. Tu m'as sauvé la vie.

— Ouais.

Il se dégagea et enfonça ses mains dans ses poches.

— Si tu dois vraiment me faire subir le quart d'heure de gratitude, fais-le maintenant et qu'on en finisse.

— Nous n'avons pas vraiment eu l'occasion de parler.

— Je suis désolé de n'avoir pas pu revenir avec toi.

— Je comprends. C'est même bien ainsi. J'ai eu le temps de me détendre, de réfléchir.

Il hocha la tête, apparemment peu convaincu, et se mit à arpenter la pièce en tous sens.

— Alors, comment s'est passée ta journée ? reprit-il au bout de quelques instants.

Emma sourit. Tout irait bien. Tout allait se passer parfaitement bien.

— Super. Et toi ?

Il haussa les épaules et continua de marcher, s'arrêtant près d'une table pour prendre un objet qu'il reposait aussitôt.

— Emma, je sais que tu dois être fatiguée, dit-il enfin.

— Non.

— Et le moment est mal choisi...

Emma sourit de nouveau.

— Pas du tout.

Il se retourna. Elle était si belle, dans sa robe bleue étincelante, qu'il en eut la gorge serrée.

— Je t'aime, reprit-il. Je t'ai toujours aimée. Je sais que nous n'avons pas eu beaucoup de temps pour nous jusqu'ici, et je voudrais pouvoir te dire que je t'en consacrerai davantage à l'avenir. Mais je ne peux pas.

— Michael, si je voulais du temps, je le prendrais, dit-elle en faisant un pas vers lui. C'est toi que je veux.

Il la contempla longuement. Puis il prit un écrin dans sa poche.

— J'ai acheté cela il y a plusieurs mois. J'avais l'intention de te l'offrir pour Noël, mais je me suis dit que tu n'étais pas prête. J'avais imaginé un dîner aux chandelles, de la musique et tout le tralala.

Il eut un petit rire, tandis qu'il faisait tourner l'écrin entre ses doigts.

— Il est un peu tard pour jouer la carte de la tradition.

— Tu ne vas donc pas me l'offrir du tout ?

Hochant la tête, il lui tendit la minuscule boîte de velours.

— J'aimerais dire quelque chose, avant de l'ouvrir, reprit Emma en le regardant intensément. Il y a cinq ou six ans, je n'aurais pas été capable d'apprécier ce moment comme je peux le faire aujourd'hui.

Tremblant légèrement, elle souleva le couvercle du petit écrin.

— Oh ! Michael, elle est merveilleuse ! s'exclama-t-elle en levant les yeux vers lui. Elle est absolument merveilleuse.

— Sois bien sûre de toi, dit-il. Tu la prends, et c'est réglé.

Elle étouffa un rire.

— C'est la demande en mariage la plus romantique qu'on puisse faire à une femme !

— Excuse-moi, je suis un peu nerveux. C'est que je t'en ai déjà fait plusieurs, et…

Il attira Emma contre lui et l'embrassa longuement, tendrement.

— Que dis-tu de cela : personne ne t'aimera jamais plus que moi. Je veux seulement pouvoir te le prouver jusqu'à la fin de mes jours.

— C'est bien, murmura-t-elle d'une voix émue. C'est très bien.

Elle sortit la bague de son écrin.

— Pourquoi trois anneaux ? s'enquit-elle en caressant les trois rangs de diamants soudés les uns aux autres.

— Il y en a un qui représente ta vie, un autre qui représente la mienne.

Il lui prit la bague des doigts et la lui glissa à l'annulaire gauche.

— Le dernier symbolise la vie que nous allons avoir, ensemble. Nous sommes liés depuis très longtemps.

Hochant la tête, Emma glissa ses bras autour du cou de Michael.

— J'aimerais me consacrer à ce troisième lien, Michael. Et sans tarder.

**10856**

*Composition*
NORD COMPO

*Achevé d'imprimer en Espagne (Barcelone)*
*par CPI*
*le 8 septembre 2014*

Dépôt légal septembre 2014
EAN 9782290079751
OTP L21EPLN001094N001

ÉDITIONS J'AI LU
87, quai Panhard-et-Levassor, 75013 Paris

*Diffusion France et étranger : Flammarion*